dtv

Reich an Glanz und voller Schatten ist die Geschichte der Familie Salz – in deren Zentrum das prächtige Hotel Fürstenhof in Leipzig stcht. 1914 kauft es der autoritäre Herr Salz. Seine Tochter Lola wird für einen mysteriösen Tod verantwortlich gemacht und verstoßen. Lange wird sie den Fürstenhof nicht mehr betreten, weder während ihrer Flucht quer durch das Deutsche Reich, noch in den 60ern als das Hotel Staatseigentum der DDR ist und Lola mit ihrer labilen Tochter Aveline in München lebt. Erst Lolas Sohn Kurt wird es nach der Wende 1989 gelingen, das Hotel in den Familienbesitz zurückzuholen. Hochbetagt regiert Lola endlich über das Hotel und über eine Familie, die immer noch tief zerrüttet ist – vom Wandel der Zeiten und den Versuchen, der eigenen Geschichte zu entkommen.

Der faszinierende Roman einer höchst eigenwilligen Familie, in der sich die Schatten einer Generation auf die nächste legen – auch wenn jeder versucht, sein Leben in ein ganz neues Licht zu rücken.

Christopher Kloeble studierte am Deutschen Literaturinstitut Leipzig. Er erhielt zahlreiche Stipendien und Auszeichnungen, unter anderem den Literaturpreis der Jürgen Ponto-Stiftung für das beste Romandebüt 2008, ›Unter Einzelgängern‹, und für das Drehbuch zu ›Inklusion‹ den ABU-Prize für das beste TV-Drama. Er war Gastprofessor in Cambridge (GB), sowie an diversen Universitäten in den USA. 2012 veröffentlichte er viel beachtet den Roman ›Meistens alles sehr schnell‹, der auch in Israel, der Türkei, Italien und den USA erschienen ist und verfilmt wird. Kloeble lebt in Berlin und Delhi. Zuletzt erschien ›Home Made in India. Eine Liebesgeschichte zwischen Dehli und Berlin.‹

Christopher Kloeble

Die unsterbliche Familie Salz

Roman

Ausführliche Informationen über

unsere Autoren und Bücher

www.dtv.de

2018 dtv Verlagsgesellschaft mbH & Co. KG, München
© 2016 dtv Verlagsgesellschaft mbH & Co. KG, München
Umschlaggestaltung: dtv nach einem Entwurf
von FAVORITBUERO, München, unter Verwendung
eines Fotos von gettyimages/Mimi Haddon
Satz: Gaby Michel, Hamburg
Druck und Bindung: Druckerei C.H.Beck, Nördlingen
Gedruckt auf säurefreiem, chlorfrei gebleichtem Papier
Printed in Germany · ISBN 978-3-423-14632-6

Für meine Familie

»Es gibt dort [in der Hölle] keine Feuer-
haken«, sagte Aljoscha leise und ernst, dabei
sah er seinen Vater unverwandt an.
»Richtig, richtig, nur Schatten von Feuer-
haken. Ich weiß es, ich weiß. Wie hat doch
ein Franzose die Hölle beschrieben: ›J'ai vu
l'ombre d'un cocher qui avec l'ombre d'une
brosse frottait l'ombre d'une carosse. [Ich hab
den Schatten des Kutschers gesehen, welcher
mit dem Schatten einer Bürste den Schatten
einer Kutsche reibt.]‹«

›Die Brüder Karamasow‹
Fjodor Michailowitsch Dostojewski

WENDY: »After all, one can't leave his
shadow lying about and not miss it sooner
or later.«

›Peter Pan‹
James Matthew Barrie

STAMMBAUM DER FAMILIE SALZ

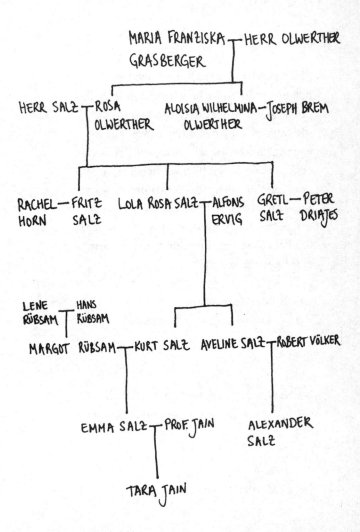

EMMA SALZ

2015

Meine Großmutter starb zwei Mal. Nur war sie nach dem ersten Mal nicht tot.

Am 15. Juli 1990 stieg Lola Rosa Salz, wenige Tage nachdem sie den Leipziger Fürstenhof in Besitz genommen hatte, aus unerfindlichen Gründen und trotz ihres Alters von fünfundachtzig Jahren auf das Dach des Grandhotels und stürzte.

Sie stürzte so schlimm, dass ihr Herz aussetzte. Als es wieder zu schlagen begann, tat es das nicht kräftig genug, um sie zurück ins Leben zu bringen.

Sie lag seitdem in einem tiefen Schlaf, den mein Vater (ihr Sohn) *Koma* nannte. Aber war es das wirklich? Selbst Tante Ava, ihre Tochter und Pflegerin, war darüber erstaunt, wie mühelos Lola gewöhnliche Nahrung zu sich nehmen konnte. (Am liebsten Eclairs mit extra viel Sahne.) Kauen, Schlucken, Verdauen, Ausscheiden – alles, ein bisschen Hilfe vorausgesetzt, kein Problem. Mit offenen Augen lag sie in ihrem französischen Bett und redete vor sich hin. Die meisten Worte waren unverständlich, die wenigen verständlichen ohne klaren Zusammenhang. Als flüchteten sich kleine Reste ihrer Träume in die Welt.

Abgesehen von *ich* soll sie am häufigsten folgende vier Wörter von sich gegeben haben: *Mama, Herr Salz* und *Maria*. (Herr Salz war vermutlich ihr lange verstorbener Vater und Maria ihre noch länger verstorbene Großmutter.) Wollte sie etwas beichten? Wollte sie ihre Erfahrung weitergeben, um nicht zu schnell in Vergessenheit zu geraten? Oder brabbelte sie bloß Unsinn?

Ihr Leben reichte so weit zurück, dass die meisten Jahre davon längst in Geschichtsbüchern standen. Sie war ein lebendes Beispiel dafür, wie wenig von dem, was wir sind, übrig bleibt. Nicht umsonst bezeichnen wir das Früher als Geschichte. Mehr als eine Geschichte, die sich die Lebenden über die Toten erzählen, ist es nämlich nicht.

In meinem Fall könnte es eine sehr kurze Geschichte werden. Ich weiß nicht, ob ich nächstes Jahr noch leben werde. Ich glaube daran. Aber ich weiß es nicht. Deshalb muss ich häufig an meine Großmutter denken. Was hatte sie mitzuteilen? Und was habe dagegen ich, die beträchtlich jüngere Enkelin, mitzuteilen?

Vielleicht war ihr Gerede viel mehr, als wir ahnten, vielleicht erzählte sie als Fast-Tote eine Geschichte über die Lebenden, aus der wir, auch wenn es nur eine Geschichte war, viel hätten lernen können.

Hätten wir uns mehr Mühe geben sollen, sie zu verstehen?

Meine Mutter, die ihr nie besonders zugetan gewesen war, nannte den kaum verständlichen Monolog *Lolas Bewerbungsgespräch für den Tod*. Den Tod schien meine Großmutter, anders als ich, allerdings nicht sonderlich zu interessieren, er ignorierte sie lange Zeit. Was auch immer in Lolas Kopf vor sich ging, sie driftete viele Jahre lang irgendwo zwischen hier und dort. Immer im Fürstenhof, der einst das Zuhause ihrer Familie gewesen war. Dort übte sie als untoter Dauergast ihr lebenslängliches Wohnrecht aus – sie besetzte eine Suite direkt unter dem Dach, auf dem sie gestürzt war. Und wartete auf ihren zweiten Tod.

LOLA ROSA SALZ

1914

Ich habe nie jemandem von 1914 erzählt. Es war das Jahr, in dem meine Familie einen Mord beging und ich Mama rettete.

Nun aber wird es höchste Zeit. Ich bereue viele Entscheidungen, die ich in meinem Leben getroffen habe. Diese eine nicht. Meine Kinder müssen davon erfahren. Sie sollen wissen, dass ich mehr bin als die teuflische Person, für die sie mich halten. Darum bitte ich Sie, wer Sie auch sind, hören Sie mir zu. Wenn Sie das nicht tun, wird es sein, als hätte ich nie gesprochen.

Verstehen Sie?

Das Letzte, woran ich mich erinnere, ist die Luft über Leipzig. Als neue Eigentümerin des Hotel Fürstenhof habe ich kurz nach der Inbesitznahme im Juli 1990 die Erfüllung eines lange gehegten Wunsches in Angriff genommen: eine Dachbesteigung. Seit 1914 war ich nicht mehr dort oben gewesen.

Für die Klettertour benötigte ich länger als mein neunjähriges Ich damals. Auf dem höchsten Punkt, genau in der Mitte über den Lettern *HOTEL FÜRSTENHOF*, nahm ich Platz und ließ die Beine baumeln. Ich hoffte, einem alten Freund zu begegnen. Aber er ließ sich nicht blicken. Vielleicht erkannte er mich nicht – immerhin hatte die Zeit mir einigen Schaden zugefügt.

Dieser Freund blieb also fern. Während ich mich damit abfand, stellte ich fest: Nicht nur ich hatte mich verändert. Die Luft dieses neuen alten Deutschlands roch nichtssagend. In ihr ließ sich kein Hinweis auf die Geschichte dieses Ortes, unsere Geschichte, erschnuppern.

Ich setzte zum Abstieg an.

Im nächsten Moment bin ich hier aufgewacht. Wo dieses *hier* ist, weiß ich nicht. Mich umgibt stumme Dunkelheit, perfekte, geräuschlose, sternenlose All-Schwärze. Ich nenne es: das Reich der Schatten. Ein bisschen melodramatisch, ja, aber zutreffend. Licht spielte in meinem Leben eine untergeordnete, höchstens Schatten generierende Rolle.

Ich frage mich, wie viel Zeit inzwischen vergangen ist. Minuten? Stunden? Ein Tag?

Dunkelheit schert sich nicht um die Zeit. Wenn ich in Gedanken meinen Körper abwandere und versuche, hier einen Finger und dort ein Augenlid zu bewegen, mich zu rühren, vergeht eine halbe Ewigkeit, bis ich erfolglos aufgebe.

Andererseits: Ist nicht erst eine Sekunde verstrichen, seitdem ich mit mundgerechten Eclair-Stückchen gefüttert wurde? Waren Sie das? Jedes Lebensende sollte so köstlich schmecken.

Sonst ist mir kein Sinn geblieben. Ich bin gefangen im Reich der Schatten. Nur meine Worte können ihm entfliehen – ich hoffe sehr, sie sind gut bei Ihnen aufgehoben.

1914 also – das entscheidende Jahr. Was damals geschah, prägte meine Familie für immer. Zugegeben, ein wenig fürchte ich mich davor, zum Anfang meiner Biografie zu reisen. Aber wer weiß, wie viel Zeit uns bleibt. Vielleicht sind dies meine letzten Augenblicke. Besser, wir brechen umgehend auf.

Hören Sie?

Im Januar 1914 lebte ich mit meiner Familie in München. Meine Eltern hatten die Pacht des legendären Löwenbräukellers inne, und dieser merkwürdige, bajuwarische Bau war auch unser Zuhause. Der kleinere Turm mit den blanken Schindeln, der zur Augustenstraße hinausging und längst nicht mehr existiert, gehörte zu unserer Privatwohnung und beherbergte unter anderem das Kinderzimmer. Dort gab es eine Wand, an der die gerahmten Schattenrisse meiner Familie hingen, angeordnet wie bei einem Stammbaum. Zentral: meine runde, kartoffelnasige Mama neben meinem Vater mit Vollbart und dichtem Haupthaar. Auf selber Höhe: das anmutige Profil von Tante Alli, Mamas Schwester, sowie das zylinderförmige Haupt ihres Ehemannes, Onkel Brem. Über den Geschwistern: meine arg wabbelige Großmama. Und ganz unten: meine Schwester Gretl, eine jüngere Version meiner Mutter, sowie ich, deren feinere Gesichtszüge an die meines Vaters erinnerten.

Für jeden von uns fertigte Mama alljährlich zum Geburtstag einen neuen, aktualisierten Schattenriss an. Auf welche Weise sie ihren eigenen produzierte, habe ich mich als Kind nie gefragt. Heute würde ich gerne wissen, wie ihr dieses Kunststück gelungen ist.

Damit Mama die Schattenrisse in Ruhe tuschieren konnte, mussten wir regungslos in ihrem Silhouettierstuhl sitzen – wofür ich, das flatterigste Familienmitglied, wenig Talent besaß. Das demonstrierte ich einmal mehr und insbesondere im Januar 1914, wenige Tage vor meinem neunten Geburtstag.

»Nicht bewegen«, sagte Mama, so streng sie konnte. Es klang also überhaupt nicht streng, vielmehr gütig, und veranlasste mich überhaupt nicht dazu, stillzuhalten.

»Meine Liebe«, sagte sie schließlich, »weißt du eigentlich, warum ich immer unsere Schatten male?«

Noch während ich überlegte, ob ich es wusste, fuhr sie fort: »Es ist ein Geheimnis.«

»Kennt Papa es?«

Sie schüttelte den Kopf.

»Und Gretl?«

Wieder Kopfschütteln. »Du bist die erste Person, der ich davon erzähle. Nicht jeder würde das verstehen.«

Nun wollte ich es unbedingt erfahren.

»Wenn du genau achtgibst«, sagte Mama, »wirst du feststellen, dass jeder Schatten, gemalt oder nicht, dir ein Stückchen Wahrheit verraten kann.«

Ich dachte kurz darüber nach und kam zu dem Schluss: »Schatten reden doch nicht.«

Sie schmunzelte. »Bist du sicher? Sie verwenden keine Wörter. Aber sie können dir trotzdem viel mitteilen. Ich erinnere mich noch gut daran, was das Erste war, das sie mir über dich gesagt haben.« Sie legte eine Pause ein und musterte mich. »Bei deiner Geburt warf der Schein einer Lampe deinen Schatten an die Wand. Ein verschwommener, dunkler, wabernder Fleck kündigte jene noch ungeformte Persönlichkeit an, die ich im nächsten Augenblick in den Armen halten sollte. Aber selbst nachdem ich dich an mich gedrückt und dein Gesicht geküsst und zum ersten Mal deinen Namen zu dir gesagt hatte, musste ich wieder zu deinem Schatten an der Wand blicken, der vom Schatten einer Mutter gewiegt wurde.«

»Warum?«, fragte ich.

»Weil erst dein Schatten mir versicherte, mich restlos davon überzeugte, dass du angekommen warst; er war und ist dein Abdruck auf der Welt, der endgültige Beweis für deine Existenz. Mit anderen Worten: Ohne dich gäbe es deinen Schatten nicht und ohne deinen Schatten dich nicht.«

»Und wenn ich meinen Schatten verliere?«

»Dann«, sagte sie und deutete zur Wand mit den Schattenrissen, »kannst du ihn immer hier finden. Darum male ich ihn ja.«

Ich dachte daran, wie oft ich mich in der Vergangenheit geweigert hatte, für Mama Porträt zu sitzen. Mit einem Mal fühlte ich mich schuldig, es tat mir leid. Prompt nahm ich Haltung auf dem Silhouettierstuhl an. »Ich rühre mich erst wieder, wenn du fertig bist«, verkündete ich, »ich bin starr wie ein Stein, Mama. Versprochen!«

Und was tat sie? Anstatt rasch die Gelegenheit zu ergreifen, drückte sie mich an sich und küsste mein Gesicht und sagte meinen Namen zu mir, als würde sie mich zum ersten Mal sehen. Erst danach fuhr sie mit dem Tuschieren fort.

Es sollte mein letzter Schattenriss werden.

Von da an betrachtete ich die Schattenrisse mit anderen Augen, ich bemühte mich, sie zu lesen. Ich verbrachte Stunden vor der Wand im Kinderzimmer und studierte den Verlauf der Linie zwischen Schwarz und Weiß. Dennoch fiel es mir schwer, mehr in den Schattenrissen zu sehen als schwarze Flächen.

»Ich glaube, ich kann die Wahrheit nicht so gut lesen«, gestand ich Mama am nächsten Tag.

»Das wird schon noch«, sagte sie. »Dazu gehört viel Übung.«

Das mochte sein, nur benötigte man für viel Übung auch Disziplin, etwas, das ich mit fast neun Jahren noch nicht aufbrachte. Mein Analphabetismus frustrierte mich derart, dass ich extreme Maßnahmen ergriff: Ich erwog, meine Schwester zu involvieren.

Dazu muss man wissen: Gretl und ich, wir hatten nicht mehr gemeinsam als Nachnamen und Eltern. Seit ich mich erinnern kann, umgab sie ein unsichtbarer Schutzschild, der sie vom Leben abschirmte und das Leben von ihr. Selten stellte sie eine Frage oder drückte Interesse aus, noch seltener zeigte sie eine Reaktion, die über ein Lächeln oder eine unaufgeregte Geste hinausging. Gretl tat für gewöhnlich genau das, was man von ihr erwartete. Ihr Schatten, so vermutete ich insgeheim, barg keine Wahrheit, die ich nicht längst kannte.

Das war letztendlich aber nicht der Grund, aus dem ich mich dagegen entschied, sie zur gemeinsamen Schattenlektüre einzuladen. Mama hatte ihr Geheimnis allein mir erzählt, es verband uns. Ich wollte es mit niemandem sonst teilen.

Somit behielt ich es für mich und verschob die Analyse der Schatten wie eine schwierige Schulaufgabe auf unbestimmte Zeit – ich hätte mir mehr Mühe geben sollen, ihnen Wahrheiten zu entlocken! Wäre es mir dann gelungen zu verhindern, was später geschah? Mamas Schattenriss etwa: Wie viel von dem, was ich heute weiß, und wie viel mehr noch als das hätte ich ihm entnehmen können?

Mama war im Pasinger Kloster aufgewachsen und hatte somit eine Erziehung genossen, die nicht so ganz geeignet war, sie auf die Welt vorzubereiten. Sie war ein Unschuldsgeschöpf, das den Zweck der Ehe darin sah, Kinder zu produzieren, so wie man es ihr im Kloster eingeprägt hatte. Und sie hatte sich nun ausgerechnet in den Herrn Salz verliebt, der, als Kellner in London und der halben Welt, bereits mit allen nicht gerade reinen Wassern gewaschen war.

Auch wenn ich ihn ungern als solchen bezeichnen möchte, galt der Papa als Idealmann. Von seinen hervorstechendsten Merkmalen verriet sein hübscher Schattenriss allerdings nichts. Seinen Augen wohnte eine blaugraue Frostigkeit inne. Und er war klein – zu klein, um ein ganz schöner Mann zu sein. Ich möchte hinzufügen: Es mangelte ihm nicht nur in dieser Hinsicht an Größe.

Allein ein Schattenriss in meiner Familie wurde ausführlicher gemustert und mehr bewundert als der meines Vaters: der von Tante Alli. Jeder Mann, der ihn betrachtete, wollte ihre Bekanntschaft machen, und jede Frau ihren Mann genau davon abhalten. Tante Allis Profil hob sich so deutlich von den anderen ab, wie sie sich vom Rest der Familie abhob. Das lag vermutlich daran, dass sie unter genealogisch nebulösen Verhältnissen entstanden war: Sie war das Ergebnis eines frühen Sündenfalls meiner Großmutter, Maria Franziska Grasberger, der dann durch eine hurtige Heirat mit dem biederen Herrn Olwerther zugedeckt wurde. Ein offenes Familiengeheimnis. Selbst jemand, der nichts davon wusste, konnte es ahnen. Keiner sonst in der Familie hatte nur annähernd Tante Allis Schönheit, Charme, Lebenslust. Sogar ihr Luxusbedürfnis und ihre Verschwendungssucht wirkten attraktiv aufs andere und so manches Mal sogar aufs gleiche Geschlecht. Hätte sie zu Zeiten von Ludwig I. gelebt, wäre ihr Schattenriss in die Schönheitsgalerie gekommen. Seit jeher trug sie den Übernamen »Comtesse Guckerl«.

Nur wies sie dadurch schon in jungen Jahren Schicksalsschönheitsfehler auf: Sie hatte ganz ordentlich Verehrer. Ein besonders ernst zu nehmender, an den ich mich erinnere, ein Baron, überschüttete sie mit Geschenken, darunter einmal ein spinnendünner, feiner Windhund, von dem Tante Alli dermaßen entzückt war, dass Großmama ihn flugs zurücksandte, da sie verstand, solch kostspielige Präsentchen galten als sicheres Indiz dafür, dass die Verehrung des Barons keineswegs bloß platonischer Art war. Sie beendete die Liaison und nahm sich vor, ihre sinnenfrohe Tochter unter die Haube zu bringen. Nun, für Tante Alli einen Mann zu finden, das war nicht schwer. Man verfiel auf den sehr soliden Herrn Joseph Brem, und er verfiel Alli. Joseph Brem war früher, wie auch mein Vater, Oberkellner im Bamberger Hof und inzwischen Pächter der gut besuchten Münchner Bahnhofswirtschaft.

Bei ihrer Hochzeit wurde dieser blödsinnige Brauch geübt, dass man den Schleier zerriss, um feierlich kundzutun: Heute Nacht wird ihre Jungfernschaft zerstört! Dabei war das bei der Tante Alli keineswegs erst durch die Hochzeit der Fall. Für diesen Festtag fertigte Mama extra einen Schattenriss von ihrer Schwester an. Jeder, der diesen später betrachtete, verstand sofort: Sie war das größte Luxusgut vom Onkel Brem – und das wollte

schon etwas heißen. Immerhin war er aufgrund seiner Pacht ein
steinreicher Mann geworden (was er jeden, der nicht schnell genug flüchten konnte, auf nicht unbedingt subtile Weise wissen
ließ, indem er zum Beispiel ausführte, wie er als einer der ersten
Passagiere überhaupt in einem Luftfahrtschiff mit Graf von Zep-
pelin eine Runde geflogen war). Von ihm bekam sie dreireihige
Perlenketten, nicht etwa Zuchtperlen, sondern Meeresperlen,
dazu passende Ohrringe, Rubinschmuck, Smaragdringe. Sie galt
als eine der elegantesten Frauen in München, ausschließlich in
Maßkleider gehüllt, alle bei Schober geschneidert, wo sie manchmal das lebensgroße, präparierte, dezent schielende Pferd bestieg,
um Weite, Länge, Faltenwurf ihrer Reitröcke zu begutachten.

Eine Fortsetzung der Schicksalsschönheitsfehler, die Onkel
Brem anscheinend weder ihrem Lebensstil noch ihrem Schattenriss entnahm: Tante Alli hatte auch ganz ordentlich Affären. Eine
besonders ernst zu nehmende führte sie Anfang 1914 mit einem
Herrn Tott, dem Sohn des Besitzers vom Regina Palasthotel am
Lenbachplatz. Die beiden trafen sich bei Gelegenheit, soupierten
miteinander, schwelgten in Musik. Das Schauspiel suchten sie selten auf, da musste man zu viel nachdenken. Tante Alli versäumte
keine Tristanaufführung, obwohl sie vollkommen unmusikalisch
war. Aber in dieser Geschichte wurde eben der Ehebruch gelobt,
und Tante Alli, Sekt zur Linken, Herrn Tott zur Rechten, schmolz
dahin. Sie war halt so veranlagt und konnte nichts dafür, so wie
Tristan und Isolde nichts dafür konnten, weil Brangäne etwas in
den Trank gemischt hatte.

»Du solltest besser stillschweigend genießen«, riet ihr Mama
wieder einmal bei einem von mir bespitzelten Kaffeekränzchen
im Januar, am Vorabend meines neunten Geburtstags, da für
Tante Alli Geheimhaltung ein Fremdwort war und sie bis ins
schlüpfrige Detail von ihren Eskapaden berichtete.

»Niemals! Wenn ich alles für mich behalte, ist das beinahe, als wäre es nie passiert.« (Worin ich ihr, wenn auch nur retrospektiv, unbedingt zustimmen muss.)

»Hast du keine Angst, dass Joseph davon erfährt?«

»Oh doch! Es wäre furchtbar!« Tante Alli verschlang ein obszön großes Stück Krokanttorte und fuhr mit vollem Mund fort: »Aber ihr werdet mich doch nicht verraten, oder?«

Sie sah Mama an, die sofort den Kopf schüttelte, und dann meinen Vater, der es ihr gleichtat. Tante Allis Temperament belebte jede Gesellschaft. Allerdings musste in dieser Gesellschaft schon mindestens ein Mann sein, damit Tante Alli sich nicht langweilte.

Mama, eine viel zartere Seele als ihre Schwester, fragte: »Wollt ihr denn keine Kinder haben?«

»Selbstverständlich wollen wir!«, rief Tante Alli. »Mindestens ein halbes Dutzend!«

»Aber wie kannst du dann sicher sein«, flüsterte Mama, »dass die Kleinen alle …?«

»… von ihm sind?«, ergänzte Tante Alli. Sie zuckte mit den Schultern, »Nur bedingt.«

Meine Eltern wechselten einen Blick.

»Ach«, sagte Tante Alli, »ein bisschen Durchmischung in der Ahnenreihe hat noch keiner Familie geschadet. Da kommen die schönsten Kinder bei raus. Siehe mich.«

Am darauf folgenden Gelächter beteiligte sich auch mein selten fröhlicher Vater. Mamas Reaktion war eine andere: Augenniederschlagen und helle Gesichtsröte. Gegen derlei Spitzen wehrte sie sich nie, dafür war sie viel zu lieb. Wahrscheinlich glaubte sie sogar, sie müsste sich so manche Unverschämtheit von ihrer Schwester gefallen lassen, da mein Vater und Mama die Pacht des Löwenbräukellers Tante Alli zu verdanken hatten.

Vor ein paar Jahren hatte sie die Idee gehabt, sich in einem ihrer schicksten Kostüme, mit einem delikaten Pleureusehütchen, zum Öberschten der Löwenbräu Brauerei aufzumachen, ihn zu bezirzen, bierspritzend mit ihm auf ihre ertragreiche Zusammenarbeit anzustoßen und ihm fast beiläufig das Kleingedruckte ihres Gesprächs unterzujubeln: Wenn er nach Ablauf der derzeitigen Pacht nicht ihre Schwester und deren Mann als Pächter im Löwenbräukeller nähme, dann würden sich die Brems eventuell – hier legte sie eine Pause ein und wiederholte dieses unschuldig anmutende Wörtchen noch einmal: eventuell – überlegen, ob sie in der Bahnhofswirtschaft weiterhin Löwenbräu ausschenken oder eventuell ... eventuell zu einer anderen Brauerei in München übergehen würden.

Das hätte, gar nicht eventuell, einen gewaltigen Verlust für die Löwenbräu Brauerei bedeutet. Damals fuhr man ja noch nicht per Auto in den Süden, und alles, was gen Tirol, Italien und so weiter aufbrach, kehrte am Bahnhof in München ein und trank, soff, verschüttete das berühmte Bier. So war dem Öberschten gar keine andere Wahl geblieben – was sich, zumindest in ökonomischer Hinsicht, als beste Wahl herausstellte. Mein Vater, das muss ich ihm lassen, entpuppte sich als geschickter Geschäftsmann. Er brachte den Betrieb sehr auf die Höhe, vor allen Dingen in der Faschingszeit, wo es ihm, dem Rheinländer, durch aufwendige Dekorationen und kabarettistische Einlagen gelang, allerhand Kundschaft anzulocken, die sich in den zwielichtigen, verrauchten, von Gekreische und Gejauchze erfüllten Ecken des Löwenbräukellers auf exzessive Weise amüsierte. Nach der Faschingssaison trug er mehr als hunderttausend Mark in Gold auf die Bank.

Während der Faschingsumzüge, bei denen der Löwenbräukeller nun sogar einen eigenen Wagen hatte, von Braupferden gezogen, thronte aber nicht mein Vater ganz oben – sondern, wie an der Wand mit den Schattenrissen, meine Großmama.

Maria Franziska Olwerther, die wachsame Matriarchin, war

eine tätige, gescheite, aber auch herrische Frau, die sich nicht so ohne Weiteres aufs Altenteil zurückziehen wollte. Als Dame vom *Garde Manger* wachte sie in ihrer schneeweißen Schürze über den Betrieb. Da sie Mitpächterin im Löwenbräukeller war, gab es immer Zwistigkeiten, vor allem zwischen meinem Vater und ihr, weil sie Wert auf eine korrekte Geschäftsführung legte – wohingegen mein Vater Wert auf Gewinn legte.

Großmamas Schattenriss hatte größte Ähnlichkeit mit dem eines Kleinkindes: Dreifachkinn, knubbelige Nase, wulstiger Mund; der einzige markante Unterschied waren buschige Augenbrauen. Die Vermutung liegt nahe, dass sie selbst in jungen Jahren keine Frau gewesen war, nach der sich ein Mann umgedreht hätte. (Tante Alli, der frühe Sündenfall, muss im Dunkeln und von einem so liebeshungrigen wie blendend aussehenden Mann gezeugt worden sein.)

Aber manchmal sind es eben gerade die hässlichen Menschen, die sich dem Erhalt des Schönen widmen. Jeden Morgen polierte Großmama in aller Früh, noch vor Arbeitsantritt, das Messingschild ihrer Münchner Wohnung. Das Haus lag direkt gegenüber vom Löwenbräukeller, an der Ecke, wo die Briennerstraße sich auf den Stiglmaierplatz hinausbegibt.

Dort klingelte ich am 22. Januar 1914, meinem Geburtstag, weil sie mich hatte rufen lassen. Das Mädchen, selbstverständlich mit weißem Häubchen, öffnete und wies mir den Weg. Die Wohnstube war eine typisch bürgerliche, sie hatte sogar eine Art Podium, auf dem saß Großmama, wie so oft, und sah auf den Stiglmaierplatz hinaus. Daneben wurde ein großes, eichenes Büfett von einem ausgestopften Fuchs mit Glasaugen behütet, den mein Vater, in jüngeren Jahren passionierter Jäger, geschossen hatte.

»Na, Lolo, jetzt schau amoi ins Büfett nei«, sagte Großmama. Ihr krachendes Bayrisch klingt mir noch heute im Ohr.

Mein Hochdeutsch dagegen wirkte zahm: »Hast du was für mich?« Mein Vater legte Wert darauf, dass ich nicht bayrisch redete, und korrigierte meine Aussprache bei jeder Gelegenheit, vermutlich, um Großmama eins auszuwischen.

Vorsichtig klappte ich beide Türen auf, ein wenig in der Angst, der ausgestopfte Fuchs könnte nach mir schnappen, und fand einen Steiff-Hund mit Knopf im Ohr, der mich herzerweichend ansah. Ich drückte ihn sofort an meine Brust.

»Wie heißt er?«, fragte ich sie.

»Wie soll er denn heißen?«, fragte sie mich.

Ich blickte ihn einen Moment lang an. »Foxl«, entschied ich.

»Foxl?! Des is a Hund!«

»Kann ein Hund nicht Foxl heißen?«

»A Fuchs im Hundspelz. So einen ham ma ja scho in der Familie.«

»Wir haben einen Fuchs? Wirklich?«

Darauf antwortete sie nicht – Jahre vergingen, bis ich verstand, wen sie meinte. Stattdessen betrachtete sie weiter den Löwenbräukeller vom Podium aus, als suchte sie den Horizont nach Unwettern ab.

»Weißt, Lolo, mach dir keine Sorgn«, sagte sie, ohne den Blick abzuwenden oder zu blinzeln, »was auch gschieht, ich werd die Familie bschützn und dafür sorgn, dass alles mit rechten Dingen zuageht. Davon ko mi niamand abhaltn.«

Niemand – bis auf einen.

Großmama begegnete dem Tod zwei Tage nach meinem Geburtstag. Bei einem Aufenthalt am Tegernsee erlitt sie einen Schlaganfall. Sie wurde ins Krankenhaus eingeliefert. Dort lag sie stundenlang bewusstlos. Mama wischte ihr den Todesschweiß von der Stirn. Tante Alli verharrte an der Tür, als herrsche Ansteckungsgefahr. Angst hing in der Luft. Man hörte sie in der Stille. Heute frage ich mich, welche Angst genau das war. Gewiss fürchteten die Schwestern, eine geliebte Person zu verlieren. Aber das war noch nicht alles. Ich glaube, sie hatten Angst davor, was mit ihnen ohne ihre Beschützerin passieren würde.

Die Beerdigung erfolgte bei dem betenden Marmorengel auf dem Ostfriedhof. Als wir ihn verließen, holte mich Tante Alli auf der Höhe von Doktor Guddens Grab ein und sagte leise zu mir, trotz aller Erschütterung: »Weißt du, Lola, wir zwei, wir haben in der Trauerkleidung am schönsten ausgeschaut.«

Tante Alli überspielte ihre Angst und besaß noch dazu kaum Weitsicht. Doch wenn Sie mir aufmerksam zugehört haben, werden Sie verstehen: Mit Großmama war nicht nur das älteste Familienmitglied dahingeschieden, sondern auch unsere Bewacherin, unsere *Garde Famille*. Die bisherige Ordnung gab es nicht mehr, auch wenn anfangs nur eine kleine Veränderung darauf hindeutete: Großmamas Schattenriss wurde von der Wand genommen und meine Eltern rückten gemeinsam mit Tante Alli und Onkel Brem in die oberste Position auf. Wobei man die neuen Haken nicht ganz präzise anbrachte: Wer genau hinsah, konnte erkennen, dass der Schattenriss meines Vaters ein Stückchen höher als der Rest hing.

Danach dauerte es gerade einmal einen Monat bis zu jenem Ereignis, das unsere Lebensläufe unwiderruflich in neue Richtungen lenken sollte. Lion Feuchtwanger, ein gern und oft gesehener Gast im Löwenbräukeller, streifte es sogar in seinem Roman ›Erfolg‹, wenn er auch nicht die Namen meiner Eltern nannte.

Lassen Sie mich zuallererst darauf hinweisen, dass es in München, mehr als irgendwo sonst, notwendig war, dass im Bierkrug oder im Bierglas eine ordentliche Schaumhaube aufstieg. Das nahm nun allerdings im Löwenbräukeller unter der nicht mehr großmütterlich korrekten, sondern der gewinnmaximierenden neuen Leitung meines Vaters überhand – und nicht ganz lautere

Formen an. Diese gewaltigen Schaumhauben stiegen so manchem biederen Biermünchner in die falsche Kehle. Mein Vater wurde angezeigt wegen »unreellen Einschenkens«.

Es kam zum Prozess – in dessen erster Instanz mein Vater freigesprochen wurde. Doch da stand Tante Alli im Gerichtssaal auf, klatschte operngerechten Beifall und rief: »Bravo! *Braaavo!*« Es mangelte ihr, wie gesagt, an Weitsicht, denn dieser Applaus wiederum geriet nun dem Herrn Staatsanwalt in die falsche Kehle. Es wurde Berufung eingelegt. In zweiter Instanz wurde mein Vater verurteilt. Zehn Tage Haft. Alle Anstrengungen der Familie, diese in eine Geldstrafe umzuwandeln, schlugen fehl. Er war ein Preiß, und man wollte ein Exempel statuieren.

Am Tag des Urteils war der Himmel ostentativ blau. Man hatte mir, dem neunjährigen Töchterchen, die unheilvollen Neuigkeiten nicht ganz wahrheitsgemäß mitgeteilt: Mama setzte mich bloß darüber in Kenntnis, dass der Papa für eine Weile fortgehen würde. Deshalb galt meine größte Sorge an diesem Tag meinen hölzernen Tierchen. Es war eine mühselige Aufgabe, die bunt gemischte Arche-Noah-Horde aufzustellen. Den ganzen Nachmittag verbrachte ich damit, bis sie endlich das Wohnzimmer bevölkerte. Als mein Vater hereinkam, rief ich nach ihm, um mein Werk zu präsentieren. Er reagierte nicht, schien mich nicht wahrzunehmen. Wie ein Schlafwandler schritt er durchs Zimmer und gab einen Schrei von sich, als er auf ein Zebra trat. Nun schien er mit einem Mal wach. Aus seinem Waffenschrank nahm er eine Flinte, rief: »Jetzt gehen wir auf die Jagd!«, stieß mit dem Gewehrlauf alles um, vernichtete meinen Zoo.

Ich sprang auf. »Das ist gemein!«

Da er einfach weitermachte, fügte ich noch ein Wort hinzu, das ich von ihm aufgeschnappt hatte: »Wie hinterhältig!« So bezeichnete er seit Kurzem alles Bajuwarische.

Endlich hielt er inne. »Du denkst, das ist hinterhältig?« Erst jetzt sah er mich an, mit einer selbst für ihn ungewohnten Kälte, und ich wagte nicht, ihm zu antworten.

»Ich zeig dir, was hinterhältig ist«, sagte er, legte die Flinte beiseite und schritt zum Fenster, an das ich meinen Foxl mit einem blauen Bändchen gebunden hatte, und schubste den Foxl, sodass er am Bändchen über dem Abgrund baumelte. Mit der reichen Fantasie eines Kindes glaubte ich, mein Foxl würde erwürgt. Ich schrie. Ich flehte, ihn wieder hereinzunehmen.

Mein Vater aber verließ das Zimmer und gleich darauf die Stadt. Er setzte sich nach Hamburg ab, *um mehr Freiheit in Amerika zu suchen*, wie er es in einem kurzen Schreiben formulierte, das Mama am selben Abend auf dem Küchentisch fand.

Das Weinen in den Stunden danach färbte ihre Augen so rot wie sonst nur ein verrauchtes Faschingsfest im Löwenbräukeller. Als ich sie fragte, wie lange der Papa denn fort sei, antwortete sie mit noch mehr Tränen. Sie nahm seinen Schattenriss von der Wand, betrachtete ihn sehnsuchtsvoll und weichte ihn mit ihren Tränen auf. Als sie ins Bett ging, legte sie ihn neben sich auf das Kopfkissen meines Vaters.

In derselben Nacht reiste Onkel Brem ihm hinterher und machte ihn tags darauf in der Hansestadt ausfindig, bevor mein Vater einen Dampfer besteigen konnte. Arm in Arm kehrten sie zurück, und man zelebrierte ein familiäres Abendmahl, nahezu ein Da-Vinci-Plagiat, jedoch ohne Jesus, dafür mit Mama als Maria, die andauernd die Hand meines Vaters tätschelte, als wolle sie sagen: »Ist schon in Ordnung, dass du uns im Stich lassen wolltest. Kommt halt vor. Es zählt allein, dass du wieder da bist.«

Aber war er das wirklich? Ich glaube, nein, ich weiß, Onkel Brem hatte nur einen Herrn namens Salz zurückgebracht, nicht meinen Vater. Mein richtiger Vater hatte uns längst verlassen. Mein richtiger Vater hätte uns vieles erspart.

Zehn Tage saß Herr Salz in Marquartstein ein und büßte seine Haftstrafe ab. Danach wurde meinen Eltern die Pacht entzogen. Herr Salz musste sich nach einem anderen Geschäft umsehen. Dieser Aufgabe ging er im Café Luitpold in der Briennerstraße nach, wo er Fachzeitschriften durchstöberte und sich das Hirn über unsere Zukunft zermarterte.

Zumindest erzählte er uns das. Nie durften wir ihn begleiten. Der Nachmittag gehörte dem Herrn Salz und der Herr Salz in dieser Zeit dem Kaffeehaus, wo er bald jene Verkaufsanzeige lesen sollte, deren Text, verfasst im plumpen, trockenen Informationsstil eines Geschichtslehrbuchs aus der Sexta, mit dem Namen jenes Hotels gespickt war, mit dem mein Leben gespickt sein würde.

Der Fürstenhof im sächsischen Leipzig trug anfangs nicht den Namen Fürstenhof. Das Haus, das später einmal als Fürstenhof bekannt werden sollte, wurde 1770 vom reichen Leipziger Bankier Eberhard Heinrich Löhr an der Promenade, gegenüber dem Komödienhaus, erbaut. Lange Zeit war der zukünftige Fürstenhof ein beliebter Ort für die feine Gesellschaft der aufblühenden Messe-, Buch- und Universitätsstadt. Aber 1813 besetzten kaiserliche Truppen die Stadt und machten sie zum Hauptquartier der Großen Armee. Napoleon kam, und der Hausherr des Fürstenhofs starb. Seine Witwe und Tochter mussten für den französischen Stadtkommandanten Napoleons den Fürstenhof räumen, der dort rauschende Feste feierte. Nach Napoleons Abzug holten die Damen Löhr aus ihrem Weimarer Exil viele Fürstlichkeiten in ihr Haus. Damit sie im Fürstenhof standesgemäß speisen konnten, richteten sie im Fürstenhof einen prunkvollen Speisesaal ein, den sie mit Serpentin-Gestein, dem »Marmor der sächsischen Könige«, und geschnitzten Türen aus Ebenholz auskleiden ließen. Bis 1886 blieb der Fürstenhof in Familienbesitz. Dann wurde der

Fürstenhof an die Leipziger Immobiliengesellschaft verkauft, die
das Grundstück aufteilte und mit viel Gewinn weiterverkaufte.
1889 wurde das Haus zum Hotel Fürstenhof umgebaut. Nun be-
saß auch Leipzig ein erstklassiges Hotel, von den Sachsen liebe-
voll »Fürstenhöfle« genannt, in dem alles, was Rang und Namen
hatte, verkehrte.

Entzückt von dem Gedanken, dass er mit dem Erwerb des Fürstenhofs quasi den Titel eines Fürsten erlangen würde, trug Herr
Salz die Anzeige wie eine Trophäe nach Hause. In der Annahme,
dass Mama ihm beim Kauf fraglos mit dem nötigen Kleingeld
ihrer Familie aushelfen würde, las er ihr so euphorisch wie lautstark vor.

Er kam nur bis zum vierten Wort.

»Sachsen?«, unterbrach sie ihn.

Herr Salz nickte und setzte von Neuem an.

Wieder kam er nicht weiter als bis zum vierten Wort.

»Sachsen!«, rief sie.

Ein letztes Mal nahm er Anlauf.

Diesmal stoppte sie ihn schon vorher.

»Sachsen«, sagte sie zu ihm und damit alles.

Er hatte die Münchnerin in ihr unterschätzt. Mama hatte nicht
das geringste Interesse daran, sich von ihrem Heimatort zu trennen, den sie in so vielerlei Hinsicht und selbst für seine Fehler
liebte.

Sie liebte München für unsere Neubauwohnung in der Lucile-
Grahn-Straße, gleich um die Ecke vom Prinzregententheater, in
die wir im März 1914 nach dem Bierschaum-Prozess zogen. Sie
besaß ein so großes Kinderzimmer, dass Mama dort voll Freude
die Schattenrisse befestigte, mit dem Hinweis, dass noch viel Platz
für weitere sei. Ebenso liebte sie München für den Hofgarten, wo
wir gelegentlich den Prinzen Albrecht (dessen Schattenriss zu tu-

schieren Mama sich insgeheim wünschte) bei seinen Schneeglöck-chen-Ausrupforgien beobachteten. Auch liebte sie es für den zoo-logisch aufgeschlossenen Herrn, der täglich an unserer Haustür vorbeispazierte, mit einem Fuchs an der Leine, denn sie sagte - jedes Mal, wenn sie ihn sah: »Das hätte Großmama gefallen!« Ganz besonders liebte sie München, weil es das natürliche Ha-bitat für ein mittlerweile ausgestorbenes Wesen darstellte, näm-lich die Schienaramma-Resi. Dabei handelte es sich um eine aus-schließlich weibliche Spezies, deren Angehörige auf einem Eisen-stühlchen saßen, winters dick eingemummt, sommers im Dirndl, winters wie sommers ein flaches Trachtenhütchen mit einer ke-cken Feder auf, und die – etwa am Max-Weber-Platz, Schnitt-punkt einiger Straßenbahnlinien – mit einem langen, metallenen Stecken Schienen in die richtige Stellung bringen mussten, damit alle Fahrgäste unbeschadet dort ankamen, wo sie hinwollten. Dieser Schienaramma-Resi fühlte Mama sich, wie sie mir einmal erzählte, aufgrund ihrer verantwortungsvollen »Lenkungsarbeit« zutiefst verbunden, auch wenn sie nie ein Wort mit einer dieser Frauen gewechselt hatte. Zwar liebte Mama München nicht ganz so für das Café Luitpold, wo Herr Salz sich manchmal länger aufhielt als in unserer Wohnung. Aber dafür liebte sie München umso mehr für seine altmodische, dem Fortschritt nicht im Über-maß zugetane Bevölkerung, für die Onkel Brem ein ausgezeich-netes Beispiel war. Dieser gab jedes Mal, wenn er vor die Tür sei-ner Bahnhofswirtschaft trat und eines der stinkenden Automobile an ihm vorbeifauchte, kund: »Das hat keine Zukunft.«

Dasselbe galt für den Fürstenhof, musste der mangelhaft große Herr Salz gedacht haben, als er sich mit Mamas bedingungsloser Münchenliebe konfrontiert sah. Niemals würde eine Vollblut-bayerin wie sie das Vermögen ihrer Familie in sächsischen Besitz investieren. Herrn Salz waren somit die Hände gebunden: Das

Hotel wurde nicht gekauft, und wir zogen nicht nach Leipzig. Wäre es doch dabei geblieben!

Doch Mamas Liebe zu München leistete einer neuen, törichten Liebe Vorschub, die sich in jeder Hinsicht zerstörerisch auswirken sollte. Das Folgende hat Tante Alli mir in einem Brief mitgeteilt, den ich erhielt, als meine Eltern sich bereits von ihr distanziert hatten. Sie ließ mich wissen: Zu ihren eher ungünstigen Hobbys zählte das Sammeln der Liebesbotschaften, die sie von diversen Herren zugesteckt bekam. Zwischen den vielen Schreiben befand sich sogar ein Aktfoto. All diese Trophäen wurden in einer Kassette in Tante Allis Wäscheschrank aufbewahrt. Das war schon a bisserl blöd.

Hinzu kam, dass sie sich mit ihren Männern so häufig bei Hoteltagungen in Rom, Paris und wo auch immer traf, dass Onkel Brem ihre vielen Abwesenheiten allmählich recht bedenklich vorkamen. Er entschloss sich, seine Frau durch einen Detektiv überwachen zu lassen. Als sie wieder einmal nach Wiesbaden gereist war – weiß Gott, zu welcher Kur, sie war ja kerngesund –, kamen ihr Zweifel, ob sie die Kassette auch richtig abgeschlossen hatte. Aus einer Telefonkabine im Hotel rief sie meine arme, brave, harmlose Mama an: Sie möge unter irgendeinem Vorwand in Tante Allis Zimmer gehen und jene Kassette an sich nehmen, bevor Onkel Brem sie finden konnte. Aber, so schärfte sie ihr ein: Sie dürfe sie keinesfalls öffnen.

Dieses Gespräch hatte der Detektiv abgehört. Mama machte sich als treue Schwester auf. Bereits an der Tür wurde sie von ihrem Schwager empfangen, mit den Worten: »Du kommst zu spät, Rosa.« Dann reichte er ihr das Aktfoto. Der entkleidete Mann darauf räkelte sich in einer Pose, die entfernt an die Ästhetik eines Freskos von Michelangelo erinnerte. Er streckte sich, als würde er versuchen, sich größer erscheinen zu lassen.

Auch Tage später, nachdem Mama sich wieder gefasst hatte, konnte sie nicht entscheiden, was sie mehr verletzte: dass der Mann ihr Mann war – oder dass sie ihn im ersten Augenblick gar nicht erkannt hatte, weil sein nackter Körper ihr so fremd war. (Im ehelichen Schlafzimmer, darüber hatten Mama und Tante Alli sich zuweilen unterhalten, wurden Zärtlichkeiten nur nachts und ohne Licht ausgetauscht. Wenn überhaupt.) Mama behielt das Aktbild und studierte es hinter verriegelter Tür. Das also war ihr Mann. Er schien das Posieren im Adamskostüm zu genießen. Wünschte er sich mehr Unanständigkeit von ihr? Wollte er sich auch vor ihr räkeln (und dabei fotografieren lassen)?

Mama, meine viel zu gute Mama, übte sich in der Freigeistigkeit ihrer Schwester: Sie machte Tante Alli und Herrn Salz keine Vorwürfe. Das vermittelte sie den Ehebrechern sogar in einem Gespräch unter sechs Augen. Beide, davon war Mama überzeugt, konnten nichts dafür; Tante Alli war von Natur aus liebeshungrig, und Herr Salz hatte bei ihr bloß Ablenkung von seiner miserablen Lebenssituation gesucht. Statt Zorn empfand Mama Schuld, dass sie ihren Mann zu einer solch extremen Maßnahme wie einer Affäre gezwungen hatte. Er tat ihr leid. Lange dachte sie darüber nach, wie sie ihm eine bessere oder, sollte er sich danach sehnen, schlechtere Frau sein könnte, und kam zu dem Schluss, dass sie ihrer einen Liebe entsagen musste, um ihre andere Liebe zu retten.

Im Monat darauf zogen wir nach Sachsen.

Onkel Brem, der andere Betrogene, zeigte sich weniger verständnisvoll: Er kaufte einen Revolver (den ich nie gesehen habe, mir aber schwer, unhandlich und silbern glänzend vorstelle). Dieser wurde, ganz anti-tschechowisch, keinmal abgefeuert, sondern erfüllte seinen Zweck – die Androhung lebensverkürzender Konsequenzen – durch bloße Präsenz: indem er im Bett unter Onkel

Brems Kopfkissen und damit neben Tante Allis Kopf ruhte. Dort hatte er ihn platziert, um nicht den Verführungskünsten seiner sirenenhaften Frau zu erliegen und dadurch die Scheidung hinfällig zu machen. Nachdem diese vollzogen und Tante Alli ihrer Position in der Münchner Gesellschaft enthoben worden war, zahlte der anständige Onkel Brem ihr immerhin eine hübsche Apanage, und sie verschwand in den vornehmen Kurort Bad Kreuth, wo sie die trauernde Geschiedene mimte. Dort verliebte sie sich gleich nach der Ankunft in einen Arzt, Herrn Doktor Steinmetz, verkaufte binnen Wochen ihren Rubinschmuck, mit Bracelet und Ringen und so weiter, um dessen Praxis einzurichten, inklusive Schildpattgarnitur und Nymphenburger Teekannen für über hundert Mark das Stück, und bereute das nicht wenig, als er ihr mitteilte, dass er eine jüngere Dame heiraten werde.

Noch in derselben Woche erhielt ich den Brief von ihr, in dem sie mir ihre Verfehlungen beichtete. Sie schrieb: »Du musst es erfahren, sonst ist all das wie nie geschehen.« Für derlei Geschichten war ich damals zwar noch nicht reif genug, aber Tante Alli, die in mir offenbar eine natürliche Verbündete sah, konnte darauf wenig Rücksicht nehmen. Sie wusste vermutlich, ihr blieb nicht mehr viel Zeit. Kurz nach dem Versenden des Briefs begleitete Tante Alli einen Verkäufer der Münchner Werkstätten auf einer Autotour die Isar entlang. Weil die Straßen noch nicht gekehrt waren, trug Tante Alli einen großen, wallenden Schleier, um sich vor dem Staub zu schützen. Dieser verwickelte sich, gerade als sie das Deutsche Museum passierten, in einem der Autoräder und erdrosselte sie bei der Fahrt.

Im Leichenhaus blieb ihr Sarg geschlossen. Selbst der sonst so steife Onkel Brem soll zu Tränen gerührt gewesen sein. Ich kann das nicht bestätigen, da meine Eltern, Gretl und ich zu der Zeit längst in Leipzig lebten und nicht zur Beerdigung anreisten. Herrn Salz' Entscheidung. »Eine unnötige Belastung für eure

Mutter«, behauptete er. Eine furchteinflößende Belastung für ihn, behaupte ich. Bestimmt war er sich bewusst, wie sehr er zu Tante Allis jähem Ende beigetragen hatte. Unser einziges Abschiedsritual: als Mama weinend ihren (und Onkel Brems) Schattenriss von der Wand in unserer Privatwohnung im Leipziger Fürstenhof nahm.

Tante Allis Tod wurde in den Akten der Münchner Gendarmerie als Unfall verbucht. Ich bin mir da nicht so sicher. Fast alles hatte sie verspielt: Besitz, Ehemann, die innige Beziehung zur Schwester. Jetzt wollte sie auch noch den letzten Rest geben – aber dies selbstbestimmt und auf eine für die Operndame standesgemäße Art und Weise! Ich glaube, sie schnürte ihren Schleier absichtlich fest um ihren Hals, sodass sie gerade noch atmen konnte, ließ ihn aus dem Auto flattern und wie eine Angelschnur länger und länger werden, geduldig abwartend, mit heftigem Herzklopfen, in Erwartung des größten Höhepunkts ihres Lebens, bis der Autoreifen endlich zuschnappte und sie mit einem Ruck nach hinten gerissen wurde.

Sie hören mir noch zu? Ich hoffe – um ehrlich zu sein: erwarte es! Alles, alles müssen Sie sich merken. Keine Ausflüchte! Machen Sie sich meinetwegen Notizen. Für Wiederholungen bleibt uns keine Zeit. Wenn meine Kinder verstehen sollen, wer ich bin, wer ich wirklich bin, müssen sie erfahren, wie alles begann.

Und bitte – ich bin mir bewusst, dass es immer einen Anfang vor dem Anfang gibt. Darum habe ich ja mit einem Ende begonnen: Tante Alli ließ ihr Leben hinter sich, meine dezimierte Familie das Blau-Weiße – und ich, verzeihen Sie das Pathos, meine Kindheit.

Herr Salz hatte für den verfluchten Fürstenhof über eine Million Goldmark hingelegt. Da er so viel Geld nicht besaß, musste er sich den Großteil von Mamas Verwandtschaft leihen. (Zurückgezahlt hat der *Hund* – eine passende Bayernvokabel für einen Fuchs wie ihn – seine Schulden dann in den Zeiten der großen Inflation, als ein Brötchen Hunderttausende kostete.) Nichtsdestotrotz ließ er sich als alleiniger Inhaber eintragen – seine Frau kam in den Unterlagen nicht vor. Doch das war nicht das Ärgste. Für mich steht fest: Auch wenn nicht er Mama umgebracht hat, war es doch im Wesentlichen Herr Salz, der ihr das Leben nahm.

Als Mama, Gretl, ich und mein Foxl im Mai 1914 mit dem Zug nach Leipzig fuhren, wartete Herr Salz dort bereits auf uns. Wir wollten nicht an das denken, was hinter uns lag, und wir wussten nicht, was vor uns lag. Mit einer Ausnahme: Mama war schwanger. Damit wir unser Coupé mit niemandem teilen mussten, trat sie bei jeder Haltestelle ans Fenster und präsentierte ihren bereits ausladenden Bauch, in der zutreffenden Vermutung, dass sich bei ihrem Anblick niemand zu uns drängen würde. Während der Fahrt las Mama immer wieder die Rückseite von einer der Postkarten, die Herr Salz als Werbung für das Hotel Fürstenhof hatte herstellen lassen: »Behagliches, ruhiges Heim in schönster Lage und mit modernstem Komfort. 140 Zimmer, davon 80 ruhig gelegene Innenzimmer, alle mit fließendem Kalt- und Warmwasser, Doppeltüren, Reichstelefon, 40 Zimmer mit Privatbad. Mäßige Preise, Bier und Weinrestaurant, Garage nebenan.«

Als wir in Leipzig ankamen, stand Herr Salz am Bahnsteig des Hauptbahnhofs. Wir purzelten aus dem Zug. In einem Plaid trug Mama eine teure Rotweinflasche bei sich, die sie Herrn Salz, dem Rheinländer, als Glückwunschtrank zum Neuanfang mitbringen wollte. Diese entglitt ihr nun und zerschellte auf dem Bahnsteig. Herr Salz wandte sich sofort von uns ab und verließ den Bahnhof, als würde er uns nicht kennen. Mama starrte auf die Scherben und die blutrote Flüssigkeit. Ein Rinnsal bewegte sich gleich einem Tentakel auf ihre Füße zu.

Von dieser missglückten Ankunft lenkte kurz darauf der Fürstenhof ab, dessen hübsche Jugendstil-Fassade, als ich sie zum ersten Mal sah, mir imponierte, also mich täuschte. Bloße Tarnung. Aber das wusste ich damals noch nicht, damals war ich jung und glaubte, dass alles, was schön aussieht, auch schön sein muss. Herr Salz hatte eine grundlegende Renovierung in Auftrag gegeben, die unter anderem das Installieren einer hochmodernen Ozon-Belüftungsanlage beinhaltete, die kalte oder warme Frischluft in acht verschiedenen Duftnoten in die Räume blies. Als wir auf den Eingang zuliefen, rissen Boys in silberbeknöpften Uniformen für uns die Türen auf. Der Fahrstuhl brachte uns direkt in unsere Privatwohnung ganz oben, in der nicht mehr Waschkrug und Waschschüsseln und Eimer standen, sondern es fließendes kaltes und warmes Wasser gab. Wir rannten durch die Räumlichkeiten, die Herr Salz selbst eingerichtet hatte. Zuerst: unser Mädchenzimmer. Dann: das große Wohnzimmer. Daraufhin: das Babyzimmer. Und schließlich: zwei gleich große Zimmer mit je einem Einzelbett.

Wir blieben davor stehen, unentschlossen, welches wir betreten sollten.

»Ich habe eine Mauer errichten lassen«, sagte Herr Salz.

»Eine Mauer?«, fragte Mama.

»Sie teilt das Zimmer genau in der Mitte«, sagte er. »Du kannst deine Schattenrisse an ihr aufhängen.«

»Ihr schlaft nicht zusammen?«, fragte ich.

Herr Salz schüttelte den Kopf. »Ihr wisst doch, meine Insomnie. Ich würde Mama nur wach halten. Dabei braucht sie doch besonders viel Schlaf. In ihrem Zustand.«

»Natürlich«, sagte Mama. »Wie lieb von dir.«

Und sie versuchte, eine Falte in der Decke ihres neuen Bettes glatt zu streichen, mit einer vehementen Geste, die ihren Schatten verzerrte.

In jener ersten Nacht im Fürstenhof fand ich keinen Schlaf. Selbst Foxl spendete mir kaum Trost. Gretl im Bett neben mir gab wie immer Schnarchlaute von sich, die in Anbetracht ihres fragilen Mädchen-Resonanzkörpers einem akustischen Wunder gleichkamen. So sorglos hätte ich auch gern geruht. In dieser Hinsicht war Gretl unserer Mama am ähnlichsten. So ganz aus der untersetzt-standhaften Olwerther'schen Familie stammend, waren beide dazu in der Lage, auch unter widrigsten Umständen zu schlummern.

Ich dagegen hatte, so unerquicklich der Gedanke auch ist, mehr Salz abbekommen: Ich war ausgestattet mit feinstem Nasenbein und offenkundig ebenfalls unter Insomnie leidend. Waren die Gene dafür verantwortlich, dass ich in dieser Nacht aus dem Bett und im Wohnzimmer auf einen Stuhl stieg, um ein Dachfenster zu öffnen und den Kopf ins Freie zu stecken? Ich wollte mir diese Stadt ansehen, die unmöglich mit unserem geliebten München mithalten konnte. Und tatsächlich: Statt des majestätisch erleuchteten Prinzregententheaters auf der gegenüberliegenden Straßenseite flimmerten hier nur ein paar verschwommene Lichter irgendwo in der schwarzen Luft. Auch war das unmelodiöse Donnern der Straßenbahn auf dem Tröndlinring kein Vergleich zu den selbst aus der Ferne noch vernehmbaren, akustischen Delikatessen der Oper. Und nicht zuletzt erzählte die Nachtluft weder von Isarfrische noch von Schweinebraten und Bier, sondern von den Ausdünstungen wilder Kreaturen: Die Inhaftierten des städtischen Zoos besaßen ein so dominantes Odeur, dass bei Nordwind stets alle Fenster im Fürstenhof geschlossen bleiben mussten, um die Gäste vor den olfaktorischen Attacken von Leopardenkot und Schimpansenschweiß zu schützen.

Da nahm ich eine Gestalt zu meiner Linken wahr, die, nur wenige Meter entfernt, wie eine kleine Galionsfigur auf dem zentralen Dachbogen saß. In der Dunkelheit konnte ich sie kaum erkennen. Sie war nicht mehr als ein Schatten. Ihre Umrisse ließen auf ein Kind oder einen zierlichen Erwachsenen schließen.

»Hallo?«, sagte ich.

Die Gestalt rührte sich nicht.

»Wer sind Sie?«, fragte ich.

Sie blieb starr und stumm, als wäre sie ein Teil des Gebäudes. Ein menschlicher Wasserspeier.

»Das ist unser Dach«, erläuterte ich mit dem Selbstbewusstsein einer Schulmeisterin.

Daraufhin bewegte die schattenhafte Gestalt ihren Kopf, und ich erschrak und fiel vom Stuhl. Bis ich ihn wieder erklommen hatte, war sie verschwunden. Ich hielt noch eine Weile Ausschau nach ihr – vergebens.

Gretl oder meinen Eltern erzählte ich davon nichts. Meine Schwester hätte mir niemals geglaubt und mein nächtliches Abenteuer als bloße Träumerei abgetan; dem Herrn Salz wagte ich nicht zu verraten, dass ich gegen die von ihm verordnete Bettruhe verstoßen hatte; und meine Mama wollte ich nicht zusätzlich belasten, weil dies – wortwörtlich – unser demnächst eintreffendes Geschwisterchen bereits zur Genüge tat.

Lieber schlich ich in jeder darauffolgenden Nacht zum Dachfenster, stieg auf den Stuhl und hielt nach dem menschlichen Wasserspeier Ausschau – weiterhin vergebens. Sodass ich nach einigen Tagen aufgab und mich fragte, ob ich ihn wirklich gesehen hatte oder er, rein theoretisch, das Ergebnis einer Träumerei gewesen sein konnte.

Es dauerte nicht lange, bis ich ihn vergaß. Viel Neues drängte sich in unser Leben.

Zuallererst: die Schule! Bereits nach der ersten Unterrichtswoche kamen Gretl und ich überein, dass die Sachsen Barbaren waren. Dies zeigte sich unserer Meinung nach schon daran, wie sie die deutsche Sprache misshandelten. Sogar unsere Lehrer behaupteten, es heiße *die* anstatt *der* Butter und *der* anstatt *das* Tunnel. Ganz zu schweigen von dem Dialekt: Leepzsch. Säggssch. Glubbschoochn. Modschekiebchen. Schpeggfeddbämme.

Umso mehr erfreuten wir uns an der internationalen Kundschaft im Hotel, die uns grammatikalisch einwandfreie Sätze und wohlklingende Wörter direkt in unser Zuhause lieferte. Für die Gäste war der Fürstenhof die beste Adresse in Leipzig, und das Geschäft brummte. Sogar einige Passagiere, die den Untergang der Titanic überlebt hatten, kehrten bei uns ein. Darüber wurde ausführlich in der Presse berichtet, und es hinterließ ordentlich Eindruck.

Wenn Herr Salz nicht gerade militärisch anmutende Kommandos von sich gab, die aus der Belegschaft eine kopfsenkende, herumhuschende, wispernde Untertanenschar machten, zeigte er sich für das Hofieren der Gäste verantwortlich. Es war mir ein Rätsel, wie er diesen Fremden so viel herzliche Freundlichkeit entgegenbringen konnte, während er seine eigene Familie wie Fremde behandelte.

Mama suchte in der Küche Zuflucht, dort etablierte sie ihr neues Zuhause. Das Küchenpersonal unterstand ihrer Oberaufsicht. Ich sehe sie noch jeden Abend in einer lilienweißen Bluse mit dem Küchenchef zusammensitzen und das Menü für die nächsten Tage komponieren – wenigstens etwas, das sie lenken konnte. Wenn ich sie aufsuchte, blieb ich immer an dem Bassin stehen, in dem sich die lebenden Fische tummelten. Diese beobachtete ich genau und mit viel Freude. Aber die Erinnerung daran ist eine traurige. Es kommt mir im Nachhinein vor, als wären wir alle bloß Fische in einem Bassin in der Küche gewesen, die umherschwammen und nicht ahnten, was sie erwartete.

So vergingen die ersten Wochen in Leipzig. Allein Sonntagnachmittage standen für Familienzeit, die den Herrn Salz mit einschloss. Gretl und ich hatten dann meist etwas Musikalisches einstudiert und versuchten uns an vierhändigem Klavierspiel. Gretl wurde aufgrund ihrer nicht gerade ausgereiften Fingerfertigkeit eine Vorreiterin hochexperimenteller Atonalität. Das hatte zwei Möglichkeiten des Endens: Entweder brach ich, weil wir nie beisammen waren, zum Schluss in wahnsinniges Gelächter aus und Gretl nicht – oder ich wollte mich aus Verzweiflung prügeln und Gretl nicht.

Eine willkommene Alternative: Roulette. Gretl sah dabei lieber zu, als Risiken einzugehen. Herr Salz bewies sich als guter Glücksspieler und schlechter Verlierer, unsere Mama als das Gegenteil und ich mich als schlechte Gewinnerin.

Auch schmetterte ich an solchen Sonntagnachmittagen Schmachtfetzen, denn seit Neuestem wollte ich Opernsängerin werden. Das ergab sich aus familiären Umständen: Unsere Eltern besaßen zwar ein Abonnement für die Oper, gingen aber so gut wie nie hin. Für gewöhnlich fehlte die Zeit, und war diese doch vorhanden, dann mangelte es an Lust (in welchem Fall die Ausrede ebenfalls fehlende Zeit lautete). Häufig telefonierten sie in letzter Minute aus der Rezeption unten herauf: »Wenn jemand von euch in die Vorstellung gehen will, unsere Karte ist frei.« Gretl wollte nie. Ich dagegen nannte die etwas erhöht liegende Leipziger Oper bald den Magnetberg. Es waren meine seligsten Abende, wenn ich auf dem *scheenen Augustusplatz* hingehen durfte, den unsere lieben Genossen später in Karl-Marx-Platz umtauften. Dort habe ich mit entzückten Schauern den ganzen

Ring, Carmen, Mozartopern und auch die Spielopern von Lortzing erlebt. Die mich begleitenden Erzieherinnen existierten für mich gar nicht, ebenso wenig die restlichen Publikumsgäste. Es gab für mich nicht einmal die Sänger oder Musiker. Wer guter Musik lauscht, ist immer für sich allein.

So allein, wie ich es jetzt in meiner absoluten Dunkelheit bin. Mit dem Unterschied, dass ich nichts hören kann. Nicht einmal meine eigene Stimme. Recht tragisch, denken Sie? Mitnichten! Meine Stimme, dieses rostige, verstimmte Instrument einer fast Neunzigjährigen, gehört keinesfalls zu den Dingen, die ich vermisse.

Meine Mama dagegen vermisse ich sehr. Ich bin so alt, viel älter, als sie werden durfte, und trotzdem vermisse ich sie wie ein Kind. Ich wünsche sie zu mir. Erfolgversprechender wäre es wohl, ich wünschte mich zu ihr. Aber noch nicht, noch nicht.

Den Herrn Salz vermisse ich durchaus auch. Wäre er nur hier! Ich würde ihm mitteilen, was ich von ihm halte, einem Mann, der seine schwangere Frau im Beisein seiner nicht taubstummen Töchter täglich erinnerte: »Hoffentlich wird's ein Sohn.«

»Ein Töchterchen hätten wir auch lieb«, erwiderte Mama darauf wie automatisch und hob die Stimme jedes Mal mit den letzten beiden Silben. Eine versteckte Frage an ihn.

Seine offene Antwort: »Töchterchen haben wir schon.«

Von einem Sohn erhoffte sich Herr Salz den Fortbestand seines Namens. Die Erfüllung seines Wunsches nach einem männlichen Erben stand Ende Juni kurz bevor. Wir sollten derweil ins Káschberltheater. Ich fühlte mich zu alt für diese Kunstform, doch es war die einzige, für die meine ältere Schwester vages und somit überproportional starkes Interesse aufbrachte. Herr Salz drängelte und drängelte, bis wir endlich, lange vor der Zeit, das Haus verließen.

Als wir dann aus dem Káschberltheater zurück in den Fürstenhof kamen, wurde uns mitgeteilt, dass wir ein Brüderchen hatten. Mama saß in einem rosaseidenen Schlafrock in ihrem Bett, den Fritz im Arm, der – darin waren Gretl und ich uns ausnahmsweise einig – frappierende Ähnlichkeit mit dem Christkind aufwies. Und der Herr Salz, das werde ich nie vergessen, betrachtete Mama auf eine verstörende Art und Weise, wie ich es kein zweites Mal erlebt habe: verliebt.

Wie bei jeder Liebe steckte darin allerdings eine gehörige - Portion Selbstliebe. Endlich hatte seine Frau einen anständigen Nachkommen produziert, der den Namen Salz, über den Tod vom Herrn Salz hinaus, verbreiten und damit seine Chancen auf Unsterblichkeit um wenige Prozentpunkte nach dem Komma erhöhen würde.

An diesem Abend lag ich allein im dunklen Kinderzimmer. Zumindest dachte ich das. Fritzls Ankunft in der Familie hatte Gretl ungewöhnlich aufgeregt, sie lehnte strikt ab, sich von Mama zu trennen, nicht einmal über Nacht wollte sie von ihrer Seite weichen. Unsere wie immer viel zu liebe Mama, die wenige Stunden zuvor mal eben so ein Kind zur Welt gebracht hatte, tröstete Gretl und erlaubte meiner Schwester, bei ihr zu schlafen. Herr Salz mischte sich nicht ein. Solange niemand seine Ruhe störte, war ihm alles recht – was ich, in dieser ersten Nacht ohne Gretl, nachzuvollziehen lernte. Welch ein Luxus, mir mit dem Einschlafen Zeit lassen zu dürfen und mich nicht sputen zu müssen, ehe sie mit ihrer Schnarcherei loslegte! Mit offenen Augen träumte ich von meinen eigenen, geräuschlosen Privatgemächern im Fürstenhof.

»Guten Abend.«

Ich schrak hoch. Mein Herz klopfte. Diese vorsichtige, brüchige Bubenstimme – die, wie mir erst später bewusst wurde, einwandfreies Hochdeutsch sprach – hatte ich noch nie vernommen. Sie gehörte keinem in der Familie und keinem der Bediensteten.

Ich wollte das Lämpchen auf meinem Nachttisch einschalten. Doch dann hielt ich inne.

Ich fürchtete mich vor dem, was das Licht mir präsentieren könnte.

»Guten Abend«, kam es noch einmal – und diesmal fordernder – aus der Schwärze des Raums. Ich zog mir die Bettdecke hoch bis zum Kinn. Wie antwortete man einem Eindringling in einer solchen Situation? Als angehende Opernsängerin erwog ich: mit theatralischem Geschrei. Aber was, wenn er mich daraufhin attackieren würde?

Am meisten Angst machten mir seine nächsten Worte: »Du brauchst keine Angst zu haben.«

»Bitte tun Sie mir nichts«, sagte ich.

Fast ein wenig entrüstet: »Wir tun dir nichts.«

Nun wollte ich erst recht kein Licht. Wie viele waren es?

»Was wollen Sie?«, fragte ich.

Stille. Sekunden verstrichen. Oder Minuten.

»Sind Sie Räuber?«

»Wir sind keine Räuber.«

»Sind Sie Diebe?«

»Wir sind keine Diebe.«

Ich überlegte. »Sie sind Einbrecher!«

»Nein, wir sind keine Einbrecher!«

»Aber das ist unsere Wohnung. Das hier ist mein Zimmer.«

Wieder Stille. Dann: »Vielleicht sind wir doch Einbrecher.«

Seltsamerweise fand ich das beruhigend zu hören. Ich ließ die Bettdecke ein Stück sinken. »Klauen Sie uns jetzt etwas?«

»Nein. Wir klauen nie etwas. Fast nie.«

»Dann sind Sie fast nie richtige Einbrecher.«

Erleichtertes Ausatmen.

»Wer sind Sie?«, fragte ich.

»Dürfen wir uns vorstellen?«

Ich deutete ein Nicken an. Noch bevor ich ein »Ja« hinterher-schicken konnte, leuchtete im Dunkeln eine kleine Flamme auf. Wie ein Irrlicht schwebte sie in der Luft. Als meine Augen sich daran gewöhnt hatten, erkannte ich das schmale, bleiche Gesicht eines Jungen, kaum älter als ich. Markante Wangenknochen, schulterlanges, fettiges Haar, das ihm ins Gesicht fiel und seine schwarzen oder dunkelbraunen Augen verbarg. Er hielt ein Feu-erzeug in der Hand und lächelte mit geschlossenem Mund. Wenn überhaupt, dann war er höchstens ein sehr entfernter Metiers-Verwandter des Räubers, den Gretl und ich wenige Stunden zu-vor im Káschberltheater erlebt hatten.

»Ich heiße Maria«, sagte er.

»Maria?«

Er nickte.

»Meine Großmama hieß so. Das ist ein Mädchenname«, er-klärte ich diesem fast nie richtigen Einbrecher.

Er schien kurz darüber nachzudenken. »Das ist auch ein Jun-genname. Denn ich heiße ja so.«

Dem konnte ich kaum widersprechen.

Ohne sich umzudrehen, deutete Maria mit dem Daumen hin-ter sich. »Und das ist Geist.«

»Wer?«

»Geist.«

Ich suchte im Dunkeln nach diesem Geist. »Ich sehe nieman-den.«

Maria verdrehte die Augen. »Geist ist scheu. Versteckt sich gern hinter mir.« Nun hielt er das Feuerzeug hinter seinen Rü-cken, sodass sein schmaler Schatten auf den Boden zwischen uns fiel. »Da bist du ja.«

Ich sah Maria an. »Wo?«

»Na, da«, sagte er und deutete auf seinen Schatten.

»Dein Schatten heißt Geist?«

Kopfnicken.

»Hat er dir gesagt, dass das sein Name ist?«, fragte ich.

Maria lachte auf. »Schatten können doch nicht reden!«

»Nicht mit Worten.«

»Stimmt«, sagte er. »Du kennst dich ein bisschen aus mit Schatten. Was weißt du noch?«

»Ich weiß«, sagte ich, »dass Schatten keine Namen haben.«

»Doch. Mein Schatten heißt Geist.«

»Ja, aber normale Schatten haben keine Namen.«

»Natürlich. Jeder Schatten hat einen.«

»Mein Schatten«, sagte ich, »hat keinen.«

Maria sah mich bestürzt an. »Dann musst du ihm sofort einen geben.«

»Warum?«

»Sonst weiß er ja nicht, wie er heißt!«

Das leuchtete ein. Wieso hatte mich bisher niemand, nicht einmal Mama, darauf hingewiesen?

Als ich das Nachttischlämpchen einschaltete, schirmte Maria seine Augen mit der Hand ab. Ich beugte mich über meinen auf der Bettdecke zerknitterten Schatten und überlegte. Ich spürte Marias erwartungsvollen Blick auf meiner Wange.

»Figaro«, sagte ich schließlich. »Ich nenne dich Figaro.«

»Wie in der Oper«, sagte Maria.

Ich lächelte. »Du kennst die?«

»Das wundert dich.«

»Du siehst nicht aus wie jemand, der in die Oper geht.«

»Wie sieht denn jemand aus, der in die Oper geht?«

»Anders als du. Wo lebst du?«

»Ganz in der Nähe.«

»Wie bist du hier reingekommen?«

»War nicht schwer. Dank dir.«

»Was meinst du?«

Er sah mich an, als wüsste ich die Antwort. »Wir müssen jetzt gehen«, sagte er dann.

»Schon?«, fragte ich, und als er darauf nicht reagierte: »Kommst du wieder?«

»Du darfst niemandem sagen, dass wir hier waren.«

»Warum nicht?«

»Sonst holen sie uns.« Da war Angst in seiner Stimme.

»Wer?«

Maria schritt zur Tür, dicht gefolgt von Geist.

»Warte.«

Maria hielt inne.

»Weißt du, wie ich heiße?«

»Lola«, sagte er. »Lola Rosa Salz.«

Mein Name hatte noch nie so schön geklungen.

Im nächsten Moment schlüpfte Maria ins Wohnzimmer. Ich sprang aus dem Bett, folgte ihm. Wo war er hin? Kein Fenster stand offen, auch die Eingangstür war von innen verriegelt. Alles sprach dafür, dass er sich noch in der Wohnung befand. Aber mein Gefühl sagte mir, was nach einer ausführlicheren Suche feststand: Er war weg. Mein Herz klopfte noch immer heftig, nur inzwischen aus einem anderen Grund. Ich hatte keine Angst mehr vor dem Besucher, sondern davor, dass er vielleicht nicht wiederkäme.

»Haben alle Schatten einen Namen?«

Darauf hatte jeder in meiner Familie am nächsten Morgen eine andere Antwort.

Mama, erschöpft vom Kinderkriegen, noch in die Daunenkissen ihres Bettes versunken: »Natürlich, Liebling. Geh, geh und finde sie alle heraus.«

Fritzl, erschöpft vom Auf-die-Welt-kommen, den Mund voll Milchbusen: zweifelndes Stirnrunzeln.

Herr Salz, verborgen hinter seiner Morgenmaske, der Titelseite der ›Leipziger Volkszeitung‹, an jenem Tag großflächig bedruckt mit einem Bild des prominent-schnurrbärtigen Thronfolgers sowie Mordopfers Franz Ferdinand von Österreich-Este: »Hm.«

Gretl, erfüllt von Stolz, weil sie und nicht ich die Nacht bei Mama verbracht hatte: »Nein. Keinesfalls. Nie und nimmer.«

Und Figaro, mein treuer Figaro: heftiges Kopfnicken.

Ich musste Maria und Geist so bald wie möglich wiedersehen. Der Tag wurde zum längsten aller Tage. In der Schule dehnte die Lateinlehrerin die neuen Vokabeln bis zur Unkennt- beziehungsweise Unendlichkeit. Auf der Tramfahrt nach Hause wurden wir von einem dreibeinigen Muli überholt, der einen Karren voll solider Grabsteine zog. Am Mittagstisch mussten Gretl und ich stundenlang auf Herrn Salz warten, sodass die Mädchen, als er endlich eintraf, die kalt gewordenen, eingetrockneten Krautwickel und Schwenkkartoffeln noch einmal aufwärmen mussten. Der Nachmittag weigerte sich vehement, dem Abend zu weichen. Ich zog unsere Standuhr mehrmals auf, im Glauben, sie sei stehen geblieben – und fand die darin liegende Ironie nicht lustig, vielmehr grausig, da ausgerechnet meine eigentlich gegen jegliche Feinsinnigkeit immune Schwester mich darauf hinwies. Mama konnte mich auch nicht ablenken – wir durften sie nicht aufsuchen, weil sie sich weiter von den Strapazen der Geburt erholen musste. Die Nachtruhe wünschte ich mir sonst nur ähnlich inbrünstig herbei, wenn Weihnachten bevorstand.

Dann endlich lagen fast alle in ihren Betten. Gretl musste sich wieder mit ihrem angestammten in meiner Nachbarschaft begnügen und ich mich mit der Kakofonie ihres Atmens, Mama hatte ihres seit Fritzls Geburt kein einziges Mal verlassen. Nur Herr Salz räkelte sich vermutlich als etwas zu kurz geratenes

Fotoaktmodell auf dem Bett einer uns unbekannten Dame, da er vor dem kuss- und grußlosen Verlassen der Wohnung seine Abwesenheit wieder einmal mit einer »dringenden Affäre« angekündigt hatte. Als ich mir also sicher war, dass mich niemand aufhalten würde, schlich ich ins Wohnzimmer, stieg auf einen Stuhl, öffnete das Fenster – und fand Maria wie vor ein paar Wochen auf der Kante des Dachbogens sitzend. Er ließ die Beine baumeln; wer genau hinsah, konnte die schwarzen Socken an seinen Füßen als Schmutz enttarnen.

»Komm«, sagte er.

»Aufs Dach?«

»Wird dir gefallen.«

»Das ist gefährlich.«

»Wir achten schon auf dich.«

»Du und Geist?«

Er hielt mir seine offene Hand hin, und obwohl er zu weit entfernt war, um notfalls nach mir greifen zu können, nahm mir das doch ein wenig von meiner Furcht. Ich kletterte aus dem Fenster und hielt mich am Rahmen fest. Mein weißes Nachthemd flatterte im Wind. Sechs Stockwerke unter mir war der Hoteleingang. Wenn ich jetzt fiel, würde ich zur übernächsten Morgenmaske des Herrn Salz werden.

»Dir passiert nichts«, sagte Maria. Er klang, als sei er sich seiner Sache sehr sicher.

»Und wenn ich abrutsche?«

»Musst eben aufpassen.«

Das Dach war steil. Ich ging auf alle viere. Die rauen Schindeln verliehen Halt. Ich löste immer nur einen Fuß oder eine Hand vom Dach. Mein Haar flog mir ins Gesicht, was mir recht war, da ich so nicht Marias Blick erwidern musste, der meinen Aufstieg ungeduldig beobachtete. Als ich ihn endlich erreichte, rückte er ein Stück zur Seite, und ich nahm neben ihm Platz.

»Figaro war schneller als du«, sagte er.

»Schatten können auch nicht sterben«, sagte ich.

Darauf er: »Bist du dir sicher?«

Das war ich nicht.

Um davon abzulenken, fragte ich ihn: »Warum redest du gar nicht wie ein Sachse?«

»Wir sind nicht von hier.«

»Woher kommst du?«

Er sah mich aus den Augenwinkeln an. »Das weißt du.«

»Nein.«

»Aber natürlich.« Mit diesen Worten legte er seine Hand auf meine, mit der ich mich am Dach festkrallte. Das fühlte sich nicht aufregend oder auf irgendeine frühpubertäre Weise elektrisierend an, sondern vielmehr vertraut, wie die Berührung des älteren Bruders, den ich mir immer gewünscht hatte. Für eine Weile saßen wir einfach nur wortlos da. Unter uns schlief die Stadt. In der Ferne stieg schwarzer Rauch aus Schornsteinen und vermischte sich mit dem Nachthimmel. Als würde in den Fabriken die Dunkelheit hergestellt.

Vor dem Eingang des Fürstenhofs hielt eine Limousine im Lichtkegel zweier Straßenlaternen. Ehe der Portier sie erreichte, um die Wagentür zu öffnen, stieg Herr Salz aus, schwungvoller als gewöhnlich. Eine Dame mit einem scharlachroten Hütchen folgte ihm. Er wandte sich zu ihr um, nahm seinen Zylinderhut ab, packte ihre Schultern in einem Klammergriff, schob sein haariges Gesicht in ihres und pickte mit seinen Lippen auf ihre ein, drückte sie zurück auf den Rücksitz und schloss die Tür. Dann gab er dem Fahrer ein Zeichen und sah der Limousine nach, bis sie die nächste Kreuzung erreicht hatte.

»Mein Vater«, sagte ich zu Maria.

»Herr Salz«, sagte er. »Aber das war nicht deine Mutter.«

Ich schüttelte den Kopf.

Maria lehnte sich vor und ließ Spucke von seiner Unterlippe tropfen. Sie fiel gleich einem Stein, sich ganz der Schwerkraft hingebend, wurde von einer Windböe erfasst und von einer anderen erneut auf Kurs gebracht, beschleunigte ihren Fall und traf mit einem für Maria und mich unhörbaren, wenn auch in meiner Fantasie satten Laut Herrn Salz' Kopf. Sofort sah er zu uns hoch. Maria riss mich nach hinten, und wir wurden von Geist und Figaro aufgefangen und lachten, hielten uns gegenseitig den Mund zu und kicherten. Seine Hände rochen nach Weißbier, und nicht nach irgendeinem, sondern nach Löwenbräu. Marias Augen waren nicht schwarz, überhaupt nicht schwarz, sondern so braun wie die ersten Kastanien in den Münchner Biergärten am Ende des Sommers.

»Glaubst du, er hat uns gesehen?«, fragte ich.

Maria wagte einen Blick und zuckte mit den Schultern. »Besser, du gehst zurück.«

»Ich will noch nicht«, sagte ich.

»Und wenn er dich hier draußen erwischt?«

Ich begann mit dem Abstieg, beeilte mich.

»Vorsichtig«, sagte er.

»Ihr achtet schon auf mich«, sagte ich.

»Kommen du und Figaro morgen wieder?«, fragte er.

»Wenn ihr auf uns wartet.«

Das taten sie, auch bei Einbruch aller darauffolgenden Nächte. In ihnen erzählte ich Maria, wer meine Familie war und wo wir herkamen und was zu Hause vor sich ging. Maria war im Zuhören besser als Herr Salz oder Gretl und der Mama mindestens ebenbürtig: Er schwieg, nickte, fragte an den richtigen Stellen nach; nie unterbrach er mich, widersprach mir oder demonstrierte Zweifel am Wahrheitsgehalt meiner Worte. Sodass mir lange Zeit gar nicht auffiel, wie selten wir über ihn sprachen. Selten?

Eigentlich nie. Jedes Mal, wenn ich den Versuch wagte, unser Verhältnis umzukehren, und das Gespräch zurück auf ihn lenkte – etwa in der Form von: »Und wie ist das bei dir?« oder »Kennst du das auch?« –, wich er mir mit einer spielerischen Bemerkung so gelenk aus, wie er über das Dach des Fürstenhofs lief. Nach ein paar gescheiterten Versuchen verzichtete ich darauf, weil ich annahm, es sei ihm unangenehm, über seine Herkunft zu sprechen. Offenbar kam er nicht aus wohlhabendem, höchstwahrscheinlich nicht einmal aus bürgerlichem, sondern vermutlich aus ärmlichem Hause. Herrje, er trug ja nicht einmal Schuhe! Seine Begründung dafür war jedoch keine materielle: »Nichts – außer Geist – darf zwischen mich und die Dächer Leipzigs geraten!« Ich kann ihn noch immer vor mir sehen, wie er im perfekt einstudierten Duett mit Geist, gleich einem Mischwesen aus Ballerino und tanzendem Derwisch, lautlos um mich herumwirbelt.

Da einem der Kindermädchen am Morgen nach meiner Erstbesteigung des Fürstenhofdachs auffiel, wie schmutzig mein Nachthemd war, wickelte ich mich danach immer in meinen schwarzen Wintermantel, welcher ohnehin viel besser der Kleiderordnung heimlicher Nachttreffen entsprach und zudem mit Marias Erscheinung harmonierte. So thronten wir vier beinahe unsichtbar über der Stadt, kaum voneinander unterscheidbar.

»Vielleicht sind wir ja die Schatten unserer Schatten«, meinte Maria dazu in einer Nacht, als der aufgefrischte Südwind mit Fürstenhofdüften den Zoo durchlüftete.

»Aber was sind dann die Schatten?«, fragte ich.

»Unsere Besitzer, unsere Herren. Und ihre Genialität besteht darin, dass sie uns glauben lassen, sie folgten unserem Willen. Dabei ist es genau andersherum.«

Dieser Gedanke pflanzte ein Unwohlsein in meinen Magen. Ich begann damit, Figaros Bewegungen genauer zu studieren. Tat ich stets das, was ich tun wollte? Oder glaubte ich nur, das tun zu wollen? Tat ich eigentlich das, was er wollte? Ich probierte mich in spontanen Richtungswechseln, raschen Ausfallschritten und unvorhersehbaren Gesten – Figaro ahmte alles brav nach und verriet sich kein einziges Mal.

»Sich selbst wird ein Schatten nie verraten«, erklärte Maria, »aber seinen Menschen durchaus.«

»Jeder Schatten kann ein Stückchen Wahrheit verraten«, zitierte ich Mama.

Und Maria lächelte.

Was mir im Januar so schwergefallen war, lernte ich von ihm in diesem Sommer. Menschen waren gut darin, zu verbergen, wer sie waren und was in ihnen vorging – ihre Schatten dagegen erzählten eine andere, eine weitaus ehrlichere Geschichte.

Mama zum Beispiel verließ ihr Schlafzimmer auch einen Monat nach Fritzls Geburt nur für sich unerträglich lang hinziehende, zeitlupenartige, durch Schwindelanfälle unterbrochene Odysseen zum Badezimmer, wobei sie und ihr Schatten von einem Zimmermädchen begleitet wurden, das gleichermaßen physische wie moralische Stütze war. Ihre Schlafzimmertür blieb meist verschlossen. Wenn ich anklopfte und fragte, wie es ihr gehe, antwortete sie stets: »Ausgezeichnet, mein Schatz.« Wenn ich wissen wollte, wann sie endlich Fritzls ersten Schattenriss anfertigen, wieder mit uns essen, mit uns Roulette spielen werde, antwortete sie stets: »Bald, mein Liebling.« Und wenn ich klagte, die Sachsen, meine Schwester und Herr Salz seien allesamt Barbaren, sagte sie verlässlich: »Das wird schon wieder, meine Gute.«

Bisher hatte ich daran geglaubt: dass es schon wieder wird. Dass wir uns früher oder später in Leipzig einleben und so zu Hause fühlen würden wie in München. Dass Mama in die Familie zurückkehren konnte. Dass Herr Salz in die Familie zurückkehren wollte. Dass Gretl mit mir eines Tages ein vierhändiges

Meisterstück einüben würde, von solch vollkommener Einigkeit, dass es nicht nur Mamas Schlafzimmertür oder Herrn Salz' Gleichgültigkeit, sondern selbst den Lärm der Stadt überwinden, bis in deren höchste Sphären vordringen und dort von einem so schmutzigen wie weisen Jungen vernommen werden würde.

Die Schatten verrieten mir die Wahrheit.

In Mamas Fall verhielt es sich folgendermaßen: Selbst wenn ich sie doch einmal kurz besuchen durfte, begegnete ich ihrem Schatten kaum mehr, weil er nahezu regungslos unter ihr begraben lag. Und als ich ihn bei ihren Badezimmerodysseen beobachtete, fiel mir auf, wie sehr er zitterte, wie geknickt und mager er war. Nichts an ihm schien ausgezeichnet oder deutete eine baldige Genesung an.

Bei Fritzl muss ich sagen, dass sein Schatten mich so wenig interessierte wie er selbst. Dieses quengelnde, rosarote Fleischknäuel, bei dem es unten so flüssig rauskam, wie es oben reinkam, war ein zu unvollendetes, ästhetisch mangelhaftes Exemplar eines Menschen, als dass ich, die zukünftige Opernsängerin und mit neun Jahren praktisch erwachsene Schwester, mich in der Lage sah, ihm mehr als ein Mindestmaß an familiärer Nächstenliebe entgegenzubringen.

Gretls Schatten dagegen frappierte mich wider Erwarten. Ich war davon ausgegangen, dass er mir etwas über das Innenleben meiner Schwester verraten würde, welches sie so effizient vor uns allen verbarg. In ihr drin musste mehr los sein, als diese herzstillstandartige Lustlosigkeit eines Schlaftablettensüchtigen nach außen hin suggerierte. Doch sooft ich ihrem Schatten auch auflauerte, ihn studierte, während sie schlief oder in aller Langsamkeit aß, sich kämmte, mit Puppen Teekränzchen hielt oder ihre Kartoffelnase puderte, so wenig Erkenntnis konnte ich gewinnen. Entweder war Gretls Schatten ihr über die Maßen treu und brillierte darin, sie nicht durch eine temperamentvolle Regung zu verraten – oder meine Schwester war nicht mehr und nicht weniger (Letzteres kaum möglich) als das, was sie der Welt von sich offenbarte. Ein beunruhigender Gedanke, fand ich, dass jemand so wenig sein und dennoch sein konnte.

Ebenso schrecklich: die Analyse von Herrn Salz' Schatten. Sie war erschwert durch den Umstand, dass der Mann, den ich früher als Vater bezeichnet hatte, nicht mehr mit uns lebte, sondern höchstens noch unter uns. Eigentlich bekamen wir ihn bloß mehr am Frühstückstisch zu Gesicht, und selbst dann nur in den wenigen Sekunden, wenn er seine ›Leipziger Volkszeitung‹ (an der er sich für ihre zunehmend düsteren politischen und somit noch düstereren wirtschaftlichen Botschaften nach beendeter Lektüre immer öfter durch Seitenzerknüllen rächte) für einen Schluck Kaffee oder einen Biss ins Marmeladenbrötchen sinken ließ. Diese Zeitung schien noch massiver als Mamas Schlafzimmertür. Auf gewöhnliche Fragen oder Aussagen reagierte er so wenig wie sein Schatten, den die Zeitung vor uns verbarg. Ich stellte mir vor, dass meine Worte sich in den rechteckigen Wortnetzen auf den eng bedruckten Zeitungsseiten verfingen und diese nur in Ausnahmefällen durchdrangen, sein Gehör erreichten und ihn zu einer Reaktion bewegten. Dafür musste ich jedoch veritable Salven in seine Richtung abfeuern: »Ist-Mama-krank-oder-ist-das-normal-dass-sie-so-viel-schläft-und-gar-nicht-mehr-mit-uns-isst-und-gar-nicht-mehr-in-der-Küche-arbeitet?«

Er ließ die Zeitung sinken und sagte: »Es geht ihr gut.« Ich wollte ihm glauben. Aber sein Schatten ließ mich nicht. Sein Schatten war erstarrt wie der eines Getriebenen, der seine Verfolger in unmittelbarer Nähe wähnt und die Luft anhält. Als ich dann eine zweite Salve hinterherschickte – »Wirklich-geht-es-ihr-wirklich-gut-ist-das-wirklich-normal?« –, schoss er mit einem Wort zurück, das mich über Tage hinweg verstummen ließ: »Lo-la.« Nie wieder in meinem Leben vernahm ich etwas so

Furchteinflößendes. Er hätte mich ebenso gut schlagen können. In seiner Stimme schwang die Drohung mit, er würde keine weiteren Fragen tolerieren und mich wenn nötig bestrafen, aber das war es nicht, was mich erschütterte, nein. Was mir so viel Angst bereitete, war die halbsekündige, abgründige Pause zwischen der ersten und der zweiten Silbe. Ich konnte es damals nicht in Worte oder klare Gedanken fassen, es war bloß ein Gefühl. Mir wurde erst viel später bewusst: In diesem Augenblick hatte ich zum ersten Mal von Mamas drohendem Ende gehört.

Vielleicht ahnte Herr Salz früher als wir anderen, wohin ihre Erkrankung führen könnte, und brachte deshalb die empfindlichen Teile seiner Seele in Sicherheit, indem er so viel Distanz wie möglich zu Mama hielt und diese Distanz durch Gemeinheit künstlich vergrößerte. Obwohl er, zumindest offiziell, in ihrem Nachbarzimmer schlief, ließ er ihr durchs Personal Briefe zustellen. Manche davon wurden ihr vorgelesen. So erfuhr ich, das Ohr gegen die Schlafzimmertür gedrückt, deren Inhalt. Sie enthielten nicht etwa Trost spendende, ermutigende, liebevolle Zeilen, nein! Es waren Beschwerdebriefe. Sie habe das Geld verschwendet, das er verdiene, warf er ihr vor, und erging sich in Aufstellungen, listete winzigste Summen auf – 1,50 Mark für den Verschluss eines Schlauchs! Und das Porto! Für Pakete, mit Leckereien gefüllt! Die sie ab und zu an eine kranke Freundin in München hatte schicken lassen! Und sollte sie jemals wieder ihre Bettlägerigkeit abschütteln – auch dies, Sie hören richtig, ein Vorwurf –, dann dürfe ihr der Rezeptionschef nicht mehr den Schlüssel für die Kasse aushändigen. Zugriff aufs Geld verbiete er ihr hiermit.

»Bist du wegen ihm krank?«, fragte ich sie einmal.

»Aber nein. Nein. Nein, nein«, sagte sie mir.

Doch ihr Schatten krümmte sich wie bei einem langen, bestimmten Kopfnicken.

Sogar an Tagen, wenn sie selbst mit Stützen zu schwach war, um das Bad aufzusuchen, machte sie sich hübsch, erinnerte sich an Tante Allis Liebesschlachtbemalung (die Herrn Salz offenbar zugesagt hatte), frisierte sich, trug den Zimmermädchen auf, jene mit Schminkutensilien und Flakons gefüllten Etuis für die Toilette ins Schlafzimmer zu bringen und ihr in ein frisches, spitzenbesetztes Nachthemd zu helfen. Nach vollendetem Schönheitsritual ließ sie den Herrn Salz rufen. Dann wartete sie ganze Nachmittage lang. Nur um später zu erfahren, dass er, obwohl er sich in der Wohnung aufgehalten, sie vergessen hatte. Vergessen in Anführungszeichen. Vielmehr besuchte er sie nicht, damit er sie nicht sehen musste. Sehen hätte Mitleid ausgelöst, und Mitleid hätte ihm die Freude an Frauen mit scharlachroten Hütchen geraubt. Und auf Frauen mit scharlachroten Hütchen wollte er nicht verzichten.

Alles in mir sträubt sich dagegen, trotzdem muss ich gestehen: Ich kann das nachvollziehen. Nicht gutheißen, aber nachvollziehen. Figaro wies mich wiederholt darauf hin, dass ich, wenn ihre Tür offen stand, zu ihr gehen sollte. Er verharrte im Flur, deutete mit gedehntem Arm auf den Eingang zu ihrem stark abgedunkelten Zimmer, in dem es selbst nach stundenlangem Lüften weiterhin beißend-süßlich roch. Gelegentlich rief sie dann nach mir. »Lola! Bist du da?« Und manchmal lief ich daraufhin zu ihr. Und manchmal erwiderte ich beschäftigt tönend: »Ja?!« Und manchmal zog ich meine verräterischen Schuhe aus und schlich davon.

Es mochte sein, es wird wohl so gewesen sein, ach was: Es war so, dass ich meine gesunde der kranken Mama um Längen vorzog. Meiner gesunden Mama konnte im liebevollen Lächeln niemand das Wasser reichen, und ihre mollige Gestalt war ein seelenwärmendes Ganzkörperkissen. Diese Mama verschwand jedoch mit ihrer Erkrankung, so wie bereits unser Vater verschwunden war, und sie wurde ersetzt von einer Frau, deren Mundwinkel nach unten deuteten, die nicht die Kraft fand, um Fritzls ersten Schattenriss zu tuschieren, und deren Finger sich jedes Mal, wenn ich ihre Hand hielt (was ich zunehmend seltener wagte), knöchriger anfühlten, sodass ich mich im Üben mütterlicher Phrasen ertappte, allen voran das allzeit beliebte: »Isst du auch genug?«

Zwei Dinge habe ich damals gelernt: Was einen nicht umbringt, macht einen schwächer. Und: Niemand sollte als Kind seine Mutter bemuttern müssen. Das ist die eine immense Erleichterung, der strahlende Pluspunkt, das kollaterale Glück meiner restriktiven Situation hier und heute. Mein miserables Verhältnis zu meinen Kindern schützt sie vor der Verpflichtung, sich um ihre im Reich der Schatten gefangene Mutter kümmern zu müssen. Wer auch immer Sie sind, mein Zuhörer und Verabreicher aparter Eclair-Portiönchen – in Ihnen fließt garantiert nicht mein Blut. Dafür bin ich dankbar.

Dennoch wünsche ich mir, ich wäre damals eine tapfere Tochter gewesen, die sich hingebungsvoll der Genesung ihrer Mutter widmete. Ich war leider eine andere Art von Tochter. Ich warf ihr ebenfalls vor, die Krankheit nicht abschütteln zu können, ich kritisierte, sie habe noch immer nicht Fritzls Schattenriss gemalt, das sei unverantwortlich, genau dieses Wort verwendete ich, unverantwortlich, immerhin sei er nun doch ein Teil unserer Familie und brauche ihn, sollte er seinen Schatten verlieren. Ich sagte ihr, sie sei doch nicht alt, und schimpfte, andere Mütter zögen sich auch nicht wochenlang ins Bett zurück, sondern kämpften und warteten nicht bequem darauf, dass die Krankheit von ihnen ablassen möge. Die im Zimmer meiner Mama liegende Frau nickte darauf nur zustimmend. Dabei wollte ich nichts mehr, als dass sie mir widersprach, mehr noch, dass sie mein Argument widerlegte, die Bettdecke zur Seite warf und aufsprang und mich herzte und in die Arme nahm.

Stattdessen offerierte sie mir flaches Atmen und feuchte Augen.

Eine Surrogatumarmung holte ich mir bei Maria in der Nacht. Ich atmete seinen einzigartigen Geruch ein und verwandelte ihn in warme, dumpfe Worte, die ich an seine Schulter sprach: »Am schlimmsten ist, dass ich Angst vor ihrer Krankheit habe.«

»Das ist nicht schlimm«, sagte er, »das ist normal. Du hast Angst, du könntest sie verlieren.«

»Nein, das ist nicht alles.« Ich ließ ihn los und wandte mich Figaro und Geist zu. Manche Dinge sind leichter auszusprechen, wenn man sie an Schatten richtet. »Ich habe auch Angst, mich anzustecken. Ich will nicht krank werden.«

Darauf wusste selbst Maria keine Antwort. Er lenkte davon mit einer Frage ab: »Was hat sie denn?«

Diesmal blieb ich eine Antwort schuldig und drückte mich noch fester an ihn und in seinen Geruch. Denn Mama litt unter der furchtbarsten aller denkbaren Erkrankungen: der namenlosen. Fieber, immerwährendes Fieber. Schwitzfeuchte Haut. Gliederschmerzen. Hustenanfälle, unterbrochen durch trügerische Ruheperioden, unterbrochen durch Hustenfälle. Schläfrige Schlaflosigkeit.

Summa summarum: Allerweltssymptome. Bei welcher Krankheit kommen diese nicht vor? Es konnte ebenso gut ein tödlicher Tropenvirus sein wie eine banale Grippe. Sie konnte binnen vierundzwanzig Stunden dahinscheiden oder, so hoffte ich, genesen. Es lagen kaum Indizien vor: Ausgebrochen war die Krankheit nach der vollendeten Schwangerschaft. Hatte Fritzl bei der Auflösung ihres biologischen Bundes mehr von ihr mit sich genommen als ihm zustand? Oder war etwa nicht die Trennung von meinem Brüderchen, sondern die von ihrem geliebten München die Ursache?

Niemand wusste Antwort. Ärzte tauschten ihr Latein gegen Herrn Salz' Kopfnicken und Geld. Je mehr sich Mamas Gesundheitszustand verschlechterte, desto tiefer flüchteten sie ins - Dickicht ihres Fachvokabulars. Dies vermittelte uns den Eindruck, sie wüssten, was sie taten. Und das stimmte, wenn man's genau nimmt, auch: Sie hielten die Dahinsiechende am Lebenstropf, exakt zwischen Dies- und Jenseits.

Ich ahne Ihren Einwand: Wie kann eine erst neunjährige Göre sich ein solches Urteil erlauben? Schließlich agierten da Mediziner, Doktoren, Professoren! Nun, ich stimme Ihnen zu, eine erst neunjährige Göre darf das nicht.

Aber was, wenn diese Schlussfolgerung von einer Fast-Neunzigjährigen stammt? Ich habe dieses Jahrhundert von Anfang bis Ende durchlebt, gelebt, genug erlebt. Lola, das Mädchen, schildert Lola, der Greisin, was sie gesehen hat, woraufhin die Greisin kurz reflektiert, bevor sie dem Mädchen mitteilt: Die Weißkittel tragen Schuld. Das weiß ich. Das weiß ich ganz bestimmt. Sie hätten Mama helfen können, sie hätten sie, wenn schon nicht flugs heilen, dann zumindest mit Anstand zur Todespforte begleiten können. Aber dafür waren sie zu feige.

»Wann wird sie wieder gesund?«, fragte ich jeden von ihnen, sobald sie Mamas Schlafzimmer verließen.

»Das kann man nicht sagen«, antwortete jeder von ihnen.

»Aber sie wird schon wieder gesund?«, fragte ich.

»Das kann man nicht sagen«, wiederholten sie.

»Sie wird doch nicht sterben?«, fragte ich.

Worauf keiner von ihnen etwas sagen konnte.

Indessen brach ein ganzer Weltkrieg aus, der umgehend zu Einschränkungen führte. Zumindest für uns. Die üblichen Zuteilungen reichten nicht aus für ein nobles Hotel. Fett, Eier oder Fleisch wurden rationiert. Herrn Salz blieb gar nichts anderes übrig, als schwarz einzuhandeln. Nun gab es aber hin und wieder Kontrollen, welche sicherstellen sollten, dass alle im Haus befindlichen Lebensmittel genehmigt waren. Dem wusste Herr Salz alias der Hund zu begegnen. Den Portier hatte er angewiesen, dass er, wenn vorne an der Rezeption eine Gruppe von Kommissaren auftauchte, nach hinten in die Küche telefonieren sollte: »Es duftet nach Maiglöckchen.« Prompt wurde alles weggeräumt, was zu viel an Fett oder Ähnlichem vorhanden war. Gleichzeitig streuten die Köche Pfeffer auf die Platten der Kohleherde, sodass scharfe Dämpfe über die Nasen und Augen der Kommissare herfielen, woraufhin diese die Küche sehr gern schleunigst wieder verließen.

Als weitaus problematischer stellte sich der Wegfall der Messen heraus, welche die bedeutendste Einnahmequelle im Geschäftsleben eines Leipziger Hoteliers waren. Ausländische Gäste – Engländer, Franzosen, Russen – blieben weg. Der Fürstenhof wurde leer. Allein eine amerikanische Familie, die interniert gewesen war und nicht mehr zurück in ihre Heimat konnte, wohnte bei uns. Mitten im Herbst kehrte noch ein Oberst bei uns ein, Herr von Boppen. Was für ein Regiment er befehligte, weiß ich nicht, ich vermute jedoch stark, es war Teil der Reserve. Das legte seine äußere Erscheinung nahe: Wampe, kurzsichtiges Blinzeln, schneeweißer Backenbart. Jeden Morgen stand neben dem Fürstenhof an der Seite, wo sich der Brunnen befand, der Reitknecht und hielt einen unruhigen, wahrscheinlich das Gewicht des Herrn von Boppen fürchtenden Schimmel. Den bestieg dieser in einer himmelblauen Uniform und erstaunlich agil. Ein ausnehmend malerischer Anblick.

»Ich will auch in den Krieg ziehen«, sagte ich zu Maria in einer Septembernacht.

»Nein«, sagte er, »willst du nicht.«

»Es kann nicht viel schrecklicher sein als zu Hause.«

Ein Trugschluss, dem damals neben mir sicher auch viele euphorisch trällernde Soldaten auf dem Weg zur Front erlagen.

»Mach es dir doch weniger schrecklich zu Hause«, empfahl mir Maria.

»Wie?«

Geist und er zuckten mit den Schultern. »*Du* bist die Künstlerin.«

Gleich am nächsten Morgen setzte ich mich ans Klavier und spielte die ersten Takte der ›Hochzeit des Figaro‹. Wieder. Und wieder. Das bohrte sich in mein Hirn und nach Ideen, wie ich meinem Zuhause den Schrecken nehmen könnte. Ich kam zu dem kindlichen Schluss, dass alles, was mich froh machte, auch der Mama guttun würde. Sie musste zum Magnetberg! Ich sah kein Problem darin, dass sie keinesfalls in der Verfassung für einen Ausflug war. Wenn die Mama nicht zum Magnetberg kam, musste der Magnetberg eben zu ihr kommen. (Heute beneide ich die neunjährige Lola um ihre Zuversicht, Berge versetzen zu können.)

Während Mamas Besuchszeit, wenn die Schlafzimmertür offen stand, um mich und meine Hoffnungen hineinzulassen, schlug ich, als hätte mich ein wohlwollender Teufel gepackt, auf die Klaviertasten ein, spielte irgendwelche verrückten Weisen und sang dazu aus voller Kehle. Danach lief ich im Wettstreit mit Figaro zu ihr, trat an ihr Bett und verbeugte mich, wie es sich gehörte – keinen Applaus erwartend, weil sie dafür nicht die Kraft besaß –, und war umso verblüffter, als sie im Stil meiner gesunden Mama lächelte und sagte: »Ja, Lola, du bist verrückt, du musst zum Theater.« Das ist eine meiner liebsten Erinnerungen. Ich beschwor sie später jedes einzelne Mal, wenn ich auf die Bühne musste. Sie flößte mir den Mut ein, den ich brauchte, um mich dem Publikum zu stellen, dieser im Dunkeln lauernden, ungeduldig hüstelnden Masse Mensch. Sie hilft mir selbst jetzt, wenn ich zu Ihnen spreche, meinem letzten Zuhörer.

In den Wochen danach trug ich den Magnetberg ab, Szene für Szene, Melodie für Melodie, Charakter für Charakter, und errichtete ihn wieder in Mamas Schlafzimmer. Ich spielte Erlebtes nach. Ich warf mir eine Pelzstola über oder zwei Füchse und imitierte tragische Verzweiflungsszenen oder verzweifelnde Tragödienszenen. Ich tanzte, ohne zu ahnen, was ich da tanzte: einen Striptease. Ich schrieb, wenn mir kopierwürdige Vorlagen ausgingen, selbst Schauerdramen, in denen ich immer die Hauptrolle übernahm, meine talentfreie Schwester sich mit sämtlichen Nebenrollen abgeben musste und sogar Fritzl Gastauftritte bekam, als geraubtes Kind und Umlaute krakeelender Babysopran.

Nie mehr hat mir mein Publikum so viel bedeutet. Meine Aufgabe, wie eine abendländische Scheherazade lebensverlängernde Unterhaltung zu bieten, erfüllte mich dermaßen, dass ich gar nicht bemerkte, wer in jenen Stunden die beste Darbietung lieferte: meine Mama. In ihrem blütenweißen Bett liegend, das Haar gepflegt zum Zopf geknotet, Nachtapfelstückchen auf dem Teller in ihrem Schoß ignorierend, mit minimaler Blinzelfrequenz beobachtend, liebevoll lächelnd.

Sie muss Schmerzen gehabt, Hustenreize verspürt, unter Müdigkeit gelitten haben – nichts davon ließ sie uns ahnen, geschweige denn sehen. Selbst ihren Schatten wusste sie zu kontrollieren, mir fiel nichts Verdächtiges an ihm auf. Sie spielte eine genesende, stolze, heitere Mama. Die Rolle ihres Lebens.

Erst Ende Oktober musste sie diese endgültig aufgeben. An der Westfront nahm mit dem Einsatz von Feldspaten die Kriegs- euphorie deutlich ab, und auch im Fürstenhof wurden Grenzen gezogen: Mamas Zustand verschlechterte sich derart, dass ihre Schlafzimmertür verschlossen blieb, zu einem festen Teil der Wand wurde. Ich wehrte mich noch eine Weile, spielte und sang sozusagen hinter dem Vorhang. Aber da meine Musik bloß gegen das Hindernis brandete, es kein einziges Mal überwand und Ma- mas Reaktion, ihre motivierende darstellerische Leistung, mir gänzlich vorenthalten wurde, kapitulierte ich schließlich.

»Du musst ihr helfen«, lautete Marias Rat. Selbst in den ersten Frostnächten dieses Herbstes hatte er nichts an seiner Erschei- nung geändert: barfuß, jackenlos und dennoch zitterfrei. Ich da- gegen fror, trotz Wintermantel.

»Ich kann ihr nicht helfen«, sagte ich.

»Doch, du kannst es ihr leichter machen.«

»Was kann ich ihr leichter machen?«

Er legte einen Arm um mich, und ich spürte die Hitze, ja, nicht Wärme, sondern Hitze seines Körpers. »Du weißt schon.«

Ich sah ihm in die Augen.

Er nickte.

Ich schüttelte seinen Arm ab und stand auf.

»Es wird so oder so passieren. Die Frage ist nur, ob du ihr den Weg dorthin erleichterst.«

Die nächste Nacht war die erste, in der ich, obwohl Herr Salz abwesend war und Gretl kriegerisch schnarchte, nicht aufs Dach stieg. Ich wollte nicht hören, was Maria mir mitzuteilen hatte, ich wollte meine Mama hören. Ich ging zu ihrem Schlafzimmer und horchte an der Tür: Stille. Die Türklinke drückte ich gar nicht erst. Abgeschlossen, das wusste ich. Bereits seit Tagen ließ Herr Salz uns nicht mehr zu ihr. Gleichzeitig – und das war ihm vermutlich noch wichtiger – ließ er nicht raus, was sich hinter der Tür befand: jemand, der ihn an eine Frau erinnerte, die er geheiratet, mit der er drei Kinder gezeugt, dank deren Familie er den Fürstenhof in Besitz genommen hatte.

»Mama?«, sagte ich, leise genug, um sie, falls sie schlief, nicht zu wecken, und laut genug, damit sie, falls sie wach war, mich hörte.

Weiterhin: Stille.

»Mama«, sagte ich erneut, nun nicht mehr ganz so leise.

Beharrlich: Stille.

»Mama!«, rief ich.

Husten. Räuspern. »Lola? Bist du das?« Ihre Stimme klang dumpf und weit entfernt.

»Kann ich reinkommen, Mama?«

»Du solltest schlafen, Lola. Geh zurück ins –« Keuchen. »Geh ins Bett.«

»Ich will zu dir, Mama.«

»Das geht nicht.«

Ich presste mich gegen Figaro und die Tür. »Wann wirst du endlich gesund?«

Wieder drohte: Stille.

Dann sagte sie: »Bald.«

Auch ohne ihren Schatten sehen zu können, glaubte ich, sie zu durchschauen. »Du lügst.«

»Nein, Lola.«

»Du wirst nicht mehr gesund, oder?« Ich wollte, dass sie endlich meine Befürchtung aussprach, dass sie es gestand, damit ich diese quälende Hoffnung, ihre Genesung würde irgendwann eintreten, aufgeben und mich auf die Alternative einstellen konnte.

»Meine Liebe, natürlich werd ich das. Glaubst du mir etwa nicht? Ich bin doch deine Mutter. Ich komme wieder zu Kräften, das steht außer Frage. Hörst du mich?«

Meine Retourkutsche: Stille. Konnte ich ihr trauen?

»Lola, ich fühle mich schon viel stärker.«

»Warum dürfen wir dann nicht zu dir?«

»Damit ihr euch nicht ansteckt. Aber ich verspreche dir: Bald sind wir wieder zusammen.«

»Wirklich?«

»Bald.«

Es war das letzte Mal, dass ich mit ihr sprach. Am Morgen darauf teilte der Arzt Herrn Salz und Herr Salz später Gretl und mir und ich fairerweise auch Fritzl mit, sie sei in ein Koma gefallen. Man müsse abwarten. Als ob wir nicht genau das bereits seit Monaten getan hätten!

Mir blieb nur noch Mamas *Bald*. Ich trug es mit mir herum, vermochte es weder abzuschütteln noch einzulösen. Wie konnte es sein, dass ihre Rettung von einem so kleinen Wörtchen abhing? Ich sagte mir, es sei wohl besser, nicht daran zu glauben. Aber ich glaubte daran. *Bald* ersetzte alle Worte Marias, den ich aus Angst vor seinen Ratschlägen nicht mehr traf, auch wenn ich täglich an ihn dachte: wie er über unseren Köpfen balancierte, Häuserfassaden erklomm und der Schwerkraft trotzte. *Bald*, viele von mir geflüsterte *Bald*, beruhigten Fritzl, wenn ich das plärrende, Aufmerksamkeit heischende Brüderchen im Arm wiegte. Gretl, die auf Mamas verschlechterten Zustand reagierte, indem sie Mama kaum noch erwähnte, als würde unser wichtigstes Familienmitglied nicht in jeder Sekunde jeden Tages fehlen, diese ignorante Gretl lockte ich mit der Geschichte, wie Mama mir ihr *Bald* versprochen hatte, sogar zu Mamas Schlafzimmertür, von der meine Schwester sonst deutlich Abstand hielt, als befände sich ein Monster dahinter. Ein gar nicht laut oder klar artikuliertes, fast schon beiläufig gemurmeltes *Bald* am Frühstückstisch durchdrang so mühelos wie ein Pistolenschuss Herrn Salz' Zeitungswörternetz – er erhob sich ruckartig und ließ uns allein, als hätte ich eine Rotweinflasche in der Öffentlichkeit des Hauptbahnhofs fallen lassen. Offenbar hatte Mama nicht nur mir ein zukunftsgläubiges Versprechen gegeben.

Meine Befürchtung damals, ob Mama es halten würde: überflüssig. Natürlich würde sie das. Nur waren meine Erwartungen an *Bald* falsch. Die Wochen bis zu unserem Wieder-Beisammensein, die ich mir darunter vorstellte, haben sich als über achtzig Jahre entpuppt. Doch viel mehr als das kann *Bald* nicht bedeuten. Das verrät mir meine prekäre Verfassung.

Könnte ich nur der neunjährigen Lola einen Rat mit auf den Weg geben: Hab Geduld, selbst lange Leben sind kurz. Und nach allem Unglück, das dir bevorsteht, wird am Ende deine Mutter auf dich warten.

Ich war ein ungeheuer hoffnungsvolles Mädchen und außerdem romantisch. Ich glaubte an Mamas Wiederauferstehung pünktlich zu ihrem liebsten Tag im Jahr: Weihnachten. Überall im Fürstenhof würde Lichterschmuck brennen. In der Nacht zum Vierundzwanzigsten würde Mama ihrem Bett fernbleiben und ganz allein für jeden einen Tisch richten, der nicht nur mit Geschenken und Leckereien auf Schlecktellern belegt, sondern auch mit Tannenzweigen und funkelnden Ketten dekoriert wäre – für Fritzl und Gretl und mich und unsere Erzieherinnen und die Dienstmädchen und sogar Herrn Salz, trotz seiner auf Abneigung gegen Gefühlsduselei beruhenden Distanz zum Weihnachtsfest immer auch für Herrn Salz. Am Morgen des Vierundzwanzigsten würde Mama blass und abgespannt aussehen, aber nicht kränklich und keinesfalls krank. Und in jedem Fall glücklich. Bei Einbruch der Nacht würde Herr Salz im Smoking erscheinen und Mama im seidenen, rauschenden Kleid. Ich würde etwas vorsingen und vorspielen und vortragen und mir das Lachen verkneifen, wenn

Gretl sich Mühe gab, es mir gleichzutun. Diniert würde im großen Speisezimmer. Der Koch aus dem Fürstenhof würde persönlich einen Karpfen oder Rehbraten servieren, die Mädchen in weißen Häubchen und Schürzen dampfende Beilagen. Danach würden wir gemeinsam den weiten Weg in die katholische Kirche antreten, für die Christmette, zu der Herr Salz sich sonst nie überreden ließ. Und während der Zeremonie würden wir uns bekreuzigen und Dankgebete an den lieben Herrgott schicken, dass er uns Mama noch für eine Weile überließ.

Damische, dumme Fantasien.

Am dreiundzwanzigsten Dezember befand sich Mama noch immer im Marathonschlaf. Ich hielt die Anspannung nicht länger aus. Höchste Zeit für sie aufzuwachen, um das Weihnachtsfest angemessen zu inszenieren! Am späten Abend holte ich mir den Schlüssel für ihre Schlafzimmertür, aus dessen Versteck Herr Salz kein Geheimnis machte: Er bewahrte ihn in einer Schublade seines Biedermeiersekretärs auf. Draußen fiel Schnee. In der Löhrstraße schaufelten und scharrten Männer mit eisernen Schneeschaufeln. Dies Geräusch sollte ich nie vergessen.

Das Fenster in Mamas Schlafzimmer war zugezogen, nur eine Stehlampe angeschaltet, die mehr Schatten als Licht erzeugte. Ich schloss die Tür hinter mir, um ungestört zu sein. Ich hatte Mama seit Wochen nicht mehr gesehen. Vorsichtig näherte ich mich ihr. Als müsste ich aufpassen, wo ich hintrat. Der beißend süße Geruch nahm mit jedem Schritt zu. Mamas Körper war verkümmert, ihr früher molliges Bauerngesicht eingefallen. Ihre Haut erinnerte an rissiges Porzellan. Beim Atmen schien sich ihre Brust nicht zu bewegen. Ihr Kopf lag zur Seite gedreht. Ihre Augen waren weit geöffnet. In ihnen sah ich mich, und ich sah Maria.

»Du musst ihr helfen«, sagte er.

»Wie bist du hier reingekommen?«, fragte ich ihn.

Er trat neben mich, sodass Figaro und Geist eins wurden. »Du würdest ihr einen großen Dienst erweisen.«

»Sie hat gesagt, sie wird wieder gesund. Bald.«

»Weil sie dich liebt und dir keine Angst machen will.« Maria beugte sich vor und streichelte Mama den Kopf. »Sie wird nicht mehr gesund.«

»Glaubst du, sie kann uns hören?«, fragte ich und deutete auf ihre Augen, um die tiefe, dunkle Schatten lagen.

Maria machte eine einladende Geste.

Ich wandte mich ihr zu. »Mama. Ich bin's. Lola.«

Nichts geschah.

»Du musst aufwachen«, sagte ich, »hörst du? Du musst jetzt endlich aufwachen.«

Maria nahm meine Hand. Da verstand ich endlich: Mama schlief nicht, sie war nur nicht wach. Sie konnte nicht sehen und sie konnte nicht nicht sehen. Sie konnte nicht sterben und sie konnte nicht leben. Aber was sie konnte, war angesehen werden, und wir sahen sie an und sahen etwas, das niemand sonst gesehen hatte oder das niemand sonst sehen wollte. Wir sahen, dass es schlimm für sie war. Meine Mama sprach kein Wort, aber wer sie richtig ansah, der konnte sehen, dass sie sagte, dass sie nicht dort liegen und angesehen werden wollte. Ich berührte ihre Schulter und nahm die Hand gleich wieder weg, weil sie sich so zerbrechlich anfühlte. In ihr war nicht genug Leben übrig, um sterben zu können. Sie tat mir leid, und ich flüsterte, »es tut mir leid«, und ich hoffte, sie würde mich hören, und noch mehr hoffte ich, dass sie mir antworten würde, weil es so lange her war, dass wir gesprochen hatten, und sie in all den Wochen nichts hatte tun können, nur dort liegen und liegen und liegen. Aber Mama antwortete nicht. Ich bat Maria, ihr zu helfen, sie zu retten. Ich konnte es nicht tun. Ohne zu zögern, nahm er zunächst Mamas Schattenriss von der Wand und legte ihn mit der Vorderseite nach unten auf den Boden, ehe er die Stehlampe ausknipste und damit unsere Schatten größer als alles andere im Zimmer machte. Nur ein spitz zulaufender, gelber Streifen Stadtlicht fiel noch durch einen Spalt im Vorhang. Maria sagte meiner Mama, was er vorhatte und dass er ihr nicht wehtun wolle, und er bat sie, uns ein Zeichen zu geben, ein Blinzeln, ein Stöhnen, ein Zucken mit dem kleinen Finger, wenn er es nicht tun sollte, und wir warteten, und er bat sie wieder, und wir warteten, und er bat sie noch einmal, und wir warteten. Dann nahm er ein Kissen und wünschte ihr alles, alles Liebe und legte es sanft, ganz sanft, auf ihr Gesicht. Ich sah weg und hielt mir die Ohren zu. Als die Tür hinter mir aufging und das Zimmer in grelles Licht getaucht wurde, war es längst vorbei. Herr Salz trat neben mich und schob mich zur Seite. Betrachtete Mama. Riss mir das Kissen aus der Hand. Ich konnte mich nicht daran erinnern, dass Maria es mir gegeben hatte. Er fragte mich, was ich getan hätte, und ich sagte ihm, nicht ich, sondern Maria habe es getan, und erst da fiel mir auf, dass Maria mitsamt Geist verschwunden war. Herr Salz packte mich grob und wollte wissen, wer diese Maria sei, und ich erklärte ihm, Maria sei ein Junge, ein fast nie richtiger Einbrecher und mein Freund, mein bester Freund, ich träfe ihn manchmal nachts auf dem Dach des Fürstenhofs, er trage niemals Schuhe, tanze wie ein Ballerino-Derwisch und habe Mama geholfen, weil keiner sonst ihr habe helfen können. Und Herr Salz, mein ehemaliger Vater, schüttelte mich nicht, wie ich erwartet hatte, oder ohrfeigte mich oder brüllte mich an. Nein. Erstaunt beobachtete ich, wie er in seinem maßgeschneiderten Dreiteiler auf den Boden sank und weinte, so wie mein richtiger Vater geweint hätte. Die Unterlippe vorgestülpt, nach Luft schnappend, mit einem hohen, piepsigen Stimmchen. Rotz und Tränen liefen ihm über Wangen und Bart, sein Körper bebte. So hatte ich ihn noch nie erlebt. Ich glaube, in dem Moment, da er begriff, dass Mama von uns gegangen war, wurde er sich erst bewusst: Er hatte sie geliebt, er hatte sie sehr geliebt. Das hatte er nicht nur vor ihr, sondern auch vor sich selbst verborgen.

Es versteht sich von selbst: Danach stellte man mir zahllose Fragen. Herr Salz ließ die Ärzte auf mich los, selbstverständlich unter strengster Geheimhaltung. Schließlich durfte die Gesellschaft nicht erfahren, dass der Fürstenhof, das beste Hotel am Platz, vom Vater einer Muttermörderin geleitet wurde. Diese glatzköpfigen, schnurrbärtigen, knopfäugigen Männer mit ihren schwammigen Schatten, die Mama nicht hatten retten können, demonstrierten ihr Unvermögen nun an mir. An meinen Antworten waren sie gar nicht interessiert. Sie fragten nur, damit sie mir widersprechen konnten. Sooft ich ihnen auch den genauen Hergang von Mamas Tod beschrieb und auf Marias Existenz beharrte – immer wieder nannten sie das, was ich getan hatte, Mord, mich eine Mörderin und Maria eine Wahnvorstellung.

Es ist wahr, ich habe Maria nie wiedergesehen.

Aber das bedeutet noch lange nicht, dass es ihn nicht gab. Natürlich gab es ihn. Sonst könnte ich mich ja nicht an ihn erinnern. Ob er allerdings aus Fleisch und Blut bestand, das wiederum ist eine ganz andere Frage.

War es Maria? War ich es? War Maria ich?

Suchen Sie sich eine Version aus. Meiner Meinung nach stimmen alle drei – zu viel für manche Menschen. Manche Menschen bevorzugen einfache Erklärungen. Sie vermitteln ihnen ein Gefühl von Sicherheit. Würden sie sich eingestehen, dass es kein Schwarz und Weiß, kein Gut und Böse gibt, dann müssten sie sich vor sich selbst fürchten. Sie müssten sich der beängstigenden Tatsache stellen, dass in jedem von uns ein Mörder steckt.

Hierfür ist meine Familie ein exzellentes Beispiel. Ich glaube, wir alle haben Mama ermordet. Tante Alli mit ihren Allüren und ihrem Leichtsinn, Großmama, die von uns ging, anstatt uns zu beschützen, Herr Salz sowieso, Gretl in ihrer Passivität und selbst Fritzl, als er Mama im Geburtsakt den Todesstoß versetzte.

Aber ich – die, mit Marias Hilfe, als Einzige den Mut aufgebracht hatte, im finalen Akt Mama ein befreiendes Ende zu schenken –, ich war nun mal diejenige, die an den Mörder in uns erinnerte.

Darum schickte Herr Salz mich fort, so weit wie möglich. Inspiration dafür holte er sich bei Mamas Lebenslauf. Wie einst sie als junges Mädchen landete nun auch ich in einer erzbayerischen, katholischen Erziehungsanstalt in den Alpen. Meine hieß Sankt Helena. Dort besuchte er mich kein einziges Mal.

Und nicht nur er blieb fern. In Sankt Helena trieb man mir jeden Glauben an Maria und Schatten und alles damit Verbundene aus. Nicht, dass ich all dies widerstandslos aufgegeben hätte. Aber die Ordensschwestern führten überzeugende Argumente ins Feld: Abendbrotentzug. Nächtliches Stehen im eiskalten Bach. Hundertfaches Schnürsenkelbinden, mit wunden, blutigen Fingern. Und Beten! So viel Beten, bis man nur noch in Bibelsätzen denken konnte.

In diesen zwölf Jahren bis zu meiner Volljährigkeit lernte ich, für mich zu behalten, was 1914 geschehen war. Meinen Verstand verlor ich nur deshalb nicht, weil ich jeden Gedanken auf die Zukunft richtete: eine Erfolgskarriere als Opernsängerin.

Ich glaubte, eine so schwierige wie offensichtliche Lektion gelernt zu haben: Niemand will hören, was niemand hören will.

Heute glaube ich: Jeder muss hören, was niemand hören will. Jedes einzelne Detail, das ich Ihnen mitgeteilt habe, ist wahr. Mein Schatten kann das bezeugen.

Natürlich habe ich mir alles Mögliche und Unmögliche in den

Jahrzehnten danach zuschulden kommen lassen, glauben Sie mir, meinetwegen gab es ausreichend ungünstige Entwicklungen, Abzweigungen und Sackgassen in unserem Stammbaum. Aber für mich steht fest: 1914 habe ich das einzig Richtige getan. Es war die beste Tat meines Lebens. Nennen Sie mich von mir aus eine Mörderin. Wenn das Mord war, bin ich gerne eine. Nur so konnte ich Mama helfen.

Meine Bitte an Sie: Sollte ich im Reich der Schatten verweilen oder es gar auf dem Sterbeweg verlassen, wenden Sie sich an meine Kinder. Vergessen Sie die Eclairs – gehen Sie, nein, laufen Sie zu Ava und Kurt und erzählen Sie ihnen alles. Lassen Sie nichts aus! Berichten Sie von Schattenrissen und Tante Alli und illegalen Bierschaumhauben, von mangelnder Weitsicht und Aktbildern und Schattenjungen, von einem Vater, der sich in einen Herrn verwandelte, von einer Mutter, die zu gut fürs Leben war, und von einem Mädchen, das seine Mama gerettet hat.

Richten Sie ihnen aus: Ich hänge keinen senilen Träumen nach, erwarte weder Applaus noch Vergebung – das sind Wahnvorstellungen, die selbst ich meide.

Doch ich hoffe, ich hoffe sehr, sie werden begreifen, dass ich gar nicht so viel anders bin als sie, weder gut noch besonders schlecht und, wie wir alle, Teil einer Familiengeschichte, der ich niemals entkommen kann.

Hören Sie?

ALFONS ERVIG

1944 – 1945

AM BODENSEE
Wo wir anders miteinander hätten sprechen sollen; Lola noch
wusste, was ich brauchte; und wir erfuhren, dass wir unsere
Beschäftigung verloren hatten

Im August 1944 machten Lola, die Kinder und ich einen Ausflug zum Bodensee. Es war ein kurzes Entkommen aus dem
Krieg, die schlimmsten Monate standen uns noch bevor. Ich
denke oft daran, was wir damals hätten sagen können, sollen,
und ob ein einziges gutes Gespräch unsere Rettung gewesen
wäre.

Ich hätte sagen sollen: *Wir müssen nach Leipzig gehen. Auch
wenn du dagegen bist. Ich weiß, dein Vater hat dich verstoßen.
Aber, Lola, das ist lange her. Es herrscht Krieg, das ändert alles.
Du wirst ihm vergeben, und er wird uns und die Kinder aufnehmen. Vor Bomben sind wir zwar nirgends sicher, aber im
Fürstenhof gibt es zumindest ausreichend Essensvorräte, saubere Betten und schützende Türen und Wände.*

Und darauf hätte Lola antworten können: *Ich muss gestehen,
dass ich in letzter Zeit oft darüber nachdenke. Obwohl ich so
gut wie nie über meine Kindheit spreche und mich immer erbit-
tert dagegen gewehrt habe, nach Leipzig zu gehen.*

Und dann hätte ich gesagt: *Ja, ich weiß.*

Woraufhin sie weitergesprochen hätte: *Aber du musst wissen:
Mein Vater hat mich nicht einfach nur abgeschoben, nachdem*

meine Mutter an einer namenlosen Krankheit gestorben war. Er hat auch furchtbare Lügen über mich verbreitet. Ich soll sie umgebracht haben. Ich. Ihre neunjährige Tochter!

Da hätte ich zu Lola gesagt: *Das ist schrecklich. Das tut mir sehr, sehr leid. Ich wünschte, ich könnte dir diesen Schmerz nehmen.*

Und Lola hätte erwidert: *Ach, mein Alfons. Du hast recht. Lass uns nach Leipzig gehen und im Fürstenhof Zuflucht suchen. Dort ist es vielleicht nicht absolut sicher, aber sicherer. Ich werde mich meinem Vater stellen. Wir werden miteinander reden. Vielleicht wird er sich bei mir entschuldigen. Und vielleicht werde ich ihm verzeihen. Mein Alfons, du weißt wirklich immer, was am besten für mich ist.*

So hätten wir damals miteinander sprechen sollen. Und alles, alles wäre anders gekommen.

Aber es war die Zeit der unausgesprochenen Dinge.

Stattdessen, ja, stattdessen fragte ich Lola während des Ausflugs zum Bodensee: *Hast du über den Fürstenhof nachgedacht?*

Und sie sagte: *Wir gehen keinesfalls dorthin.* Sie stand am Ufer und betrachtete skeptisch das Wasser, auf dem ihr Schatten schwamm. Als könnte es ihr verraten, wie unsere Zukunft aussah. Ob wir überleben würden. An ihrem Kinn konnte ich eine geringfügige Bewegung ausmachen, als würde sie etwas mit den Zähnen zermahlen. Ihre Kopfhaltung war wie immer erhaben, das kurze, blonde Haar saß perfekt. *Und wenn du mich liebst,* fügte sie hinzu, *dann reden wir nie mehr darüber.*

Was hätte ich darauf erwidern können?

Stumm trat ich neben sie, und sofort nahm sie meine Hand. Sie wusste, ich brauchte das.

Lola war schon immer stärker als ich gewesen. Im Herbst 1926, als ich erfuhr, dass der Neuzugang unseres Karlsruher Ensembles eine Absolventin der Reinhardt-Schule in Berlin und die Tochter des Besitzers vom Leipziger Fürstenhof war, rechnete ich mit einem talentierten, jedoch verhätschelten Gör. Als wir uns bei Proben zu ›Aimée‹ kennenlernten, stellte ich fest, dass ich mich nicht nur in beiderlei Hinsicht geirrt, sondern zudem nicht erwartet hatte, was für eine Schönheit sie war. Dass Lola sich dessen kaum bewusst zu sein schien, machte sie noch schöner. Sie bestach weniger durch Talent, vielmehr beeindruckte sie durch Perfektion. Vom ersten Probentag an konnte sie ihren Text auswendig, nie habe ich sie bei einem Versprecher erlebt. Die Souffleusen mochten sie nicht, weil Lola sie überflüssig wirken ließ. Der Gesichtsausdruck des Regisseurs reichte Lola aus, damit sie verstand, was er sich von ihr wünschte. Lola zählte zu der Kategorie von Schauspielern, die sich durch harte Arbeit einen Platz auf der Bühne erkämpften. Und jede noch so kleine Handlung führte sie mit größter Bestimmtheit aus. Sie wusste genau, was sie wollte – und was ich wollte.

Sie trug, so viel kann ich verraten, wesentlich dazu bei, dass wir bald miteinander im Bett landeten. Dort wurde mein anderer Verdacht widerlegt. Lola war kein Gör. Schon in der zweiten Nacht, die wir gemeinsam verbrachten, erwähnte sie, fast beiläufig, dass ihr Vater sie nach dem frühen Tod ihrer Mutter in ein strenges Erziehungsheim verbannt hatte. Und ich bekam es mit der Angst zu tun. Ja, ich fürchtete mich vor dieser jungen Frau, die bereits so viel durchgemacht hatte und trotzdem auf der Bühne an meiner Seite glänzte. Bald darauf entpuppte sie sich als herausragende Medea. Später habe ich ihr unter anderem aus dieser Angst, dieser Ehrfurcht heraus einen Antrag gemacht. Ich war mir vollkommen sicher: Nie wieder würde ich eine solch wunderschöne Frau solch wunderbaren Formats finden. Aber Lola nahm nicht sofort an. Sie stellte eine Bedingung: dass sie ihren Nachnamen behalten und ihn zudem unseren Kindern vererben dürfte; es liege ihr viel daran zu beweisen, dass der Name Salz auch von guten Menschen getragen werden könne. Ich sagte zu Lola, ihr Idealismus sei eine der Eigenschaften, für die ich sie besonders liebte, und ich erklärte mich einverstanden. Woraufhin sie mich küsste.

Diesen Kuss spüre ich noch heute auf meinen Lippen. Inzwischen sind zwanzig Jahre vergangen. Die Lola von damals gibt es nicht mehr. Ich bin auf der Suche nach ihr. Zwar schläft Lola, während ich dies schreibe, neben mir. Aber diese Frau, die es kaum wagt, das Haus zu verlassen, geschweige denn, eine Bühne zu betreten, diese Frau hat nur wenig mit jener Lola gemeinsam. Sie fürchtet sich vor Menschen. Und ich fürchte mich vor dem, was aus ihr geworden ist. Lola, meine starke, mutige Lola, finde ich nur in ihren Erzählungen über das furchteinflößende vergangene Jahr, die sie mir nachts zuflüstert. Ohne ihr Wissen schreibe ich alles auf. Das hilft mir, die Lola zu sehen, in die ich mich verliebt habe – und die ich wiederfinden möchte.

Im August 1944, als Lola noch Lola war, hatte sich der Krieg auf der ganzen Welt ausgebreitet. Den Bodensee schien das nicht zu kümmern. Kurz nach unserem nicht geführten Gespräch an seinem Ufer mussten wir uns von ihm verabschieden – was uns schwerfiel. Die Region lag in ihrem schönsten Glanze. Verschwenderischer Apfelsegen. Die Blumen in den Gärten glühten im Feuer der Spätsommerfarben. Und wir waren alle vereint. Kurt, der Redselige, und Aveline, die Stille, schliefen, ohne die Schnur mit dem Kärtchen am Hals, das die Anschrift der nächsten Verwandten enthielt, für den Fall, dass

Lola oder ich von den Bomben getötet wurden. Der Gedanke war zu fern, auch wenn Kurt mit seinen vier Jahren längst verinnerlicht hatte, dass er jederzeit bereit sein musste, in Schutzräume zu flüchten. Voralarm. So selbstverständlich war ihm das Sirenengeheul, dass Kurt einmal bei der Fronleichnamsprozession, die ihm wegen Hitze und mangelnder Frömmigkeit sehr lästig war, weinerlich gefragt hatte: *Wann bläst denn endlich die Sirene ab?* Die zwei Jahre jüngere Aveline dagegen äußerte ihren Unmut über den heulenden Alarm, wenn er sie wieder einmal aus dem Schlaf riss, indem sie, das eigentlich so ruhige Mädchen, ebenfalls losheulte.

Aber ernst nahm die Warnungen am Bodensee niemand. Was sollten die Flieger auch für Ziele suchen? Die nahe Schweiz vermittelte eine gewisse Sicherheit.

Bei der Abreise trafen wir am Bahnhof Kollegen und freuten uns, die Zugfahrt zurück nach Karlsruhe gemeinsam zu machen. Doch die Gesichter unserer Freunde waren besorgt. Wir hatten versäumt, Radio zu hören. Hitler hatte den »Totalen Krieg« erklärt, Goebbels die sofortige Schließung aller Theater und die Absage aller kulturellen Veranstaltungen befohlen. Wir hatten also, zusammen mit beinahe allen künstlerisch tätigen Menschen, unsere Arbeit verloren. Ausgenommen waren einzig zehn berühmte Sänger. Sie wurden vom Dienst freigestellt, da sie beim nahenden Endsieg für die geplante ›Meistersinger‹-Aufführung bereitstehen sollten.

Ob dieser Neuigkeiten fluchte Lola mitten im Bahnhof auf den Führer, und ich ermahnte sie, dass wir uns in der Öffentlichkeit befanden. Sie sprach selten über ihre politischen Ansichten, wer tat das schon in dieser Zeit, aber es war deutlich, wie wenig sie von Hitlers Fähigkeiten als oberster Regisseur Deutschlands hielt. Seine Selbstinszenierung fand sie banal, arrogant und einfallslos. Wenn wir Schauspieler nach jeder Vorstellung beim Verbeugen den Hitlergruß machen mussten, hielt Lola mit dem linken den rechten Arm gestützt und rechtfertigte das mit einer (nicht vorhandenen) Sehnenscheidenentzündung.

Beklommen stiegen wir in den Zug. Die Sonne stand schon tief. Während die Kinder aus dem Fenster sahen und staunten, dass in der Ferne Konstanz, wie der Schweizer Teil, hell erleuchtet war, versuchten wir zu erwägen, was man wohl mit uns tun würde, nun, da wir ohne Beschäftigung waren.

KARLSRUHE
Wo wir hofften, nicht den Verstand zu verlieren; wir zum letzten Mal einen Angriff erlebten und Lola mir ein Versprechen gab

Unsere Vorgesetzten waren ebenso ratlos wie wir. Nur dass wir nicht länger spielen durften, an unserem Karlsruher Theater, das wussten wir. Zahlreich genug für große Aufführungen wären wir ohnehin nicht mehr gewesen. Die Jüngeren hatte man längst eingezogen, und einige unserer begabtesten Kollegen waren uns ebenfalls genommen worden. Mein guter Freund David Roth, der komischste Doktor Faust, den ich je erleben durfte, war von einem auf den nächsten Tag verschwunden, mitsamt seiner Familie. Wir ahnten, dass wir ihn nicht wiedersehen würden, doch wir sprachen darüber nicht mit den Kollegen, aus Angst. Hätten wir fragen sollen, was mit ihm geschehen war? Wir wussten es doch. Nicht genau, nicht mit Sicherheit. Und doch wussten wir es.

Wenn Lola und ich abends im Bett lagen, flüsterten wir uns zu, welche absurden Gräueltaten die Leute Juden nachsagten. Wir hofften, auf diese Weise unseren Verstand nicht zu verlieren. Wir fürchteten uns davor, irgendwann die Lügen zu glauben, die man überall hörte. Aber wir dachten, solange wir sie einander zuflüsterten, erinnerten wir uns daran, dass es Lügen waren, schreckliche Lügen.

Inzwischen denke ich anders. Lassen sich Lügen wirklich durch ihre Wiederholung entlarven? Flüsterten wir sie einander nicht vielleicht deswegen zu, weil wir uns insgeheim wünschten, sie irgendwann glauben zu können?

Es wäre eine Wohltat gewesen, nicht zu wissen: Wenn die Leute solche Lügen schon auszusprechen wagten, dann musste das, was sie mit den Juden machten, unaussprechlich schlimm sein.

Wir alle hätten das Maul aufmachen sollen. Doch was wäre dann mit uns passiert? Mit unserer Familie? Lieber hofften wir. Hoffen war sicherer.

Heute weiß ich: Allein Feiglinge hoffen. Wenn ich wirklich Mut gehabt hätte, dann hätte ich Lola damals gezwungen, mit mir in den Fürstenhof zu gehen.

Stattdessen schwieg ich und befolgte gehorsam Weisungen von oben. Sie lauteten: Morgens um sieben antreten – und dann irgendetwas Sinnloses anfangen. Das Ensemble hatte das Ordnen alter Plakate, Werbehefte und Bilder übernommen. Bald saßen wir unter Papierlawinen, die kein Ende nahmen, und sortierten die längst obsoleten Ankündigungen unseres Theaters. Wir packten alle Hefte und Plakate für Opern- und Ballettabende in große Bündel, verstauten diese in riesigen Tüten und fanden jene außergewöhnliche Arbeit sogar ganz unterhaltend, denn sie verlangte keinerlei Konzentration. Und außerdem: In Kürze würde der ganze Ramsch ja doch in die Luft fliegen.

Dann hieß es, das Theater solle als Raum für Schlauchmontagen verwendet werden. Lastwagen fuhren vor und hielten am säulengeschmückten Portal. Eine Leitung musste gelegt werden,

durch den angrenzenden Park zu einem anderen Industrie-
betrieb. Die Männer traten an; Heldentenor, lyrischer Lieb-
haber und Charakterkomiker standen nebeneinander, schaufelten, gruben, zogen Leiterwagen, die meisten mit dem sprich-
wörtlichen Humor des Bühnenvölkchens. Es würde ja nicht
ewig dauern. Ganz Gescheite wussten, dass der Sieg bevorstand
oder eine übernatürliche Katastrophe sich ereignen, England,
die ganze Insel, vernichten würde. Mehrere Kollegen, die bisher
UK gestellt waren, wurden nun eingezogen. Reifere Männer
schon, die sich jetzt, im fünften Kriegsjahr, keine Illusionen
mehr machten, was sie erwartete. Man verabschiedete sie mit
gespielter Burschikosität. Wer durfte schon Weichheit oder
Angst zeigen? *Macht's gut, auf Wiedersehen ...*

Bisher hatte meine Prominenz mich davor bewahrt; bei Männern wie Frauen in einflussreichen Positionen war ich recht
beliebt. Aber nun war das Theater geschlossen. Bald würde
es auch mich treffen.

Die Damen arbeiteten im Ballettsaal, unter der Führung -
einiger Fabrikarbeiterinnen. Die waren gutmütig und ließen
Lola und andere ihre Überlegenheit nicht spüren. Lola bewun-
derte ihre Ausdauer. Ihr schmerzten schon nach einer halben
Stunde die Arme von der immer gleichen Bewegung. Alle bildeten eine lange Kette, deren erstes Glied befand sich auf dem
Lastwagen, das letzte an dem zu füllenden Regal. Dann wanderten die Pakete, welche Scheiben, Muttern und alle erforder-
lichen Einzelteile für die Schlauchmontagen enthielten, von
Hand zu Hand. Die Gelenke schmerzten rasch; herrje, was war
man schlapp und unsportlich. Die Arbeiterinnen gingen noch
singend in die Kantine zur Essenspause, die Künstlerinnen
schleppten sich schon bei der Halbzeit mühsam über das Hof-
pflaster. Das frühe Aufstehen und die ungewohnte Arbeit forderten ihnen Energien ab, die ganz anderer Art waren als die,

welche man benötigte, um abends große, leidenschaftliche -
Menschen darzustellen oder drei Akte lang Erotik und Esprit
zu verströmen.

In der Kantine versuchten Lola und ich immer, einander in
dem ungeheuren Menschengewimmel zu erspähen. Wir nickten
uns kurz und aufmunternd zu. Unsere Kinder waren in guter
Hut, zu Hause bei unserer Anna, dem Kindermädchen. Wenn
nur kein größerer Angriff kam, konnte alles gut gehen.

Er kam. Wir mussten schon bei Voralarm die Luftschutzräume
aufsuchen. Es war unmöglich, zu unserer etwa zwei Kilometer
weit entfernten Wohnung am Bahnhof zu kommen. Die Kinder,
das wussten wir, brachte Anna in den Keller. Nur: Die Lage
unserer Wohnung war gefährlich, zwischen einer Munitionsfabrik und Bahngleisen, auf denen Flak stationiert war.

Ich frage mich, welchem genialen »Luftschützer« die Idee
gekommen war, in den Bunkern und Luftschutzräumen Radios
aufzustellen, um die Menschen, die dort hockten, zu »informie-
ren« – es mag dumm und feige sein, lieber nichts Genaues wissen zu wollen, aber es war ebenso dumm, uns Nachrichten über
die sich zusammenziehende Gefahr zu schicken, obwohl wir
doch nichts zu unserem Schutze tun konnten.

Wozu also diese Rede:

Größte Vorsicht, höchste Gefahr!

Starke Verbände nähern sich von Westen.

Sie kreisen über unserer Stadt.

Neue Einflüge gestaffelter Verbände werden gemeldet.

Der erste Einschlag. Entsetzte Blicke: Es gilt diesmal uns.

Wir waren allnächtliche Alarme längst gewohnt. In der süd-
westdeutschen Grenzstadt wurden wir stets überflogen, auch
wenn der Angriff nicht uns direkt galt. Die Entwarnung war für
uns nie das Zeichen, uns zur Ruhe anzuschicken, denn beim

Rückflug kamen sie wieder über uns. Hatten sie dann wirklich alles abgeladen?

Pausenlos hörten und spürten wir die Einschläge. Die Kellerfenster klirrten. Die Wände bebten. Der Lautsprecher verkündete immer neue, starke Verbände.

Die Blockwarte gingen ab und zu hinaus und taten wichtig, ohne auf die angstvollen Fragen antworten zu können. Ein paar Mädchen drängten sich aneinander wie eine Schar verängstigter Tiere, und wer einen Freund oder Liebsten hatte, vergaß alle Scheu und schmiegte sich an ihn. Was galten jetzt schon Getuschel und Spöttelei? Vielleicht war es unsere Todesstunde. Man sollte zu dem stehen, zu dem man gehörte. Ich rauchte nervös in einer Ecke, wo auch andere Kollegen versuchten, die Stimmung zu halten. Lola kam zu mir und nahm meine Hand. Das half.

Wieder wummerte es draußen. Die Flak zackerte. Keiner glaubte an ihren Schutz, wenn die Berichte über abgeschossene feindliche Flugzeuge auch noch so dick gedruckt auf der ersten Zeitungsseite vermerkt wurden.

Unwillkürlich duckten wir uns bei jedem Einschlag und flüsterten, wenn wir etwas sagen wollten – alte, lächerlich gewordene Instinkte.

Ich wagte nicht, Lola an die Kinder zu erinnern, doch ich wusste: Auch sie dachte an nichts anderes. Und versuchte, nicht das Furchtbarste zu denken.

Dann endete die Ewigkeit. Der lang gezogene Ton der Sirene ließ alle aufatmen. Wir warteten nicht die Erlaubnis ab, vom Arbeitsplatz fort und nach Hause laufen zu dürfen. Ein Verbot wäre uns ohnehin gleichgültig gewesen. Wir rannten los. Diesmal hatten sie ganze Arbeit geleistet. Die Straßen sahen aus, als hätte es Glas geregnet. Unsere Schuhe knirschten bei jedem

Schritt. Rauch stand am Himmel, es roch nach Brand, ätzend gefährlich. Zwei Hunde kämpften um eine zerfetzte Gänseleiche. Ein Kollege kam uns entgegen. *Wo waren sie am meisten?*, schrien wir ihm zu. *Am Bahnhof und dort rum*, rief er zurück, ohne zu ahnen, was er uns damit sagte. Wir rannten, als gelte es, einem Feind zu entfliehen. Dabei lag das, was wir fürchteten, vor uns. Und für die Distanz brauchten wir mindestens die doppelte Zeit, die wir sonst benötigten: Über Trümmer kletternd, rastlosen Menschen ausweichend, bahnten wir uns den Weg. Wieder ein Brandherd. Hausrat, auf der Straße aufgestapelt. Blasse Kinder drum herum. Ich konnte kaum mehr atmen. Immer sah ich den Hof des Nachbarhauses vor mir. Da hatten vor Kurzem Särge gestanden. Der lustige kleine Peter und seine Eltern darin. Täglich hatte man ihn spielen sehen. Er war so alt gewesen wie unsere Aveline, noch nicht einmal kindergartenreif.

Die Munitionsfabrik hat etwas abgekriegt, riefen die Leute. Wir sprachen nichts, hielten uns nur, selbst wie Kinder, an den Händen. Vorwärts, vorwärts, gegen die Ungewissheit. Das Haus – es stand! Wahrhaftig, es war nicht zusammengestürzt, und die Kinder lagen nicht unter seinen Trümmern.

Vor dem Kellerfenster qualmte ein Kanister. Anna erzählte uns später, das sei der schlimmste Augenblick gewesen, als der Rauch durchs Fenster in den Luftschutzkeller geschwelt sei, die Kinder vor Angst aufgeschrien und die Hausbewohner angefangen hätten, das Löschwasser zu holen. Aber sie lebten, saßen da, die Kleinen, schmutzig bis in die hellen Haare hinein und sogleich von irgendwelchen Dingen gefesselt, die ihren Spieltrieb weckten. Jetzt durften wir endlich weinen – vor Erleichterung. Und fast mechanisch taten wir, was dann immer getan wurde. Aufräumen. Die Kinder waschen. Einen Bissen hinunterwürgen. Keine der Fragen aussprechen, die wir uns alle stellten:

Wie lange würde dieser Krieg noch dauern? Und würden wir immer zu denen gehören, die das Schicksal aussparte?

Nach diesem Angriff stand unser Entschluss fest, die Stadt zu verlassen. Solange das Theater uns noch Arbeit und Verdienst gegeben hatte, hatten wir Grund zu bleiben. Aber Fabrikarbeit forderte nicht den persönlichen Einsatz. Außerdem trug ich schon den Gestellungsbefehl in der Tasche. Und Lola hatte als Mutter zweier Kinder unter sechs Jahren die Möglichkeit, sich evakuieren zu lassen. *Geht bitte nach Leipzig*, sagte ich zu Lola. *Bei deinem Vater seid ihr sicher.*

Ihr harter Blick erinnerte mich an ihre Worte am Bodensee. *Weil ich mich sorge, liebe ich dich nun also nicht?*

Sie sagte nichts.

Eines ist gewiss, Lola: Ich liebe dich. So sehr, dass ich das Risiko eingehe, dass du denkst, ich liebe dich nicht.

Sie sagte noch immer nichts.

Könntest du bitte etwas sagen?

Sie sagte: *Wir gehen nach Eisenach.*

Bevor ich etwas erwidern, etwas fragen konnte, zeigte sie mir das Gesuch, das sie bereits geschrieben hatte. Der Freund einer jungen Kollegin führte dort ein Hotel. Lolas Entschluss stand fest. Die Zusage kam nach einigen Tagen. Ich hätte eingreifen, sie von den Vorteilen des Fürstenhofs überzeugen sollen. Stattdessen machte ich es mir in meiner Hoffnung bequem: Man würde sie und die Kinder – Flüchtlinge aus dem Westen – bestimmt aufnehmen. In Mitteldeutschland war es noch verhältnismäßig ruhig, und Eisenach war eine kleine Stadt, ringsum Wälder.

Lola erledigte alle Formalitäten mit verbissener Energie. Ausreisegenehmigung, Lebensmittelkarten-Ummeldung und was noch erforderlich war. Sie fragte Anna, die im Hanauerland zu Hause war, ob sie heimgehen oder mit nach Mitteldeutschland wolle. Oft schon hatte sie Wochen in ihrem kleinen Elternhaus auf dem Land zubringen dürfen, wenn es zu unruhig in der Stadt wurde. Auch wenn die Invasion längst in vollem Gange war und Tiefflieger die Landleute bei der Feldarbeit ängstigten, schien das Land im Vergleich zur Stadt doch wie ein Paradies: Milchkühe, Nüsse, weißes, köstliches Brot. Die bunt karierten Betten (ein wenig feucht zwar im Herbst und Winter) brauchte man erst morgens zu verlassen; ausgeschlafen, wenn die Hühner längst im Grasgarten gackerten. Und nachts standen die Bauern unter der Tür, rauchten Pfeife und sagten, wenn es über ihnen brummte: *Jetzt gehen sie wieder los, in die Stadt.*

Es überraschte uns nicht, dass Anna sich gegen uns entschied. Lola musste also allein mit den Kindern reisen.

Dies versprach sie mir und hielt es sich als eisernes Gebot im Herzen: *Niemals und nirgends werde ich mich von den Kindern trennen. Einander verlieren, das muss schlimmer sein als zusammen sterben.*

In wenigen Tagen sollte ich einrücken.

Einander verlieren, das musste schlimmer sein als zusammen sterben, dachte ich.

Wir reisten gemeinsam ab. Ein unaussprechliches Gefühl, die Wohnung abzuschließen, alle notwendigen und vertrauten Dinge zurückzulassen, dem Schicksal, vielleicht der Vernichtung preisgegeben. Für einen Augenblick betrachtete ich unsere Blumen, die Kakteenzucht, auf die ich viel Sorgfalt verwandt hatte. Müßig, sich Gedanken über Wert und Sinn dieser Dinge zu machen, wenn man den Wettlauf mit einer Kriegsmaschine antrat.

An einem heißen Spätsommertag zogen wir unsere Habselig-keiten vorbei an rauchenden Trümmern, durch die zerbombte Stadt. Und ob ihrer Wunden liebte ich sie noch mehr und kam mir treulos vor, sie zu verlassen.

In Stuttgart mussten wir uns trennen. Der Abschied dehnte sich. Tiefflieger verzögerten die Abfahrt. Ich saß im Zug und wünschte mich an die Seite meiner Familie auf dem Bahnsteig.

Wenn ihr nur in Sicherheit seid, sagte ich, *alles andere muss ertragen werden.*

Kurt wollte wissen, warum der Papi wegfahre.

Er wird Soldat, sagte Lola. Grundausbildung Infanterie, dann Sanitätsdienst, das hatte ich in Erfahrung bringen können.

Das schaffst du schon, antwortete mein Junge.

Wir lachten und drückten uns zum soundsovielten Male die Hand zwischen Bahnsteig und Abteilfenster. *Achte auf die Lebensmittelkarten. Verliere die Ausweise nicht, sie sind wich-tig, dass ihr in Eisenach bleiben dürft. Dort ist es sicher ruhig*, sagte ich. Zu ihr und zu mir.

Ich telegrafiere unsere Ankunft, wenn es geht.

Schreib oft; ich schreibe euch, wenn ich kann, jeden Tag. Feldpost kostet ja kein Porto.

Der sparsame Hausvater!, zog sie mich auf.

Der Zug setzte sich in Bewegung, und ich nahm meinen Mut zusammen. *Denk noch einmal über den Fürstenhof nach*, bat ich sie.

Das habe ich.

Schreib wenigstens deinem Vater.

Sie ließ meine Hand los. Dabei fuhr der Zug noch gar nicht so schnell. Lola blieb stehen. Ich wurde von ihr fortgetragen. Ich rief: *Bleib gesund! Ich hab dich …*

Sie unterbrach mich: *Ja!*

Damit ich nicht aussprach und uns daran erinnerte, was wir lange nicht mehr haben würden?

Oder weil sie es in diesem Moment nicht empfand?

Fragen, die ich mir danach oft stellte.

EISENACH UND SALZUNGEN
Wo etwas die Angst tief in Lolas Herz drückte; Kurt verschwand; Lola mir nicht die ganze Wahrheit telegrafierte und Lola nach vierzehn Jahren zum ersten Mal ihre Schwester kontaktierte

Kurz darauf stieg auch Lola mit den Kindern in einen Zug und trat den Teil ihrer Reise an, von dem ich nur aus ihren Erzählungen weiß.

Während der Fahrt verhielten die Kinder sich still. Für sie waren Sachsen und Thüringen ferne Länder, anders als für Lola, die sie in Kindertagen durchstreift haben musste, im Ersten Weltkrieg. Da gab es schon den Hunger, aber wenigstens keine Bomben.

Nach dem ersten größeren Reiseabschnitt hielt der Zug auf der Mainbrücke vor Frankfurt. Die Einfahrt war nicht sicher, es gab Alarm. Züge, die schon dort hielten, wurden auf freies Gelände herausgezogen. Sie blieben auf der Brücke - stehen.

Niemand aussteigen, rief eine Stimme.

Ein Waldstück wäre doch besser gewesen als eine Brücke. Eine Brücke war ein Ziel. Jeder wusste das. Vielleicht war kein anderes Gleis frei. Es war Tag, und die Kinder schauten durch die schmutzige Fensterscheibe hinunter ins Wasser.

Die anderen packten die Vesperbrote aus und wieder ein. Es

aß sich nicht gut auf einer Brücke über dem Fluss bei Flieger-
alarm. Auch die anderen Reisenden waren Flüchtlinge, darunter
viele Frauen mit kleinen Kindern, die ihre Ratlosigkeit mit er-
höhter Sorglichkeit überspielen wollten.

Ihre laufen wenigstens schon, sagte eine junge Mutter zu
Lola und wickelte ihren Säugling auf dem Koffer.

Puh!, sagte Kurt, der Komiker, zog eine Grimasse und zeigte
mit dem dicken, kurzen Finger auf die schmutzige Windel. Das
Kind trank seine Flasche. Der Zug ruckte plötzlich an, dass die
Milch schwappte – gottlob, sie fuhren wieder. Fuhren, bis es
Nacht wurde.

Nach Fulda blieben sie wieder auf freier Strecke stehen.
Feindliche Flieger waren über ihnen, und die Maschine durfte
sich nicht durch Funkenflug verraten – gut möglich, dass man
den Zug für einen Truppentransport an die Ostfront hielt. Also
standen sie still in der Dunkelheit einer fremden Landschaft.
Kein Fenster schimmerte, doch Leuchtkugeln erhellten die
Nacht. Die bösen Gebilde, die man mit übler Ironie Christbäume genannt hatte, schwebten aus der Schwärze des Himmels. Es dröhnte.

Wie in den Kellern flüsterten auch hier die Menschen. Als ob
die da droben sie reden hören könnten! Lola drückte die Kinder
an sich. Erst als der Zug sich ruckend in Bewegung setzte, legte
Lola sie auf die Mäntel, und sie schliefen mit geöffneten Lippen.
Lola stellte sich auf den Gang, zwängte sich an Menschen vorbei, die übernächtigt an den Türen lehnten. Ein Mann ohne
Beine erneuerte die Verbände seiner Stümpfe. Die Passagiere
bemühten sich um Distanz zu ihm, als würde Kontakt dazu
führen, dass auch sie ihre Glieder verlören. Es dämmerte: endlich Bebra. Nun musste Eisenach bald erreicht sein. Nach über
dreißig Stunden Fahrt. Lola schaute durchs Fenster, um das
vertraute Bild der Wartburg zu erhaschen. Aber sie sah etwas

ganz anderes, etwas, das ihr die Angst tief ins Herz drückte: Trümmer und Ruinen längs der Gleise. In Eisenach, ihrem Fluchtziel im ruhigen Thüringer Wald? Sie erfuhren es noch am Bahnhof: BMW fabrizierte hier, es hatte einen Großangriff auf das Werk gegeben. Die Stadt, die am Tag zuvor ihre ersten Bomben erlebt hatte, glich einem aufgestöberten Ameisenhaufen. Die Menschen standen verstört vor ihren Häusern, weinten. Sie waren es noch nicht gewohnt. In der Luft lag ein aufdringlicher, süßlicher Geruch, der Lola vertraut war. Gab es zu viele Tote, mussten sie verbrannt werden, um Seuchen abzuwenden.

Was riecht hier so?, fragte Kurt.

Ein Brand, sagte Lola.

Ein Feuer? Wo? Gehen wir hin?

Die kindliche Begeisterung in seinen Augen ließ Lola noch schneller eilen.

Das Hotel lag in der Nähe des Bahnhofs. Lola meldete sich beim Besitzer. Er sah sie betroffen an, als habe er ihren Namen nie gehört. Sie nannte den Namen ihrer jungen Kollegin, mit der er befreundet war. *Ja*, sagte er, *richtig, das war vor Tagen.*

Was soll das heißen?

Ich kann Sie nicht aufnehmen.

Nur drei Betten, ich bitte Sie! Zwei!

Unmöglich. Ich habe das Haus voll von Ausgebombten. Das geht vor.

Wir sind zwei Tage nicht ins Bett gekommen, nur auf der Bahn, sagte Lola. *Geben Sie uns doch eine Nacht wenigstens ein Zimmer.*

Es geht nicht. Sie bekommen auch keine Aufenthaltsgenehmigung. Gehen Sie dorthin zurück, wo Sie herkommen.

Nein, keinesfalls. Es ist furchtbar im Westen.

Hier auch. Wenn die Russen kommen, sind Sie im Westen besser dran.

Die Russen sind noch weit. Die Alliierten aber schon an der Grenze.

Verstehen Sie doch, ich kann Ihnen nicht helfen. Wir sind alle in einer Falle. Da, hören Sie? Alarm!

Sie flüchteten wieder in einen Keller. Ein fremder Raum in einem fremden Haus. Dort hockten sie, hörten die Einschläge. Zwischen all den Fremden, die sie vorwurfsvoll anschauten, weil sie ihnen Platz wegnahmen. Nur nicht hier umkommen, dachte Lola, wo sie kein Mensch kannte. Als ob das Umkommen daheim schmerzloser gewesen wäre.

Nach der Entwarnung versuchte Lola noch einmal ihr Glück beim Hotelier, doch er blieb hart.

Vielleicht im Land drinnen, sagte er, *in Meiningen oder Salzungen. Hier geht es beim besten Willen nicht.*

Unser Gepäck läuft aber hierher.

Wer weiß, ob es ankommt. Ist doch alles kaputt. Damit wandte er sich ab.

Lola wusch sich und die Kinder unter einer Leitung in der Toilette des Hotels. Dann warteten sie auf einen Zug, der nach Meiningen ging. Lola wollte aber, schon des Gepäcks wegen, nicht so weit fort. Bereits in Salzungen stiegen sie aus: ein kleiner thüringischer Badeort. Hinterwäldlerisch, was nur recht war in diesen Zeiten.

Aveline konnte ihr Köpfchen vor Übermüdung nicht mehr gerade halten. Sie wanderten durch die Straßen auf der Suche nach einer NSV-Stelle. Lola trug der Dame dort ihr Unglück vor. Diese begann, einen Aktensatz durchzublättern. *Privat gibt es nichts,* sagte sie schließlich. *Wir haben Rüstungsbetriebe zur Erholung, auch im Kurhaus. Versuchen Sie einmal Ihr Glück im Gasthof ›Zur schönen Aussicht‹. Liegt etwas außerhalb. Ich werde Sie anmelden. Aber länger als zwei Wochen kann ich Ihnen unmöglich eine Aufenthaltsgenehmigung geben.*

Lola war alles recht. In vierzehn Tagen würde man weitersehen. Wenn sie nur jetzt irgendwie unterkamen! Es dämmerte bereits, als sie bei Mohrs im Gasthof ›Zur schönen Aussicht‹ ankamen. *Ein Zimmer mit zwei Betten, das ginge, mehr haben wir nicht frei.* Kurt hüpfte gleich einem Fohlen vor Freude. Die verräucherte Wirtsstube, in der schon Ofenfeuer brannte, kam ihnen so heimelig vor wie der Heiligen Familie wohl der Stall von Bethlehem. Die anderen Gäste – Urlauber eines Rüstungsbetriebs – betrachteten sie mit Neugier. Beim Kartenspiel ließen sie Kurt kiebitzen und lachten sich halbtot, wenn der Dreikäsehoch strahlend verkündete: *Du hast aber viele schöne Bilder.* Später hatte Lola Mühe, ihn ins neue Bett zu treiben. Die Nacht war kalt. *Ich mach mein Wärmfläschchen*, sagte er und verschwand im Flur. Er brauchte lang. Lola wartete, sie wollte Aveline nicht allein lassen, doch schließlich weckte sie sie und nahm sie auf den Arm, um nach Kurt zu sehen. Er war nicht im Bad. Sie ging die Treppe nach unten. In der Wirtsstube konnte sie ihn nicht finden, auch nicht in der Küche. Sie eilte zurück auf ihr Zimmer. Vielleicht hatten sie einander verpasst? Aber es war leer. Aveline fragte: *Mama?* Lola ging zur Wirtin, Frau Mohr. Diese hatte Kurt gesehen. Er war mit einem Mann nach oben gegangen. Sie hatte gedacht, er würde ihn zu Lola bringen. Lola drückte Aveline enger an sich. *Welches Zimmer?*

Sie klopfte nicht an. Riss die Tür auf. Kurt saß auf dem Schoß eines vollbärtigen Mannes, der seinen breiten Arm um ihn geschlungen hatte. *Kurt*, sagte Lola, *kommst du bitte?*

Der Kleine will noch bleiben, meinte der Vollbärtige.

Lassen Sie ihn, sagte Lola.

Willst du wirklich gehen?, fragte er Kurt.

Unser mitteilsamer Sohn schwieg.

Warum lädst du deine Mama nicht ein, dass sie in meinem Zimmer übernachtet? Ich habe nicht viel Platz, aber wir machen es uns schon gemütlich.

Lola setzte Aveline ab und wollte Kurt aus dem Schoß des Vollbärtigen entfernen.

Der aber hielt Kurt fest. Setzte ein feistes Lächeln auf.

Wollen Sie, dass ich um Hilfe rufe?, sagte Lola.

Es wird keiner kommen, sagte er.

Sind Sie sich da so sicher?, erwiderte Lola. *Wissen Sie, was die mit Menschen wie Ihnen machen? Mein Mann*, log sie, *ist in der Partei.*

Sein Lächeln schwand, sein Griff löste sich. Lola nahm - Aveline auf den Arm und Kurt an der Hand und ging schnell zurück auf ihr Zimmer. Sie verriegelte die Tür und schob mit viel Mühe eine der massiven Kommoden davor. Dann legte sie sich, obwohl sie zwei Betten hatten, mit den Kindern in eins.

Ihr dürft nie, nie, nie mit jemandem mitgehen, bläute sie ihnen ein.

Der Mann hat gesagt, er ist einsam, sagte Kurt.

Er ist böse, sagte Lola.

Was machen die mit Menschen wie ihm?, fragte er.

Das erzähl ich dir ein andermal.

Wann ist ein andermal?

Bald.

Morgen?

Bald. Schlaf jetzt.

Mama?

Ja?

Wo ist Papi?

Das weißt du doch. Er wird Soldat.

Und wann wird er wieder Papi?

Am nächsten Tag fuhren sie wieder mit dem Zug nach Eisenach. Inmitten rotgoldener Buchenwälder lag die Wartburg.

Lola hoffte, dass ihre Koffer bereits angekommen waren, damit sie die Region verlassen könnten. Man sagte ihr: *Kommen Sie in ein paar Tagen wieder. Es gab viele Angriffe auf der Strecke.*

Als Nächstes suchten sie die NSV-Stelle in Salzungen auf.

Sie wollen ein anderes Zimmer?, fragte die Dame, nicht so freundlich wie am Tag zuvor.

Ich will ein Zimmer woanders. Irgendwo. Nur nicht dort, sagte Lola.

Was passt Ihnen denn nicht?

Da treiben sich ein paar seltsame Gestalten herum.

Ach, seien Sie nicht so zimperlich.

Haben Sie denn gar nichts anderes?

Hören Sie: Wenn Sie das Zimmer nicht wollen, geb ich es gerne jemand anderem. Dann müssen Sie halt schauen, wo Sie bleiben.

Lolas *Danke* war eine geballte Portion unausgesprochener Vorwürfe.

Mir telegrafierte sie: *Eisenach überfüllt. Müssen in Salzungen bleiben. Es geht uns gut.*

Sie wollte mir keine Argumente für den Fürstenhof liefern. Später gestand sie mir, ihr Hass auf ihren Vater sei einfach zu groß gewesen. So groß, dass sie an diesem Tag lieber zur ›Schönen Aussicht‹ zurückkehrte, als in einen Zug nach Leipzig zu steigen. Wieder im Gasthof zog sie die Kinder aus und steckte sie ins Bett. Dort mussten sie bleiben, während sie ihre Wäsche wusch. Nur langsam trocknete sie am Fenster.

In der Nacht klopfte es an der verrammelten Tür. Die Stimme des Vollbärtigen: *Kommen Sie doch mal in meinem Zimmer vorbei. Und bringen Sie Ihren hübschen Nachwuchs mit!*

Lola hielt den Kindern die Ohren zu.

Doch Kurt war schon aufgewacht und entzog sich ihrem Griff. *Geh weg!*

Der Vollbärtige lachte auf. *Ihr seid also da.*

Lola bedeutete Kurt, nichts zu sagen.

Du bist ein böser Mann!, schrie Kurt.

Nicht, sagte Lola.

Du bist ein ganz, ganz böser Mann!

Stille. Dann sich entfernende Schritte.

Trotzdem fand Lola keinen Schlaf. Sie konnte den Blick nicht von der Tür abwenden. Bei jedem Lachen und jedem Knarzen auf dem Flur zuckte sie zusammen.

Avelines Köpfchen glühte.

Mit den ersten Sonnenstrahlen verließen sie die ›Schöne Aussicht‹. Lola musste Aveline tragen. Die Kleine hatte eine Mandelentzündung und hing halb ohnmächtig auf ihrer Schulter.

Am Bahnhof nahm Lola Kontakt mit ihrer Schwester Gretl auf, zu der sie keine enge Beziehung pflegte, eigentlich gar keine. Was Lola damit begründete, dass ihre Schwester sie nur ein einziges Mal im Erziehungsheim besucht hatte, auf einer Urlaubsreise in den Alpen. Eine klare Entscheidung gegen sie und für den alten Herrn Salz. Aber inzwischen teilten sie zumindest eines: die Antipathie dem Vater gegenüber. Gretl hatte sich vor ein paar Jahren mit ihm überworfen, da er sich gegen ihre Heirat mit Peter Driajes, einem Gutsbesitzer im Sudetengau, gestellt hatte – der Spross einer Hoteliersfamilie durfte laut Herrn Salz keinesfalls Landarbeit nachgehen.

Lola, bist du's wirklich?

Gretls Stimme, stellte Lola fest, hatte sich über die Jahre - verändert. Sie war tiefer geworden, rauer. Oder lag das an der miserablen Verbindung?

Gretl, ich mach's kurz. Wir suchen nach einer Bleibe.

Wir?

Die Kinder und ich.

Du hast noch ein Kind bekommen?, fragte Gretl. *Wann?*

Vor zwei Jahren.

Oh.

Sie heißt Aveline.

Lola erwartete nicht, dass dies Gretl dazu bewegen würde, ihr Unterschlupf zu bieten, und doch hoffte sie es.

Warum sucht ihr nach einer Bleibe?, fragte Gretl.

In Salzungen ist alles überfüllt.

Ihr seid in Salzungen?

Lola entschied sich, den Druck zu erhöhen. *Weißt du nun einen Ort oder nicht?*

Schon gut, sagte Gretl. *Lass mich überlegen.*

Lola wusste, dass Gretl wusste, dass es wenig zu überlegen gab. *Wir sind auch nicht anspruchsvoll. Hauptsache, wir können irgendwo unterkommen*, sagte sie und sprach die folgenden Worte so deutlich sie konnte: *Vielleicht ein Bauernhof, ein Gut …*

Ich habe eine Idee.

Ja? Wirklich?

Ich kenne eine Familie bei Halle.

Lola ballte eine Faust. Ihre eigene Schwester schickte sie lieber zu Bekannten, als sie aufzunehmen.

Lola, hörst du mich noch?

Lola schloss die Augen, holte Luft, öffnete die Augen wieder. *Ich höre dich. Klar und deutlich.*

Etwas Weiches stahl sich in Gretls Stimme. *Versteh mich nicht falsch. Ich würde euch ja gerne selbst beherbergen. Aber bei denen ist viel mehr Platz. Ein großer Herrschaftssitz.*

Ist vermutlich besser so, sagte Lola. Sie wollte das Gespräch beenden.

Ich beschreib dir, wie ihr hinkommt. Und, Lola, Euch geht's doch gut?

Lola sagte: *Ausgezeichnet.*

HALLE
Wo der Gutsherr log

Sie fuhren nach Halle. In Weißenfels hatten sie Aufenthalt. In Friedenszeiten hätte Lola den Kindern sicherlich das Haus des Freiherrn von Hardenberg gezeigt, den Tagen eines Dichters nachspürend. »Ich sehe dich in tausend Bildern, Maria, lieblich ausgedrückt.« Novalis! Heinrich von Ofterdingen! Hatte man das je gelesen? Träume und Blumen und Sehnsucht nach dem Unbestimmten, Unbestimmbaren.

Doch in diesen Tagen konnte Lola nur denken: *Ist Avelines Köpfchen nur warm oder heißer als zuvor? Hoffentlich klingt die Entzündung bald ab. Reisen ist nicht gut für sie. Hätten wir doch länger auf unsere Koffer warten sollen? Vielleicht wären sie schon heute eingetroffen. Jetzt sind wir ohne Gepäck. Wie lang werden die Lebensmittelmarken reichen? Für Aveline eine Trainingshose – dann sind alle Kleiderkartenpunkte zum Teufel – oder lieber Strümpfe und Unterwäsche? Oder schlimmer: Werden die Gutsbesitzer uns nehmen, bis der Krieg vorbei ist?*

Ein Wagen wurde ihnen an den Bahnhof von Halle geschickt. Der Gaul und das Lederzeug rochen beruhigend. Der Kutscher fuhr schweigsam durch die abgeernteten Felder.

Das Gut war groß, die Bäume glichen denen eines Schlossparks. Man kümmerte sich nicht um Flieger. Gewiss, meinte der Gutsherr, als er sie empfing, das müsse schrecklich sein, kleine Kinder aus Betten zu reißen. Sie hätten auch Kinder, das vierte schlafe wie ein Posaunenengel im blütenweißen Korb. Und sie hätten auch Sorgen. Die Rübenernte. Keine Arbeitskräfte, Gefangene, faules Pack. Ja, man würde Lola gerne helfen. Aber er wolle sichergehen, dass sie sich der Schwierigkeiten bewusst sei. Allein das zusätzlich benötigte Heizmaterial! Bei den hohen Räumen ein Problem. Und die Küche unten im Souterrain. Schwierig, schwierig. Und was würde geschehen, wenn der Russe komme? Noch eine Familie mehr im Treck! Eigentlich dürfte er das nicht vermuten, schon gar nicht aussprechen. Sie führten ein geordnetes Leben. Gleichwohl sei er selbstverständlich bereit zu helfen. Trotz allem.

Lola wandte sich wortlos von ihm ab und hob die Kinder wieder auf den Wagen.

Der Gutsherr hielt sie nicht davon ab. *Glauben Sie mir, das ist die richtige Entscheidung. Woanders finden Sie bestimmt etwas Besseres*, sagte er und nickte deutlich erleichtert. *Auch wenn wir Sie gerne willkommen geheißen hätten.*

Reden Sie sich das ruhig ein, sagte Lola.

Wie bitte? Er öffnete empört den Mund. *Ich –*

Bitte!, unterbrach sie ihn. *Verschonen Sie uns. Sie haben uns schon genug Zeit und Kraft gekostet. Wir müssen weiter.*

Als der Karren sich vom Gut entfernte, blickte Lola kein einziges Mal zurück. Sie wollte so schnell wie möglich vergessen, wie dieser Ort in Mitteldeutschland aussah, an dem sie gerne geblieben wäre, näher bei mir und unserem Zuhause.

Nun blieb ihnen nur noch eine Möglichkeit.

DRESDEN
Wo Lola den Führer in Schlüpfern versinken ließ und sogar
Spielzeugtiere krank waren

Lola erzählte mir später, sie habe ihre Schwester nicht noch
einmal angerufen, weil Gretl sie so auch nicht habe abweisen
können. Auf dem Weg ins Sudetengau wollte Lola, damit -
Aveline sich erholen konnte, in Dresden bei einer ehemaligen
Kollegin pausieren, um dann über Görlitz und Hirschberg nach
Trautenau zu kommen. Sie fröstelten vor Müdigkeit im kahlen
Wartesaal des Halleschen Bahnhofs. Die Kinder hingen in Lolas
Schoß. Auf der Holzbank daneben saß eine Bauersfrau, das
Kopftuch tief ins Gesicht gezogen, und weinte still vor sich hin.
*Ich war hier im Krankenhaus, mein Mann ist heute Nacht
gestorben*, sagte sie, und die Tränen rannen ihr ungehindert
über Wangen und Mund.

Kurt betrachtete sie mit seinen großen, enzianblauen Kinder-
augen mitleidig. Er rückte näher an sie heran, guckte ihr treu-
herzig ins Gesicht und meinte: *Unser Papi ist auch bald tot.
Er wird ja Soldat.*

Im Morgengrauen sah Lola durch die Glasscheibe des Leipziger
Bahnhofs den Turm der Gohliser Kirche. Gleich daneben war
ihre Schule gewesen, in einer Straße, in der im Sommer die Vor-
gärten eine einzige Forsythienhecke gebildet hatten. Der Fürstenhof, in dem ihr Vater lebte, war nur einen fünfminütigen
Fußmarsch vom Bahnhof entfernt.

Sie stiegen nicht aus.

Je weiter sie östlich fuhren, desto unduldsamer wurden die
Menschen. Sie hatten noch nicht so viel durchgemacht. Es gab
Damen, die sich beschwerten, wenn unsere fiebrige Aveline
quengelte.

Seien Sie froh, sagte Lola zu einer besonders Biestigen, *dass Sie noch ohne Fliegerbeschuss und Bomben reisen können.*

Sie sah Lola an. Wenig freundlich. *Soll das die ganze Fahrt so gehen?*

Tun Sie uns allen einen Gefallen, sagte Lola. *Werden Sie nie Mutter.*

Der Mund der »Dame« klappte auf. Aber es kam nichts mehr heraus.

Sie waren wieder einen ganzen Tag unterwegs und kamen erst bei Dunkelheit an. Dresden, das glückliche Dresden: So sicher fühlte man sich dort, dass die Stadt mit Licht nicht sparte. Auch die Schaukästen im Bahnhof durften hell erleuchtet ihre Schätze zeigen.

Hier ist Weihnachten!, sagte Kurt, selig vor Staunen, als sie der Enge des Zuges entronnen waren.

Lola kannte die Kollegin kaum, die, zusammen mit ihrer Schwester, dankenswerterweise sie und die Kinder im Elbflorenz aufnahm. Trotzdem kam es Lola vor, als wären sie seit Jahren eng befreundet. Man sah ihr wohl die Strapazen an: Die neuen »Tanten« nahmen sofort Aveline auf den Arm, beluden sich mit dem Gepäck und versuchten, ihr begreiflich zu machen, dass man in Dresden Alarme hatte, deswegen aber nicht in den Keller laufen musste. *Hier ist noch nie etwas passiert. Die Kunststadt flößt sogar den Amerikanern Respekt ein.*

Auf dem Weg zur Wohnung fuhren sie vorbei an den Schönheiten der sächsischen Hauptstadt. Aber nach den kräftezehrenden Tagen der Reise machten Opernhaus oder Zwinger auf die kleinen Racker weitaus weniger Eindruck als das komfortable Zuhause ihrer Gastgeber mit den weiß bezogenen Kinderbetten. Angebunden an deren Pfosten, fanden die Kleinen zwei Spielzeugtiere vor. Konnte es größeres Glück geben? Spielsachen hatten die Kinder seit der Abreise entbehren müssen, Lola konnte ihr Gepäck unmöglich damit belasten. Hansi, das braune Holzpferd auf himmelblauen Rädern, und Fips, der weiße Hund auf einem roten Holzgestell, waren ihnen Inbegriff aller Herrlichkeit und für Lola der Ausdruck dessen, was Warmherzigkeit gegenüber Menschen, die in Not geraten waren, bedeuten konnte.

Als Kurt und Aveline längst schliefen, wusch sich Lola unter fließendem, warmem Wasser und gesellte sich dann zu den Damen ins Wohnzimmer. Eine Weinflasche wurde geöffnet. Wein! Aus dem Badener Land sogar! Sie saßen auf gut gepolsterten Biedermeiersesseln. Das elektrische Licht flackerte nicht einmal. Das Grammofon wurde eingeschaltet: ›Der fliegende Holländer‹. Die Luft roch nach Kölnisch Wasser.

Es ist ein Unding, sagte die Schwester. *Was Sie ertragen - müssen.*

Wir sind Ihnen sehr dankbar, sagte Lola.

Dass Sie nicht wütend sind. Ich bewundere Sie!

Wütend?, sagte Lola.

Sie spricht von der Verschwörung, erklärte die Schauspielkollegin.

Lola sah beide fragend an. Dabei wollte sie die Antwort eigentlich gar nicht hören.

Die Schwester lachte. *Na, die Juden!*

Ach so, sagte Lola.

Die Kollegin musterte sie. *Sie wissen nicht, wovon wir reden, nicht wahr?*

Lola schüttelte den Kopf. Sie wusste es wirklich nicht. Ahnte es aber.

Ohne die gäbe es längst Frieden, sagte die Schwester. *Haben Sie gehört? Die haben uns nun auch noch den Russen auf den Hals gehetzt. Wurde erst gestern im Volksempfänger berichtet.*

Hinter der ganzen russischen Offensive stecken die Juden. *Sie spinnen ihre Fäden, wie immer!*

Aus jedem Loch kommen sie plötzlich gekrochen, sagte die Schauspielkollegin.

Na ja, zumindest unser Dresden ist nun sauber, sagte die Schwester.

Darauf stießen sie an.

Lola stellte ihr Glas ab.

Schmeckt er Ihnen nicht?, fragte die Schwester.

Es ist nicht der Wein, sagte Lola.

Ja, was dann? Die beiden Frauen sahen sie neugierig an.

Jahrelang hatten Lola und ich dieses Geschwätz ertragen. Lola war es leid. Sie erhob sich. Holte Luft.

Aber draußen war es bereits dunkel. Zu dieser Uhrzeit - würden sie niemals eine Unterkunft finden. Kurt und Aveline schliefen. In Betten. In Sicherheit.

Mein Kopf, sagte Lola. *Ich bin wohl erschöpfter, als ich mir eingestehen möchte.*

Armes Ding, sagte die Schwester. *Nehmen Sie mein Zimmer.*

Ich kann sehr gut auf dem Boden bei den Kindern schlafen. Der Teppich ist weich.

Nichts da! Ich bestehe darauf! Die Schwester fuchtelte mit einem Zeigefinger in Lolas Gesicht herum. *Wir deutschen Frauen müssen zusammenhalten!*

An der Wand über dem Bett der Schwester prangte Adolf Hitlers Porträt. Als die Frauen Lola allein gelassen hatten, hängte sie den Führer sofort ab und verbannte ihn in die unterste Schublade einer Kommode, wo er in Schlüpfern versank. Noch vor Sonnenaufgang weckte Lola die Kinder und schlich mit ihnen aus der Wohnung. Sie war fest entschlossen, die Kleinen so schnell wie möglich aus diesem Umfeld zu entfernen. Sie wollte nichts von dem mitnehmen, was diesen Menschen gehörte. Weder Lügen noch Proviant. Nicht einmal Spielzeug.

Als sie die Wohnungstür öffnete, wollte Kurt zurücklaufen.

Lola hielt ihn fest. *Wo willst du hin?*, sagte sie leise.

Fips und Hansi!, sagte er viel zu laut.

Hinter der Tür zum Schlafzimmer der Schauspielkollegin knarrten die Bodendielen.

Wir müssen jetzt gehen, sagte Lola, nun auch nicht mehr leise.

Ich will aber Fips! Und Hansi!

Die sind krank, sagte Lola.

Kurt legte die Stirn in Falten. *So wie Aveline?*

Noch viel schlimmer. Sie dürfen nicht reisen.

Ich kann sie tragen!

Aber dann wirst du auch krank. Das wollen wir doch nicht, oder?

Das wollen wir nicht, sagte Kurt ernüchtert zu sich selbst.

Die Schlafzimmertür wurde geöffnet, und die Kollegin erschien im Schlafrock. *Wo wollen Sie denn hin?*

Lola wandte sich ab von ihr, schob die Kinder ins Treppenhaus, nahm Aveline auf den Arm und Kurt an die Hand und lief mit ihnen nach unten.

Oben beugte sich die Kollegin übers Geländer: *Warum gehen Sie denn?*

Kurt rief über seine Schulter: *Wir werden sonst krank!*

GRETLS GUT

Wo Lola das Tausendjährige Reich verwünschte; Lola keine einwandfreie Arbeitskraft war; Lola mir erzählte, dass ich Ulm nie verlassen hätte; Gretl und Lola fischten; Feuer Fritzl half und Lola sich bemühte, die Trennung leichter zu machen

Die Reise nach Hirschberg kam Lola unheimlich vor, so normal verlief sie. Die Züge verkehrten fahrplanmäßig, die Bahnsteige wurden, je weiter man sich vom Westen entfernte, leerer. Keine gehetzten, verängstigten Menschen mit Sack und Pack. Man löste Fahrkarten. Man pfiff eine Melodie. Man sprach über eine Hochzeitstorte.

Als sie auf der einsamen Dorfstation aus dem Zug stiegen, glaubte Lola zu träumen: diese Stille. Ein weiter Horizont, zu dem man ohne Furcht aufblicken konnte. Eine Landstraße, die sich zwischen hübschen Häusern entlangzog. Hügel, saftig grüne Laubbäume, pralle Hagebutten.

Gretls Gut erreichten sie erst Stunden später. Immer wieder mussten sie Pausen einlegen, denn Lolas Rücken schmerzte unter dem Gewicht des Gepäcks und der fiebrigen Aveline, die nur wenige Schritte aus eigener Kraft gehen konnte. Als sie das Haupttor durchschritten, verließ Gretl soeben den Stall. Ihr stand Schweiß auf der Stirn. Sie hatte geholfen, ein Kalb auf die Welt zu bringen. Ihre Arme und ihre Brust waren mit schleimigem Blut überzogen. Die Schwestern traten aufeinander zu. Seit vierzehn Jahren hatten sie sich nicht mehr gesehen. Gretl hielt sich mit der Hand ein Nasenloch zu und pustete aus dem anderen Rotz auf den Boden. Kurt zeigte sich davon beeindruckt.

Halle war nichts?, fragte Gretl.

Lola schüttelte den Kopf.

Kurt musterte das Blut. *Hast du dir wehgetan?*

Sie verzog keine Miene. *Du musst Kurt sein.*

Du musst Gretl sein, sagte er.

Ihr Blick wurde weicher, als sie Aveline betrachtete. *Was hat sie?*

Mandelentzündung, sagte Lola.

Ihr könnt bleiben, sagte Gretl.

Danke, sagte Lola.

Aber du musst arbeiten. Ich kann dich nicht anders behandeln als alle anderen.

Lola nickte. *Hatte ich auch nicht erwartet.*

Bei dem Mangel an Arbeitskräften war es ein Leichtes für Gretl, ihre Schwester offiziell als Sekretärin zu melden und zu beschäftigen. Lola konnte zum Glück mit der Schreibmaschine umgehen. Doch geschäftliche Korrespondenz oder Kontenführen waren ihr böhmische Dörfer. Gretl übertraf sie in all dem weit, und es gab von ihr allerhand nicht zu missdeutende Bemerkungen über Künstler zu schlucken. Nie war die Adresse zu ihrer Zufriedenheit getippt, nie das Briefbild, wie es sein sollte. Das Schlimmste aber waren die allwöchentlichen Lohnabrechnungen, die Lola vorzubereiten hatte. Da nach Tagen und Stunden bezahlt wurde, änderten sich die Abzüge für Steuer, Kassen, Versicherungen ständig. Sie mussten bis auf den kleinsten Pfennigbetrag stimmen. Unterlief auch nur ein winziger Fehler, war der Rechenbogen hinfällig, und man musste von vorne anfangen. Lola war nie ein Rechenheld gewesen. Sie hasste Zahlen, die Additionskolonnen waren für sie Ausgeburten boshafter Teufel. Vor der Endprobe empfand sie mehr Lampenfieber als vor der Premiere der ›Orestie‹. Wenn sie endlich – meist tief in der Nacht – die Beträge in die einzelnen Tüten verteilte, atmete sie auf. Sie hatte eine Schlacht geschlagen und verwünschte - einmal mehr das Tausendjährige Reich, das sie zwang, Dinge mühselig zu erlernen, die sie schnellstmöglich vergessen wollte.

Das immer wieder Erstaunliche auf dem Gut ihrer Schwester: Man tat, als sei alles für die Ewigkeit. Oder zumindest für die nächsten Jahre. Die Ukrainerinnen standen knietief im roten Lehmboden der Felder und ernteten Zuckerrüben. Die Mädchen und Frauen weckten Lolas Mitleid. Verschmutzt, mit blau gefrorenen Händen und Gesichtern gingen sie in ihre Baracken. Alle wussten, dass sie sich dort illegal Sirup kochten. Aber wer wollte ihnen das verwehren, bei den knappen Rationen. Lola hätte gerne mal ein nettes Wort zu den Frauen gesagt. Das war jedoch unerwünscht. Mehr als in der Stadt kümmerten sich Ortsgruppenleiter und sonstige Braune um alles. Kriegsgefangene und Ausländer bekamen zu essen, um arbeiten zu können. Nicht viel. Selten genug.

Außer der Hilfe im Büro oblag Lola die Hühnerpflege. Auf dem Gut ihrer Schwester wurde Zucht betrieben. Das verlangte eine genaue Kontrolle der Legetätigkeit. Im Hühnerstall hatten sie sogenannte Fallenmeister, kleine Holzkästen, in die das Huhn selbstständig hineingehen, aus denen es aber nicht ohne menschliche Hilfe herauskommen konnte. Alle zwei Stunden musste Lola in den Stall, die geschlossenen Nester öffnen und, wenn ein Ei gelegt wurde, die Nummer auf dem Ring der betreffenden Henne in eine Liste eintragen. Auf diese Weise wurde festgestellt, welche Legeleistung jedes einzelne Tier hatte und welche Hühner »aussortiert« werden konnten. Lola hatte somit das Amt eines Richters inne. Obwohl es keine saubere Arbeit war, Federvieh aufzuheben, ehe man es ins Freie entließ, abzutasten, ob es ein Ei trug oder nicht, machte ihr das deutlich mehr Spaß als ihre Verpflichtungen im Büro. Es war doch etwas Lebendiges. Sie schlüpfte jedes Mal vergnügt in die Gummistiefel, wenn der Hühnerstall rief. Bald kannte sie ihre ganze gefiederte Gesellschaft und gab einigen besonders hervorste-

chenden Persönlichkeiten Namen. Ihre »Dicke« fing sie mit
Vorliebe ein, um ihr weiches, warmes Federkleid an die Wange
zu drücken. Erst dann entließ Lola sie, und laut kreischend stob
das Huhn davon. Eine alte Henne mit schütterem, schmutzigem
Gefieder, »Rumpelstilzchen«, bewahrte sie lange vor dem Koch-
topf, obwohl sie laut Legeliste längst mit ihm Bekanntschaft
hätte machen müssen. Lola schwindelte ihr manches Ei auf
die Liste, das eine andere gelegt hatte. Sie war also keineswegs
eine einwandfreie Arbeitskraft, und sie wollte es auch nicht
sein. Denn sie ärgerte sich, nicht die Segnungen eines Gutshofs
mit zwanzig Kühen genießen zu dürfen. Ihre Schwester wurde
von Mägden und Arbeitern zwar beobachtet, aber sie hätte
Lola heimlich mehr Milch für Aveline und Kurt geben können
als ihnen zustand. Nur: Gretl war eben Gretl. Nicht mehr
Schwester als unbedingt nötig. Lola und sie gingen sich aus dem
Weg. Und wenn sie einander doch begegneten, nickten sie sich
bloß zu.

Und dennoch: Lola war froh, dass die Kinder nachts schlafen, tags sich an der frischen Luft bewegen konnten. Drei Mal
pro Woche gab es Kartoffeln »mit Soß« oder Klöße mit Mohn.
Das stärkte. Aveline überwand bald die Mandelentzündung.
Angst und Bombennächte schienen für sie vorbei zu sein. Lola
schrieb mir, sie wagte zu hoffen.

Darum schrieb ich ihr nicht, dass Stabbrandbomben während unserer Abwesenheit die Decken unserer Wohnung durch-
schlagen und, da wir im fünften Stock wohnten, viel Schaden
angerichtet hatten. Trotz Löschversuchen. Die anderen Miet-
parteien waren evakuiert worden. Ich hatte zwei Tage Urlaub
vom Militär erhalten, um ein paar Wertsachen sicherstellen zu
können.

Gretls Gutshaus war bis unters Dach mit Flüchtlingsfamilien vollgestopft. Meist Evakuierte aus den besonders bedrohten Bombengebieten an Rhein und Ruhr. Unter Lola und den Kindern wohnte eine Familie mit vier Kindern und einer bettlägerigen Großmutter, über ihnen eine scheue junge Frau, die sichtlich mit all dem Neuen, Fremden nicht zurechtkam. Sie schickte immer ihren Fünfjährigen ins Lädchen und blieb bei dem Säugling. Schwer bepackt kehrte der Junge dann heim.

Der Winter brach früh herein. Anfang Dezember stob der Schnee ums Haus. Das lustige Fohlen, das so gerne Wäsche von der Leine und Hüte von den Köpfen der Leute klaute, um dann in tollen Sprüngen mit der Beute davonzujagen, hatte - flimmernde Schneeflocken im Fell. Der Kutscher spannte zu Einkäufen in der Stadt die Pferde vor den Schlitten. Wenn er mit seiner Pelzmütze und dem dampfenden Gespann durch den Schnee davonfuhr, erinnerte das an die Nähe zur polnisch-russischen Grenze. Die Temperaturen fielen. Aber sie konnten nur einen Raum heizen. Alles drängte sich um den Kachelofen. Lola und Gretl wechselten an solchen Abenden Blicke. Zu anderen Worten als den nötigsten hatten sie sich noch immer nicht durchgerungen.

Am Nikolaustag stapfte der Gastwirt von gegenüber als - Pelzmärtel zu ihnen durch den Schnee und hielt krause, pädagogisch gemeinte Reden, sehr behindert durch eine Pappmaske, die er sich unnötigerweise umgebunden hatte: *Das Deutsche Reich muss wie ein Phönix aus der Kriegsasche auferstehen! Und: Nur die jungen Deutschen können das alte Reich tragen! Und: In jedem deutschen Jungen und in jedem deutschen Mädel steckt der Samen eines Hunderttausendjährigen Reichs!*

Während die Kinder ihren Schrecken bei Honigkuchen und Äpfeln vergaßen, schenkte Lolas Schwester Obstler aus. Man trank, um sich zu wärmen und nicht sprechen zu müssen. Bange

Fragen behielt man lieber für sich: Wie wird es weitergehen? Wenn die Rote Armee vorstößt? Nach Schlesien? Würden sie dann nicht wie die Maus in der Falle sitzen?

Nur der Gastwirt trank so viel, dass er seine Worte nicht länger zurückhalten konnte: *Der Russe, das ist gar nicht das Ärgste. Die Tschechen! Wenn die über uns kommen, mit ihrem Hass, das ist viel schlimmer. Da bewahr uns Gott vor!*

Wenige Tage später läutete nachts das Telefon. Als Lola abnahm, hörte sie ganz fern, ganz schwach meine Stimme. Ich hatte drei Tage Urlaub – so etwas wie eine Vorweihnacht – bekommen und wollte zu ihnen fahren. Ulm–Trautenau: in diesen Zeiten mindestens eine Tagesreise. Obwohl Lola mir eingedenk ihrer eigenen Erfahrungen eindringlich davon abriet, ließ ich mich nicht von meinem Vorhaben abbringen. Ich litt unter meiner Einsamkeit. Der Kriegsdienst war nichts für einen Staatsschauspieler, der keinen Nagel gerade in die Wand schlagen konnte. In meinem Dienstbuch war vermerkt worden: »Trotz Bemühens völlig unmilitärisch.« Andere Gefreite forderten mich gelegentlich auf: *Spiel mal was, Ervig!* Wenn ich dann zu einem Monolog anhob, lachten sie mich aus oder wandten sich bald gelangweilt ab. Ich konnte es ihnen nicht übel nehmen. Der Krieg war ihnen ein fesselnderes Drama. In dem sie sogar mitspielen durften! Da konnte kein Bühnenstück mithalten.

Zwei Tage danach rief ich aus Trautenau an. Die Reise hatte länger gedauert als angenommen. Die Kleinbahn ging nicht mehr. Ob Lola einen Wagen schicken könne, damit ich, bevor ich zurückkreisen müsse, zumindest die Nacht bei ihnen verbringen könne?

Die Leute schliefen längst. Gretls junger Neffe, der einzige Mann auf dem Gut, wies darauf hin, dass es getaut habe und der Boden aufgeweicht sei. Die Tiere täten sich auf den lehmigen Feldern schwer. Lola bettelte. Jede Stunde sei kostbar. Aber die Laternen fanden sich nicht. Lola musste mir beim zweiten Anruf sagen, ich solle im Wartesaal übernachten und mit dem ersten Frühzug die Rückreise antreten.

Aber, sagte ich. *Ich bin fast da.*

Lass uns einfach so tun, als wärst du es nicht, sagte sie.

Warum?

Ist einfacher.

Ich überlegte, ob es nicht noch eine bessere Lösung gab. Dabei wusste ich, dass Lola längst alle Optionen abgewogen hatte. *Ich habe also Ulm nie verlassen?*, sagte ich schließlich.

Genau. Du bist gar nicht nah.

Wo auch immer ich bin, ich vermisse euch.

Nach einer kurzen Pause erwiderte sie: *Die Kinder vermissen dich auch.*

Und du?

Was ist mit mir?

Vermisst du mich auch?

Sie seufzte. *Alfons.*

Ich will, dass du es sagst. Ich lauschte und meinte zu hören, dass sie schwerer atmete.

Ich vermisse dich auch, sagte Lola.

Das ist gut.

Das ist schlimm.

Du musst mir etwas versprechen, Lola.

Die darauf folgende Stille war ihre Art zu sagen: Kommt ganz darauf an.

Lass dich von der Ruhe des Landlebens nicht betrügen, sprach ich, so schnell ich konnte, damit sie mich nicht unterbrechen konnte. *Die Ostfront gibt nach. Auch wenn die Heeresberichte es beschönigen. Solltet ihr fliehen müssen, dann geht in den Fürstenhof.*

Noch mehr Stille.

Lola?

Das kann ich dir nicht versprechen.

Du musst!

Ich werde –

Das Gespräch wurde abgebrochen. Zuerst dachte ich, Lola habe aufgelegt. Aber die Leitung war tot. Ich versuchte es noch mehrmals, ohne Erfolg.

Nach einer endlosen Fahrt so kurz vorm Ziel diese Enttäuschung. Ich harrte im ungeheizten Wartesaal aus. Ich schlief im Sitzen. Die Kälte kroch meine Beine hoch. Am nächsten Morgen nahm ich den ersten Zug gen Süden. Das Land glänzte im Raureif. Die Farben waren von unwahrscheinlicher Zartheit: das Blau des Himmels, die rote Erde, nur hin und wieder unter einer dünnen Schneedecke verborgen, die alten Bäume, überstäubt von Weiß. Alles funkelte im Licht wie zu einem Fest. Ich sagte mir, sagte mir immer wieder, das sei gar nicht der Sudetengau und ich nicht in Lolas und der Kinder Nähe und mein Schmerz nicht die wachsende Entfernung zu ihnen.

Am Weihnachtsabend auf Gretls Gut sangen alle die Lieder vom Frieden auf Erden. Es gab Mohnstollen und Punsch. Doch auf Geschenke oder brennende Christbäume musste verzichtet werden. (Ein besonders triftiger Grund für Kurt, den Krieg zu verdammen; Aveline war noch zu klein, um diese Dinge zu vermissen.) Nach dem Essen bat Gretl Aveline und Kurt nach draußen vor die Tür. Dort wartete ein Rodelschlitten auf sie.

Für uns?, sagte Kurt.

Das ist kein Weihnachtsgeschenk. Ihr dürft ihn euch aber leihen.

Kaum hatte sie den Satz beendet, umarmten die beiden sie innig, jeder eines ihrer Beine.

Schon gut. Ihr könnt jetzt loslassen.

Sie ließen nicht los.

Mama hat recht, sagte Kurt. *Du bist gar nicht so schlimm.*

Gretl sah auf. Lola wich ihrem Blick aus. Sie ermahnte die Kinder: *Was sagt man?*

Zweistimmig sprachen sie: *Danketantegretl.* Dann stürmten sie mit dem Schlitten den nächsten Schneehügel.

Danke, Tante Gretl, sagte auch Lola zu ihr.

Ach. Gretl winkte ab. *Ich bin ja auch gar nicht so schlimm.*

Diesmal sahen die Geschwister einander an. Sie lächelten sogar. Kurz.

Der Neujahrstag brachte, wie es auf dem Lande üblich war, Besucher von den Nachbargütern. Man bewirtete sie mit Südwein oder Schnaps. Lolas Schwester holte sich Rat in Dingen der Landwirtschaft, besonders von einem Nachbarn. Da er einen großen Betrieb leitete, war er UK gestellt und beriet Lolas Schwester so umsichtig und in einer Weise, als gäbe es im Augenblick nichts anderes zu besorgen als auszubessernde Zäune und neu zu erprobende Futtermischungen. Auf ihre vorsichtigen Fragen, wie er sich alles denke, wenn die Front weiter zurückweiche, gab er ausweichend Antwort. Ein Leben ohne seine Felder, seine Tiere, sein Haus? Der wortkarge Mann konnte sich keine andere Heimat denken. Ein paar Tage später erfuhr Lola, dass er seine alte Mutter, seine um viele Jahre jüngere Frau und zuletzt sich selbst erschossen hatte.

Gretl dagegen wollte bis zuletzt auf dem Posten bleiben, die ihr anvertrauten Menschen und Güter nicht vorzeitig aufgeben. Dennoch begannen sie, Verschiedenes an beweglicher Habe einzupacken und ins Innere des Landes zu schicken. Wenn man nur die Wahrheit gewusst hätte. Es kamen die immer gleichlautenden Berichte von »planmäßigen Rückzügen«.

Lola und Gretl sprachen noch immer kaum miteinander. Und doch: Sie hörten gemeinsam. In diesen ersten Wochen des Jahres 1945 konnten sie es nicht erwarten, bis es Abend war und alle Menschen im Haus schlafen gegangen waren. Dann kauerten sie vor dem Radio und fischten nach ausländischen Sendern, um den wirklichen Stand der Truppen zu erfahren. Abwechselnd musste eine von ihnen auf die Diele schleichen, um sicherzustellen, dass auch niemand lauschte oder sie gar überraschte. Zuchthaus und Schlimmeres stand darauf, Feindsender zu hören.

Anfang Januar kam Lolas Bruder auf Urlaub. Fritz war das letzte der Geschwister, das noch eine Beziehung zum alten Herrn Salz pflegte. Dieser sah in ihm seinen einzigen Erben. Dabei sehnte sich Fritz nach fernen Orten. Den Wunsch hatte ihm nun der Krieg erfüllt. Er führte, nach überstandenem Frankreichfeldzug, ein leidlich gutes Leben in Italien, wo er in einer Dolmetscherabteilung arbeitete. Zumindest war die Front dort nicht so unruhig wie im Westen und Osten.

Fritz stand seiner älteren Schwester sehr nahe. Nach dem frühen Tod der Mutter, an die er sich nicht erinnerte, hatte Gretl diese Rolle für ihn übernommen. Sooft er konnte, besuchte er sie auf ihrem Gut. Und traf dort nun zum ersten Mal nach dreißig Jahren auf seine andere Schwester, an die er ebenfalls keine eigene Erinnerung besaß. Er war noch ein Säugling gewesen, als Herr Salz sie ins Erziehungsheim geschickt hatte.

Es war eine vorsichtige Annäherung. Fritz begleitete Lola zu ihren Hühnern, und sie schenkte ihm zwei nestwarme Eier, die er genüsslich austrank.

Später, in Fritz' erster Nacht auf dem Gut, saßen die drei Geschwister in der Stube beisammen. Eine Flasche Obstler wurde zur Feier ihres Wiedervereintseins geöffnet. Für wenige Momente entflohen sie der Zeit der unausgesprochenen Dinge. Das war Fritz' Anstoß zu verdanken.

Ich muss gestehen, sagte er, *ich habe dich mir anders vorgestellt.*

Anders?

Vater hat Geschichten über dich erzählt.

Was für Geschichten?, fragte Lola. Sie legte eine Hand auf die andere, damit ihre Geschwister nicht merkten, dass sie - zitterten. (Und als sie mir später nachts im Flüsterton davon erzählte, zitterten ihre Hände auch, sodass ich meine auf ihre legte.)

Fritz sah hilfesuchend zu seiner älteren Schwester.

Gretl räusperte sich. *Du sollst Mamas Tod verursacht haben.*

Lolas Geschwister nickten mit schweren Köpfen.

Ich war damals gerade einmal neun Jahre alt, sagte Lola.

Mama war sehr schwach, sagte Fritz. Er konnte ihr nicht in die Augen sehen. *Hast du sie wirklich erstickt? Mit einem Kissen?*

Lola leerte ihr Glas. Atmete ein, atmete aus. Der Schnaps kratzte in ihrer Kehle. Sie konzentrierte sich darauf, nicht an den Fürstenhof zu denken, und dachte: an den Fürstenhof. (Und als sie mir später davon erzählte, begriff ich, dass sie schon seit Langem um die Lügen wusste, die ihr Vater über sie verbreitet hatte, und es tat mir leid. Es tat mir so leid, dass ich sie wieder und wieder dazu gedrängt hatte, Sicherheit an einem Ort zu suchen, wo ein Monster namens Herr Salz hauste.)

Da sagte Gretl: *Sie hat nichts dergleichen getan.*

Lola blickte zu ihrer Schwester auf. (Und als sie mir später davon erzählte, nannte sie Gretl zum ersten Mal nicht »Gretl«, sondern »meine Schwester«.)

Warum behauptet er es dann?, sagte Fritz.

Kannst du es dir nicht denken?, sagte Gretl. *Schon als Mama noch gesund war, behandelte er sie schlecht, hatte Affären.*

Das kann ich mir vorstellen, sagte Fritz. *Einmal habe ich ihn im Treppenhaus erwischt, mit einem der Zimmermädchen. In aller Öffentlichkeit.*

Nachdem sie krank wurde, sagte Gretl, *verhielt er sich, als wäre sie bereits tot. Wenn er sie geliebt hat, dann war das die grausamste Liebe, die ich je erlebt habe. Als sie starb, muss ihn die Erkenntnis, was für ein miserabler Ehemann er gewesen war, so heftig getroffen haben, dass er die Schuld nicht ertragen konnte. Also machte er Lola dafür verantwortlich. Nur so konnte er ihr Ableben ertragen.*

Darauf sagte keiner von ihnen etwas. Es war der Moment, in dem Lola sich eingestand, dass sie Gretl mochte. Noch mehr: dass sie ihre Schwester richtig gernhatte.

Auch wenn sie ihr das nicht sofort zeigte: Lola erhob sich und ging zur Treppe.

Lola, sagte Gretl.

Sie blieb stehen.

Du bist nicht schuld.

Lola nickte ihrer Schwester zu und lächelte milde. Dann zog sie sich auf ihr Zimmer zurück. (Und als sie mir später davon erzählte, verwünschte sie den Fürstenhof, mit zornigen Flüchen, die ich nie zuvor von ihr gehört hatte und von denen ich vermute, dass sie eigentlich nicht dem Hotel galten. Sie galten dem alten Herrn Salz. Ich fragte sie, ob sie ihn jemals mit seinen Lügen konfrontiert habe. Was sie verneinte. Dennoch hatte ich das Gefühl, sie verschwieg etwas. Aber ich schwor mir, sie damit nie mehr zu behelligen. Wer will schon an die Lügen der Eltern erinnert werden?)

In derselben Nacht kam eine böse Nachricht über den Draht: Alle Urlauber aus dem Süden und Westen, die sich östlich von Görlitz aufhielten, mussten sich dort bei einer Truppe melden und durften nicht zurück an ihre alte Position. Das galt auch für Fritz. Als die Schwestern am frühen Morgen an der Post vorbeigingen, rief ihnen das Fräulein zu, es sei ein Telegramm für den Urlauber da. Sie ahnten natürlich, was es enthielt, und erwiderten, sie würden es mittags abholen.

Lola und Gretl mussten unbedingt versuchen, Fritz wieder in sein stilles Italien zu schleusen. Jetzt erwies sich selbst der junge Neffe als hilfsbereiter Bursche. Er spannte in aller Eile den Schlitten an; zum Glück war es Sonntag und die Pferdeschar im Stall. Fritz packte im oberen Stock seine Habseligkeiten, als plötzlich der Ruf *Feuer!* erschallte. Das trockene Holz, das hinter dem Ofen gelagert war, hatte sich entzündet. Im Nu loderten grelle Flammen, die den zu Hilfe Eilenden entgegenschlugen. Aber der Schreck war den Geschwistern nützlich. In der allgemeinen Aufregung achtete niemand darauf, dass der Schlitten hinten durch den Park und querfeldein nach der Bahnstation fuhr. Auf den Straßen hätte ihn eine Streife angehalten.

Lola hatte nicht Abschied nehmen können. Sie tröstete sich mit dem Gedanken, dass ihr Bruder nicht an die Ostfront kam. Das Telegramm enthielt wie erwartet den gefürchteten Befehl. Es traf eben, so gaben sie an, zu spät ein.

Dresden lag in Ruinen. Bomben fielen auf Wien. Die Rote Armee überschritt die schlesische Grenze. In Breslau wurde gekämpft.

Die Nachrichten, die Lola und Gretl abends hörten, widersprachen grotesk den Heeresberichten. Lola fasste den Entschluss, das Dorf zu verlassen. Sie versuchte zunächst, auf legalem Wege abzureisen.

Der Herr in der braunen Uniform auf der NS-Behörde in Trautenau sah sie entrüstet an. Faselte etwas von *unverantwortlicher Gerüchtemacherei, die man niemals unterstützen durfte,* und *wenn jetzt jeder kam und davonlaufen wollte, statt für den Führer die Stellung zu halten* – und dergleichen Phrasen mehr. Lola hatte nichts von ihm zu erwarten, vor allem keine Reisegenehmigung. So bekam sie keine Fahrkarten. Ihre einzige Chance war, dass man bei der kleinen Lokalbahn, die zu ihrem Dorf führte, die Fahrkarten erst im Zug löste, da sie Bedarfshaltestelle waren. Wie es dann weitergehen würde, in Hirschberg, wusste sie nicht. Nur, dass es höchste Zeit war, wenn sie nicht in den großen Flüchtlingsstrom kommen wollten.

Diesmal durfte sie sich keinesfalls mit Gepäck belasten. Post und Passagiergut gab es schon nicht mehr. Also nahmen sie nur mit, was sie tragen konnten. Lola füllte einen Rucksack, so prall es ging. Gretl nähte Träger an ein rotes Kopfkisseninlett, sodass man es auf dem Rücken befördern konnte. Die Kinder zog Lola an, wie sie es aus ihrer Jugendlektüre der ›Heidi‹ von Johanna Spyri gelernt hatte: zwei Hemden übereinander, zwei Unterhosen, zwei Pullover und darüber die dunkelblauen Wintermäntel, die am dicksten waren. Die Kleinen sahen urkomisch aus, kugelrund, und fühlten sich denkbar unbehaglich. Und überhaupt: Sie sollten das schöne Haus verlassen, ihre Freunde, die Tiere alle, warum nur?

Es war keine Zeit mehr zu verlieren. Gretl steckte ihnen beim Abschied Anfang März wider die Ordnung dick belegte Brote in die Manteltaschen. *Ihr kommt bestimmt nicht mehr durch. Heute Abend seid ihr schon wieder hier*, sagte sie und schüttelte den Kopf.

Zurück auf keinen Fall, erwiderte Lola, *was auch kommen mag.*

Sie umarmten sich.

Lola sagte ihrer Schwester nicht, dass sie sich ihr noch nie, nicht einmal in ihren Kindertagen, so nah gefühlt hatte. Das machte die Trennung leichter.

HIRSCHBERG UND BAUTZEN
Wo Lola und die Kinder hinein in die Fluten mussten und Lola den Schaffner auslachte

Die Fahrt nach Hirschberg dauerte Stunden. Es war schon - dunkel, als sie vor der Einfahrt hielten. Der Zug machte eine Biegung, an der Lola sofort übersehen konnte, warum sie nicht weiterfuhren. Im Schein der abgedunkelten Handlaternen bewegte sich eine endlose Masse. Graue Menschen in dicken Mänteln, die Gesichter kaum kenntlich, so vermummt steckten sie in Tüchern und Mützen. Die Rücken beugten sich unter den Lasten, die sie trugen. Manche hatten Schlitten; sie waren noch am besten dran. Hoch auf getürmten Körben und Säcken saßen Kinder, drei, vier, sechs nebeneinander. Alles stieß, schob, drängte. Das Bahnpersonal hatte es längst aufgegeben, Ordnung zu schaffen. Der Menschenstrom floss in absoluter Stille. Niemand schrie oder sprach. Es schneite unaufhörlich.

Die Passagiere konnten kaum aus den Türen des stehenden Zuges gelangen, so dicht quollen Menschen und Handwagen an ihnen vorbei. Es half nichts. Lola und die Kinder mussten hinein in die Fluten und erst einmal versuchen, einen Platz innerhalb des Bahnhofs zu erkämpfen, um nicht die Nacht im Freien zubringen zu müssen. Im Wartesaal brannte ein Feuer im eisernen Ofen. Sie setzten sich abwechselnd auf ihre Bündel. Platz, sodass zwei sitzen konnten, gab es nicht – eine Gesellschaft, die Lola an Gorkis ›Nachtasyl‹ erinnerte. Die meisten waren schon erschöpft und apathisch nach langer Fahrt und Wanderung aus den Ostgebieten. Keiner hatte ein bestimmtes Ziel. Nur nach Westen wollten alle. Auch Soldaten in abgerissenen Uniformen waren in der Menge, verhielten sich so unauffällig wie möglich. Die Kinder weinten oder schliefen mit offenen Mündern. Wenn die Tür aufging, zog eisiger Wind in den Raum. Um die Füße der wartenden Menschen bildeten sich schwarze Lachen.

Auskunft nach einem Zug zu erhalten, solcher Hoffnung durfte man sich nicht hingeben. Aber es rollten Züge vorbei, das hörte man. Damit sie ihre Plätze in der Wartehalle nicht aufgeben mussten, ging Lola immer nur für kurze Abstecher hinaus auf den Bahnsteig, Kurt an der rechten, Aveline an der linken Hand.

RÄDER MÜSSEN ROLLEN FÜR DEN SIEG, las sie.

Am Ende des Bahnsteigs lag ein Mann. Er rührte sich nicht. Sein rechtes Auge war halb geöffnet, seine Haut von Eis überzogen. Die Finger seiner Hand: Stümpfe. Von Tieren abgekaut?

Lola wandte sich ab und hielt den Kindern die Augen zu.

Was ist mit ihm?, fragte Kurt.

Er schläft, sagte Lola.

Ist ihm nicht kalt?

Dafür ist sein Schlaf zu tief.

Sie wies einen hageren Mann vom Bahnpersonal auf die Leiche hin.

Darum können wir uns nicht auch noch kümmern, sagte dieser. *Zu viele Tote auf dem Gelände.*

Sterben wir jetzt?, fragte Kurt.

Nein, sagte Lola, mehrmals, *nein, nein.*

Es mochte zwei Uhr nachts sein, als sie erneut einen ihrer bisher vergeblichen Gänge unternahmen. Ein Zug stand auf dem Gleis, er hatte wahrhaftig gehalten. Warum?

Lazarettzug, nicht für Zivil, sagte der begleitende Soldat, der sich die Füße vertrat.

Lola nahm ihren Mut zusammen. *Wo fahren Sie hin?*

Aus der Gefahrenzone heraus.

Ich habe zwei kleine Kinder, lassen Sie mich mitfahren nach Westen, bitte!

Der Soldat zögerte.

Mein Papi ist auch Soldat, sagte Kurt.

Er sah sie an, und Lola erkannte in seinem Blick, dass es Kurt gelungen war, ihn anzurühren.

Machen Sie rasch, dass es niemand merkt, sagte er leise und schwang sich selbst in den Wagen hinein. Lola warf die Kinder in den Zug. Wenn sie nur keiner entdeckte und hinauswies! Nach langen Minuten zog die Maschine an. Sie fuhren! Sie setzten sich auf den Boden des Gangs, nass und schmutzig von vielen Stiefeln. Hinter den zugezogenen Gardinen der Abteile brannte Licht. Leises Stöhnen drang heraus. Kurt wollte nachsehen. Lola untersagte es ihm. Es roch nach faulem Fleisch und Iod.

Lola dachte an ihre Schwester, an mich, an Fritz. Würde sie je einen von uns wiedersehen?

Ihrem Helfer begegnete Lola nur noch einmal. Er sagte ihr, in Bautzen müssten sie hinaus.

Später erfuhr sie, dass schon am nächsten Tag der Zugverkehr bei Trautenau eingestellt worden war. Den Gestrandeten blieb nur die Landstraße. Im Januar. Viele erfroren, vor allem Kinder.

Im Bautzener Bahnhofssaal standen dampfende Suppenkessel. Niemand fragte nach Marken oder danach, wohin man wolle oder woher man komme. Die Brühe war dünn und schmeckte scheußlich. Aber sie wärmte. Das Gedränge war unbeschreiblich. Lola musste darauf achten, dass die Kinder nicht unter Räder oder Füße gerieten. *Immer gut an mir festhalten*, sagte sie zu ihnen, *nicht loslassen.*

Es gelang ihnen, ungehindert und weiterhin ohne Fahrkarten in einen Zug zu kommen, dessen Fenster zerbrochen waren. Ein Transport von Ostflüchtlingen. Die Kälte drang bis ins Mark. Die kleine Aveline fror und fand keinen Schlaf.

Du musst einfach tief schlafen. Wie der Mann ohne Finger, sagte Kurt zu ihr.

Aveline greinte: *Ich kann ja nicht mal Daumenlutschen!*

Die vielen Jacken und Mäntel. Sie konnte den Arm nicht beugen, um den tröstenden Daumen in den Mund zu stecken.

Als vorläufiges Ziel hatte Lola sich Leipzig gesetzt. Liliane, eine Schulfreundin von Gretl, besaß in einem Vorort ein Haus, das sie jetzt, da ihr Mann im Feld war, allein bewohnte. Sie würde Lola und die Kinder aufnehmen. Der Fürstenhof war mehr denn je in die Ferne gerückt, obwohl Lola Leipzig anpeilte. Ihre Abneigung dem Vater gegenüber war, nachdem Fritz sie an die Lügen ihres Vaters erinnert hatte, noch gewachsen.

Sie und die Kinder erlebten nun das Gleiche wie auf ihrer Flucht aus dem Westen, nur in umgekehrter Reihenfolge. Je weiter sie sich von der unmittelbaren Gefahr entfernten, desto mehr litten sie unter der Unduldsamkeit der Menschen. Sie waren vom tiefsten Sudetengau bis nach Leipzig ohne Fahrkarte gefahren. Jetzt fragte der Schaffner danach.

Lola lachte ihn aus.

Er wollte insistieren.

Fahren Sie doch mal weiter nach Osten! Wir sind froh, dass wir überhaupt noch herausgekommen sind!

Beschämt wich er Lolas Blick aus. So gingen sie durch die Sperre der Stadt. Lola telefonierte Gretls Freundin an. Sie erreichten noch eine Straßenbahn, obwohl es gegen Mitternacht ging. An der Endstation wartete Liliane mit einem Rodel. Sie hoben die Kinder hinauf und wanderten zwischen verschneiten Sträuchern und Bäumen zum Landhaus in Markkleeberg.

MARKKLEEBERG
Wo Lola mir einen Vorschlag machte; Lola über die Niedertracht in Person schimpfte und Lilianes Gesicht sich nur schwer aus Lolas Gedanken verbannen ließ

Ich war inzwischen als Sanitätshelfer in ein badisches Lazarett versetzt worden, eine deutliche Verbesserung für mich. Es waren heimatliche Gefilde, und viele Ärzte und andere Vorgesetzte hatten mich seinerzeit spielen sehen. Mit ihrer Hilfe versuchte ich, einen aussichtslos scheinenden Plan auszuführen. Ich wollte unbedingt in Lolas und der Kinder Nähe, um durch das sich abzeichnende Chaos des Zusammenbruchs nicht von ihnen abgeschnitten zu werden. Aber es stellte sich bald heraus, dass keiner von ihnen den nötigen Einfluss besaß, um mich erneut versetzen zu lassen.

Dann schlug Lola, die sich mittlerweile in Markkleeberg eingerichtet hatte, in einem Telegramm vor, sie könnte einen Bekannten kontaktieren und um Unterstützung bitten. Vielleicht würde er sich als hilfreich erweisen. Matthias Kerr leitete als Oberstabsarzt ein großes Lazarett in Leisnig, einer kleinen Stadt zwischen Leipzig und Dresden.

Es war sonst nicht meine Art, aber ich ließ einen Tag verstreichen, um, ehe ich Lola meine Antwort telegrafierte, über ihre Idee nachzudenken. Ich konnte nicht anders.

Lola war für mich immer eine so furchteinflößende wie furchtlose Frau gewesen, auf der Bühne und im Leben jenseits der Theaterwelt. Und doch hatte es eine Zeit gegeben, in der es anders war. Während ihrer ersten Schwangerschaft, mit Kurt unter dem Herzen, verließ sie nur selten das Haus, hielt sich die längste Zeit daheim auf. Sprach oft von ihrer Mutter und beichtete mir ihre Sorge, niemals an deren Fähigkeit zu lieben heranreichen zu können. An besonders schlimmen Tagen, wenn es früh dunkel wurde, Rückenschmerzen sie plagten und ich mich zu viele Stunden im Theater aufhielt, verließ Lola ihr Bett nicht und prophezeite, dass sie kurz nach der Schwangerschaft sterben werde. Je größer das Baby wurde, desto mehr schrumpfte ihre Furchtlosigkeit. Sie begann damit, in Gesprächen mit mir nicht mich, sondern meinen Schatten anzusehen. Sie musterte den Schatten von jedem, den sie traf. Einmal behauptete sie sogar, alle Schatten besäßen Namen.

Ich hätte dieses Verhalten stärker hinterfragen sollen. Ich hätte mich ihr stellen sollen.

Doch je mehr Furchtlosigkeit sie einbüßte, desto furchteinflößender wurde sie. In der Folge zog ich mich auf die Bretter zurück, die keineswegs die Welt bedeuten. Auf ihnen konnte ich jemand anderes sein und nicht der Ehemann einer Frau, deren Kind mit ihrer Furcht um die Wette wuchs. Einzig Untersuchungen durch ihren Arzt schienen eine beruhigende Wirkung auf sie auszuüben. Ich brachte sie, sooft sie es wünschte, zu ihm. Manchmal machte er auch Hausbesuche, wenn ich durch das Theater gebunden war. Seine Konsultationen schienen das einzige Antidot gegen ihre Furcht. Auch nach der Geburt.

Ihre Affäre erstreckte sich über Monate. Ich weiß nicht, zu welchem Zeitpunkt sie körperlich wurde, und ich will es auch gar nicht wissen.

Als Kurt etwa ein Jahr alt war, fand Lola wieder zu ihrer alten Stärke zurück. Von Schatten war keine Rede mehr. Furchtlos gestand sie mir ihren Fehler und bat um Vergebung. Wieder wurde ich von ihr überrumpelt wie schon damals, bei unseren Proben zu »Aimée«. Es überraschte mich, dass ich nicht wütend war, vielmehr erleichtert, dass sie offen mit mir sprach. Ich liebte sie in diesem Moment noch inniger als je zuvor.

Während ihrer zweiten Schwangerschaft, mit Aveline, ließ ich sie fast nie allein. So gelang es mir, sie jedes Mal an ihre Furchtlosigkeit zu erinnern, wenn diese zu schwinden drohte. Die Schatten kehrten nicht zurück. Und Lola wechselte den Arzt. Den vorherigen, Matthias Kerr, versprach sie, nie wiederzusehen.

Ich war dagegen. Dennoch erklärte ich mich einverstanden und telegrafierte: »Frag ihn.« In Anbetracht der Umstände hatten wir kaum eine andere Wahl.

Lola suchte Matthias Kerr zusammen mit den Kindern in Leisnig auf. Der Gedanke, dass sie sich keinesfalls von den Kleinen trennen würde, beruhigte mich. Zu keiner Zeit wäre sie allein mit ihm in einem Raum. Da Matthias Kerr behauptete, er wolle Lola die Unannehmlichkeiten eines Kriegslazaretts ersparen, verabredeten sie sich in einer Gastwirtschaft. Bei der Begrüßung gaben sie einander kurz die Hand. Matthias Kerr trug seinen Ärztekittel. An seinem Kragen machte Lola einen braunen, eingetrockneten Fleck aus.

Er bemerkte das. *Es ist nicht das, was du denkst*, sagte er.

Wer bist du?, fragte Kurt forsch.

Das habe ich dir doch schon erklärt, sagte Lola zu ihm. *Das ist der Mann, der mir geholfen hat, als ich … mit Komplikationen zu kämpfen hatte.*

Der bin ich, sagte Matthias Kerr zu Kurt.

Was sind Kom-pli-ka-tio-nen?, fragte Kurt seine Mutter.

So etwas wie Probleme, sagte Lola.

Hast du Komplikationen?, fragte er weiter.

Nein. Ich nicht. Aber der Papi. Und der Mann kann ihm - helfen. Damit sah sie Matthias Kerr an.

Der Mann heißt Matthias, sagte Matthias Kerr. *Wie geht es euch?*

Wir leben, sagte Lola.

Es ist schön, dich zu sehen. Man sieht dir die Strapazen nicht an.

Matthias, warnte sie ihn.

Was sind Stra-pa-zen?, fragte Kurt.

Lola bedeutete ihm, still zu sein.

Dein Mann möchte also nach Leisnig versetzt werden, sagte Matthias Kerr.

Mein Mann heißt Alfons, sagte Lola.

Er überging ihren Kommentar. *Ich kann ihm helfen.*

Wirklich?

Matthias Kerr nickte.

Vor Freude drückte Lola die Kinder an sich.

Es gibt da nur etwas, sagte Matthias Kerr, *das du zuerst für mich tun musst.*

Er beugte sich vor und flüsterte es ihr ins Ohr.

Sofort ohrfeigte sie ihn. Stand auf. Ohrfeigte ihn noch einmal. Nahm die Kinder bei den Händen und ging.

In einer der Telefonkabinen des Leisniger Bahnhofs rief Lola mich an und schimpfte so ausgiebig über *das Tier, den Unmensch, die Niedertracht in Person*, dass sie mir kaum Zorn übrig ließ. Das Schwein hatte ihr offeriert zu helfen, wenn sie dafür ein letztes Mal mit ihm ins Bett stieg. Wäre die Lage nicht so schwierig gewesen, ich hätte mich an ihrer Treue erfreut.

Da vernahm Lola über die Lautsprecher, dass Leipzig am

Vormittag einem schweren Angriff ausgesetzt gewesen war. Die Innenstadt hatte furchtbar gelitten. Lola verabschiedete sich rasch von mir. Meine Bitte, vorsichtig zu sein, hörte sie nicht mehr. Im Zug debattierten die Leute aufgeregt. Schon drangen Nachrichten durch, welche Stadtteile am meisten betroffen waren. Lola wagte nicht, nach Markkleeberg zu fragen. Die Menschen waren alle mit sich und ihren eigenen Angehörigen beschäftigt. Lola presste Avelines und Kurts kleine, warme Hände. Der Zug hielt außerhalb Leipzigs. Erst nach langem Fußmarsch erreichten sie eine Teillinie der Straßenbahn. Das Haus von Gretls Schulfreundin stand nicht mehr. Nur der Kamin ragte aus dem Geröll. Die Luft roch beißend, nach Gas und schwelendem Feuer.

Wo ist Liliane?, fragte Kurt.

Lola befahl den Kindern, an der Straße zu bleiben. Dann näherte sie sich den Trümmern. Sie konnte keinen Hinweis auf Liliane finden. Plötzlich hörte sie eine schwache Stimme. Lola stieg über verkohlte Ziegel. Lauschte.

Das Radio. Männergesang wurde leiser, blieb schließlich weg, und das harte Ticken des Weckers setzte ein. Seit diesem Februar, der Dresdens Untergang gebracht hatte, hatte Liliane es oft laufen lassen, um schnell die Vorwarnung zu erfahren. Schnell genug?

Wenig später traf eine Gruppe zäher Frauen in der Straße ein. Sie halfen, Verschüttete zu befreien. Lolas Befürchtung bewahrheitete sich: Lilianes Körper war zerschmettert, ihr Gesicht so entstellt, dass Lola sie nur an ihrem Kleid erkannte.

Lola wanderte mit den Kindern eine Straße weiter, um ihnen den Anblick zu ersparen. Dort setzten sie sich auf den Bordstein. Es dämmerte bereits.

Wo ist Liliane?, fragte Kurt.

Lola wusste nicht, was sie ihm antworten sollte.

Ist sie tot?, fragte Kurt.

Lola versuchte, Lilianes zerfetztes Gesicht aus ihren Gedanken zu verbannen.

Sie ist tot, oder?, fragte Kurt.

Lola wischte so unauffällig wie möglich ihre Tränen aus dem Augenwinkel und deutete ein Nicken an.

Bin müde, sagte Aveline.

Eine Stunde später stand Lola in den letzten Sonnenstrahlen am Tröndlinring, Kurt zur Rechten, Aveline zur Linken. Kurt folgte ihrem Blick. Sie betrachtete den Fürstenhof auf der anderen Straßenseite.

Schlafen wir da?, fragte er.

Lola schwieg immer noch. Ich kann mir kaum vorstellen, was damals in ihr vorging. Es erstaunt mich nicht, dass sie sich, wie sie sagt, nicht daran erinnert. Sie weiß nur noch, sie dachte, dass das Hotel, insbesondere im Kontrast zum angrenzenden, in Trümmern liegenden Gotteshaus, so unversehrt aussah. Das Gebäude mit seinem cremig-weißen Anstrich glich einer überdimensionalen Hochzeitstorte. Sogar aus der Entfernung konnte sie die golden glänzenden Jackenknöpfe des Portiers erkennen. Boys in Westen fegten die Einfahrt, als könnte man mit Gründlichkeit und exzellentem Service selbst einen Weltkrieg von den Gästen fernhalten. Hinter einem der Fenster weiter oben, in denen sich die Sonne spiegelte, wartete der alte Herr Salz.

Lola machte einen Schritt nach vorn und betrat den Tröndlinring, die Kinder immer noch an ihrer Seite. Hupen. Ein Lastwagen, schwer beladen mit einer kopflosen Marienstatue, wich ihnen aus und rauschte vorbei. Lola drehte sich vom Fürstenhof weg. Sie schnappte nach Luft, hustete, stützte sich auf ihre Knie. Nur mit Mühe unterdrückte sie den Brechreiz.

Kurt musterte sie. *Mama?*, fragte er, als sei er sich nicht mehr sicher, ob diese Frau seine furchtlose Mutter war.

Lola musste sich setzen. Staubiger Dreck hin oder her. - Aveline legte sich stumm neben sie und bettete den Kopf in ihren Schoß.

Kurt war misstrauischer. *Hast du Komplikationen, Mama?*

Sie sah auf. *Was hast du gesagt?*

Ich hab gesagt: Hast du Komplikationen, Mama?

Nun erhob sie sich, klopfte Schmutz ab, nahm Aveline auf den Arm und Kurt an der Hand, wandte sich vom Fürstenhof ab, ohne ihn auch nur ein weiteres Mal anzusehen, und lief mit den Kindern Richtung Hauptbahnhof.

Je weiter sie sich vom Hotel entfernten, desto leichter fiel es ihr vorwärtszuschreiten.

Wo gehen wir hin?, fragte Kurt.

Zu einem Mann, sagte sie, *der uns helfen kann.*

Im Leisniger Lazarett nahm Lola Matthias Kerrs Sekretärin den Schwur ab, weder Kurt noch Aveline auch nur eine Sekunde lang aus den Augen zu lassen. Dann betrat sie das Büro des Oberstabsarztes. Er saß über eine Olympia-Schreibmaschine gebeugt. Als er sie erblickte, nahm er seine Lesebrille ab und streckte den Rücken durch. Lola schloss die Tür hinter sich und schob den Riegel vor. Sie näherte sich ihm. Langsam.

Hast du es dir anders überlegt?, fragte er.

Sie nickte und hielt einen Zeigefinger vor ihre Lippen.

Er lächelte.

Lola riss an ihrer Bluse, sodass zwei Knöpfe abfielen; einer blieb liegen, der andere rollte davon. Sie fuhr sich mit beiden Händen durchs Haar, zerzauste es.

Ich habe ein Zimmer, sagte er und stand auf. *In einer Villa.*

Sie schüttelte den Kopf und schob ihn zurück auf seinen Stuhl. Kratzte seine Wange.

Er lachte, etwas nervös. *So kenne ich dich gar nicht.* Seine Hände fuhren über ihren Rücken, er packte ihre Hüfte.

Als sie sich küssten, biss sie seine Lippe.

Lola! Er fasste sich an den Mund. *Pass doch auf.*

Da nahm sie den Briefbeschwerer von seinem Schreibtisch und schlug ihn sich ins Gesicht. Zweimal. Dreimal. Bis er sie davon abhielt. Blut lief aus ihrer Nase. Sie schmeckte es.

Was ist los mit dir?, fragte er.

Nun war es an ihr zu lächeln. *Du wirst Alfons nach Leisnig holen. Noch heute. Sonst erzähle ich deinen Vorgesetzten, was du getan hast.*

Ich habe nichts getan, sagte er.

So sieht das aber nicht aus, sagte sie.

Er sah sie an: das wirre Haar, die aufgerissene Bluse, das Blut. Die Erkenntnis ließ ihn augenblicklich um Jahre altern. Seine Stimme klang heiser: *Man wird dir nicht glauben.*

Lola ging zur Tür, entriegelte sie. *Werden wir ja sehen*, sagte sie und drückte die Klinke runter.

Er rief: *Warte!*

Und Lola hielt inne.

LEISNIG
Wo etwas verloren Geglaubtes wiederkam; nicht nur unsere
Dialoge zu wünschen übrig ließen; wir den Kindern schicksals-
hafte Worte sagten; die Deutschen ihr Maul aufmachten und ein
schlechter Mensch viel von uns verlangte

Schon am nächsten Tag wurde ich nach Leisnig versetzt. Lola
und die Kinder mussten nur eine Nacht im Lazarettzelt der
Krankenschwestern verbringen, bereits am darauffolgenden
Abend durften sie mich am Leisniger Bahnhof empfangen. Wir
umarmten uns und ließen nicht los, während der Zug weiter-
fuhr, und ließen nicht los, als andere Fahrgäste an uns vorüber-
gingen, und ließen nicht los.

Ich küsste vorsichtig Lolas geschwollene Wange. So riskant
ihr Unternehmen auch gewesen war, ich konnte ihr keine Vorwürfe machen. Ich war zu stolz auf sie. Und dankbar. Endlich
waren wir wieder vereint.

Nach mir begrüßten die Kinder mit fast ebenso viel Jubel den
Foxl, einen Stoffhund, den ich in unserer zerstörten Wohnung
für sie hatte bergen können. Er hatte schon Lolas Kindertage
gesehen und war ihr liebster Freund sowie engster Verbündeter
in den Jahren im Erziehungsheim gewesen. Lola wollte sich
nichts anmerken lassen. Aber ich konnte sehen, wie sehr es sie
rührte, dass der sonst stets redselige Kurt glückselig das Stofftier ergriff und es, ohne ein Wort zu sprechen, an seine Brust
drückte. Etwas bereits verloren Geglaubtes war wiedergekom-
men. Und »ist nicht jeder geliebte Gegenstand der Mittelpunkt
eines Paradieses«?

Während ich im Lazarett unterkam, gestaltete sich die Quartier-
suche für Lola und die Kinder im von Flüchtlingen überrannten
Leisnig schwierig. Die Endphase des Krieges war angebrochen.

Geflüchtete von Ost und West stießen aufeinander. Die amtliche Stelle verwies sie als einzige Möglichkeit auf den Schlachthof.

Sie bewohnten eine Schlafkammer samt Küche, deren Fenster nach dem Schlachthof zuging. Lola musste sich daran gewöhnen, die mageren Kühe auf ihrem Todesweg zu sehen, Blut- und Desinfektionsgerüche zu riechen. Mit einem Vorschlaghammer tötete der Metzger die Tiere. Er brach ihnen damit den Schädel. Oft musste er mehrmals zuschlagen. Am schlimmsten waren die Wochenenden. Samstags wurde das Vieh angeliefert und in einem schmutzigen und dunklen Stall, direkt ihrer Küche gegenüber, bis zum Montag eingestellt. Die Tiere, die nicht allein unter der fremden Umgebung litten, sondern auch unter Hunger und Durst, brüllten die Nächte hindurch. Ihr klagendes Muhen bereitete Lola und den Kindern schlaflose Stunden.

Wenigstens war Leisnig für Feindflieger bedeutungslos. Daher galt nun unsere größte Sorge der Ernährung. Jede Woche pilgerte Lola mit den Kindern in ein benachbartes Dorf, um Gemüse zu bekommen; manchmal arbeitete sie dafür, manchmal stahl sie welches vom Feld (und sagte den Kindern, sie habe dafür bezahlt). Der Weg war weit und in Lolas Rucksack mindestens so viel Erde wie Essbares. Wenn sie zu Hause alles geputzt hatten, war der Riesenpack, der Lola Kreuzweh verursacht hatte, zu einem unansehnlichen Häufchen Grün zusammengeschmolzen. Da ich jedoch abends nach Dienstschluss hungrig wie ein Wolf in ihrer kleinen Küche einfiel, musste sie versuchen, unsere Mahlzeiten durch markenfreie Zutaten zu erweitern, sodass sie für uns alle reichten.

Schwieriger noch war es, Heizmaterial zu beschaffen. Die Brennstoffvorräte der kleinen Stadt waren so gut wie aufgebraucht. Lola lieh sich einen Leiterwagen vom Schlachthof und sammelte im Wald mit den Kindern Holz, das nie lange vorhielt. Um das elende Frieren zu bannen, scheute Lola sich nicht, den für den Schlachthof bestimmten Brikettstapel zu erleichtern oder hinter einem Kohlengefährt herzulaufen, in der Hoffnung, dass etwas herunterfiel. Diese Aktivitäten blieben den Kindern nicht verborgen. Einmal stand Lola in einer Bäckerei Schlange, als Kurt strahlend die Tür aufriss und vor der versammelten Kundschaft mit heller Stimme verkündete: *Mutti! Ich hab dir von dem Wagen da draußen zwei ganz große Briketts geklaut!*

Ich konnte Lola wenig helfen, da ich im Lazarett gebraucht wurde. Man hatte mir die niedrigsten Arbeiten zugewiesen. Weil ich so gänzlich »unmilitärisch« war? Oder weil Matthias Kerr seinen Kollegen nahegelegt hatte, mir möglichst wenig Kulanz zu zeigen?

Viele im Lazarett eingetretene Todesfälle mussten wissenschaftlich-medizinisch ausgewertet werden. Das Sezieren der Leichen erfolgte nachts. Ich wurde zur Mithilfe bei diesem traurigen Geschäft abkommandiert. Meine Tätigkeit bestand hauptsächlich darin, unter fließendem Wasser Därme zu waschen und die ausgehöhlten Leiber mit Sägespänen und Zellstoff zu füllen, bevor sie zur Beerdigung freigegeben wurden.

In den Nächten, die ich bei ihr verbringen konnte, flüsterten Lola und ich uns nichts mehr zu. Wir hatten verlernt, wie man Dinge ausspricht. Wer von uns hielt mehr zurück? Ich sagte ihr nicht, dass unsere Wohnung eine Ruine war. Ich erzählte ihr nicht von den Leichen im Lazarett. Und ich erwähnte den Fürstenhof mit keinem Wort. Wieder aus Egoismus. Wenn sie tatsächlich mit den Kindern dorthin gegangen wäre, hätte ich sie nicht so oft sehen können.

Und nicht nur unsere Dialoge ließen zu wünschen übrig. Küsse und Berührungen fühlten sich fremd an. Wir zogen uns nicht voreinander aus. Nur in absoluter Dunkelheit schliefen wir miteinander. Schnell und lautlos. Zwei anonyme Körper in der Nacht.

Endlich hielt der Frühling im sächsischen Städtchen Einzug. In den nahen Wäldern blühten Anemonen. Lola füllte die schrecklich geschmacklosen Tassen des Schlachthofquartiers (welche Details man doch in Erinnerung behält!) mit den zarten Blumen.

In Döbeln, das auf der Strecke nach Dresden lag, wohnten zwei alte Fräulein. Eine von ihnen war einst Lolas und Gretls Erzieherin gewesen. Lola stattete ihnen mit den Kindern einen Besuch ab, und sie baten Lola, da es doch Karwoche war, ihnen ein wenig aus dem Faust vorzutragen. Lola fürchtete, ganz aus der Übung zu sein, und genierte sich. Derart fremd war ihr der Beruf geworden. Aber die alten Damen hatten sie, Kurt und Aveline so rührend mit vom Munde abgesparten Leckereien bewirtet, dass sie ihnen die Freude machen wollte. Während die Kinder im Garten spielten, las sie sich nach und nach in Feuer. Das Gretchengebet konnte sie natürlich auswendig, und einmal in Fahrt, legte sie tüchtig los. Zum Schrecken ihrer Zuhörerinnen, die sie zu beschwichtigen suchten. Sie sorgten sich, ihre Untermieter könnten denken, es geschehe etwas Furchtbares in dem Zimmer, da dort jemand verzweifelt schrie: *Hilf! rette mich von Schmach und Tod!* So gestaltete sich Lolas Comeback nach langer Zeit sehr überzeugend und erfolgreich.

Wenn auch nur in Döbeln.

Zu Ostern brachte ein Ereignis ganz Leisnig auf die Beine. Nahe dem Bahnhof war ein feindlicher Aufklärer abgeschossen worden. Die männliche Jugend kümmerte sich nicht um die Absperrung und untersuchte mit Begeisterung die technischen

Eingeweide der Maschine. Wir konnten Kurt nur mit Mühe ausreden, sich auch ein Souvenir aus den Trümmern zu holen. Wir brauchten keinen Erinnerungsfetisch von Kriegsmaschinen!

Die Ereignisse an der Front überschlugen sich. Der letzte Akt hatte begonnen. Und jeder wünschte das Ende herbei. Wie es auch sein mochte, nur ein Ende – der ewigen Angst. Des Hungers. Der Lügenparolen.

Nachts riss uns Donnergetöse aus dem Schlaf. Wir fuhren aus den Betten. Also doch noch Fliegerangriffe? Nein. Es war die Detonation des Sprengstoffs, der unsere Muldenbrücke in die Luft jagte. Die Ortsgruppenleiter spielten sich noch immer auf. Unter Strafandrohung wurde der Bevölkerung verboten, weiße Tücher zum Zeichen der Kapitulation herauszuhängen. Leisnig sollte verteidigt werden. Die Nachbarin, eine gemütliche und helle Sächsin, mit der ich über die etwaigen Folgen eines so sinnlosen Befehls sprach, lachte bloß: *Nu*, sagte sie, *da soll nur eener gomm' und mir verbiedn, meine Wäsche und meine Bettn an de Sonne ze hängn.*

Als sich auch die Fanatischsten keinen Illusionen mehr hingeben konnten – die Truppen der USA und der UdSSR näherten sich der Elbe –, gab man die Lebensmittelvorräte frei für die Bevölkerung. Ein unbeschreibliches Durcheinander setzte ein. Vor allem deshalb, weil eine Leipziger Spirituosenfabrik große Vorräte in Leisnig ausgelagert hatte. Die waren zwar nicht freigegeben, doch die Keller wurden gewaltsam geöffnet, und die ganze Stadt roch tagelang nach Schnaps und Wein. Lola überlegte, ob sie nicht als Schmiermittel oder Tauschobjekt ein paar Flaschen brauchen könnte, entschied dann aber doch, sich bei der Trockenmilchausgabe anzustellen. Die Kasernen räumten zudem ihren Wäschebestand, und Lola ergatterte einen Ballen Kopfkissen und Leintücher mit dem eingeprägten schwarzen Adler.

Über allem schwebte nur eine Frage: Welche Armee würde die Stadt einnehmen? Aufgrund der Dinge, die man sich über die russischen Eroberer erzählte, hoffte man auf die Amerikaner.

An einem jener ersten Maitage ging Lola mit den Kindern hinauf ins Lazarett, um mich zu besuchen. Kurz vor dem Ziel blieben alle drei wie angewurzelt stehen. Am Tor: amerikanische Soldaten mit einem Jeep! Das also war der große, starke Feind. Der Sieger! Sie starrten auf die Männer in ihren grünbraun gesprenkelten Feldanzügen wie auf eine Erscheinung. Die Angehörigen der mächtigen Nation, die den Feuerregen über unsere Städte geschüttet hatte! Nur einen Steinwurf weit standen sie entfernt. Die Kapitulation war nicht offiziell. Noch herrschte Krieg. Lola zog die Kinder fort und verbreitete die Nachricht, die alle aufatmend hörten. Gottlob, die Amerikaner sollten uns erobern.

Dass sie sich zunächst sowohl im Lazarett als auch in Privathäusern die Armbanduhren aneigneten, um daraufhin in ihren Jeeps davonzusausen, warf allerdings einen Schatten auf die ... sollte man es Freude nennen?

Am 7. Mai wollten wir auf bescheidene Weise den Geburtstag der netten sächsischen Nachbarin feiern. Lola hatte am Vortag Kuchen gebacken und sich mit solchem Heißhunger auf den Teig gestürzt, dass in der Nacht ihr Magen revoltierte. Morgens schrillte das Telefon unten im Schlachthof. Da niemand den Hörer abhob, warf Lola sich einen Mantel um und lief hinunter. Es war Matthias Kerr.

Was willst du, sagte sie kühl.

Die Russen stehen an der Mulde.

Das kann nicht sein.

Lola, sagte er, *es sind schon Befehle ergangen, Arbeitskräfte zum provisorischen Aufbau der Brücke bereitzustellen.*

Nein. Nein, nein, nein. Die Amerikaner sind doch hier!

Es hat keinen Sinn mehr wegzulaufen, sagte Matthias Kerr. *Alles ist besetzt. Flussübergänge. Straßen. Verhaltet euch ruhig, wartet ab. Wir können nichts anderes tun. Du musst auf dich aufpassen, Lola. Mir liegt noch immer sehr viel an –*

Lola legte auf. Meine Liebe war nicht die einzige, die sie unterbrach.

Ihre Magenverstimmung schien mit einem Mal geheilt. In Eile räumte sie alle wertvolleren Gegenstände, Schmuck, Bargeld, Ausweise in einen Koffer und versteckte ihn unter dem Kinderbett.

Nachts sah Lola die Scheinwerfer, die man für den Brückenbau herangeschafft hatte, und hörte das ununterbrochene Hämmern. Wenn der Übergang begehbar war, würden die Russen kommen.

Am nächsten Morgen wurde ich, so wie das gesamte Lazarettpersonal, entlassen und einfach fortgeschickt. Die Kapitulation war unterzeichnet worden. Gerüchte gingen um, dass Goebbels und Hitler Selbstmord begangen hatten. Wer sich fortan um die Krankenpflege kümmern sollte, wusste niemand. So plötzlich konnte ein Regiment enden, das pünktliches Kommen und Gehen auf die Minute verlangt hatte. Im Leichenhaus entledigte ich mich meiner Uniform. Aus dem Schrank, in dem wir die Habseligkeiten der Verstorbenen aufbewahrten, stahl ich Rock und Hose, nur die Militärstiefel musste ich anbehalten. Danach eilte ich zu Lola und den Kindern. Als ich über die große Wiese vor dem Schlachthof kam, sah ich Lola am Fenster ihrer Schlafkammer stehen. Ich winkte ihr. Sie winkte nicht zurück. Erst als ich rief, erkannte sie mich.

Wir wussten nicht, wie wir unserer inneren Bewegung Herr werden sollten. Wir nahmen die Kinder, führten sie in eine nah gelegene Kirche und sagten ihnen dort die schicksalhaften Worte, die sie in ihrer Tragweite natürlich nicht begriffen: *Der Krieg ist aus.*

Bei unserer Rückkehr erfüllte ein merkwürdiges Geräusch die Luft, schwoll an und ließ uns nach der Richtung, aus der es kam, schauen. Wir standen an diesem klaren Frühlingstag in der Sonne vor dem Schlachthof. Jetzt begriffen wir: Das Geräusch kam von Pferdehufen. Hunderte von struppigen Kosakenpferden trappelten den Berg hinauf, offene oder auch überdachte Wagen nach sich ziehend. Ein Zug wie aus einem Bilderbuch, hübsch und bunt. Abgesehen davon, dass die Kutscher die Tiere schonungslos bergauf zum Galopp zwangen. Immer mehr Fuhrwerke schlossen sich an die schon sichtbare, breitere Front. Kein Kraftwagen darunter. Erst zum Schluss folgten die höheren Offiziere in Autos. Wir konnten uns von dem Anblick nicht losreißen. Der gesamte Berg schien in Bewegung geraten, die Luft einzig erfüllt von dem Aufschlag vieler Pferdehufe.

Wir hatten gewünscht, dass der braune Terror vom Erdboden weggeblasen wird – und das waren nun die Truppen, die unsere Armee besiegt hatten? Panjewägelchen gegen Panzer?

Von jener ersten Nacht an der zerstörten Brücke hörte man böse Dinge. Besonders, was die Frauen betraf. Es wurde viel ausgesprochen. Die Deutschen machten ihr Maul auf. Natürlich nicht, um über sich, uns, zu reden. Es war fast, als wären sie froh ob jeder Grausamkeit, die ihnen widerfuhr. Als würde das vieles ausgleichen, als dürften sie sich weniger schlecht fühlen, solange diejenigen, denen sie Böses angetan hatten, ebenfalls Böses taten.

In den Tagen, die nun kamen, lernten wir die Mentalität der Russen etwas kennen. Im russischen Mann steckte so viel Gutes und Schlechtes wie in jedem anderen. Mir schien: Was ihn gefährlich machte, war seine Unberechenbarkeit.

Ich selbst wurde Zeuge, wie russische Soldaten ein Leisniger Schuhgeschäft plünderten. Der Besitzer wagte nicht, sich schützend vor seine Ware zu stellen. Mit bis oben bepacktem Wagen zogen die Soldaten davon, hinaus auf den Marktplatz. Dort rissen sie die Kartons auf und streuten lachend die Schuhe, vor allem Kinderschuhe, unter die Leute. Manch einer kam so billig und ohne Bezugsschein zu schönen Stiefeln. Auch mein Kurt, der mir, als ich ihm ein Paar überreichte, das ich für ihn ergattert hatte, einen feuchten Kuss auf die Wange drückte.

Bedenklicher waren die Besuche Einzelner in den Privathäusern. Leider lag unser Schlachthof ziemlich abseits. Des Fleisches wegen war er Anziehungspunkt für Kommissionen und Einzelgänger. Dabei wurde nicht selten den Wohnungen nebenan eine Stippvisite abgestattet. Uhren und Fahrräder galten als beliebte Beute.

Die nette sächsische Nachbarin lieferte aus Angst ihren ganzen Schmuck aus, den der Russe schlankweg in die Hosentasche schob. Im nächsten Haus, wo er das gleiche Manöver versuchte, war die Bewohnerin listiger. Sie hieß Lola Rosa Salz und kannte nicht nur ihre Klassiker, sondern verstand sich auch aufs Improvisieren. Weinend und gestenreich erzählte sie ihm von ihrem Bruder, der ihm so ähnlich sehe und im Krieg sei, vielleicht schon tot. Das weiche Herz des Siegers schmolz. Zum Schluss leerte er den Inhalt seiner Hosentasche und schenkte alles Lola. Sie erkannte einige Schmuckstücke unserer Nachbarin und brachte sie der Erstaunten zurück.

Für die Frauen war es in dieser Zeit äußerst unangenehm, über das Feld und hinauf in die Stadt zu gehen. Lola nahm immer eines der Kinder mit. So schützte sie sich am besten. Selbst Eroberer mögen Kinder. Ein Mann dagegen durfte niemals als Beschützer auftreten. Und ich besaß nicht einmal Entlassungspapiere der Besatzungsmacht. Mehrmals hatte ich mich darum bemüht und jedes Mal das Gleiche erlebt: Die Russkis hatten sich in ihrer Siegerfreude einen angetrunken und keine Lust gezeigt, sich mit irgendwelchem Papierkram zu befassen. Sie umarmten mich herzlich: *Briederchen, Briederchen, Krieg aus, nix Papier!* Vergeblich bat ich sie, mir doch einen Stempel oder irgendeinen Vermerk auf meine Papiere zu machen. Ihre Freude darüber, dass der Krieg vorbei war, ließ sie alle Vorschriften zum Teufel jagen.

Manchmal wagten wir einen Spaziergang, meist hinüber zum stillgelegten Bahnhof. Ein eigenartiges Gefühl, von der Welt abgeschnitten zu sein, und das wortwörtlich. Die Gleise waren herausgerissen. Letzter Befehl der Wehrmacht! Die Kinder spielten Verstecken im Bahnhofsgebäude. Zerfetzt hingen ehemals gültige Fahrpläne an den bröckligen Wänden.

Die Lebensmittel wurden noch knapper als ohnehin schon, denn außer den Einheimischen und den vielen Flüchtlingen mussten nun auch die Truppen ernährt werden. So kam im Juni der Tag, an dem der Befehl erging, dass alle Nicht-Ortsansässigen binnen drei Tagen Leisnig zu verlassen hatten.

Leicht gesagt. Wie sollten wir mit zwei so kleinen Kindern dorthin kommen, wo wir hingehörten? Züge verkehrten von Leisnig keine. Möglicherweise von Leipzig. Lola und ich einigten uns darauf, vorerst dorthin zu streben. Wir sprachen nicht darüber, wie es danach weitergehen würde. Womöglich gar nicht, dachte ich und hoffte: Vielleicht würde Lola sich dann endlich überreden lassen, im Fürstenhof zu bleiben.

Größten Kummer bereitete uns Aveline. Eine magere Dreijährige konnte selbst die fünfundzwanzig Kilometer bis Grimma nicht schaffen.

Ein Nachbar, der von unserem Problem gehört hatte, suchte uns auf. *Wissen Sie, ich glaube, ich kann Ihnen behilflich sein.*

Tatsächlich?, sagte ich. *Wir wären Ihnen überaus dankbar.*

Nicht der Rede wert, sagte er und führte uns zu seinem Haus. In dessen Hof stand ein wuchtiger, viereckiger Handkarren. Genau so einen brauchten wir. *Den könnte ich Ihnen überlassen.*

Könnte?, sagte Lola.

Er sah zum Himmel. *Gegen einen kleinen Obolus.*

Wir besitzen kaum mehr als das, was wir bei uns tragen, sagte ich.

Mehr würde ich mir auch niemals anmaßen zu verlangen.

Was meinen Sie?

Ich mache einen hübschen Ehering an Ihrer Hand aus, sagte er zu mir.

Den kriegen Sie nicht, sagte Lola.

Dann scheint mein Karren wohl doch nicht für Sie bestimmt zu sein.

Lola und ich wechselten einen Blick. Dieses eine Mal sprachen wir miteinander und brauchten dafür nicht einmal Worte. Ich nahm den goldenen Ring ab und reichte ihn dem Mann. Er griff ihn sich schnell, als befürchtete er, ich könne es mir anders überlegen. Dann wandte er sich Lola zu. *Ihren auch. Bitte schön. Wir wollen die beiden doch nicht trennen.*

Das war nicht abgemacht, sagte ich.

Wollen Sie den Karren nun? Oder lieber ohne weiterziehen?

Lola rührte sich nicht. *Sie sind ein schlechter Mensch*, sagte sie.

Ach, wer ist das nicht?, antwortete er und grinste sie an.

Ich bin kein schlechter Mensch, sagte Kurt.

Der Mann verdrehte die Augen. *Das wäre noch zu beweisen!*
Hier, sagte Lola, zog den Ring vom Finger und warf ihn auf
den Boden zu seinen Füßen. Sofort klaubte er ihn auf und ließ
ihn mit dem anderen in seiner Hosentasche verschwinden. Lola
schritt an ihm vorbei und holte den Karren. Wir würdigten ihn
keines weiteren Wortes.

Als wir am Morgen darauf abreisten, saßen, das werde ich nie
vergessen, unsere Nachbarn vor ihren Türen. Die Frauen hatten
riesige Bottiche mit Stachelbeeren vor sich, um sie zum Ein-
machen vorzurichten.

Es kam mir unwirklich vor, dass es Menschen gab, die Obst
einkochten, während wir nicht wussten, wo wir nachts schlafen
würden.

BEI GRIMMA
Wo sie uns nicht durchließen; Kurt so still war wie noch nie
und Lola uns rettete

Der Karren nahm unsere Habe mühelos auf. Da er jedoch nur
zwei hohe Räder besaß, musste man die Deichsel zum Ziehen
benutzen, eine unhandliche und überaus anstrengende Angelegenheit. Auch erforderte jede Verschnaufpause nachher großen
Kraftaufwand – der Karren gab dem Gewicht nach und fiel
rückwärts um. Mit Gewalt drückten wir ihn jedes Mal wieder
in die Waagerechte und setzten so wenig wie möglich ab.

Aveline thronte auf unserem Gepäck, Kurt lief nebenher.
Ohne Gepäck wäre die Strecke nichts gewesen. So aber fürchteten wir uns vor jeder Steigung. Die Last bergauf zu schieben
ging fast über unsere Kräfte. Wir alle waren nicht gut ernährt.

Aber unsere Habseligkeiten wegwerfen? Wir wussten ja nicht, wann wir überhaupt zu Hause ankommen würden. Und selbst dann konnten die warme Winterkleidung, die Bettwäsche, die Vorräte lebensnotwendig sein. Das ahnte ich noch mehr als Lola.

Gegen Abend erreichten wir die Höhen um Grimma. Leipzig war nur mehr etwa dreißig Kilometer entfernt. Dort an der Mulde, so hatte man uns gesagt, endete die russische Besatzungszone. Wenn wir unsere Ausweisungsscheine zeigten – diese immerhin hatten die Russen uns ausgestellt –, mussten die Amerikaner uns aufnehmen, folgerten wir.

Merkwürdig war jedoch, dass Gruppen, ähnlich der unseren, uns entgegeneilten. Wir hielten eine an.

Woher kommen Sie?, fragte Lola.

Aus Grimma, sagte eine Frau mit blauschwarzen Tränensäcken.

Da wollen wir hin.

Die lassen keinen durch, lautete die Antwort.

Wir verstanden das nicht. Man hatte uns doch aus der russischen Zone ausgewiesen. Also musste man uns auch hinauslassen. Befehle ohne Sinn und System!

Grimma lag eigentlich links des Flusses. Rechtsseitig, wo wir uns befanden, gab es nur einzelne Häuser, die mit der Stadt durch eine Brücke verbunden waren. Sie war zerstört worden, doch ein behelfsmäßiger Holzsteg überquerte bereits die Mulde. Russische Posten hielten den Übergang besetzt. Aufgeregte Menschen umstanden die Soldaten. Immer mehr sammelten sich an. Man ließ die Ausgewiesenen nicht hinüber.

Warum nicht?

Wie lange nicht?

Wir erfuhren nichts.

Es ging auf die Abenddämmerung zu. An eine Unterkunft

war nicht zu denken. Hinter dem freien Platz vor der Brücke gab es eine kleine Wiese, von Bäumen umstanden, eine Art Promenadenanlage. Es blieb uns nichts anderes übrig, als dort unser Nachtquartier aufzuschlagen. Wir hatten immerhin Decken und Mäntel im Wagen. Die Anwesenheit der vielen Russen wirkte bedrohlich. Und zum ersten Mal sah ich »Flintenweiber«. Mit umgehängten Gewehren und schief aufgesetzten Mützen patrouillierten sie auf und ab. Als ein junger Mann sich zu weit an die Sperre vorwagte, war eine von ihnen gleich mit der Peitsche zur Stelle. Die Haut an seinem Unterarm platzte auf und blutete.

Wir schliefen kaum. Nachts erschreckte uns das Aufblitzen von Taschenlampen. Russische Posten leuchteten die Schlafenden an. Lola legte einen Arm um Aveline, mit der sie eine Decke teilte. Ich drückte Kurt an mich und spürte sein Herzklopfen.

Am nächsten Morgen warteten bereits Hunderte von Menschen mit uns. Ratlos und verzweifelt umstanden wir die Brücke. Einige wollten wissen, dass man mittags für eine Stunde die Schlagbäume öffnen und ein paar Dutzend hinüberlassen werde. Man musste unter den Ersten sein.

Ab zwölf Uhr bemächtigte sich der mittlerweile auf mehrere tausend Köpfe angewachsenen Menge nervenaufreibende Unruhe. Jeder Trupp versuchte, sich so dicht wie irgend möglich an die Barriere heranzuschieben. Stunde um Stunde in der prallen Sonne. Kurt brach zusammen und verlor kurz das Bewusstsein. *Du musst mehr trinken*, bläute ich ihm ein und versuchte von da an, den Kindern mit einem Tuch Schatten zu spenden. Man durfte sich ja nicht entfernen. Dann konnte der günstige Augenblick vorbei sein.

Doch alle Hoffnung war umsonst. An diesem Tag wurde niemand durchgelassen.

Beim kärglichen Abendmahl wies Lola mich darauf hin, dass Kurt auffallend still war. Ich streichelte meinen Sohn, bis er einschlief. *Halte nur noch ein bisschen länger durch*, flüsterte ich ihm zu, *wir haben es bald geschafft.*

Drei oder vier Tage verstrichen, ohne dass wir die Brücke überqueren durften. In der Zeit stellten Soldaten auf der Wiese ein halbes Dutzend Bottiche auf. Die Erde ringsherum war rasch aufgeweicht und schlammig. Dort, umgeben von vielen Menschen, die nachdrängten, säuberten wir uns und die Kinder. An Ausziehen und richtiges Waschen war nicht zu denken. Wir bekamen die ganze Zeit über die durchgeschwitzten Kleider nicht vom Leib. Toiletten gab es keine, nicht einmal die primitivste Vorrichtung. Die nächste Umgebung der Brücke sah dementsprechend aus. Die vielen Menschen verunreinigten die Waldstücke. Wir wanderten mit den Kindern jeden Tag höher hinauf in die Hügel. Das Wasser aus dem Fluss kochten wir über einem kleinen Feuer ab.

Ich konnte mir gar nicht vorstellen, je wieder in geordneten Verhältnissen zu leben, Bücher zu lesen, reinlich gewaschene Kinder in ein ebenso reinliches Bett zu legen. Zwar versuchten wir, durch äußerste Disziplin unseren fahrbaren Haushalt in Ordnung zu halten, Lebensmittel streng von Waschutensilien zu trennen, allem einen bestimmten Platz in einem Sack oder auf dem Wagen zuzuweisen. Aber nach und nach verdreckte und verrottete doch alles.

Zumindest hatten wir noch genug Proviant.

In der Nähe unseres Lagers hauste eine alte, verwirrte Frau. Dem armen Geschöpf fiel es schwer, sich Essbares zu organisieren. Sie jammerte laut vor Hunger. Da kamen zwei Russen aus dem Wald. An ihren gekreuzten Gewehrläufen baumelten tote Hasen, ein großer, die Häsin, und daneben ein ganz junger. Die

Frau begann zu krakeelen und gestikulierte wild, sodass die Russen aufmerksam wurden. Sie lösten den kleinen Hasen von der Schnur und warfen ihn der Alten zu. Sie zerriss das Tier in zwei Stücke und fraß das rohe Fleisch aus dem Fell heraus. Mir wurde übel bei dem Anblick, und ich zog die Kinder weg.

Ich weiß nicht, wie viele Tage vergingen, mindestens fünf, vielleicht auch sieben, da wurde Kurt erneut ohnmächtig. Diesmal war er fast eine Stunde bewusstlos. Als er wieder zu sich kam, fragte er: *Warum dürfen die durch und wir nicht?*

Denn an der Brücke ergoss sich in umgekehrter Richtung eine Masse Menschen, die in Züge verfrachtet und heimgefahren wurde. Die Ostarbeiter, die Hitler zur Zwangsarbeit deportiert hatte, hatten schwere, furchtbare Jahre hinter sich. Wir gönnten ihnen die Heimkehr. Und doch, ich konnte Kurt verstehen. Diese Frage beherrschte ja auch unser Denken. Warum, um Gottes willen, ließ man uns nicht durch?

Am schlimmsten war der Hunger. Das Knurren von Mägen wurde zu einem so allgegenwärtigen Geräusch wie das Atmen. Immer häufiger kam es vor, dass ein Flüchtling einen anderen des Diebstahls bezichtigte. Männer prügelten sich um ein Stückchen Käse.

Die Russen konnten die Lage nicht mehr übersehen. Deutsche Ordner und Ordnerinnen wurden angeheuert. Uns wurde klar, dass wir über sie einen Weg suchen mussten, um endlich dieser erbärmlichen Situation zu entkommen. Ihnen vermittelte ihre Tätigkeit einträgliche Geschäfte. Man hörte ringsum davon. Lola beobachtete eine der Ordnerinnen. Ein freches, ordinäres Geschöpf, das Einfluss auf die Reihenfolge bei der Aufstellung hatte. Lola suchte sie am Abend auf.

Bitte, sagte sie, *platzieren Sie uns möglichst vorne.*

Mit diesen Worten überreichte Lola ihr einen Armreif, in

den ein Mondstein eingelassen war, mit echten Saphiren umlegt. Mein Verlobungsgeschenk für Lola.

Die Ordnerin legte ihn sogleich an und betrachtete ihn selbstverliebt an ihrem Arm. *Morgen*, sagte sie, ohne aufzusehen. *Wenn es geht.*

Fertig gepackt standen wir vor der Brücke. Eine unbeschreibliche Erregung ergriff die Menschen. Trupps und Wagen setzten sich bis hoch hinauf in die Waldhügel fort. Es konnte kein Apfel zu Boden fallen, so dicht standen die Leute. Lola suchte mit den Augen die Ordnerin. Sie hielt doch Wort? Der Armreif besaß Wert.

Nachdem einige wenige durchgelassen worden waren, schlossen die Posten den Schlagbaum. Ein Murren der Empörung ging durch die Menge. Alles umsonst. Für Wut oder Zuversicht war ich zu müde. Meine zitternde Hand suchte Lolas Finger. Doch sie ergriff sie nicht.

Am nächsten Tag regte Kurt sich nicht. Es war kurz nach Sonnenaufgang, und Kurt, unser Frühaufsteher, wachte nicht auf. Wir riefen seinen Namen. Wir schüttelten ihn, gossen Wasser über sein Gesicht. Nichts. Er hatte Fieber. Wir kühlten ihm die Stirn mit feuchten Tüchern.

Erst am Nachmittag öffnete er die Augen. Ich werde nie sein Lächeln vergessen. So viel Angst darin. Aveline küsste ihm die Stirn. Obwohl er keinen Appetit hatte, bestärkten wir ihn darin zu essen. So stumm hatte ich ihn noch nie erlebt.

Am Abend schmiegte Lola sich an mich. Es war lange her, dass sie meine Nähe gesucht hatte. Sie flüsterte: *Wir hätten in den Fürstenhof gehen sollen.*

In der Nacht weckte mich Aveline. *Wo ist Mama?*

Sie kommt bestimmt gleich zurück, sagte ich müde. *Leg dich zu mir, Schatz.*

Aveline schüttelte den Kopf und lief davon. Zur Brücke.

Ich rief: *Aveline!*

Kurt neben mir schlief. Ich konnte ihn nicht allein lassen. Vorsichtig hob ich ihn auf und lief Aveline nach. Wich den am Boden Liegenden aus. Wachende Großmütter, schnarchende Mädchen, weinende Väter, stumme Säuglinge, ins Nichts starrende Mütter.

Nahe der Brücke befand sich das Lager der Wachtposten. Sie saßen an einem Feuer und reichten eine Flasche Schnaps herum. Kurz bevor Aveline sie erreichte, bog sie nach links ab und schlug sich ins Gebüsch, das entlang des Ufers wuchs. Dort hatte ich Mühe, ihr zu folgen. Dornige Äste verfingen sich in Kurts und meiner Kleidung. Überall stinkender Unrat.

Dann blieb Aveline stehen, am Rand einer Lichtung.

Gehen wir zurück, sagte ich zu ihr.

Erst in dem Moment bemerkte ich, dass sie etwas vor uns beobachtete. Ich konnte es nicht sofort erkennen. Der schmale Sichelmond glich einer Ritze im Nachthimmel, durch die kaum Licht drang, und so fern der Lagerfeuer brauchten meine Augen lange, bis sie sich ans Dunkel gewöhnten.

Lola kniete vor dem blonden Ordner, welcher das Wort an der Brücke führte und das Vertrauen der russischen Posten genoss, weil er behauptete, Kommunist zu sein. Er hatte seine Hose heruntergelassen. Mit beiden Händen fuhr er ihr durchs Haar.

Was macht Mama?, fragte Aveline.

Ich schwieg. Obwohl ich genau wusste, was Lola dort machte: Sie rettete uns.

Hätte ich einschreiten sollen? Hätte ich, um meiner Frau zu helfen, die Sicherheit der Kinder aufs Spiel setzen sollen? Hätte ich unsere beste und vielleicht einzige Chance auf eine schnelle Passage über die Brücke riskieren sollen?

Ja. Heute denke ich: Ja.

Und doch.

Ehe der Blonde oder Lola uns bemerkten, packte ich Aveline mit meinem freien Arm und trug die Kinder in unser Lager. Aveline wehrte sich nicht. Sie wollte diesen Ort so sehr verlassen wie ich. Ich sang ihr ein Schlaflied nach dem anderen, damit sie keine weiteren Fragen stellte.

Während die Kinder schliefen, lag ich wach und wartete auf Lola und versuchte, meine Gedanken im Zaum zu halten.

Als sie kam, fragte ich: *Wo warst du?*

Spazieren, sagte sie und hüllte sich in eine Decke.

Ich überlegte, wie ich ihr sagen sollte, dass ich es wusste. Über jedes einzelne Wort grübelte ich. Bis zum Morgengrauen.

Ich betrachtete Lola und die Kinder. Wie ähnlich sie sich sahen, besonders im Schlaf.

Aveline schlug als Erste die Augen auf und fragte mich: *Hat der Mann ihr weh gemacht?*

Neugierig sah sie mich an. Ihre kleinen Finger spielten mit meinem Hemdkragen. Sie war die Einzige von uns, von all diesen Tausenden von Menschen, die selbst ungewaschen angenehm roch.

Ich erklärte ihr, das sei alles nur ein Albtraum gewesen.

Was hätte ich ihr sonst sagen sollen? Die Wahrheit? Manche Dinge blieben besser unausgesprochen. Wenn sie Glück hatte, war sie noch zu jung, um sich in Zukunft daran erinnern zu können.

Später, beim Waschen, musterte ich Lola. Ich fragte mich, ob sie sich vorgenommen hatte, nichts zu erwähnen. Um uns vor dem Wissen zu schützen. Woher nahm sie die Kraft, all das zu ertragen und sich nichts anmerken zu lassen?

Sie bemerkte meinen Blick. *Ist etwas?*

Ich winkte ab, sagte mir, es sei nicht der richtige Zeitpunkt. Als würde es für so etwas einen richtigen Zeitpunkt geben.

Da es Sonntag war, wurde die Brücke nicht geöffnet. Wir brauchten den Wagen nicht zu packen, die Kinder nicht marschfertig anzuziehen. Trotzdem hielten wir uns am Ufer der Mulde auf, für alle Fälle. Drüben gingen auch Menschen und schauten zu uns herüber. Was für ein Irrsinn!

Dann wurden wir Zeugen, wie eine Frau – wir trauten unseren Augen nicht – im hellen Sonnenlicht unbehindert ihr Wägelchen über die Brücke zog. Hatte sie den Posten bestochen? War er gerade abwesend und sie unter dem Schlagbaum durchgeschlüpft? Wir verfolgten sie mit unseren Blicken wie eine unwirkliche Erscheinung. Lola wollte loslaufen, sie schrie der Frau hinterher, wie sie das geschafft habe, und ich hielt sie fest und sagte ihr, es habe keinen Sinn, sich zu ärgern. Wir mit unserem großen Wagen, eine vierköpfige Familie, das wäre aufgefallen.

Lola wandte sich ab und schleuderte Steine in die Mulde.

Als es dunkel wurde, brachten wir die Kinder zu Bett. Danach legte ich mich hin. Lola blieb stehen.

Ich spaziere noch eine Runde, sagte sie.

Geh nicht weg, sagte ich.

Ich bin gleich zurück.

Bevor ich genug Mut sammeln und es aussprechen konnte, schlich sie sich davon. Ich sah ihr nach. Ihr Weg führte zum Ufer. Wie oft war sie schon dort gewesen? Wie oft würde sie noch gehen müssen?

An unserem letzten Tag vor der Brücke steigerte sich die Erregung in der vieltausendköpfigen hungrigen Menge bis zur Panikstimmung. Wieder einmal warteten wir schon seit Stunden. Man begann, bei manchen Leuten die Papiere zu prüfen. Flüchtig. Der Blonde fuchtelte wild mit den Armen und ordnete. Lola bemühte sich, seinen Blick auf uns zu lenken. Ich spürte, dass sich alles in ihr dagegen wehrte. Dann schaute er zu ihr hin.

Dahinten sind Leute mit einem kranken Kind, das muss ins Krankenhaus, schrie er dem Russen zu.

Wir drängten und schoben unseren Wagen, so schnell wir konnten, an die Barriere heran. Ich trug den blassen Kurt. Aveline saß auf dem Gepäck. Wir reichten unsere Papiere hin; sie wurden kaum eines Blickes gewürdigt. Als ich bereits einen Teil der Brücke überquert hatte, riss der Blonde Lola zurück in die Menge und drängte sich dicht an ihre Seite.

Na, und?, sagte er und sah sie herausfordernd und, soweit ich erkennen konnte, ein klein wenig bedauernd an.

Bitte, sagte Lola.

Lassen Sie sie!, rief ich.

Wollen Sie Ärger machen!, schrie er aufbrausend. *Macht er Ärger?*, herrschte er Lola an.

Nein, sagte sie. *Kein Ärger, es tut mir leid. Es tut uns leid. Er macht keinen Ärger, nicht wahr?* Sie blickte mich voller Furcht an.

Ich mache keinen Ärger, sagte ich.

Da schubste der Blonde sie in Richtung Holzbrücke.

Polternd zogen und schoben wir unseren Wagen.

Geht es dir gut?, fragte ich Lola.

Sie machte eine wegwerfende Geste.

Als wir am anderen Ufer ankamen und keine russische Uniform mehr sahen, hielten wir aufatmend inne. Wir waren zu müde, um an diesem Tag weit zu wandern. Da die Sonne bereits tief stand, baten wir im einzigen Bauernhaus, das einsam an der Straße lag, um Quartier. Durch einen Türspalt wies die Besitzerin uns an weiterzuziehen. Wir übernachteten wieder unter freiem Himmel.

LEIPZIG
Wo ich nicht wusste, was ich fühlte; und wir nur einen kurzen Fußmarsch vom Ende unserer Flucht entfernt waren

Mein erster Gedanke am nächsten Morgen: Es war für mich an der Zeit, Lola mitzuteilen, dass ich wusste, was sie für uns getan hatte. Welches Opfer sie gebracht hatte. Nur. Ich war ein Feigling. Und dieser Feigling hatte noch weitere Gedanken: Vielleicht sollte ich nichts überstürzen. Womöglich bevorzugte Lola, nicht darüber zu sprechen, immerhin hatte sie es bisher nicht erwähnt. Gewiss war es besser, damit zu warten. Schließlich gab es Dringenderes. Erst einmal galt es, Leipzig zu erreichen.

Wir mussten den schweren Wagen viele Steigungen hinaufschieben, bis das Völkerschlachtdenkmal am Horizont auftauchte. Trotzdem dehnte sich der Weg noch um Stunden. - Aveline war hungrig und quengelte. Lola fuhr sie ungewohnt rau an. Ich nahm die Kleine bei der Hand und bettelte beim nächstbesten Haus um einen Teller Suppe. Den ersten aßen - Aveline und ich auf der Treppe, den zweiten füllte ich in einen Trinkbecher für Kurt und Lola.

Als wir endlich den Stadtrand von Leipzig erreichten, blieb Lola stehen.

Was ist?, fragte ich.

Wir müssen überlegen, welchen Weg wir nehmen, sagte sie.

Ich dachte –

Lola legte ihre Hand auf meinen Mund. *Ich weiß, was du denkst.* Sie warf einen Blick zu den Kindern. Kurt ruhte auf dem Karren, Aveline spielte gedankenversunken mit Foxl.

Wir können nicht in Leipzig bleiben, sagte sie mit gedämpfter Stimme. *Was, wenn die Russen weiter vorrücken? Wer garantiert uns, dass die Demarkationslinie so bleiben wird?*

Nur ein paar Nächte. Für Kurt.

Wir bringen ihn ins Kinderkrankenhaus, sagte sie. *Die können sich da besser um ihn kümmern.*

Ich setzte den Karren ab. *Und wo sollen wir schlafen? Auf der Straße!?* Das hatte ich lauter gesprochen als beabsichtigt. Den Kindern schien das jedoch nicht aufgefallen zu sein.

Und Lola sagte nur: *Sind wir doch längst gewohnt.*

Ich wollte nicht wieder darauf hinweisen müssen. Aber sie zwang mich dazu. *Lola, lass uns einfach in den Fürstenhof gehen. Dort sind wir wenigstens sicher. Dort kann uns nichts passieren.*

Dafür ist es zu spät, Alfons.

Ich sah sie an.

Ich weiß, dass du es weißt, sagte sie. *Aveline hat mir von ihrem … Traum erzählt.*

Ich nahm Lolas Arm und zog sie von den Kindern weg.

Wir können darüber reden, sagte ich leise. Ich wollte für sie da sein.

Was gibt es da zu reden?, sagte sie. *Es ist passiert. Es war unangenehm. Aber notwendig. Sonst wären wir jetzt nicht hier.*

Lola, sagte ich, ohne zu wissen, wie ich den Satz fortsetzen sollte.

Was? Ich habe nichts getan, wofür ich mich schäme.

Spiel es nicht runter, sagte ich.

Ich mache damit, was ich will. Es war meine Entscheidung.

Denkst du nicht, du solltest wenigstens einen Doktor auf-
suchen?

Wozu?

Sie las die Antwort in meinen Augen.

Nicht nötig. Ich habe mich auf nichts eingelassen, wovon ich
krank werden könnte. Oder schwanger, falls du das denkst.

Ich bekam nicht mehr über die Lippen als: *Gut.* Dachte sie,
es würde mich erleichtern, das zu erfahren? Ich weiß nicht, was
ich fühlte. Erleichterung war es jedenfalls nicht.

Lola nickte. *Mach dir keine Sorgen.*

Und du bist dir ganz sicher, sagte ich, da ich ja noch nichts
von den Lügen ihres Vaters wusste, *dass wir nicht doch in den*
Fürstenhof …

Wenn Herr Salz mich damals nicht verstoßen hätte, fiel sie
mir ins Wort, *wäre uns das alles erspart geblieben. Eher sterbe*
ich, als dass ich dort hingehe.

Damit stemmte sie eigenhändig die Deichsel des Karrens
hoch und setzte den Weg fort.

Im Kinderkrankenhaus in der Oststraße trafen wir kaum Personal an. Das Gebäude war durch einen Bombenangriff zerstört und danach geplündert worden. Eine Krankenschwester
untersuchte Kurt und gab Entwarnung. Er litt bloß unter
Erschöpfung. Ein paar Tage Ruhe, mehr brauche der Kleine
nicht. Zudem riet sie uns davon ab, andere Krankenhäuser aufzusuchen. Die Wahrscheinlichkeit, dass die Kinder sich dort
etwas einfingen, sei hoch.

Im Albertpark schlugen wir unser Lager auf. Täglich unternahmen Lola und ich abwechselnd Streifzüge in die Stadt, da
unsere Nahrungsmittelvorräte zur Neige gingen. Mir drohte
Arbeitseinsatz in den Braunkohlenwerken in Espenhain oder

Böhlen. Ohne Arbeit keine Lebensmittelkarten. Aber ich wollte, auch wenn Kurt langsam wieder zu Kräften kam, Lola und die Kinder keinesfalls allein lassen.

Gerne hätten wir mit unserem Beruf etwas verdient. An die Eröffnung der Theater war jedoch nicht zu denken. Die Oper – ausgebrannt. Das historische Alte Theater, das die Uraufführung von Schillers »Jungfrau von Orleans« gesehen hatte – ein Trümmerhaufen. Uns blieb nichts anderes übrig, als zu betteln. Die Ausbeute stillte unseren Hunger nie ganz. Dünne Suppe, die kaum zwei Stunden vorhielt. Altes Brot, das wir rösteten, damit es leidlich schmeckte. Wir standen hungrig auf und gingen hungrig schlafen.

Ich konnte nicht umhin zu denken, dass Lola im nahen Fürstenhof früher wie eine Kaiserin gespeist hatte. Meine Streifzüge trugen mich immer wieder in seine Nähe. Ich erfuhr, dass er Anfang April zunächst das Hauptquartier der GIs gewesen war. Inzwischen nächtigten dort vor allem Offiziere. Die benachbarte Kirche war stark beschädigt worden und das Ringmessehaus an der Westseite des Fürstenhofs ausgebrannt. Das Hotel selbst jedoch hatte nichts abbekommen. Manchmal betrachtete ich es für eine Weile, hielt angemessenen Abstand, um keinem der Soldaten aufzufallen, und versuchte, etwas hinter den Fenstern zu erkennen. Spiegeleier wurden da serviert. Und Weißbrot. Und Kuchen. Im Eingangsbereich erinnerten lederne Chesterfieldsessel an britische Herrenclubs. Ich beobachtete die Leute, die ins Hotel gingen und es verließen. Sie trugen gebügelte Hemden und Spazierstöcke und getrimmte Bärte. Wir hätten diese Leute sein können. Doch die Tochter des Besitzers kampierte in einem kümmerlichen Stadtpark.

Und dann, als ich Ende Juni, nach elf solchen Tagen in Leipzig, kurz davorstand, Lola erneut auf den Fürstenhof anzusprechen, begegnete ich Gretl.

Noch in derselben Woche verließen wir Leipzig.

Nie hätte ich erwartet, dass diese Schwestern sich so schnell einig werden würden. Als ich Gretl ansprach und sie kurz darauf zu Lola im Albertpark führte, ahnte ich ja nicht, wie nah sich die beiden im Sudentengau gekommen waren. Sie umarmten einander. Sie lachten. Sie tauschten bis spät in die Nacht Erlebnisse der letzten Monate aus. (Grimma verschwieg Lola natürlich.)

Gretl hatte alles aufgeben müssen. Ihr Gut war von Soldaten in Besitz genommen worden, ihr Mann unter den vielen Vermissten der Ostfront. Da sie nicht gewusst hatte, wo wir waren oder wie sie uns hätte kontaktieren sollen, ja: ob wir überhaupt noch lebten, war sie nach Leipzig geflüchtet. Sie berichtete uns davon, als würde sie über schlechtes Wetter reden. Keine Spur von Angst in ihrer Stimme. Diese Salz-Frauen! Ihre Verbindung miteinander potenzierte, was jede von ihnen schon für sich allein ausstrahlte: furchteinflößende Furchtlosigkeit.

Ich hatte erwartet und insgeheim auch gehofft, Gretl würde versuchen, ihre Schwester davon zu überzeugen, mit ihr im Fürstenhof Schutz zu suchen. Nichts da. Gretl erwähnte das Hotel kaum. Erklärte bloß, dass sie dort lebe, geduldet vom alten Herrn Salz. Mehr sagte sie nicht über ihn. Weil es nicht mehr zu sagen gab? Oder weil sie wusste, dass Lola es nicht hören wollte? Sie betonte, sie könne es kaum erwarten, Leipzig zu verlassen, und schlug vor, gemeinsam mit uns nach Karlsruhe aufzubrechen.

Ich hätte es den Schwestern ausreden, ich hätte alle Kraft darauf verwenden sollen, sie davon zu überzeugen, dass wir nur einen kurzen Fußmarsch vom Ende unserer Flucht entfernt waren. Welche Zukunft auch immer uns im Fürstenhof erwartet hätte, sie wäre so viel besser gewesen.

Aber ich stimmte ihnen zu: Ja, es war an der Zeit abzureisen.

Dafür gab es schließlich mehrerlei Gründe.

Zunächst einmal war das Einzige, was uns wirklich davon abgehalten hatte weiterzuziehen, Kurts Gesundheitszustand gewesen. Seit Kurzem ging es ihm jedoch deutlich besser.

Des Weiteren gingen Gerüchte um, die Amerikaner würden sich zurückziehen und die Russen bis Thüringen vorgehen. Konnte es sein, dass man halb Deutschland dem Kommunismus überantwortete? Lola wollte an der Straßenkreuzung, vorn beim Gasthof Raschwitz, einen Trupp russischer Soldaten gesehen haben.

Hinzu kam: Wir hatten auf unseren Bettelwegen erfahren, dass es zwar noch keine direkten Reiseverbindungen in den Westen gab, manche Leute aber, teils mit Bahn, teils mit Militärwagen und streckenweise zu Fuß, bereits dort gewesen waren.

Und nicht zuletzt war Gretl im Fürstenhof von einem Besucher aus meiner Heimatstadt darüber in Kenntnis gesetzt worden, dass man dort bereits die ersten Versuche unternahm, das Theaterensemble wieder zusammenzustellen.

Worauf warteten wir noch?

DIE GRENZE
Wo der Russe uns warten ließ; Lola nahe dran war, mich zu küssen; und Gretl sich nicht verabschieden konnte

Wir brachen am 2. Juli auf. Wie es der Zufall wollte, fand am selben Tag die offizielle Übergabe der Amerikaner an die Russen statt. Leipzig und weite Teile im Osten Deutschlands gehörten plötzlich zur Sowjetischen Besatzungszone. Die russischen - Sperren waren Grund zur Sorge. Ich besaß keine Entlassungspapiere; offiziell war ich immer noch Soldat der Wehrmacht. Sie konnten mich jederzeit in ein Lager verschleppen.

Nach einer Tagesreise auf einer Lore, in einem gemächlich dahinrollenden Zug und zu Fuß erreichten wir einen Schlagbaum. Das musste die Grenze sein. Gretl, die von einer russischen Befehlsstelle gehört hatte, riet uns, zunächst dort vorzufühlen. Wir gingen zum Ortskommandanten, der uns leidlich nett behandelte und einen unleserlichen Vermerk auf unsere Papiere kritzelte. Ob es überhaupt einer war? Er wollte uns schnell loswerden.

Unsere kleine Gruppe setzte sich in Bewegung. Nach allem, was wir in Grimma erlebt hatten, klopfte mir bang das Herz. Lola und Gretl ließen sich nichts anmerken.

Ein Russe mit umgehängtem Gewehr trat aus seinem behelfsmäßigen Wachhaus neben dem Schlagbaum und musterte uns. Wir standen auf freiem Feld. Nur am Waldrand lagen zwei Bauerngehöfte. Als er unsere Papiere einsah, zeigten wir immer wieder auf die Unterschrift des Ortskommandanten. Er hieß uns warten. Verschwand.

Ungewisse zehn Minuten verstrichen. Holte er Verstärkung? Einen, der besser lesen konnte als er? War alles Komödie beim Ortskommandanten gewesen? Weit und breit kein Mensch. Warum sollten wir warten? Was hatte er vor?

Der Russe kam über den Gartenzaun eines der Häuser geklettert, die Hosentaschen voller erstaunlich dunkelroter Kirschen. Unsere Anspannung löste sich in ungläubigem Lachen. Kurt und Aveline bekamen sie geschenkt.

Die Freude wurde gedämpft, als andere Westwanderer mit uns zusammentrafen und uns mitteilten, dass wir uns immer noch nicht auf amerikanischem Gebiet befanden. Die Grenze sei zickzackartig. Wir mussten noch zwei Sperren passieren.

Lola und Gretl erbettelten bei einem Bauern etwas Grieß und bereiteten für uns eine kaum sättigende, aber erstaunlich schmackhafte Kirschsuppe zu. Die Schwestern schienen aufeinander eingespielt, als hätten sie das schon tausendmal zusammen gekocht. Die beiden harmonierten so gut miteinander. Wie hatten sie sich jemals nicht nah sein können? Als glücklich konnte man sie vielleicht nicht bezeichnen. Wer war schon glücklich in diesen Tagen? Aber sie waren etwas, das sehr nahe dran war.

Wir überwanden auch die zweite und sogar die dritte Sperre und erreichten bei Soden-Allendorf die amerikanische Demarkationslinie. Bald würden wir wirklich in Sicherheit sein.

Der Ort selbst lag schon auf US-Gebiet. Gretl ging als Erste auf den Posten zu. Die GIs redeten freundlich und in drolligem Sprachmischmasch mit ihr und verweigerten das Öffnen des Schlagbaums nur, weil man erst einen höheren Offizier abwarten müsse. Sie hatten Anweisung, ihre Zone nicht mit Menschen zu überfüllen.

Es war schon spät am Abend, und wir machten uns darauf gefasst, unter freiem Himmel zu nächtigen. Die Soldaten schienen guter Stimmung. Sie hatten ihre Feldbetten neben das Militärzelt auf die Wiese gestellt, um sich darauf zu sonnen. Wir wagten nicht, darauf Platz zu nehmen.

Wenig später gesellte sich ein höherer Offizier zu den Posten. Er war mit einem Jeep aus dem Ort gekommen und erkundigte sich, was die Leute am Straßenrand wollten.

Wir witterten eine Chance und erklärten ihm unseren Fall. Ich hatte bei unseren Papieren unsere letzten Theaterverträge. Wir wiesen sie vor. Stempel und Unterschriften sowie die Ortsangabe überzeugten den Offizier, dass wir in den Westen gehörten.

Er überprüfte unsere Gruppe: *Mann, Frau, zwei Kinder? O.K.*

Lola wies auf Gretl. *Sie auch! Sister*, versuchte sie ihm verständlich zu machen.

Er räusperte sich. *Papier?*

Gretl hatte keins bei sich.

Der Amerikaner blieb bei seinem Nein. Gretl wurde blass. Lola nahm ihre Hand und hielt sie, wie sie sonst meine hielt, und versicherte ihr, dass wir sie keinesfalls zurücklassen würden. Entweder kamen wir zusammen durch, oder wir blieben auch da.

Als es dunkel wurde, näherte sich einer der Soldaten: *Children and women!*

Er wies auf das Zelt.

Lola gefiel die Aufforderung nicht. *Husband*, sagte sie und deutete auf mich. In dem großen Militärzelt würde ich problemlos auf einem der freien Feldbetten schlafen können.

Der Soldat spuckte aus. *Only children and women!*

Ich hätte es durchaus bevorzugt, einmal nicht auf hartem Boden zu nächtigen. Aber bevor der Soldat es sich anders überlegen konnte, sagte ich zu Lola: *Geht schon. Wenn etwas ist, dann ruft nach mir. Ich bin ja gleich hier draußen.*

Lola zögerte. Die Kinder waren todmüde. Gleichzeitig wollte sie mich nicht als Einzigen draußen lassen.

Ich schlafe gerne unter freiem Himmel, sagte ich.

Sie lächelte dankbar. *Alter Lügner.*

Ich glaube, in dem Moment war sie nahe dran, mich zu - küssen.

Aber der Soldat drängelte. Also verabschiedete ich mich von ihnen für die Nacht, und sie krochen hinein.

Im Morgengrauen weckte mich die Kälte. Nebel stand auf dem Kartoffelacker. Ich erhob mich und ging etwas hin und her, um mich aufzuwärmen. Erstes Vogelgezwitscher aus dem Wald. In den Pausen die Stille des Landes.

Da fielen mir die Zeltwände auf. Sie bewegten sich, als würde jemand von innen mit seinem ganzen Körper dagegendrücken. Kein Laut drang nach draußen.

Ich näherte mich dem geschlossenen Eingang. Einer der Soldaten kam aus dem Zelt und stellte sich mir in den Weg, schüttelte den Kopf. Ich versuchte freundlich zu lächeln und wollte ihm ausweichen – er zog seine Schusswaffe und richtete sie auf mich. Ich erstarrte.

Lola?, rief ich.

Keine Antwort.

Der Soldat riss die Augen auf, hob seine Pistole und bedeutete mir damit, mich zu entfernen. Ich machte nur einen Schritt rückwärts.

Die aufgehende Sonne trieb den Nebel vor sich her in den Wald. Die Zeltwände bewegten sich weiter verdächtig. Dumpfe Stimmen drangen aus dem Inneren. Der Soldat ließ seine Pistole sinken, steckte sie aber nicht weg.

Nach Sekunden, die mir vorkamen wie Stunden, wurde der Zelteingang von innen geöffnet, und Lola stolperte heraus, mit der schlafenden Aveline auf dem Arm. Kurt folgte ihr. Der Kleine torkelte verschlafen auf mich zu. Ich hob ihn hoch, und er gab mir einen Schmatzer. Erst jetzt bemerkte ich das Blut, das aus Lolas Nase rann. Sie wischte es am Hemdsärmel ab. Ihre Augen waren feucht.

Go, forderte uns der Soldat mit der Pistole auf und gestikulierte in Richtung jenseits der Demarkationslinie.

Wo ist Gretl?, fragte ich Lola.

Mehr Blut lief über ihre Lippen.

Go! Now!, schrie er und zielte mit seiner Pistole auf mein Gesicht.

Ich drückte Kurt an mich, hielt ihm die Augen zu.

Komm, sagte Lola und schritt voran.

Noch einmal wandte ich mich dem Zelt zu. Durch die Öffnung konnte ich nichts erkennen.

Alfons!, rief Lola.

Zögerlich stemmte ich den Karren hoch und folgte ihr. Wir überquerten den Grenzstreifen, blickten immer wieder zurück. Die Soldaten sahen uns nach, bis wir im angrenzenden Wald verschwanden.

Es war die Zeit der unausgesprochenen Dinge.

Ich fragte Lola nicht: *Was ist in dem Zelt passiert?*

Und Lola antwortete nicht: *Kannst du es dir nicht denken? Muss ich es aussprechen? Ich würde meine Schwester niemals lebend zurücklassen. Verstehst du, was das heißt? Verstehst du das?*

Und ich sagte nicht: *Wir müssen uns an ihre Vorgesetzten wenden. Wir können das nicht einfach geschehen lassen!*

Und Lola erwiderte nicht: *Es ist längst geschehen. Wenn wir uns dort noch einmal zeigen, werden wir sterben.*

Unsere einzigen Worte richteten wir an die Kinder. Ihnen erklärte Lola: *Gretl musste schnell gehen. Darum konnte sie sich nicht verabschieden.*

Wo ist sie?, fragte Kurt.

Bei ihrem Mann, sagte ich zu ihm.

Damals dachte ich, das sei eine Lüge. Wie sich später herausstellte, war es die Wahrheit.

KARLSRUHE
Wo noch etwas vorhanden sein musste; Lola mir erzählte, was
in dem Zelt passiert ist; und wir solche Dinge bannen

Wir kehrten heim. Natürlich dauerte es noch ein paar Tage.
Aber am Ende kehrten wir heim.

Ich erinnere mich kaum an diesen letzten Reiseabschnitt.
Kurz hinter der Demarkationslinie erwischten wir einen Güterzug. Welche Route er verfolgte, konnten wir nicht ergründen.
Irgendwo hielt er, irgendwann hängte man uns ab und wieder
an. Wenn schon. Hauptsache, wir fuhren südwestlich. In Ladenburg erlaubte uns ein Wirtshausbesitzer, die Mäntel in der
Gaststube auszubreiten, um die Nacht dort zu verbringen. Sowie es tagte, setzten wir unsere Reise fort. Die Sonne fiel mit
dem Glanz der frühen Stunde auf den Fluss, an dessen Ufer wir
entlangwanderten: der Neckar. Die Frau, die ich um etwas
Milch für die Kinder bat, sprach süddeutsch, was sich gleichzeitig fremd und vertraut anfühlte wie der Ruf eines Vogels aus
Kindertagen. In Heidelberg machten wir Rast. An einer Plakatsäule entdeckte ich, groß gedruckt, den Namen einer Kollegin.
Wir konnten es kaum glauben: Ein literarischer Abend wurde
angekündigt. Die Kollegin sprach Hölderlin, Goethe, Kleist
und – nun wieder – Heinrich Heine.

In der Nacht erreichten wir Karlsruhe, zur Sperrstunde. -
Niemand durfte das Bahnhofsgebäude verlassen. So nah am
Ziel – fünf Minuten entfernt von unserer Wohnung – mussten
wir noch einmal Decken und Mäntel auf den schmutzigen, kalten Steinboden breiten und unsere Kinder darauf legen.

Um fünf Uhr morgens gingen wir hinaus. Lola trug die schlafende Aveline, ich Kurt, der müde über meine Schulter blinzelte.

Das Haus stand, wenngleich es übel aussah. Lola kommentierte das mit keinem Wort.

Wir stiegen die vielen Treppen zu unserer Wohnung hinauf, die Schlüssel in der Hand. Wir benötigten sie nicht: Die Tür stand offen. Mörtel und Holzstücke lagen herum. Ein paar vom Löschwasser verschmutzte Bücher, die niemanden interessiert hatten. Sonst war nichts mehr vorhanden. Wind drang durch die scheibenlosen Fenster.

Wir stiegen die Treppe wieder hinunter bis in den Keller. Ein unübersehbares Chaos von Gegenständen füllte den uns zugeteilten Raum. Wo ein durcheinandergeworfener Stapel von - Dingen war, musste noch etwas vorhanden sein. Etwas, womit man ein Heim aufbauen konnte, ein neues Leben.

Seitdem ist fast ein Jahr vergangen. Vor Kurzem sind wir zurück in unsere Wohnung gezogen. Wir haben sie, so gut es ging, - wieder hergerichtet. Mit jedem Pinselstrich und angebrachten Haken und neuen Möbelstück kehren die Worte zurück in unser Leben. Langsam zwar. Aber sie kommen.

Und doch: Es gibt noch viel zu tun. Ein wenig ist es so, als würde Lola eine dritte Schwangerschaft durchleben. Nur diesmal nicht mit einem Kind, sondern mit Erinnerungen. Sie verlässt selten das Haus und hat wieder damit begonnen, meinen Schatten zu beobachten. Begegnet sie jemandem zum ersten Mal, dann überprüft sie zunächst dessen Schatten, schließt sogar vom Schatten einer Person auf deren Charakter. Was durchaus zu heiklen Situationen führen kann. Am Theater kann sie jedenfalls nicht mehr arbeiten. Lola weigert sich, mit diversen Kollegen die Bühne zu teilen, weil diese, so behauptet sie, im Krieg angeblich Unaussprechliches getan haben. Lola nennt sie Verbrecher. Die Theaterleitung verlangt Beweise für derlei Anschuldigungen. Aber Lola hat keine. Ihre einzige Rechtfertigung lautet: *Schatten verraten immer die Wahrheit.*

Ich korrigiere sie nicht, lasse sie so wenig wie möglich allein, erinnere sie an ihre Furchtlosigkeit sowie daran, dass sie den Kindern ein Vorbild sein muss, damit sie gute Menschen werden, die dem Namen Salz alle Ehre machen. Und ich höre ihr stets zu, wenn sie mich nachts weckt und mir etwas zuflüstert, auch wenn ich vieles davon nicht mag. Sie braucht das.

Am häufigsten erzählt sie mir davon, was in dem Zelt passiert ist.

Du ahnst nichts. So beginnt sie immer. *Du fühlst dich zwar nicht sicher. Aber sicherer als sonst. Du liegst mit den Kindern in eines der Feldbetten gequetscht und wartest auf den Morgen und kannst nicht glauben, dass du es fast geschafft hast. Dass du bald wieder daheim bist, sogar zusammen mit Gretl, die du so lieb gewonnen hast und die nur ein paar Meter weiter in einem anderen Feldbett lautstark schnarcht, wie sie das schon als Kind getan hat. Da betreten drei Soldaten das Zelt. Und es wundert dich nicht. Du hast nie zu hoffen gewagt, der Krieg würde euch verschonen. Eigentlich erwartest du schon seit Langem diese drei Soldaten und das, was sie mit sich bringen. Nur warum sie gerade jetzt auftauchen, als die Nacht beinahe vorüber ist, kannst du dir nicht erklären. Haben sie sich spontan entschlossen, sich gegenseitig angestachelt? Mussten sie sich Mut antrinken? Du riechst keinen Alkohol. Wissen sie, was sie tun werden? Zwei von ihnen bleiben am Eingang stehen, ein Gutaussehender mit Grübchen im Kinn nähert sich Gretl. Und das Erste, was du empfindest, ist Erleichterung. Weil er sich ihr und nicht dir und den Kindern nähert. Du kannst dich selbst nicht leiden für dieses Gefühl, und trotzdem spürst du es ganz stark. Du siehst, wie er Gretl weckt, indem er ihr Haar streichelt, gegen den Strich. Du denkst, das darf nicht geschehen. Du willst etwas sagen, mit lauter Stimme. Aber die zwei anderen Soldaten machen einen Schritt auf dich zu. Der massige*

deutet auf die Kinder und macht dir ein Zeichen, leise zu sein,
der andere legt eine Hand auf seinen Pistolengürtel. Kurt und
Aveline links und rechts von dir schlafen noch immer fest. Du
solltest nichts tun, das sagst du dir immer wieder, du solltest
dich nicht rühren. Trotzdem setzt du dich auf. Da erwidert
Gretl deinen Blick und schüttelt den Kopf. Sie weiß, was pas-
sieren wird. Sie weiß, sie wird sich nicht retten können. Aber
die Kinder. Und vielleicht sogar ihre Schwester. Gretl erlaubt
dem Gutaussehenden, sich neben sie zu legen. Du kannst nicht
hinsehen. Du hältst den Kindern die Ohren zu und hörst das
Geräusch von Knöpfen, die geöffnet werden, und das Atmen
des Mannes und das Quietschen des Feldbettes. Als es endlich
aufhört, erhebt sich der Soldat, zieht sich schnell und, dir
scheint, fast beschämt wieder an und gesellt sich zu seinen
Kameraden am Eingang. All dies geschieht so leise, es kommt
dir vor wie im Traum. Gretl lächelt dich an. Es ist kein richti-
ges Lächeln, mehr die Andeutung eines Lächelns. Du weißt,
das macht sie für dich, damit du dich nicht sorgst oder gar -
eingreifst. Du erträgst es kaum, dieses furchtlose, liebevolle
Lächeln. Nun öffnet der mit dem Pistolengurt seine Hose und
geht auf Gretl zu. Sie wehrt sich auch diesmal nicht. Wieder
wendest du dich ab. Wenigstens dauert das zweite Mal nicht
lang. Erneut schenkt sie dir danach dieses Lächeln, und obwohl
es sich in keiner Weise von dem vorherigen unterscheidet, fühlt
es sich noch furchtbarer an. Gretl bleibt ruhig liegen. Einzig ihr
Brustkorb hebt und senkt sich langsam. Sie weiß, es ist noch
nicht vorbei. Sie wartet auf den dritten, massigen Soldaten.
Gretl verschwindet unter seinem schweren Körper. Du drückst
die schlafenden Kinder an dich und konzentrierst dich auf den
Schattenriss der Blätter, die auf dem Zeltdach liegen, die gezack-
ten Muster. Der Mann schnauft. Das Feldbett stöhnt unter sei-
ner Last. Nicht mehr lang, sagst du dir, nicht mehr lang, dann

können Gretl und die Kinder und du gehen. Dabei weißt du
tief in dir drinnen längst, dass du diesen Ort nie wirst verlassen
können, egal wie weit du dich von ihm entfernst. Das Schnau-
fen setzt aus, und der massige Soldat fällt beinahe aus dem Bett,
entfernt sich von Gretl, schließt seine Hose. Du nimmst dir vor,
diesmal ihr Lächeln mit aller Kraft zu erwidern, und siehst zu
ihr hin. Aber sie schaut nicht zu dir. Ihr Brustkorb hebt und
senkt sich nicht mehr. Die zwei anderen Soldaten fragen den
massigen, was er getan hat. Er schweigt und wischt sich mit
beiden Händen übers Gesicht. Er weiß es nicht. Der Soldat mit
der Pistole stürmt aus dem Zelt. Du stehst auf und näherst dich
Gretl. Ihr Hals ist blau und angeschwollen. Ihre Augen starren
leer. Bevor du sie schließen kannst, zieht der Soldat mit dem
Grübchen im Kinn dich weg und befiehlt dir, die Kinder zu -
nehmen und zu verschwinden. Von draußen hörst du deinen
Namen. Du denkst daran, dass Gretl dich eben noch angelä-
chelt hat. Und dann hast du weggesehen. Du bemerkst, dass
Kurt sich rührt, er wird gleich aufwachen, und du würdest ihn
gerne davor schützen. Aber das kannst du nicht, das wird dir
mit einem Mal klar. Du kannst deine Kinder vor gar nichts
schützen. Du schlägst den massigen Soldaten, so fest du kannst.
Er lässt es geschehen. Und da siehst du: Er hat keinen Schatten.
Du schaust genau hin, stellst das Gesehene sofort infrage, und
doch ändert das nichts an der Tatsache. Der Soldat hat keinen
Schatten. Du stolperst rückwärts, verlierst das Gleichgewicht,
prallst gegen eines der Feldbetten, schmeckst Blut. Auf allen
vieren kriechst du zu den Kindern. Du weckst sie und verlässt
mit ihnen das Zelt, weg von dem Schattenlosen.

All das hätte sie verhindern können, behauptet Lola. Wenn sie
nur schon bei der ersten Begegnung mit den Soldaten auf deren
Schatten geachtet hätte.

Ich glaube ihr, dass sie das glaubt, und halte es vorerst für besser, nicht darauf hinzuweisen, was unser Verstand mit uns anstellt, wenn wir uns in lebensbedrohlichen Situationen befinden. Lola ist fest von der Existenz schattenloser Menschen überzeugt. Wenn sie mir von diesen Stunden erzählt, bittet sie mich jedes Mal, sie festzuhalten. Was ich natürlich tue – aber nicht nur für sie. Jede Umarmung gibt mir die Kraft, um Kraft geben zu können.

Es ist vorbei, sage ich zu ihr, im Bemühen, sie zu trösten, und komme mir dumm vor. Wir beide wissen: Nichts dergleichen geht je vorbei.

Man kann solche Dinge weder vergessen noch gänzlich überwinden. Wenn man Glück hat, kann man sie allerdings bannen. Lola macht das, indem sie nachts flüsternd alles ausspricht. Oder ab und zu ein Bier trinkt.

Meine Methode ist eine andere: Ich schreibe. Auf Papier lässt sich Furchteinflößendes leichter bannen. Selbst Schatten werden bloß zu einem Acht-Buchstaben-Wort.

Lola hat mich gebeten, niemandem von alldem zu erzählen. Aber ich betrachte diese Zeilen nicht als Vertrauensbruch. Sie sind für mich, ausschließlich. Beim Schreiben kann ich meine geliebte, furchtlose Lola am besten sehen, die ihre Kinder wie eine Löwin durch dieses Jahr trug. *Ich war einmal stark*, sagt mir ihr früheres Ich, *und ich werde erneut stark sein.*

Das Gleiche gilt für mich: Seit einigen Tagen fesselt mich eine Grippe ans Bett. Sobald ich wieder genesen bin, werde ich besser für sie da sein und nachts ihrem Flüstern lauschen können. Und mit der Zeit wird es uns gelingen, die Erinnerungen und die Schatten zu überwinden. Gemeinsam.

AVELINE SALZ

1959 – 1960

Du ahnst nichts, du bist auf dem Heimweg und fühlst dich sicher, weil dir noch nie etwas passiert ist, vielleicht summst du ein Lied oder spielst mit den Hausschlüsseln in deiner Hand, vielleicht gehst du in Gedanken eine Einkaufsliste durch, Milch, Butter, Kartoffeln, und genau das ist der Augenblick, in dem er dich packt, du hast ein oder zwei Sekunden, bevor er dir den Mund richtig zuhalten kann, aber du schreist nicht, weil du in Gedanken eben noch bei Milch, Butter, Kartoffeln warst und du nicht verstehst, wie du im selben Moment angegriffen werden kannst, von einem Mann, der so viel stärker ist als du, du hattest keine Ahnung, wie stark Männer sind, du hast immer gedacht, im Notfall könntest du dich wehren, aber mit deiner ganzen Kraft gelingt es dir nicht einmal, seine Hand von deinem Mund zu reißen, du schlägst um dich und willst ihn beißen und kratzen, aber dafür ist es viel zu spät, einer seiner Arme reicht aus, um deinen Körper in Schach zu halten, ihr seid nun nicht mehr auf offener Straße, sondern im Dickicht eines Parks oder in einer Gasse, und selbst wenn euch jemand sehen würde, die meisten Leute gucken lieber weg, als sich in Schwierigkeiten zu begeben, und trotzdem hoffst du auf Hilfe, als er dir bedeutet, leise zu sein, und seine Hand von deinem Mund nimmt, du schreist sofort, und er schlägt dir mit der Faust ins Gesicht, woraufhin du kurz das Bewusstsein verlierst, und als du langsam wieder zu dir kommst, schmerzt dein Kopf, du schmeckst Blut und zitterst, ob aus Angst oder weil dir kalt ist, weißt du nicht, wahrscheinlich beides, denn er hat dich ausgezogen und mit einer Hand deinen Hals umklammert, er beobachtet dich, und das ist der schlimmste Moment, noch viel schlimmer als alles, was danach folgt, weil du begreifst, das ist erst der Anfang, du hast es noch lange nicht überstanden, und du erwiderst seinen Blick und versuchst, ihm ohne Worte zu sagen, dass er bitte aufhören, dass er dich gehen lassen soll, und du willst weinen, damit er begreift, was er dir antut, du hoffst, ihn auf diese Weise zu erreichen, und obwohl dir keine Träne in die Augen steigen will, lässt er deinen Hals los, und du lächelst, und da schlägt er dir noch einmal ins Gesicht, und diesmal wirst du nicht ohnmächtig, aber der Schmerz dringt tief in deinen Kopf ein, er pocht in deinem Nacken und hinter deiner Stirn, und trotzdem versuchst du, dich zu konzentrieren, dich daran zu erinnern, was man in solchen Situationen tun soll, aber deine Gedanken flüchten zu Milch, Butter, Kartoffeln, an einen Ort, zu dem er dir nicht folgen kann, denkst du, dabei gibt es keinen Ort auf der Welt, an dem er dich nicht finden kann, denn ab diesem Tag, ab dieser Stunde, wirst du nie mehr allein sein, er wird dich begleiten, egal, wie weit du reist, er wird dort sein, wo du bist, und so gut dein Leben sich auch entwickeln mag, er wird immer ein Teil davon sein, selbst in deinen glücklichsten Momenten wird er auftauchen und dich daran erinnern, wie schnell sich alles ändern kann – all das kannst du in seinen Augen lesen, als er über dich steigt, er weiß, dass er dir nicht nur Schmerzen bereitet und böse Erinnerungen schafft, er nimmt dein Leben ein, und du kannst nichts dagegen tun, du kannst nur sehen, wie sehr ihn das freut, wie gut es ihm tut zu wissen, dass er dich nicht nur in diesem Moment, sondern dein ganzes Leben lang besitzen wird, und obwohl du noch immer versuchst, dich zu wehren, hast du eigentlich schon aufgegeben, zwar ist er noch lange nicht fertig mit dir, aber selbst wenn er nun aufhören würde, du gehörst ihm, und so lässt du ihn machen, weil du glaubst, dass es so schneller vorbei sein wird, du streckst dein Gesicht so weit wie möglich weg und spürst seinen feuchten Atem auf deiner Haut, und dann, als du nach unten blickst, fällt dir etwas auf, und du fragst dich, ob du dir das einbildest, aber nein, der Mann, der dir das antut, dieser Mann, den du, das nimmst du dir schon jetzt vor, bei der Polizei melden wirst, damit er nicht länger da draußen sein und jederzeit Frauen wird überfallen können, ja, dieser Mann hat keinen Schatten, und als du das erkennst, legt er seine Hände um deinen Hals und schneidet mit seinen Fingernägeln in deine Haut, und du versuchst ein letztes Mal, dich zu wehren, aber du stellst fest, du hast deine Kraft längst aufgebraucht, du wirst nie zur Polizei laufen und dich an diesen Moment erinnern, denn du stirbst, das ist dein letzter Atemzug, das ist dein letzter Gedanke, du stirbst, und dein Mörder ist ein Schattenloser.

Mit dieser Geschichte bringt dich Mutti, wenn sie getrunken hat, ins Bett, seit du dich erinnern kannst, schreibst du deinem Bruder in einem Brief. Du beschreibst ihm, wie sie stets darauf achtet, dass die Wolldecke deinen Körper umhüllt, wie sie dir einen Kuss gibt, der nach Bier riecht, wie sie dir sagt, dass es ihr leidtue, dir immer diese Geschichte erzählen zu müssen, »diese schlimme Geschichte«, fügt sie manchmal hinzu, und auch, dass sie nicht wisse, auf welche Weise sie dich sonst vor den Schattenlosen dort draußen schützen solle, schließlich müsse sie dir, erklärt sie, die Gefahr möglichst genau beschreiben, damit du sie dir einprägen und sie erkennen könntest, wenn sie dir auf der Straße begegne, und darum, wiederholt Mutti, während sie das Licht ausknipst, tue es ihr sehr leid, dir die Geschichte erzählen zu müssen, sie mache das nur zu deinem Schutz. Die Sorgfalt, mit der sie sich verabschiedet und ihre Worte wählt, lässt sie fast nüchtern wirken und unterstreicht, sie würde damit gerne wiedergutmachen, dass sie dir diese Geschichte erzählt. Aber nichts kann das wiedergutmachen. Du hasst die Geschichte, jedes einzelne Wort davon. Gleichzeitig weißt du, dass du nicht einschlafen kannst, wenn du sie längere Zeit nicht mehr gehört hast. Die Geschichte ist ein Teil deines Lebens wie Essen und Atmen. Manchmal versuchst du, dir vorzustellen, wie es wäre, wenn Mutti die Geschichte nicht mehr erzählen würde. Aber das macht dir Angst, noch mehr Angst, als die Geschichte dir macht. Wenn Mutti sie dir nicht erzählt, könntest du ja vergessen, dass es solche Männer da draußen gibt, und wenn du vergisst, dass es solche Männer gibt, dann wäre es sehr viel leichter für sie, dich zu überfallen.

Oft hast du Mutti gefragt, ob ihr einmal so etwas wie in der Geschichte passiert ist. Das hat sie jedes Mal beantwortet mit dem Hinweis darauf, dass sie offensichtlich noch lebt – aber nur, weil sie sich immer daran erinnert, was ein Schattenloser mit einer Frau machen kann, mehr noch, was Schattenlose seit jeher mit Frauen machen.

Natürlich hast du deine Zweifel, schreibst du deinem Bruder, immerhin bist du siebzehn Jahre alt, du glaubst nicht ans Christkind, an Gott oder Schattenlose. Aber was du glaubst oder nicht glaubst, ist eine Sache. Und wovor du Angst hast, eine andere. Wie viel Angst man vor einer Sache haben kann, an die man nicht glaubt! Im letzten Kriegsjahr hast du als Zweijährige schlimme Dinge gesehen, an die du dich nicht erinnerst, und dank Mutti erinnerst du dich nun an schlimme Dinge, die noch nicht geschehen sind.

Die Angst lässt sich nicht wegdenken. Sie ist da, wenn in der Schlange am Gemüsestand Männer direkt hinter dir stehen und du ihren Atem in deinem Nacken spürst; sie ist da, wenn du mit einem Mann einen Paternoster teilst; sie ist da, wenn einer im

Warteraum deines Hausarztes neben dir sitzt und sein Knie deinem unerträglich nahe ist. Du trägst die Angst tief in dir, du bist mit ihr aufgewachsen, du weißt nicht, wie du dich von ihr trennen kannst, und du befürchtest, vielleicht geht das gar nicht. Mutti vermittelt dir jedenfalls nicht den Eindruck, dass sie in all den Jahren einen Weg gefunden hat, die Angst zu bekämpfen. Sie hat nur einen Weg gefunden, sich zu betäuben. Mutti trinkt mehr, als sie isst. Sie akzeptiert nichts anderes als Löwenbräu. Sie trinkt es nur aus einem richtigen Bierkrug, und gottverhüt, wie sie sagt, niemals aus der Flasche, »wie der Plebs!«.

Mutti leert (sie würde sagen: konsumiert) bis zu acht Flaschen pro Tag, und doch sieht man ihr das nicht an. Ihre Kleider und Blusen sind ihr mindestens zwei Nummern zu groß, sie wirkt darin eingegangen. Du hast ihr schon mehrmals angeboten, neue Sachen mit ihr kaufen zu gehen, aber Mutti ist der Meinung, die sind noch so gut wie neu, und du reißt dich auch nicht gerade darum, mit ihr ein Geschäft aufzusuchen. Sie wird nur wieder der Verkäuferin erzählen, dass sie die Witwe des berühmten Staatsschauspielers Alfons Ervig ist, und sich gleich darauf weigern, irgendetwas in dem Laden zu erwerben, sobald die Verkäuferin durchblicken lässt, sie habe noch nie von einem Alfons Ervig gehört. Soll Mutti doch ihre alten Sachen tragen, sie hält sich ja sowieso nur zu Hause auf, hört mit ihrem Plattenspieler bis tief in die Nacht ›Carmen‹, den ›Ring‹, Lortzing, ihre sogenannten »Opern des Magnetberges«, wobei du sie nie gefragt hast, wo sich dieser befindet oder ob er überhaupt existiert. Wenn die Nachbarn mal wieder gegen Wände und Decke klopfen, legt Mutti Mozarts ›Kleine Nachtmusik‹ auf, bei maximaler Lautstärke.

Nachdem sie jüngst zum hundertsten Mal Euripides' ›Medea‹ abgeschlossen hat, das sie komplett auswendig kann, studiert sie nun wieder einmal den ›Faust‹, den sie ebenfalls Wort für

Wort beherrscht, und jedes Mal, wenn du am Wohnzimmer vorbeigehst, besteht sie darauf, dir eine Stelle daraus vorzutragen. Je mehr Löwenbräu sie zu sich genommen hat, desto länger wird die vorgetragene Passage und desto theatralischer ihre Darbietung, und deswegen springst du nun immer schnell am Wohnzimmer – zugleich Ess- und Muttis Schlafzimmer – vorbei, damit sie dich nicht sieht oder, wenn sie dich sieht, du zumindest behaupten kannst, du hättest sie nicht gehört.

Eure Zweizimmerwohnung, das liegt auf der Hand, ist zu klein für euch. Es kommt dir vor, als würden die Wände schrumpfen, Fenster werden zu Gucklöchern, im Bad kannst du dich kaum rühren, ohne etwas umzuwerfen, und deine Füße hängen von der zu kurzen Bettmatratze. Dir ist bewusst, schreibst du deinem Bruder, dass er jede freie Minute neben dem Studium arbeitet, damit Mutti, die eine bescheidene Witwenrente bezieht, in ihrem Zustand nicht Geld verdienen muss und du in Ruhe dein Abitur machen kannst. Aber erstens war es nicht deine Entscheidung, trotz eurer geringen Mittel statt einer Ausbildung einen höheren Schulabschluss zu machen – darauf, erinnerst du deinen Bruder, bestand Mutti, damit du eines Tages »mehr als eine Hausfrau und Mutter sein kannst«. Und zweitens fragst du dich beziehungsweise ihn doch, wie lange es noch so weitergehen kann. Du findest es, um ehrlich zu sein, nicht gerecht, dass er in Montreux ein eigenes Leben führen kann, während du in München Mutti hüten musst, und du findest es noch ungerechter, dass er sich bei euren seltenen Telefonaten so selbstzufrieden gibt, bloß weil er euch finanziell unterstützt und sich als einziges Familienmitglied in der Lage dazu sieht, den Fürstenhof – ein Hotel in Leipzig, das die DDR sich nach dem Tod deines Großvaters einverleibt hat – für die Familie Salz zurückzugewinnen. Was kannst du denn dafür, dass du die Jüngere bist. Du wärst jederzeit bereit, mit ihm zu tauschen; was sie dir in der Schule beibringen, wirst du im richtigen Leben ohnehin nicht brauchen.

Was soll das überhaupt heißen, »im richtigen Leben«? Deine Lehrer – zur einen Hälfte Alt-Nazis, die einen Krückstock benötigen, um sich fortzubewegen, zur anderen Alt-Kommunisten, die mit einer arroganten Ich-hab's-ja-gewusst-Aura umherstolzieren – sprechen immer vom Leben, als würde es erst beginnen, wenn du mit der Schule fertig bist. Dabei hast du schon eine ganze Menge Leben abgekriegt, lange bevor du eine Schule von innen zu sehen bekamst. Du schreibst deinem Bruder, dass er das natürlich weiß, aber du willst ihn trotzdem daran erinnern, so wie du dich manchmal selbst daran erinnerst, dass du im Krieg geboren wurdest, dass Mutti mit dir und ihm quer durch ganz Deutschland geflüchtet ist, dass ihr euren Vater viel zu früh verloren habt.

Du schreibst deinem Bruder, er glaubt vielleicht, du hast die Tragweite dieses Verlusts nie begriffen, weil du, anders als er, noch zu jung warst, um euren Vater bewusst wahrzunehmen; er sozusagen nur ansatzweise für dich existiert hat und du somit den Verlust kaum hast spüren können. ABER, das schreibst du in Großbuchstaben, ABER das ist nicht wahr. Denn deine erste Erinnerung ist die von der Beerdigung deines Vaters. Das hast du nie jemandem erzählt. Wem könntest du so etwas auch erzählen? Du warst gerade einmal vier Jahre alt, aber du erinnerst dich noch genau, wie Freunde und ehemalige Kollegen Reden hielten und von seinen glanzvollen Jahren als Staatsschauspieler sprachen, von einer Zeit vor den Bomben und vor dir. Das ist noch eine Sache, die du nicht gerecht findest: dass dein Vater zwei Weltkriege überstanden hat, nur um kaum ein Jahr nach der Kapitulation an einer gewöhnlichen Grippe zu sterben.

An den Tagen nach der Beerdigung, wenn dein Bruder bereits

zur Schule aufgebrochen war, legte Mutti sich zu dir ins Bett, »weil man nach einem solchen Schicksalsschlag nicht allein sein sollte«, und du fragst dich heute, wen Mutti eigentlich mit »man« meinte. Der Tod ihres Mannes hatte ihr etwas geraubt. Du konntest damals mit vier Jahren nicht benennen, was genau das war, aber du hast es gespürt. Heute würdest du es Mut nennen – es war der Mut, um sich dem Leben da draußen zu stellen. Bestimmt hat sie deswegen auch nie wieder einen Mann kennengelernt, obwohl sie gerade einmal in ihren Vierzigern war – Mutti dagegen behauptete stets, Männer seien rar und selbst Krüppel und Kriegszitterer heiß begehrt, und außerdem würde sie nie wieder jemanden wie »ihren Alfons« finden.

Das lässt dich umso mehr bedauern, dass ihr von ihm keine Fotos besitzt. Die sind Stabbrandbomben zum Opfer gefallen. Du würdest dir nämlich gerne ein Bild von diesem Mann machen, der so einmalig war, dass eine Frau ohne ihn komplett den Mut verloren hat. Du wunderst dich, dass sie als mutlose Witwe überhaupt die Kraft aufbrachte, nach seinem Hinscheiden Karlsruhe, wo sie nicht ohne ihn verweilen wollte, zu verlassen und mit euch nach München zu ziehen, um den Ort ihrer Kindheit zum Ort eurer Kindheit zu machen. Du bist deinem Bruder dankbar, schreibst du ihm, dass er sich in diesen Jahren darum kümmerte, Lebensmittel einzukaufen, dich zur Schule zu bringen, die Wohnung zu putzen, sobald Mutti mal wieder eine ihrer »Phasen« hatte und sich an diesen Ort in ihrem Kopf zurückzog, wo ihr sie nicht erreichen konntet. Wenn sie auf jede noch so laut geschriene Frage bloß mit Dialogfetzen aus einem Stück namens ›Aimée‹ antwortete, von dem du noch nie gehört hast, wenn sie, auf der Suche nach Löwenbräu, mit dir an der Hand stundenlang durch München irrte, wenn sie dich ohrfeigen wollte, weil du ihr das Bier in einem Weinglas brachtest, dann war dein Bruder da; er beruhigte Mutti, brachte euch nach Hause, stellte sich schützend vor dich. Und deshalb, schreibst du ihm, glaubt er bestimmt, er hat dich vor ihr gerettet.

Aber das hat er nicht.

Du hättest ihm bereits viel früher schreiben sollen, dass Mutti dir schon seit Langem etwas erzählt, von dem du eigentlich nicht weißt, wie du es nennen sollst; es ist eine Geschichte, ja, aber auch eine Warnung, und es fühlt sich sehr viel echter an als beides. Mutti begann damit, als du noch klein warst, kurz nach dem Tod eures Vaters. Über die Jahre variierte sie die Details, aber im Kern bleibt die Geschichte immer gleich. Wenn Mutti getrunken hat, was nicht selten vorkommt, erzählt sie dir abends vor dem Schlafengehen die Geschichte. Du schreibst deinem Bruder: Hat Mutti sie ihm auch erzählt? Du kannst dich nicht daran erinnern, dass er je in der Nähe war, wenn sie es tat, dabei habt ihr doch im selben Zimmer geschlafen. Hat er sich währenddessen versteckt? Hat Mutti euch voneinander getrennt, damit sie ihren Kindern die Geschichte separat einflößen konnte? Und wenn ja, warum hat er die Geschichte dann nie erwähnt?

Vielleicht aus demselben Grund, aus dem du es ihm bisher nicht gesagt hast; es war dein Versuch, das Erzählte kleinzumachen, zu vermeiden, dass etwas daraus in die Welt flüchtet und sich auf dich stürzt. Außerdem wolltest du nicht, dass dein Bruder wütend auf Mutti wird, wie er es so oft war, als er noch bei euch wohnte. Denn trotz allem hast du sie lieb. Du bist Mutti nicht böse, auch wenn du ihr manchmal böse sein willst, du kannst sehen, wie schwer es ihr fällt, die Geschichte zu erzählen, auch heute noch, nach all den Jahren, und sie tut dir leid, so leid, dass du ihr am liebsten sagen möchtest, sie braucht die Geschichte nicht mehr zu erzählen, sie hat getan, was sie konnte, um dich zu warnen, und du wirst vorsichtig sein. Aber das kannst du nicht sagen. Denn du weißt, schon lange weißt du, dass Mutti die Geschichte erzählen muss. Sonst kann sie keine Ruhe finden. Und deswegen ist deine letzte Hoffnung, dass dein Bruder euch helfen kann. Du weißt zwar nicht wie, denn auch wenn er dich in Montreux aufnehmen würde, könntest du Mutti nicht sich selbst überlassen. Aber er ist ja immerhin dein großer Bruder, ihm fällt schon etwas ein, er wird euch retten, diesmal wirklich retten.

Vor allem darum schreibst du diesen Brief.

Am nächsten Morgen trinkst du, wie an so vielen anderen, zum Frühstück Frauengold. Davon hast du deinem Bruder noch nie geschrieben. Wie sollst du ihm auch schreiben, dass etwas nicht mit dir stimmt. Vor ein paar Monaten hast du eine Reklame für Frauengold gesehen, und obwohl du dich keineswegs mit jener hysterischen Sekretärin identifizierst – *Ich lass mir ja nicht alles gefallen!* –, erinnerte dich ihr Gefühlsausbruch doch sehr an die Wut, die in dir schwelt, wenn Mutti wieder einmal nachts im Wohnzimmer nebenan so laut Musik spielt, dass du unmöglich Schlaf finden kannst. Darum hast du ein Fläschchen von der Medizin gekauft, abends vor dem Zähneputzen ein paar Schluck genommen und, siehe da: Nicht einmal Wagner konnte dich danach von deiner Bettruhe abhalten. Aber Frauengold hilft dir nicht nur damit. Solange du es zu dir nimmst, fühlst du dich stärker, du denkst weniger darüber nach, warum du das unrasierte Kinn des Cowboys auf den Werbeplakaten von Marlboro so anziehend findest und weshalb du neulich vor der Tür zur Männer-Umkleide im Sporttrakt der Schule stehen geblieben bist und durch das rechteckige Milchglasfenster die Schemen der unbekleideten Jungen beobachtet hast. Denn sobald du darüber nachdenkst, wird dir bewusst, dass etwas nicht mit dir stimmt. Etwas muss nicht mit dir stimmen, sonst würdest du dich ja ordentlich verhalten und zum Frühstück kein Frauengold brauchen. Natürlich bist du dir bewusst, dass die Medizin etwas Alkohol enthält. Aber dies ist wohldosierter Alkohol, so wie bei Hustensaft. Das kann dir nicht schaden.

Für den Schulweg nimmst du selbst im Winter oft das Fahrrad. Die Kälte macht dir nichts aus. Du magst das, wenn dein Gesicht sich nach der Fahrt anfühlt, als würde es brennen; außerdem bist du mit dem Fahrrad schnell, du kannst jeden Verfolger hinter dir lassen.

An diesem Morgen aber musst du zur Schule laufen. Dein Fahrrad hat einen Platten, und der Fußweg ist immer noch besser als die überfüllte Tram.

Du kommst an einem Briefkasten vorbei. Schritt für Schritt näherst du dich ihm. Du spürst dein Herz klopfen, als du den Brief aus deiner Jackentasche ziehst. Das Kuvert ist unschuldig dünn, so ein Kuvert lässt man schnell mal im Briefkasten verschwinden, ohne die Konsequenzen zu bedenken. Du überprüfst noch einmal die Schweizer Adresse, dann schiebst du den Brief durch den Schlitz.

Jetzt musst du nur noch loslassen.

Da eilt ein Mann in schwarzer Lederjacke auf dich zu, das Haar nach hinten gekämmt wie James Dean. Seinem Rucksack entnimmt er ein braunes, flaches Päckchen.

Du steckst den Brief wieder ein und läufst über die Straße. Autohupen. Ein karamellbrauner VW-Käfer bremst vor dir, deine Hände berühren die Motorhaube. Obwohl du weißt, dass es deine Schuld war, zeigst du dem Fahrer einen Vogel – so viel zur hysterischen Dame! – und rennst weiter.

Den Brief kannst du auch später noch abschicken.

Deinen Zensuren nach zu urteilen, lebst du in äußerst stabilen Verhältnissen; eine Zwei mischt sich nur selten unter deine Einser. Keiner deiner Lehrer würde dir glauben, dass dein Bruder nur alle paar Monate zu Besuch kommt. Oder dass Mutti deine Mutter ist. Oder dass deine Mitschüler nur mit dir reden, wenn jemand Hilfe bei den Hausaufgaben benötigt. Umso mehr erstaunt dich, als Robert Völker dich zur Pause im Kollegstufenraum anspricht. Seine Miene erinnert dich an einen Boxer, der in den Ring steigt; sie soll vor Selbstbewusstsein strotzen, damit niemand die Angst dahinter sieht. Aber mit Angst kennst du dich gut aus. Die kann keiner vor dir verbergen. Viele in der Schule machen Scherze über Roberts Hakennase; dass dir der Gedanke gefällt, sie zu küssen, ist ein weiterer Beweis dafür, dass etwas nicht mit dir stimmt. Seine blonden Haare wehren sich erfolgreich gegen seine Versuche, sie glatt zu streichen. - Robert gilt als Langweiler; er trägt keine Jeans, spielt nie mit den anderen Jungs Fußball, fährt kein Moped; er ist nicht nur Primus der Klasse, sondern des Gymnasiums. Er gehört zu den wenigen Menschen, bei denen du nicht hingucken musst, um zu wissen, dass sie einen Schatten haben. Interessant findest du: Er lebt nicht mehr bei seinen Eltern. Jeder weiß, dass er von Nürnberg nach München gezogen ist; keiner weiß, warum.

»Kennst du Dalí?«, fragt er dich.

Du willst etwas Originelles sagen, aber dir fällt nur ein: »Ja.«

Unbeirrt spricht er weiter, der Langweiler, der vielleicht - keiner ist, weil Langweiler selten so unbeirrbar sind: »Es gibt eine Ausstellung in der Stadt, Dalí war sogar zur Eröffnung da – willst du mitkommen? Heute Nachmittag?«

»Mit wem?«, fragst du.

Seine Antwort ist gleichzeitig eine Frage: »Mit mir?«

Du lehnst freundlich ab, so wie Mutti das von dir erwarten würde. Dabei wirkst du sehr gelassen, findest du, nicht zuletzt dank Frauengold.

Nach der Schule, als du heimkommst, schläft Mutti noch, erschöpft von ihren nächtlichen Musik-Eskapaden. Du kochst dir Brühwürfelsuppe und füllst deinen Magen mit Butterkeksen. In deinem Zimmer legst du den Brief auf den Schreibtisch und betrachtest ihn. Du trinkst ein Glas Frauengold. Und noch eins. Aber zum Briefkasten gehst du nicht, sondern steckst den Brief zu den anderen, in eine Schachtel, die du unter einem Stapel Pullover in deinem Schrank aufbewahrst. Du hast fast so viele Varianten dieses Briefs geschrieben, wie Mutti mit Varianten des schattenlosen Mannes aufgewartet hat. Jedes Mal, wenn du einen Brief schreibst, glaubst du, dies sei der Brief, den dein Bruder lesen wird, das glaubst du wirklich, aber spätestens, wenn du ihn versenden willst, erinnerst du dich daran, wie wütend Kurt manchmal auf Mutti war, wenn sie sich gehen ließ, und du bekommst Angst, weil du nicht weißt, was passieren wird, sollte er deinen Brief lesen. Die Angst vor dem Unvorhersehbaren ist noch größer als die vertraute Angst. Zudem ist ein nicht abgeschickter Brief nicht unbedingt ein sinnloser Brief. Es braucht nicht alles gelesen zu werden, was geschrieben wird. Du magst es, mit der Hand über die Kanten der Kuverts zu streichen, die du chronologisch geordnet hast, von den ersten, leicht gelben bis zu den hellweißen aus diesem Jahr, und du musst keinen der Briefe öffnen, um dich daran zu erinnern, was darin steht; die Briefe enthalten, wohl dosiert, dein Leben. Früher hast du sie deinem Bruder in den Schulranzen gesteckt oder aufs Kopfkissen gelegt und sie immer wieder an dich genommen, bevor er sie finden konnte. Du glaubst, dass irgendwann einmal der Tag kommen wird, an dem er einen deiner Briefe liest. Nur weißt du noch nicht, was in diesem Brief stehen wird.

Du ziehst dich warm an und setzt dich, obwohl es noch helllichter Tag ist, am Isarufer auf die Parkbank direkt unter der Straßenlaterne, die, sobald es dämmert, jeden Mann ohne Schatten entlarven würde. Du nimmst immer möglichst viel Platz ein, damit sich niemand zu dir gesellt. Ab und zu nippst du an einer grünen Flasche Fanta Klar, in die du Frauengold gefüllt hast, und beobachtest Halbstarke, die sich gegenseitig Bildchen auf Spielkarten zeigen und heiser lachen, du leerst in kürzester Zeit die ganze Flasche, und als du zu der Galerie aufbrichst, fragst du dich, ob du die einzige Siebzehnjährige bist, die Gleichaltrige als Halbstarke bezeichnet.

Eigentlich gehst du selten raus, aber heute ist die Chance, so zu tun, als wärst du auch eine von diesen Halbstarken. Du ahnst: Solange du in Muttis Nähe bleibst und am Fenster in deinem Zimmer Menschen auf der Straße beobachtest wie Raubtiere im Zoo, wird deine Angst nur wachsen. Es gibt keinen Mann ohne Schatten, sagst du dir, es gibt keine Schattenlosen.

Trotzdem achtest du bei jedem Mann darauf, ob er einen hat.

Am Eingang der Galerie hängt ein Plakat, auf dem Dalís Schnurrbart die Besucher anlächelt. Zu deiner Erleichterung ist die Ausstellung schlecht besucht; niemand wird sich an dir vorbeidrücken müssen, um ein Bild besser sehen zu können. Du findest Robert schnell. Bevor du ihn ansprichst, beobachtest du ihn dabei, wie er die Kunst betrachtet. Du fragst dich, wie es wäre, wenn er dich so betrachten würde. Bei ›The Font‹ begrüßt du ihn, hältst aber ausreichend Abstand, damit er nicht in Versuchung kommt, dir die Hand zu reichen.

»Du bist doch gekommen«, sagt er und überrumpelt dich mit einem hübschen Lächeln. Du hättest nicht gedacht, dass deine Anwesenheit jemals jemanden so hübsch lächeln lassen könnte.

Wieder möchtest du etwas Originelles von dir geben, aber du sagst bloß: »Ja.«

Gemeinsam wandert ihr durch die Ausstellung. Manchmal lest ihr euch gegenseitig vor, was unter den Bildern steht. Mehr als einmal ertappst du Robert dabei, wie er dich mustert. Bei ›The Discovery of America by Christopher Columbus‹, aus diesem Jahr, rempelt dich ein älterer Herr an, und du musst dich, um nicht hinzufallen, kurz an Roberts Schulter abstützen. Sofort entschuldigst du dich bei ihm.

Er sagt: »Das macht doch nichts.«

Du hoffst, dein Atem riecht nicht nach Alkohol. Robert kann ja nicht wissen, dass es Medizin ist.

In einer Verkaufsecke am Ende der Ausstellung zückst du deine Geldbörse und erwirbst drei Kunstdrucke. Als Robert dir am Ausgang die Tür aufhält, möchte er dir welche abnehmen und für dich tragen, aber du machst ihm deutlich, du schaffst das schon.

Draußen sieht Robert auf seine Armbanduhr und entschuldigt sich, besteht allerdings darauf, dich zur Tram zu bringen. Du kannst ihm nicht sagen, warum du nicht gerne Tram fährst, und auch nicht, dass du nach Hause laufen wolltest. Sonst wird er dich begleiten wollen, und dann könnte Mutti ihn sehen. Also gibst du nach und ihr spaziert zur Haltestation. Am Bahnsteig, als deine Linie einfährt, reicht er dir zum Abschied die Hand, und du trittst auf einen der Kunstdrucke, als du rückwärts stolperst. Robert hebt ihn auf und glättet mit zwei Griffen die Falte. Du bist ihm so dankbar, dass er gar nicht verlegen wirkt. Die Türen öffnen sich, und dir bleibt nichts anderes übrig, als einzusteigen. Ellbogen und Schultern anderer Passagiere streifen deinen Körper. Du bemühst dich, dir die Angst nicht ansehen zu lassen. Nun bist du der Boxer im Ring. Hättest du nur nicht das ganze Frauengold getrunken, jetzt könntest du es gut gebrauchen! Endlich trennt Robert und dich die Tür, und er winkt dir, wie Kinder winken, klappt seine Hand auf und zu, und schenkt dir noch einmal dieses hübsche Lächeln, und als die Tram abfährt, fragst du dich, ob er dir nachsieht.

Die Tram ist voll, Feierabendbetrieb. Sollst du die Kunstdrucke mit deinem Körper abschirmen, damit sie nicht zerdrückt werden, oder mit den Kunstdrucken deinen Körper schützen? Du drehst dich zur Tür, damit du nicht die anderen Passagiere sehen musst, und erinnerst dich daran, dass es keinen Mann ohne Schatten gibt. Dein Gesicht berührt fast eines der Fenster. Klassenkameraden nennen sie den Spiegel der Nichtsesshaften. Du musterst dich darin, siehst deine Hose, aus der du längst herausgewachsen bist, sodass sie fast einer dieser Caprihosen ähnelt, die Mutti dich niemals kaufen ließe, und du siehst deine klobige Jacke, deinen Pferdeschwanz, deine Tasche, die von deiner Schulter herabhängt, und jetzt, jetzt siehst du zum ersten Mal seit langer Zeit: dein Lächeln.

Du weißt nicht, wie es da hingekommen ist.

Neben dir lehnt ein Mann mit geöltem Seitenscheitel, wahrscheinlich ein Arbeiter aus Italien. Als eure Blicke sich treffen, lächelt er, und du guckst schnell weg. Nicht weit entfernt stehen drei großmütterliche Frauen in Lodenmänteln mit grünen Filzhüten, die sich beim Anfahren und Stoppen der Tram im Gleichgewicht halten, indem sie sich gegenseitig an den Mänteln ziehen. Auch sie lächeln dich an.

Die Tram bremst, und der Italiener steigt aus. Du nicht. Du bleibst stehen und fährst weiter durch München bei Nacht, du fährst die ganze Strecke bis zur Haltestelle in deiner Straße, und als du die Tram verlässt und kurz zum Fahrer siehst, passiert es wieder: etwas Kostbares, etwas, das Robert dir gezeigt hat, ein Lächeln.

Daheim hängst du die Kunstdrucke auf. Die Tapete in deinem (und früher auch Kurts) Zimmer – rote und blaue Blüten, die Allzweckvariante für Kinderzimmer – verschwindet hinter brennenden Giraffen und fließenden Ziffernblättern und Elefanten auf Stelzen. Das Zimmer wirkt sofort größer, und es kommt dir vor, als könntest du besser atmen, als hättest du Fenster eingebaut, durch die nun frische Luft hereinströmt.

Als Mutti zu dir kommt, würdigt sie die Bilder keines Blickes. Doch sobald sie auf der Bettkante Platz genommen hat, fixiert sie dich und sagt, mit Bieratem, dass du nicht zu Kunstausstellungen gehen solltest, Kunstausstellungen ziehen viele seltsame Gestalten an. Und du nickst. Sie hat ja recht. Schließlich waren Robert und du dort.

Während sie dir die Geschichte erzählt, blickst du immer wieder zu den Giraffen und Ziffernblättern und Elefanten.

An den Tagen darauf ist die Angst kleiner als sonst, obwohl du gar nicht so viel Frauengold trinkst. Du lächelst der Verkäuferin im Gemischtwarenladen zu und Herrn Steidl, deinem Deutschlehrer, und etlichen Fremden in der Tram, mit der du mehrmals fährst, auch wenn du nirgendwohin musst. Nicht jeder lächelt zurück, aber das ist dir egal, es bedrückt dich nicht. Dein Lächeln gehört dir. Niemand kann es dir nehmen. An der Isar, wenn du auf der Parkbank sitzt, erinnerst du dich an das eine oder andere Lächeln, und das fühlt sich so gut an, so gut hat sich lange nichts mehr angefühlt.

»Du lächelst«, sagt Mutti einmal, als du zu langsam am Wohnzimmer vorbeigehst.

Du bleibst stehen und korrigierst deine Miene.

»Hast wen kennengelernt.« Sie schenkt sich ein Glas Löwenbräu ein und muss dabei nicht hinsehen, um die Flasche rechtzeitig abzusetzen, bevor der Schaum über den Rand des Bierkrugs steigt. »Ein Lächeln kann gefährlich sein. Es erregt Aufmerksamkeit«, sagt sie und nimmt einen Schluck. »Ich an deiner Stelle wäre lieber vorsichtig.«

Wenn du ihr widersprichst, wird sie annehmen, sie liegt richtig. Also schüttelst du nur den Kopf, als wäre der Gedanke, dass du jemanden kennengelernt hast, ganz und gar abwegig, und verschwindest ohne Kommentar in deinem Zimmer, schließt die Tür etwas zu hastig, sodass sie dumpf knallt, und hoffst, Mutti fällt das nicht auf. Du öffnest eine neue Flasche Frauengold.

Nebenan legt Mutti eine Platte auf, und Papageno aus der ›Zauberflöte‹ meldet sich zu Wort. Die Dalí-Kunstdrucke zittern. Du berührst mit den Fingern die Wand und spürst die Vibrationen. Sie sollen dir ausrichten, dass du dich einsperren kannst, aber nicht fliehen. Sie weiß, dass du ihr etwas verheimlichst.

Du liegst im Bett. Die Scheinwerfer jedes vorbeifahrenden Autos lassen Licht über die Zimmerdecke wandern, vor allem aber Schatten, in denen du mehr siehst als in Wolken. Was wäre, wenn du morgen die Briefe abschickst? Wenn du sie alle in ein Paket steckst, das du an deinen Bruder adressierst?

Eine Möglichkeit: Dein Bruder reist noch am selben Tag zu dir. Du machst ihm auf, und ihr steht euch gegenüber, wortlos, weil ihr nichts zu sagen braucht. Er nimmt dich in den Arm. Danach führt er ein langes Gespräch mit Mutti. Sie will zuerst nicht einsehen, was er ihr zu sagen hat, aber am Ende bricht sie in Tränen aus. Sie wird aufhören zu trinken, sagt sie, für immer. Und sie hält ihr Wort. Sie rührt keinen Tropfen mehr an und macht nun ausgedehnte Spaziergänge entlang der Isar, bei denen du sie begleitest. Morgens bereitet sie dir Frühstück zu, nach der Schule kocht ihr gemeinsam. Sie lobt dich für deinen guten Geschmack (du hast ihr Robert vorgestellt). Jedes Mal, bevor sie ihren Plattenspieler benutzt, fragt sie dich, ob es dich stören würde. Sie sucht mit deinem Bruder und dir, Arm in Arm in Arm, ein Damenmodengeschäft auf, um sich neu einzukleiden. Mutti probiert ein veilchenblaues Kleid an, und da fällt dir zum ersten Mal auf, wie grazil ihre Figur ist und wie sympathisch ihr Blick und wie charismatisch ihr Lächeln; deine Mutter ist eine schöne Frau, denkst du. Zur Feier des Tages geht ihr aus und diniert an einem Tisch, den nur eine einzige zarte Kerze beleuchtet. Hinter euch tanzen eure Schatten miteinander, und Mutti entschuldigt sich für all die Jahre, in denen sie dir Blödsinn erzählt hat, ja, sie nennt es Blödsinn und Schmarrn, es gibt keinen Mann ohne Schatten, gesteht sie, und es tut ihr leid, es tut ihr so leid.

Du wartest am Stachus vor dem Gloria Filmpalast und versuchst, nicht daran zu denken, dass du noch nie in einem Lichtspielhaus warst; normalerweise hältst du dich fern von Orten, an denen Fremde sich im Dunkeln zusammenfinden. Du überlegst, was du machen sollst, wenn Robert nicht auftaucht. - Vielleicht wäre das sogar besser? Seit der Ausstellung vor einer Woche habt ihr kein Wort miteinander gewechselt. Jeder Augenkontakt in der Schule verriet dir, dass Robert sich wünschte, du würdest etwas zu ihm sagen. Und das wolltest du auch! Nur wusstest du nicht, wie. Also hast du ihm einen Zettel geschrieben und heimlich zugesteckt. Eigentlich tut man solche Dinge nicht, man steckt niemandem Zettel zu, besonders keinem Jungen, aber etwas stimmt nicht mit dir, du wolltest etwas tun, das Mutti nicht gefallen würde. Jetzt tut es dir leid. Du würdest dich gerne bei Mutti entschuldigen, dass du heimlich einen Jungen triffst. Aber du hast einen Moment zu lang an ihren despektierlichen Blick gedacht, mit dem sie dir dein Lächeln gestohlen hat, dieser Blick, mit dem sie dich manchmal ansieht, als würdest du nichts von der Welt wissen, und schon war der Zettel in

Roberts lederner Schultasche verschwunden. Wenn Briefe sich nur so leicht abschicken ließen!

Du fragst dich jetzt allerdings, ob er den Zettel überhaupt gefunden hat. Oder vielleicht hat er das sogar, aber sich dagegen entschieden, deiner Einladung zu folgen.

Da siehst du ihn auf dich zulaufen. Seine Nase wirkt heute besonders markant. Du freust dich, ihn zu sehen, aber du kannst nicht lächeln; ein Lächeln erregt nur Aufmerksamkeit. Bei der Begrüßung reicht er dir seine Hand, und du weichst zurück, aus Gewohnheit. Dabei wüsstest du gerne, wie sich seine Berührung anfühlt, und du ärgerst dich, dass du dir die Gelegenheit hast entgehen lassen. Robert ist schließlich ein Langweiler, er macht dir keine Angst. Und wenn du doch ein bisschen Angst empfindest, sagst du dir, das ist normal. In seiner Nähe fühlst du dich mutiger, und du brauchst Mut. Du brauchst ihn, um den Saal zu betreten, umringt von Dränglern, die es eilig haben, als Erste ihre Plätze zu besetzen. Du brauchst ihn, um allein auf die Toilette zu gehen und nicht loszuschreien, als ein Mann, während du dir die Hände wäschst, aus Versehen die Tür öffnet. Du brauchst ihn, um dein Herzklopfen zu ignorieren, als der Saal verdunkelt wird und die Schatten der Kinogäste unsichtbar werden.

Ihr sitzt in der vorletzten Reihe der Loge, direkt beim Ausgang. Die Plätze hast du beim Kauf ausgesucht. Robert faltet seine Hände im Schoß, du auch, die Lehne zwischen euch bleibt frei. Der Film beginnt: ›Bambi‹. Ein Zeichentrickfilm scheint dir am wenigsten bedrohlich. Und da bist du anscheinend nicht die Einzige. Die meisten Leute im Saal sind keine Kinder. Robert hat keinen Kommentar von sich gegeben, er hat nicht einmal geschmunzelt, als du ihm mitgeteilt hast, dass du ›Bambi‹ sehen willst, und dafür magst du ihn noch mehr.

Du verschränkst die Arme, Robert bewegt sich unruhig,

Bambi wird geboren; du legst deine Hand auf die Lehne zwischen euch, Robert fährt sich durchs Haar, Bambis Mutter stirbt; du streichelst die Armlehne, Robert beugt sich vor, Bambi verliebt sich; du gräbst deine Finger in den Filzbezug, Robert zieht die Beine an, Bambi flieht vor dem Feuer; du öffnest deine Hand, Robert legt seine Hand in deine, Abspann.

Ihr verlasst als Letzte den Saal.

Draußen dämmert es. Noch bevor du etwas sagen kannst, entschuldigt Robert sich wieder; er müsse dringend los. Diesmal bringt er dich nicht zur Tram. Du siehst ihm nach, bis er mit den Schatten der Stadt verwächst, und trittst dann den Heimweg an, gräbst deine Hände tief in die Jackentaschen und findest dort ein kleines, zweimal gefaltetes Blatt Papier, dick und weich. Du liest:

Das war schön.

Mehr steht da nicht. Er muss das vorher geschrieben und dir heimlich während des Films zugesteckt haben. Dir gefällt es, dass Robert schon vor eurem Treffen wusste, wie es sein würde. Du möchtest ihn fragen, ob er weiß, wie das weitergeht mit euch, ob er dir dazu auch etwas schreiben kann.

Auf dem Heimweg holst du immer wieder das Papier hervor und liest und spürst dein Lächeln zurückkehren.

Zu Hause legt Mutti den ›Walkürenritt‹ auf und will wissen, wo du dich herumgetrieben hast. Leere Löwenbräu-Flaschen stehen in der Küche. Du überlegst, ob du dich in deinem Zimmer einsperren sollst. Aber dann könnte Mutti ja nicht zu dir kommen und dir die Geschichte erzählen. Also lügst du und behauptest, du seist auf der Parkbank draußen eingeschlafen, entschuldigst dich und bezeichnest dich als Dummchen, als unvorsichtiges Dummchen. Du versprichst: So etwas wird nie wieder vorkommen. Dieses Versprechen wiederholst du so oft, bis Mutti verständnisvoll und zufrieden nickt.

Nachdem sie dir die Geschichte erzählt hat und gegangen ist, verschränkst du die Hände und stellst dir vor, eine von beiden gehört Robert.

Bei eurem ersten Telefonat am nächsten Abend, das du im Flüsterton führst, sprechen Robert und du eine Weile über ›Bambi‹. Ihr erzählt euch gegenseitig die Handlung und zitiert Sätze, als hättet ihr den Film nicht beide gesehen, aber es ist auch gar nicht wichtig, was genau ihr sagt, denn solange ihr etwas sagt, müsst ihr nicht auflegen. Bald bedauerst du, dass er dein Lächeln nicht sehen kann, und noch mehr, dass du ihn nicht sehen kannst, und du wünschst dir, er wäre hier, und als hätte er den Wunsch gehört, schlägt er vor, dass du ihn besuchst.

»Jetzt gleich?«

»Eigentlich meinte ich morgen.«

Du sagst nichts. Natürlich meinte er morgen. Was hast du denn gedacht? Dass er dich jetzt, spätabends, zu sich ruft? Was würde sein Vermieter davon halten! Wie ist es überhaupt um seine Wohnsituation bestellt? Du kennst Robert doch kaum. Er hat dir ein Lächeln geschenkt, ja, ein hübsches, wohltuendes Lächeln, aber trotzdem nur ein Lächeln. Deswegen kannst du doch nicht blind durch die dunkle Stadt rennen.

Robert räuspert sich einmal, es hört sich an, als hätte er über deine Idee nachgedacht und setze an, um dich einzuladen, und obwohl du bereits in Gedanken nach einer Ausrede suchst, hoffst du doch ein wenig, dass du seine Einladung wirst akzeptieren können, auch wenn das gegen alles verstößt, was du gelernt hast, und du weißt, wem das nicht gefallen wird.

Aber dann spricht Robert von Tee, am nächsten Tag, und als du zustimmst, bist du dir ganz sicher, dass er, wie du, lächelt.

Robert und du trinken Kamillentee im Hinterhof eines denk-
malgeschützten Einfamilienhäuschens. Du könntest fast vergessen, dass du dich in der Stadt befindest: von Moos über-
wucherte Steinplatten; eine zwei Meter hohe Thujenhecke;
Zitronenmelisse, Schnittlauch und Petersilie in einem Garten-
beet; ein wuchernder Rosenstock.

Am Boden stapelt ein Junge in Windeln bunte Bauklötze.
Seinetwegen ist Robert immer so plötzlich aufgebrochen. Solange er den Jungen hütet, überlassen die Eltern Robert ein
günstiges Zimmer. Von einem männlichen Kindermädchen hast
du noch nie gehört, aber das bestätigt deinen Eindruck, dass du
vor Robert, dem Langweiler, keine Angst haben musst. Noch
dazu gibt dir die Gegenwart des Jungen das Gefühl, dass alles in
Ordnung ist. Dass dir keine Gefahr droht. Du weißt, das ergibt
keinen Sinn, aber in der Nähe von Kindern, so scheint dir, kann
dir nichts passieren. Du sitzt mit Robert auf einer morschen
Holzbank, von der weiße Farbe abblättert, und achtest darauf,
mit vielen Fragen das Gespräch immer wieder auf ihn zu lenken, damit du ihm nicht aus deinem Leben erzählen musst. Ihr
unterhaltet euch über das Studium in alter Geschichte, das er im
Herbst beginnen wird; über seinen Vater, der im Krieg gefallen
ist; und über seine Mutter, die inzwischen bei ihrer Schwester in
Kanada lebt und ihm jeden Monat Geld überweist, das er nicht
anrührt, weil er nicht will, dass sie denkt, sie könnte sich ihre
Abwesenheit erkaufen. Robert sieht sie höchstens einmal im
Jahr.

Als du ihn fragst, warum er nicht zu ihr zieht, meint er: »Sie
lächelt zwar viel, aber nur mit dem Mund. Sie hat vergessen,
wie es ist, mit den Augen zu lächeln.«

Nie zuvor hast du jemanden so sprechen hören, und es -
beeindruckt dich. Erst als Robert diese Worte zu dir sagt, bemerkst du, dass du lange auf sie gewartet hast. Du würdest

ihm gerne sagen, dass es Mütter gibt, die fast nie lächeln, aber du schweigst, weil du Mutti nicht an diesen Ort bringen willst.

Beim Abschied lässt du es zu, dass Robert deine Hand lange hält. Er lächelt viel mit den Augen und selten mit dem Mund.

Daran denkst du, als du später die Wohnungstür aufschiebst und erschrickst, weil Mutti direkt dahinter auf einem Stuhl sitzt. Sie riecht nach Löwenbräu. Missbilligend betrachtet sie ihre Armbanduhr. »Das ist schlimm«, sagt sie, steht auf, schwankt, wehrt deine Hilfe ab, stützt sich auf den Stuhl, atmet einmal durch und schleift ihn dann hinter sich her, verschwindet ohne ein weiteres Wort im Wohnzimmer.

Als du dich fürs Bett fertig gemacht hast, wartest du darauf, dass sie in dein Zimmer kommt und dir die Geschichte erzählt. Nach einigen Minuten, die du alleine daliegst, denkst du, du musst dich nur gedulden. Nach einer halben Stunde fängst du an, dich zu sorgen. Und nach mehr als einer Stunde beginnst du, nach ihr zu rufen. Du stehst auf und willst ins Wohnzimmer gehen, aber die Tür ist abgeschlossen. Die Tür war noch nie abgeschlossen. Du rüttelst daran. Was ist passiert? Das sagst du laut: »Was ist passiert?« Dabei weißt du das ja, du weißt ganz genau, was passiert ist. Du hast Mutti enttäuscht. Natürlich will sie dir nicht aufmachen und die Geschichte erzählen. Du bist ja selbst schuld.

Auch später in dieser Nacht kommt sie nicht zu dir. Sie spielt nicht einmal Musik.

Die Stille ist so laut, dass du nicht schlafen kannst.

In den Wochen darauf konzentrierst du dich auf dein Abitur und gehst Robert aus dem Weg, obwohl beides wenig Sinn macht. Du musstest noch nie für die Schule lernen; es genügt, wenn du vor einer Prüfung deine Notizen überfliegst, damit dir das, was die Lehrer euch im Unterricht mitgeteilt haben, wieder präsent ist. Und Robert kannst du gar nicht aus dem Weg gehen; er besucht dieselbe Schule, ihr seht euch fast jeden Tag. Dass du dein Lächeln unterdrückst und ihm Augenkontakt verweigerst, reicht aber schon, damit er dich nicht mehr anspricht. Robert wirkt in diesen Tagen wie ein geschlagener Boxer, der alle Zuversicht verloren hat. Die Angst, dass er etwas falsch gemacht hat, liest du aus jedem seiner verstohlenen Blicke, die dir folgen, wenn er glaubt, dass du es nicht merkst. Aber wie sollst du ihn je wiedersehen, ohne Mutti zu enttäuschen? Nur, weil du ihr versprochen hast, niemanden zu sehen und immer pünktlich nach Hause zu kommen, erzählt sie dir wieder die Geschichte. Du bist ihr dankbar, dass sie dir verziehen hat. Aber du bist dir nicht sicher, ob du Mutti ihre Worte verzeihen kannst. *Das ist schlimm.* Als hätte sie gewusst, welche Nachricht du von Robert nach eurem Kinobesuch gefunden hast, als hätte sie drei Worte ausgewählt, die sich wie ein Bann über Roberts Worte legen. Es macht dich wütend, dass sie dir seine Worte genommen hat, du kannst sie nicht mehr lesen, ohne an die von Mutti zu denken, und du willst ihr zeigen, dass sie unrecht hat; gar nichts an deinen Treffen mit Robert war schlimm, gar nichts. Nur weißt du, dass dir das niemals gelingen kann. Robert mag dich noch so gut behandeln und dir etliche liebe Nachrichten zustecken, Mutti wird ihm nicht trauen. Du willst nicht, dass sie alles, was dir an Robert gefällt, verdirbt, und auch deswegen suchst du Distanz zu ihm. Damit wenigstens das, was zwischen dir und Robert hätte sein können, nicht von ihr berührt werden kann.

Am Tag der Abiturfeier kaufst du drei Flaschen Frauengold und legst dich ins Bett.

Mutti hat ihre ganz eigene Definition von solchen Festen: Junge Menschen vergessen, was sich gehört, und tun, was sie wollen, weil sie glauben, die ganze Welt läge ihnen zu Füßen. Ihrer Meinung nach ist kaum etwas gefährlicher als ein solches Fest.

Du vermutest, sie vermutet, dass die Person, die du vor einigen Wochen zwei Mal getroffen hast, in wenigen Stunden auch auf dieser Feier erscheinen wird. Womit sie bestimmt richtigliegt. Es ist deine letzte Möglichkeit, Robert zu sehen, bevor eure Schulzeit endet. Du leerst zügig die erste Flasche, damit jede Minute, die du in deinem Zimmer und nicht in der Aula des Gymnasiums verbringst, schneller vorbeigeht; doch je mehr Medizin du trinkst, desto klarer wird dir, dass Muttis Einschätzung von jungen Menschen gar nicht so verkehrt ist.

Eine Stunde später bist du auf dem Weg. Der Abend ist lau. Aus offenen Fenstern dringt blecherne Radiomusik auf die Straße. Kinder donnern einen Fußball gegen ein Garagentor und streiten sich darum, wer von ihnen wie Uwe Seeler spielt.

In deiner Tasche befinden sich zwei Kerzen und eine Flasche Weißwein, den sie in der Eckkneipe auch an minderjährige Mädchen verkaufen, wenn diese so brav aussehen wie du und behaupten, sie seien von ihren Eltern geschickt worden. Du würdest lieber Frauengold mit Robert trinken, aber erstens ist er ja ein Mann, und zweitens soll er nicht denken, dass du Medizin brauchst.

Kaum zwanzig Minuten nachdem Mutti dir die Geschichte erzählt hat, bist du aus der Wohnung geschlichen. Sie schlief bereits. Diesmal wird sie nichts von deiner Abwesenheit mitbekommen, sagst du dir und versuchst, nicht weiter darüber nachzudenken.

Du hast nicht vor, die Feier aufzusuchen, aber wenn du echtes Glück hast, wirst du Robert zu Hause antreffen. Und mit noch mehr Glück wird er mit dir trinken, damit ihr vergesst, was sich gehört, und tut, was ihr wollt.

Die weiße Holzbank im Garten ist leer, die Terrassentür nicht abgesperrt. Du betrittst das Haus. Auf dem Teppichboden im Wohnzimmer liegen bunte Bauklötze verstreut. Die Wände zieren schwarz-weiße Familienfotos, ein wiederkehrendes Dreiergespann aus Frau, Mann und Kind, teils unscharf oder unterbelichtet; bei einem schneidet der schwarze Fleck eines Fingers dem Kind den Kopf ab.

Du hörst ein Platschen, wie von einem schweren Stein, der ins Wasser fällt, und folgst dem Geräusch zu einer angelehnten Tür, schiebst sie vorsichtig auf.

In der Badewanne sitzt ein nackter Mann mit ergrauten Schläfen. Du erkennst ihn von den Fotos wieder. Er hat den kleinen Jungen, ebenfalls nackt, auf seinem Schoß. Der Junge nuckelt an seinem Daumen, gibt keinen Laut von sich. Der Mann sieht fröhlich aus, der Junge nicht. Er hat gerötete Augen. Weint er stumm? Als der Mann dich bemerkt, drückt er den Jungen an sich und sagt etwas, das du nicht hörst; du willst ihn auch nicht hören, denn du siehst nur den nackten Mann mit dem kleinen, nackten Kind, und etwas in dir sträubt sich dagegen. Du holst aus, mit einer langen Bewegung, und verfehlst mit deiner Tasche den Mann, triffst den Spiegel. Der bekommt nur eine Delle, darin du, plötzlich unförmig und fett. Der Junge plärrt. Der Mann rennt an dir vorbei. Du greifst nach ihm, sein nasser Fuß entgleitet dir, und als du ihnen folgst, prallst du im Wohnzimmer gegen Robert, der einen Smoking trägt. Er packt dich. Wie stark er ist! Du schreist, schlägst auf ihn ein, aber er lässt nicht los, zieht dich mit sich nach draußen, bis ihr euch auf dem Rasen befindet, im Schatten einer Thujenhecke. Statt sich zu wehren, drückt er dich an sich und legt seinen Kopf neben deinen und sagt dir, das sei sein Vermieter, Herr Johannsen, der

Vater des Jungen, und er sagt dir auch, alles sei in Ordnung, alles sei gut; und obwohl du ihm nicht glauben willst, beruhigt dich das; du wünschst dir, du könntest ihm sagen, dass all das Muttis Schuld ist, nur wegen ihr bist du so. Aber du sagst nichts, hältst Robert nur fest, so fest du kannst, und hörst jemanden weinen und merkst erst nach einer Weile, dass du das bist.

Du weißt nicht, wie viel Zeit verstreicht, bis er deine Hand nimmt und mit dir zur Isar geht. Dort setzt ihr euch auf einen Brückenpfeiler. Du siehst Robert nicht an, du weißt nicht, wie du ihn jemals wieder ansehen sollst.

»Ich hab kaum eigene Anziehsachen«, sagt er und lockert die Fliege seines Smokings.

Deine freie Hand, deren Finger nicht mit seinen verschränkt sind, fährt über den rauen Fels. Du siehst ihn nicht an.

»Wenn ich die Sachen von meinem Vater trage, glaube ich manchmal, ich verstehe, wer er war. Wie er gelebt und sich gefühlt hat. Wie das gewesen sein muss, im Krieg.«

Du hörst ihm zu und bist froh, dass er mit dir redet, du willst, dass er nie aufhört, mit dir zu reden.

»Und dann«, sagt er, »denke ich, ziemlich dumm zu denken, dass ich es verstehen kann. Man kann niemanden ganz verstehen. Aber man muss das auch nicht.«

Du siehst ihn nicht an. Deine Hand wandert an der Naht seines weißen Hemds entlang, das vom vielen Waschen einen Grauton angenommen hat, und dein Arm zieht ihn langsam zu dir. Deine Lippen küssen ihn, deine Hand hält seine Hand, deine Augen sind geschlossen.

In dieser Nacht beginnt der Sommer, in dem du deinem Bruder keinen Brief schreibst. Der Sommer, in dem du zu Robert meinst, nicht ein Bild – nicht einmal eins von Dalí –, sondern ein Kuss sage mehr als tausend Worte. Der Sommer, in dem Robert und du Kirschkerne von der Reichenbachbrücke spucken, in dem ihr auf einer Parkbank im Nymphenburger Schloss sitzt und den Himmel über euch betrachtet, in dem du Robert so lange ansiehst, bis er rot wird.

Aber auch der Sommer, in dem du weißt, dass Mutti dich streng bewacht; der Sommer, in dem sie dich täglich ermahnt, dir Gedanken um ein Studium zu machen, und darum, Geld zu verdienen, damit du dir jenes Studium leisten kannst; der Sommer, in dem du sie stets vertröstest, dass du dich bald darum kümmern wirst; der Sommer, in dem Mutti dir kaum mehr Geld gibt; der Sommer, in dem Mutti damit beginnt, den Schlüssel in der Wohnungstür stecken zu lassen, und dir erst aufmacht, wenn du lange gegen ihre Musik anklingelst, um dann zu behaupten, sie habe dich erstens nicht gehört und zweitens keinesfalls vergessen, den Schlüssel abzuziehen; der Sommer, in dem du sie, als könntest du damit etwas wiedergutmachen, oft bittest, dir die Geschichte zu erzählen, auch wenn sie das ohnehin nicht selten tut; und der Sommer, in dem du, wenn sie dir die Geschichte erzählt, nur an Robert denkst.

Im August radeln Robert und du entlang der Isar nach Süden ins Voralpenland. In seinem Rucksack transportiert er zwei Baumwolldecken. Du hast eine Tasche auf den Gepäckträger geklemmt, darin ein Korkenzieher, zwei Weißweinflaschen, Brot, Käse. Ihr bewegt euch durch heiße, dicke Luft. Dein Kopf fühlt sich schwer an, Roberts Stirn glänzt. Du siehst Schweißperlen von seinem Haaransatz in den Nacken tropfen. Bei einer Pause öffnet ihr die erste Flasche Wein und trinkt, weil für Gläser kein Platz übrig war, abwechselnd daraus. Ihr müsst grinsen. Vielleicht, denkst du, ist es gar nicht so schlimm, dass etwas nicht mit dir stimmt. Robert scheint es jedenfalls nicht zu stören. Der Wein hilft dir, ihm zu zeigen, was du für ihn empfindest. Es ist nicht nur ein gutes, es ist auch ein sehr starkes Gefühl, so stark, dass es nicht in dir bleiben will und du es hinauslassen musst: Du nimmst Roberts Hand und küsst sie. Da fällt ihm die Flasche aus der anderen Hand auf die Straße. Ihr seht einander an, dann lacht ihr verlegen. Du sagst ihm, das mache doch nichts, und dass das Glitzern der Scherben dich an eine Wasseroberfläche erinnere. Gegen Mittag biegt ihr vor dem Ortsschild von SEGENDORF auf einen Feldweg ein. Ihr fahrt auf der Grasnarbe in der Mitte des Weges, der um einen Hügel herumführt. Die verbliebene Weinflasche und der Korkenzieher in deiner Tasche machen bei jedem Schlagloch auf sich aufmerksam. Nach einigen Metern lasst ihr die Fahrräder in der Wiese liegen und steigt den Hügel nach oben, du ziehst Robert an der verschwitzten Hand. Auf der Kuppe steht eine Eiche ähnlich der auf einem Einband in Muttis Bücherregal: ›Gedichte des Freiherrn von Eichendorff‹. Auf der Segendorf abgewandten Seite des Hügels seht ihr die Landstraße, eure Fahrräder im Gras und hinter einer weiten, tiefgrünen Wiese die ersten Ableger eines Nadelwaldes. Grillen machen ihr Sommergeräusch. Ihr breitet die Decken im Schatten der Baumkrone aus. Robert lehnt sich gegen den Stamm, und du legst deinen Kopf auf - seinen Oberschenkel. Abwechselnd trinkt ihr aus der zweiten Weinflasche. Einmal hältst du sie an seine Lippen, in einem - steilen Winkel, sodass ihm der Wein übers Kinn läuft. Er lacht mit dir und beschwert sich nicht. Du magst das, dass er sich eigentlich überhaupt nicht beschwert. Dafür küsst du ihn, schmeckst süßen Wein und seinen Schweiß, schmiegst dich an ihn. Robert lächelt, mit Augen und Mund. Das macht dein

Gefühl so stark, dass du noch mehr davon hinauslassen musst. Du öffnest deine verschwitzte Bluse, und er sieht dich an, als würde er um Erlaubnis bitten, und du nickst, und dann berührt er mit den Fingerspitzen die Stelle zwischen deinen Schlüsselbeinen, streichelt deinen Hals, deine Arme, die Außenseite deiner Brüste. Du beobachtest ihn, lässt es geschehen, trinkst.

Ihr küsst euch, einmal kurz und dann viel länger, beim Küssen spürst du sein Lächeln. Du drückst dich gegen ihn und atmest ruhig, dir wird bewusst, wie ruhig du atmest. Du hast keine Angst. Robert ist ein, Robert ist dein Langweiler. Trotzdem blinzelst du nicht, schließt keinmal die Augen, schlingst ein Bein um ihn. Er fühlt sich so warm an, das gefällt dir, und er legt einen Arm um dich, das gefällt dir auch, und mit einem Mal glaubst du, nein, du weißt, dass du nie wieder so glücklich sein wirst, und darum willst du, dass ihr euch ganz auszieht, du drängst ihn dazu, du musst jetzt mit deiner Haut seine Haut spüren, und Robert, dein Robert, zögert bei jedem Kleidungsstück, widmet dir immer wieder diesen Blick, mit dem er um Erlaubnis bittet, obwohl du längst entschieden hast, und du presst deinen Körper gegen seinen, und er hält inne, aber du sagst ihm, es kann nichts passieren, es kann gar nichts passieren, das ist dein erstes Mal, worauf er dir sagt, dass es auch sein erstes Mal ist. Das zu hören, macht dieses Gefühl in dir so stark, dass du ihm mitteilen musst, wie lieb du ihn hast, und da spürst du ihn in dich eindringen, und das tut nicht so weh, wie du erwartet hast. Zunächst rührt ihr euch kaum, weil du ihm zuflüsterst, er solle vorsichtig sein, aber dann beginnt ihr, euch zu bewegen, langsam, gemeinsam, du küsst Robert mit offenen Augen, hältst seinen Kopf fest und küsst ihn.

Danach liegt ihr nebeneinander auf dem Rücken. Sonnenstrahlen bohren sich durch das Geäst der Eiche und werfen warme Flecken auf eure Haut. Du erwiderst Roberts Lächeln und fährst mit deiner Hand seinen weißen Körper entlang, und du bist ihm dankbar, dass er nichts sagt, dass er einfach nur lächelt und mit keinem Wort das Blut an euren Schenkeln erwähnt.

Ein paar Wochen später schreibst du wieder einen Brief an deinen Bruder: Es ist was passiert, und du weißt nicht, wie das passieren konnte, schreibst du. Obwohl du sehr genau weißt, wie das passiert ist. Du dachtest, das kann nicht passieren, jedenfalls nicht beim ersten Mal. Aber dein Hausarzt, dem du dich heimlich, ohne irgendwem davon zu erzählen, anvertraut hast, hat dir erklärt, was du noch vor Kurzem nicht geglaubt hättest: Es kann immer passieren.

In der Schule hast du oft das Getuschel anderer Mädchen belauscht und Gerüchte gehört. Von im Dunkeln glühenden Penissen; von Mädchen, die einen Jungen geküsst haben oder nur im selben See wie er geschwommen sind und so schwanger wurden; von Männern, die nur tausend Schuss haben.

Hättest du die Gerüchte ernster nehmen sollen?

Nun ertappst du dich ständig dabei, wie du mit der Hand deinen Bauch abtastest, feine Härchen spürst, Irritationen der Haut, deinen Herzschlag – und was noch? Du bist dir nicht sicher, wonach du suchen sollst. Ist da noch mehr? Kann man es sehen? Jeden Morgen stellst du dich nackt vor den Spiegel und musterst dich von der Seite.

Du siehst aus wie immer, oder?

Was wird Robert dazu sagen? Du musst es ihm erzählen. Wird er dich daran erinnern, dass du behauptet hast, es könne nichts passieren, es könne gar nichts passieren? Wird er dir Vorwürfe machen? Oder einen Heiratsantrag?

Robert ist einer von den Verantwortungsvollen, er wird dich nicht deinem Schicksal überlassen, das wird er nicht, das würde er niemals tun, da bist du dir ganz sicher. Nicht so sicher bist du dir, ob du heiraten willst, es geht dir alles zu schnell.

Noch mehr fürchtest du, dass er sich über die Neuigkeiten freuen wird. Das wäre dir nicht recht; er soll sich nicht freuen, bevor du das kannst.

Und dein Bruder?

Er wird die Stirn runzeln und dich, als ob du das nicht weißt, daran erinnern, dass du gerade einmal siebzehn Jahre alt bist. Minderjährig! Und er wird dir sagen, ihr braucht einen Plan. Dann wird er mehr über Robert wissen wollen und dich schließlich fragen, ob du es willst. Du kannst dir vorstellen, dass er dir keinen Rat geben wird, um sicherzustellen, dass allein du die Entscheidung triffst. Er will immer alles richtig machen, soll heißen, alles für sich selbst richtig machen. Dabei wünschst du dir, er würde dir etwas Falsches raten. Natürlich würdest du nie zu einer Engelmacherin gehen, wie Sandra aus der Untersekunda, die bei dem Eingriff fast ihr Leben verlor. Aber wenn Kurt dir so etwas nahelegen würde, könntest du ihm wenigstens widersprechen und müsstest dein ungeborenes Kind nicht vor dir selbst verteidigen, wenn du wieder einmal darüber nachdenkst, ob das Risiko tatsächlich so hoch ist.

Und Mutti.

Sie wird gar nichts dazu sagen. Sie wird dir einen Blick zuwerfen, den sie all die Jahre für eine solche Situation aufgespart hat, einen Ich-wünschte-du-wärst-nicht-meine-Tochter-Blick. Vielleicht werdet ihr nie wieder miteinander reden, statt Worten werden bloß mehr Muttis klassische Melodien aus dem Wohnzimmer kommen. Und wäre das so schlecht?

Du wartest noch. Für solche Nachrichten gibt es keinen guten Zeitpunkt. Aber einen schlechten und einen nicht so schlechten. Im Herbst erwähnt Robert einen Cousin, über den er für euch an eine Wohnung kommen kann. Robert ist es leid, Kindermädchen zu spielen, um sich die Miete leisten zu können, und was du leid bist, hast du ihm zwar nicht erzählt, aber du glaubst, er ahnt es ohnehin, schließlich hast du ihm Mutti nie vorgestellt. Die Wohnung könnte euer Zuhause werden, sagt Robert. Sein Cousin war schon einmal in New York, er gilt als progressiv und würde euch erlauben zusammenzuleben. Sogar ohne Trauschein.

Bedeutet das, Robert hat nicht vor, dir einen Antrag zu machen? Du wagst es nicht, ihn zu fragen. Er könnte ja vor dir auf die Knie gehen. Oder er könnte davonlaufen. Vor beidem hast du Angst.

Stattdessen gibst du ihm einen Kuss. Das kann nicht falsch sein.

Was für eine Idee: zusammenleben. Neben Robert aufwachen, jeden einzelnen Tag, immer in dem Wissen, dass du nirgendwo sonst sein möchtest als genau dort, in diesem Bett, bei deinem lieben Langweiler.

Es bereitet dir Freude, über eine solche Zukunft zu fantasieren. Obwohl du weißt, dass du keinesfalls zu Hause ausziehen kannst. Wer wird dann dafür sorgen, dass Mutti wenigstens einmal pro Tag etwas Festes zu sich nimmt? Wer wird die Wohnung reinigen? Wer wird ihr Löwenbräu besorgen? Und wer wird dir die Geschichte erzählen?

Du hast Robert lieb. Aber Mutti kann nicht ohne dich und du kannst nicht ohne Mutti sein. Keinesfalls.

Als die Souterrainwohnung in der Friedrichstraße in Schwabing sich als erschwinglich herausstellte, ermutigst du Robert, seinem alten Vermieter zu kündigen. Du hilfst ihm bei seinem Umzug und vertröstest ihn täglich, dass dein eigener bald folgen wird. Du schreibst einen Brief an deinen Bruder, in dem du ihn fragst, wie du Robert mitteilen sollst, dass du schwanger bist, wenn du ihm nicht einmal zu sagen wagst, dass er allein in eurer Wohnung leben wird. Auch dieser Brief gesellt sich zu den anderen.

Robert ist zu glücklich. Darin liegt das Problem. Wenn du dich so geräuschlos wie möglich auf der Toilette übergibst, damit Robert oder Mutti dich nicht hören, brauchst du nur an sein Lächeln zu denken, mit dem er zum ersten Mal die Gläser in der neuen Küche abgespült und ins Regal gestellt hat – und schon spürst du sein Glück. Das einfache Glück, ein Glas zu reinigen, von dem er glaubt, dass ihr noch oft daraus trinken, mit dem ihr viele Male anstoßen werdet. Du weißt, wenn du ihm die Wahrheit sagst, wäre das, als würdest du alle seine - Gläser zerbrechen, bevor auch nur einmal aus ihnen getrunken wurde.

In den Wochen darauf – Robert hat längst sein Studium in alter Geschichte begonnen – stellt sich heraus, wieso die Wohnung so günstig ist. Nach dem Krieg hatten die Zimmer jahrelang leer gestanden; jeden Tag geben sie einen neuen Makel preis: undichte Wasserleitungen, bröselnder Wandanstrich, altersschwache Sicherungen. Nun wird deutlich, dass Robert nie die Erziehung eines Vaters genossen hat. Er kann eine Rohrzange kaum von einer Kneifzange unterscheiden. Wenn du ihm bei kleineren Reparaturen hilfst, sieht er dir jedes Mal ungläubig zu, als wärst du die erste Frau der BRD, die mit Werkzeug umgehen kann. Er tut dir leid. Du tröstest ihn: »Bist eben ein Geisteswissenschaftler.«

Du bedauerst nicht, wie wenig er von diesen Dingen versteht, im Gegenteil, du bist dankbar, dass du ihm helfen kannst. So wird er es dir hoffentlich nicht so übel nehmen, wenn du ihm mitteilst, dass du nicht bei ihm einziehen kannst. Außerdem kennst du dich mit solchen Problemen aus. Wenn Mutti ruft:

»Die Heizung geht nicht!«, meint sie damit immer: »Lass Luft aus der Heizung, Ava!« Und »der Boiler ist aus« heißt: »Reparier den Anschluss, Ava.« Und »Gasleck!« steht für »Überprüf alle Leitungen in der Wohnung, Ava, und zwar sofort!«.

Ein gewöhnlicher Morgen im Oktober: Regen klopft ans Fenster, die Scheiben sind beschlagen. Mutti denkt, du bist bei der Studienberatung, dabei brätst du in Roberts Küche mit Butter Brot an, bevor du ein Ei drüberschlägst; das erste Gericht, das dir dein Bruder beigebracht hat. Der Radiosprecher kommentiert im Wettstreit mit Rauschen das Attentat auf den irakischen Ministerpräsidenten, und du fragst dich, wen das in der BRD interessiert. Dich jedenfalls nicht. In deinem Land, in jedem Teil deines Landes, sind so viele Dinge im Argen, wen kümmern da schlechte Neuigkeiten aus dem Ausland? Das ist vielleicht dein erster politischer Gedanke überhaupt. Andere diskutieren täglich, dass es so nicht weitergehen könne. Robert, der sich eigentlich weniger für das Hier und Jetzt als das Damals interessiert, lässt sich zu deiner Überraschung von den Debatten an der Uni anstecken, die von einer Randgruppe aus Unruhestiftern und Faulenzern geführt werden; sie halten Konrad - Adenauer für eine Marionette westlicher Staatsmächte und das Wirtschaftswunder für ein Instrument, geschaffen, um die deutsche Bevölkerung zu kontrollieren. Aber du willst nichts von Politik und einer sich angeblich anbahnenden Revolution wissen. Robert kann dich ruhig, auf seine liebevolle Art, als Biedermeierin bezeichnen. Du wirst dich nicht an solchen Auseinandersetzungen beteiligen. In deinem Leben gibt es schon mehr als genug Konflikte.

Robert kommt in die Küche und trinkt aus der Milchflasche. Du küsst ihm einen Tropfen aus dem Mundwinkel und sagst: »Ich bin schwanger. Möchtest du etwas frühstücken?«

Er hat keine Zeit für ein Frühstück, du weißt das. Aber bloß drei Worte als Begrüßung, an diesem Morgen, scheinen dir zu wenig. Robert lässt die Milchflasche fallen; sie zerspringt beim Aufprall und zeichnet einen weißen Stern auf den Linoleumboden. Und noch während du denkst, wie hübsch das aussieht, umarmt Robert dich.

An diesem Tag gönnt ihr euch Eisbein mit Sauerkraut. Ihr wälzt euch im Bett, und du hörst gar nicht mehr auf zu lächeln. Du denkst, nicht zum ersten Mal in seiner Nähe: Vielleicht ist es ja egal, dass etwas nicht mit dir stimmt. Als Robert eingeschlafen ist, betrachtest du sein Gesicht. Du gehst so nah heran, dass sein Atem deinen Hals streift, und fragst ihn, flüsternd, was du ihn nicht fragen kannst: »Freust du dich wirklich? Hast du dir das gewünscht? Willst du ein Kind haben mit mir? Kannst du dich wirklich freuen?«

Du musterst ihn lange, bis er die Augen aufschlägt und dich anblinzelt: »Was ist?«

Du sagst: »Danke.«

Robert fragt nicht, warum. Er schmiegt sich an dich und schläft bald wieder ein. Du nicht. Aber das macht nichts. Wach neben Robert zu liegen ist fast so gut wie richtiger Schlaf.

Wochen vergehen, und Robert fragt dich nie, ob du seine Frau werden willst oder warum du noch immer nicht bei ihm eingezogen bist oder was deine Mutter von all dem hält oder: ob du das Kind willst. Du bist froh, dass er keine Fragen stellt, vor denen du dich fürchtest. Es bleibt bei einem gemeinsamen Ja, das ihr nie aussprecht, das sich aber umso stärker anfühlt, weil ihr es nie aussprechen müsst. Das Beste an Robert ist: Du kannst ihn lieben, weil du eine genaue Vorstellung davon hast, wer er ist. Robert hat keine verborgenen Seiten. Du wunderst dich, dass jemand wie er mit jemandem wie dir sein Leben teilen will. Wenn ihr euch nicht seht und du diese Zeit nicht nutzen musst, um daheim zu sein, damit Mutti denkt, es sei alles wie immer, obwohl nichts je mehr wie immer sein wird, dann schlüpfst du in deine Stiefel, wirfst den Mantel über und machst einen Ausflug zu einer Apotheke in der Maxvorstadt, die zu weit entfernt ist, als dass Robert und du sie je aufsuchen würdet. Das Frauengold stürzt du gleich auf der Parkbank in der Nähe hinunter. Jedes Mal liest du den Spruch, den jemand in die Rückenlehne geritzt hat: *Lebe weniger, und du lebst länger.* Weitere Flaschen versteckst du unter Roberts Spüle, hinter den Reinigungsmitteln. Bis der Apotheker einmal, als du nach drei Flaschen Frauengold fragst, auflacht und meint: »Ah, Sie sind's!«

Du lässt die Flaschen stehen und gehst. Du denkst nicht darüber nach, wohin. Deine Füße tragen dich nach Hause. Dort rennst du die Treppe nach oben und sperrst hastig die Tür auf, als würde dich jemand verfolgen. Dann stehst du im Wohnzimmer, wo Mutti gerade dabei ist, ein Bild mit einem Lappen abzustauben. Als sie dich bemerkt, erstarrt sie. Du hast sie noch nie dabei beobachtet, wie sie irgendetwas sauber gemacht hat, und du stellst fest, dass du jenes gerahmte, silberne Plakat, vor dem sie steht, nie zuvor gesehen hast. Seit wann hängt Mutti Bilder auf? Die Frontansicht eines Gebäudes, das einem Palais ähnelt. *Hotel Fürstenhof* steht darunter. Mutti spricht nie darüber. Von deinem Bruder weißt du aber, dass jenes Hotel sich in Leipzig befindet und einmal in Familienbesitz war. Nach dem Tod von Muttis Vater Mitte der Fünfziger hat die DDR es sich einverleibt. Es wurde von der HO-Gaststätten Leipzig übernommen.

Mutti drückt dir den Lappen in die Hand. »Mach das - sauber.«

»War es ein gutes Hotel?« Dich überrascht deine Frage ebenso sehr wie Mutti. Sie richtet ihren Blick auf deine Stirn, was dir immer das Gefühl gibt, nicht groß genug zu sein. »Das beste am Platz.« Mutti geht zu dem Regal mit ihren Schallplatten, fährt mit dem Zeigefinger über deren Kanten, ähnlich wie du das mit deinen Briefen machst. »Muss auch abgespült werden.«

Du kannst von dort, wo du stehst, in die Küche sehen; im Waschbecken befindet sich nur eine einzige leere Tasse.

Mutti entscheidet sich für den ›Tannhäuser‹. Du beobachtest, wie vorsichtig, ja, fast zärtlich sie die Schallplatte auflegt.

»Du vermisst das Hotel«, sagst du, und Mutti nickt und hebt die Augenbrauen, als wäre das eindeutig, und verrät dir so, dass du falsch vermutest. Zu lange hast du mit ihr gelebt, als dass du ihre Mimik nicht deuten könntest.

»Glaubst du, es wird uns irgendwann wieder gehören?«

Mutti stößt Luft aus der Nase: Das hält sie für unwahrscheinlich. In der Hinsicht seid ihr euch ausnahmsweise einig. Die DDR wird ein solches Schmuckstück niemals freiwillig herausrücken. Ferner kannst du dir nicht vorstellen, dass deine Familie ein Hotel führt – mit Mutti an der Rezeption, deinem Bruder als Concierge und dir als Hausmeisterin, Putzkraft und Köchin?

Sie dreht dir den Rücken zu, setzt die Nadel auf. Die Auftaktmelodie des ›Tannhäuser‹ schleicht durchs Zimmer, füllt es schnell mit Pathos und Dramatik.

Du schreitest zum Plattenspieler und schaltest ihn aus.

Jetzt hast du ihre uneingeschränkte Aufmerksamkeit: »Was soll das?«

Du antwortest: »Ich war noch nicht fertig.« Es erstaunt dich, wie leicht dir das über die Lippen ging.

Falls Mutti erstaunt ist, lässt sie sich das nicht anmerken. Sie hebt eine flache Hand mit der Innenseite nach oben, als würde sie ein unsichtbares Tablett tragen. »Ich höre.«

Du zwingst dich, ihr in die Augen zu sehen. Du willst ihr sagen, dass du einen Freund hast, dass du ihn liebst, dass du schwanger bist. Nur weißt du nicht, wie. Denn du willst es ihr so sagen, dass sie dich daraufhin umarmen und beglückwünschen wird. Und du zögerst, weil du weißt: Dafür hast du nur einen Versuch, du musst genau die richtigen Worte wählen, damit es funktioniert, und noch während du überlegst, welche Worte das sein könnten, lässt Mutti die Hand sinken; und mit dieser kleinen Geste gelingt es ihr, so viel Enttäuschung darüber auszudrücken, dass ihre Tochter nicht dazu in der Lage ist zu sagen, was sie sagen möchte, dass du jede Sehnsucht nach einer Umarmung oder Glückwünschen verlierst und ihr einfach mitteilst: »Ich krieg ein Kind.«

Sie mustert dich, überprüft, ob du ihr bloß etwas an den Kopf werfen willst, um sie zu ärgern; sie hat auch zu lange mit dir gelebt, um deine Mimik nicht deuten zu können. Vielleicht hofft sie sogar, dich bei einer Lüge zu ertappen, denkst du, und wiederholst mit einer gewissen Genugtuung: »Ich krieg ein Kind.«

Die Ohrfeige folgt so plötzlich – du wusstest nicht, wie schnell Mutti sich bewegen kann. »Es versteht sich, dass du es nicht bekommen wirst«, sagt sie. »Ich kenne einen Arzt.«

Zu deiner Überraschung macht dich das nicht wütend, es macht dich sogar recht froh, denn dir wird zum ersten Mal bewusst, dass du es behalten willst. Du willst dieses Kind haben.

Mutti liest das in deinen Augen. Sie nickt, mehrmals, schnappt sich den Lappen, den du noch immer in der Hand hältst, und fährt damit fort, den Fürstenhof abzustauben. Du rührst dich nicht. Du wartest darauf, dass sie ihre Worte zurücknimmt, obwohl sie noch nie etwas zurückgenommen hat.

Nach ein paar sehr langen Sekunden hält sie endlich inne, wendet sich dir zu und sagt: »Geh mir aus den Augen.«

In derselben Nacht ziehst du bei Robert ein.

Dein Bruder schreibt einen Brief an dich: In Kürze, spätestens zu Weihnachten, werde er nach München kommen. Mutti habe ihm die großen Neuigkeiten mitgeteilt. So bezeichnet er deine Schwangerschaft: als große Neuigkeiten. Vermutlich hat er vor, dir das Kind auszureden, und will es deshalb nicht als solches bezeichnen. Solange das, was in deinem Bauch wächst, nur große Neuigkeiten sind, kann man dagegen vorgehen. Großer Neuigkeiten kann man sich ohne Gewissensbisse entledigen. Für Kinder gilt das nicht.

Das schreibst du ihm als Antwort in einem kurzen Brief, den du zu seinen Vorgängern steckst. Sie gehörten zu den ersten Dingen, die du aus Muttis Wohnung geholt und zu Robert gebracht hast. Gleich darauf folgten die Dalí-Kunstdrucke; sie zieren nun die Wände des Schwabinger Schlafzimmers. Spätestens jeden dritten Tag gehst du bei Mutti vorbei und füllst ihre Vorratskammer. »Ohne mich würdest du nicht überleben«, sagst du jedes Mal zu ihr, dabei wisst ihr beide, dass Mutti zäh ist und du ihr nur aus einem Grund Besuche abstattest: damit sie dich bittet zurückzukommen. Damit sie dir wieder die Geschichte erzählt. Aber Mutti spricht kein Wort mehr mit dir. Solange du dich in der Wohnung aufhältst, sieht sie nicht von ihren Büchern auf. Obwohl du ihr nicht einmal mehr Löwenbräu besorgst. Du hattest gehofft, wenigstens das würde sie zum Reden bringen, doch sie muss einen Weg gefunden haben, das Bier ohne deine Hilfe zu bekommen und heimlich zu entsorgen. Denn in der Wohnung findest du keine Flaschen, und du kannst nicht glauben, dass sie einfach ohne Weiteres mit dem Trinken aufgehört hat. Du willst nicht glauben, dass sie dich so behandelt und dabei die ganze Zeit nüchtern ist.

Robert erzählst du von alldem nichts. Nachdem morgens der Wecker klingelt, schmiegt er sich immer an dich und tut sich schwer, das Bett zu verlassen. Du findest seinen Körper zu

warm, dir würde es reichen, dass man sich so früh am Tag anlächelt, doch Robert besteht darauf zu kuscheln, dich zu küssen, auf den Mund, als hättet ihr die Nacht getrennt voneinander verbracht, als wäre jeder Morgen ein Wiedersehen. Du gibst
ihm, was er braucht. Wenn du bloß stillhalten, seine Hände auf
deinem Bauch spüren, das Kitzeln seines Atems an deinem Ohr
aushalten musst, um ihn glücklich zu machen, dann ist das ein
kleiner Preis dafür, dass er dich nicht fragt, warum du ihn noch
nie deiner Mutter vorgestellt hast. Robert weiß von dir nur, dass
sie besitzergreifend ist, mehr nicht, und mehr muss er auch nicht
wissen, denn eine besitzergreifende Mutter erklärt sich von
selbst, davon gibt es seit dem Krieg viele. Wer wäre auch nicht
besitzergreifend, wenn einem das meiste genommen wurde?

Einzig Roberts Mutter scheint in dieser Hinsicht eine Ausnahme zu sein. Sie hat geschrieben, dass sie euch beglückwün-
sche und spätestens nach der Geburt im kommenden Jahr besuchen werde. Als Robert dir das mitteilte, schien er darüber
fast glücklicher als über die Schwangerschaft. Er hat seine Mutter schon seit Monaten nicht mehr gesehen. Zudem half ihre
Nachricht, verbunden mit eurer Situation, ihn davon zu überzeugen, dass es dumm wäre, nicht das Geld zu verwenden, das
sie ihm monatlich schickt. So könnt ihr eine Existenz aufbauen,
während er weiterhin studieren kann.

Dass du von deiner Familie keine Unterstützung erwarten
kannst, ist dir unangenehm. Darum hast du Robert versprochen: Gleich nach der Schwangerschaft wirst du dir eine Anstellung suchen. Er ist dagegen, so viel männlichen Stolz besitzt
sogar dein Langweiler; er sagt, ein Kind braucht seine Mutter.
Als ob du das nicht wüsstest! In ein paar Monaten willst du ihn
erneut darauf ansprechen, vielleicht überlegt er es sich noch
einmal. Auch wenn du seine Zustimmung letztendlich nicht
brauchst, schließlich seid ihr ja nicht verheiratet.

Bis dahin kannst du deine freie Zeit anderweitig nutzen. Seitdem der Apotheker in der Maxvorstadt dich wiedererkannt hat, frequentierst du abwechselnd unterschiedliche Apotheken, damit so etwas nicht noch einmal vorkommt. Du bewegst dich langsam durch die Stadt, weil du auf so vieles gleichzeitig achten musst. Der Verkehr ist noch das geringste Problem. Bei jedem Passanten kontrollierst du, ob er einen Schatten besitzt; für dich das Natürlichste der Welt; und obwohl du in letzter Zeit versuchst, damit aufzuhören, kannst du es doch nicht - lassen, wie du es auch nicht lassen kannst zu atmen. Dir ist - vollkommen klar, dass du nie einem Menschen ohne Schatten begegnen wirst, trotzdem musst du alle Schatten ausfindig machen. Und als wäre das nicht schon genug, hast du nun damit begonnen zu analysieren, wie Passanten dich ansehen. Fällt ihnen etwas an dir auf? Schweift ihr Blick über deinen Bauch? Verengen sich ihre Augen, wenn du eine Flasche Frauengold ohne Tüte mit dir herumträgst, weil es sich so gut anfühlt, das Glas fest in der Hand zu halten?

Du nimmst dir jeden Tag vor, für dein Kind mit dem Trinken aufzuhören, und verschiebst dies jeden Tag auf den nächsten. Nachmittags legst du dich hin, um nüchtern zu sein, wenn Robert nach der Uni heimkommt. In diesen Stunden schläfst du tief und traumlos. Danach wäschst du den sauren Geruch deiner Haut unter der Dusche ab, putzt dir ausgiebig die Zähne, entsorgst die Flaschen in der Mülltonne der Nachbarn und kochst Gerichte mit viel Zwiebeln. Bei Roberts Rückkehr umarmt und küsst ihr euch. Das ist der liebste Moment deines Tages. Es tut so gut, ihn an dich zu drücken, es ist so viel besser als morgens. Du bist immer froh, in diesem Moment zu spüren, wie sehr du ihn eigentlich vermisst hast. Zwar glaubst du, dass du seine Nähe nicht schätzen würdest, wenn er die ganze Zeit bei dir wäre, aber du wünschst sie dir doch. So wie du dir wünschst, er würde dich fragen, was nicht mit dir stimmt, damit du »nichts« antworten und aufhören könntest zu denken, dass er dich nie fragt, weil er ahnt, die Antwort könnte ihm nicht gefallen.

An einem Abend vermisst du die Geschichte so sehr, dass du sie dir, als Robert bereits schläft, selbst erzählst. Du achtest darauf, dieselben Worte wie Mutti zu verwenden, im selben Tempo zu sprechen, dieselben Pausen einzulegen. Aus deinem Mund hört sich die Geschichte trotzdem nur an wie eine Geschichte.

Die Sorgenbalken – so nennt Mutti die waagrechten Stirnfalten deines Bruders – sind gewachsen. Das ist das Erste, was dir an Kurt auffällt, als er das Café in Schwabing betritt, in dem du auf ihn wartest. Du machst ihn nicht auf dich aufmerksam, damit du noch ein paar Sekunden mehr hast, ehe ihr euch nach fast einem Jahr wiederseht. Wenigstens ist es dir endlich gelungen, an mehreren Tagen hintereinander kein Frauengold mehr zu trinken; so musst du dich zumindest nicht sorgen, ihm könnte dein Atem verdächtig vorkommen. Aber du befürchtest, dass er versuchen wird, dich zu umarmen, und das willst du nicht, denn dafür müsstest du aufstehen, und dann würde sein Blick unweigerlich auf deinen Bauch fallen. Der wölbt sich bisher zwar nicht, es sind ja erst vier Monate, aber Kurt könnte bestimmt trotzdem nicht anders, als nach Anzeichen zu suchen, und du möchtest nicht damit beginnen. Euer Gespräch wird sich ohnehin darum drehen. Am Telefon hat dein Bruder gesagt, er sei wegen Weihnachten in der Stadt, aber das ist nur eine Erklärung und nicht der wahre Grund für sein Kommen. Du weißt, dass er hier ist, um zu reparieren; so wie er früher alles in der Wohnung repariert hat, als du noch zu klein warst, um einen Schraubenzieher gerade halten zu können. Obwohl er nur zwei Jahre älter ist, hält dein Bruder sich für den Retter deiner Familie. Er glaubt, dass er eines Tages den Fürstenhof wiederbekommen und somit der Familie ihren rechtmäßigen Reichtum zuführen wird. Auch Mutti scheint neuerdings daran zu glauben – warum sonst hat sie das silberne Plakat aus dem Keller geholt? Wie er das schaffen soll, weiß keiner von beiden. Wenn du Kurt in der Vergangenheit darauf hingewiesen hast, dass der Fürstenhof sich inzwischen in einem anderen Land und im Besitz von dessen Regime befindet, sagte er, du seist zu pessimistisch. Das brachte dich fast zum Lachen. Natürlich bist du pessimistisch! Mutti hat dich schließlich mit der Geschichte aufgezogen!

Das würdest du in solchen Momenten gerne erwidern. Doch du wagst es nie.

Kurt sieht dich in einer Ecke nahe dem Ausgang sitzen (von wo du alle Leute im Blick hast und jederzeit fliehen könntest) und eilt auf dich zu, mit schnellen, großen Schritten. Du tust, als würdest du ihn erst jetzt bemerken, und so muss er zu dir in die Bank rutschen, um dich zu begrüßen, in einer umständlichen Seitwärtsumarmung, ohne dass dein Bauch gleich zum Thema wird. Er legt seinen Mantel ab, Kitzeln steigt dir in die Nase, du musst niesen. Ihr lächelt euch an; und weil du weißt, dass es nicht lange dauern kann, bis er dir empfehlen wird, das Kind nicht zu haben, wünschst du dir, ihr könntet weiterlächeln, einfach eine Weile lang lächeln. Du nutzt diese Sekunden, um ihn zu mustern: Kurt scheint noch größer als sonst. Vielleicht liegt das daran, dass er an Breite gewonnen hat. Eure Schatten zu euren Füßen haben trotzdem den gleichen Umfang. Du hast ihn noch nie eine Krawatte tragen gesehen; sie macht ihn älter und reifer; die Kellnerin schenkt ihm, als sie sich eurem Tisch nähert, alle Aufmerksamkeit. Kurt bestellt Kräutertee für euch beide, ohne dich zu fragen, und als er dich dann, nachdem die Kellnerin sich wieder entfernt hat, doch fragt, ob du mit Tee einverstanden bist, nickst du, weil du euer Gespräch nicht beginnen willst, indem du ihm mitteilst, wie wenig du Kräutertee leiden kannst und dass er das eigentlich wissen müsste.

Dein Bruder sagt, er freue sich, dich endlich wiederzusehen. Dasselbe sagst du zu ihm, und erst, als du es aussprichst, spürst du, dass es dir wirklich so geht. Ihr trinkt vorsichtig den heißen Tee, und zwischen jedem Schluck wechselt ihr ein paar Worte, als müsstet ihr nicht atmen, sondern trinken, um sprechen zu können. Nach einigen Minuten siehst du auf die Uhr und stellst fest, dass knapp eine Stunde vergangen ist, in der dein Kind mit keinem Wort erwähnt wurde. Du wunderst dich, wie so viel Zeit verstreichen kann, wenn man sich bloß über die von München geplante U-Bahn oder unverständliches Schwyzerdütsch am Genfer See unterhält. Kurt empfiehlt dir nicht einmal, dich bei Mutti zu entschuldigen, obwohl du dir sicher bist, dass Mutti ihm einen solchen Auftrag erteilt hat.

Du magst diesen neuen Bruder, der sich nicht in dein Leben einmischt. Vielleicht bleibt euer Gespräch nur an der Oberfläche, aber wenn es so sein muss, damit ihr euch gut versteht, wirst du von nun an die Oberflächlichkeit in Person sein. Als die Kellnerin die Rechnung bringt, besteht Kurt selbstverständlich darauf, sie zu begleichen; er hat dich noch nie etwas bezahlen lassen (und es wäre ja ohnehin sein Geld). Trotzdem würde es dir gefallen, zur Abwechslung einmal für ihn aufzukommen. Damit er dir dankbar sein muss und nicht andersherum.

Beim Abschied draußen umarmt ihr euch diesmal richtig. Du willst nicht loslassen und spürst, dass er spürt, dass du nicht loslassen willst – woraufhin du ihn loslässt, weil er nicht denken soll, dass seine kleine Schwester ihn braucht. Aus der Nähe betrachtet sind seine Sorgenbalken nicht so tief, wie du zunächst angenommen hast. Du ertappst ihn dabei, wie er deinen Bauch mustert, aber selbst das stört dich nicht. Du kannst es ihm kaum übel nehmen. Schließlich wird er bald Onkel werden.

Dann sagt er: »Wir sehen uns an Heiligabend!« Die Worte klingen natürlich und lassen dich zweifeln, ob er weiß, wie es zwischen Mutti und dir steht. Du willst dieses Treffen nicht damit beenden, indem du ihm sagst, dass du nicht, wie bisher, Weihnachten mit ihm und Mutti feiern wirst, sondern mit Robert, und deshalb antwortest du nichts. »Bring deinen Freund doch mit«, schlägt Kurt vor und sieht dir in die Augen. Du möchtest wirklich nicht darauf eingehen und versuchst es stattdessen mit einem Lächeln, das dein Bruder offenbar als positive Antwort deutet. »Mutti würde sich auch freuen«, sagt er und läuft, bevor du widersprechen kannst, zur anderen Straßenseite. Er winkt dir, bis er hinter einer Baustelle verschwindet.

Du rührst dich nicht. Ein alter Mann mit Spazierstock stochert in deinem Schatten herum und weist dich darauf hin, dass du eine Mütze anziehen solltest. In der letzten Stunde hat es begonnen zu schneien. Du suchst in den Jackentaschen nach deiner Mütze, bis dir einfällt, dass du sie nicht dabeihast. *Mutti würde sich auch freuen.* Du darfst ihn nicht so gehen lassen, du musst ihm sagen, was in deinen Briefen steht. Du überquerst die Straße, rennst an der Baustelle vorbei und siehst gerade noch, wie Kurt in einen Bus steigt. Aber das macht nichts. Heute Abend, spätestens morgen, wirst du ihn anrufen und alles in Ruhe klären.

Am Vierundzwanzigsten betreten Robert und du Muttis Wohnung. Euch empfangen Haydns ›Schöpfung‹ und Kurt in einem dunkelblauen Dreiteiler. Er reicht Robert ein Glas Weihnachtspunsch: »Für den Zukünftigen!« Robert zieht bei den Worten viel Luft durch die Nase ein, und du fragst dich, was das heißt, ist er nur überrumpelt oder will er nicht an Heirat denken, und du fragst dich auch, wie Kurt Roberts Reaktion interpretiert. Sofort bereust du, dass du zu trinken aufgehört hast. Du hast dich noch nie so sehr nach einem Schluck Punsch gesehnt.

Die Tür zum Wohnzimmer geht auf, und Mutti erscheint, in einem Flapper-Kleid, das sie wohl zum letzten Mal in den Dreißigern aus dem Schrank geholt hat; es ist glatt und hängt lose am Körper, passt aber besser als der Großteil ihrer ausgetragenen Garderobe. Sie stellt ein leeres Glas Punsch ab und küsst Robert auf beide Wangen, mit einem »Frohe! Weihnachten!« dazwischen, ehe sie dich umarmt und euch aus den Mänteln hilft. Sie hält inne, mustert Robert und dich: »Sehr glamourös!« Robert hat den Smoking seines Vaters angezogen, den er nie beim Abiball präsentieren konnte; du hast dich für ein eng anliegendes Kleid in Schwarz entschieden, das demonstriert, wie wenig Bauch eine Schwangere haben kann. »Was für ein hübsches Paar«, meint Mutti. Es klingt nicht einmal aufgesetzt. Die Worte kommen ihr so mühelos über die Lippen, dass man denken könnte, sie sei immer so.

Du hättest Robert warnen sollen, dass sie früher Schauspielerin war. Dir entgeht nicht der Blick, den er dir zuwirft, als ihr zu viert ins Wohnzimmer schreitet, wo ein Christbaum bis zur Decke reicht, die Spitze auf vorwurfsvolle Weise gebogen. Du hast Robert darauf hingewiesen, dass deine Familie manchmal anstrengend sein kann. Er muss denken, dass du übertrieben hast. Womöglich zweifelt er an deiner Urteilskraft. Mutti lenkt ihn am Ellbogen zum Sofa und nimmt neben ihm Platz, sodass du mit dem Stuhl gegenüber vorliebnehmen musst. Das Solo eines Tenors lässt dich nicht hören, worüber sie sprechen. Mutti tätschelt Roberts Knie.

Es wäre besser gewesen, deinem Bruder gleich nach eurem Treffen abzusagen. Aber du hast es tagelang vor dir hergeschoben, in der Befürchtung, Mutti würde den Hörer abnehmen, bis Robert dir schließlich mitteilte, dein Bruder habe ihn angerufen und euch zu Weihnachten eingeladen. Robert schien so erfreut darüber – das wolltest du ihm nicht nehmen. Wie oft gibt es schon die Gelegenheit, dass deine Familie bei jemandem Freude auslöst? Trotzdem hättest du Robert besser auf das erste Zusammentreffen mit deiner Familie vorbereiten sollen, denkst du. Jetzt bleibt dir nichts anderes übrig, als zu hoffen, dass der Abend schnell und reibungslos vergehen wird, und dabei kommst du dir vor wie ein Fußgänger, der bei Rot eine viel befahrene Kreuzung überquert.

»Beeindruckende Nase«, sagt Kurt und nickt in Richtung Robert, als er sich neben dich setzt. Du haust ihm gegen die Schulter, und sein Grinsen erinnert dich daran, wie sehr du ihn vermisst hast. Mutti auszuhalten war immer viel einfacher, wenn Kurt sie auch aushalten musste. Robert wackelt mit dem Kopf und sagt etwas zu Mutti, das sie zum Lachen bringt. Dieses kurze, helle Geräusch – du kannst dich nicht erinnern, wann du es das letzte Mal gehört hast. Was, wenn Mutti wirklich so fröhlich ist, wie sie zu sein scheint? Vielleicht bist du nicht die Einzige, die Kurt vermisst hat. Obwohl du weißt, dass er für Silvester wieder in Montreux sein muss, fragst du ihn, wie lange er in München bleibe. »Nur ein paar Tage«, sagt er und fügt hinzu: »Leider«, was dich hoffen lässt, dass er verstanden hat: Er soll so lang wie möglich bleiben.

Bei einem Abstecher auf die Toilette kommst du an der Punschbowle vorbei und bleibst stehen. Die anderen können dich nicht sehen. Du nimmst die Kelle, setzt sie an deine Lippen, riechst Rotwein, Nelken, Orangen, Rum – und legst sie wieder zurück. Die Vorstellung, einen ganzen Abend mit deiner Familie samt Robert zu verbringen und nichts zu trinken, findest du beängstigend, aber auch aufregend.

Als du ins Wohnzimmer zurückkehrst, überkommt dich ein Gefühl der Enttäuschung, weil du niemandem mitteilen kannst, wie stolz du darauf bist, nichts getrunken zu haben. Haydns ›Schöpfung‹ wurde inzwischen von traditionellen Weihnachtsliedern abgelöst, die ein Knabenchor singt; euer Abendessen beginnt mit: ›Es wird scho glei dumpa‹. Kurt tranchiert eine Ente, die er angeblich mit Muttis Hilfe gefüllt hat. Robert öffnet den Dornfelder, einen neuen Rotwein aus Baden-Württemberg, den ihr mitgebracht habt, und als ihr miteinander anstoßt, klingt dein eckiges Wasserglas nicht so schön wie die kelchartigen Rotweingläser der anderen.

Den Abwasch übernehmen Robert und Kurt, sie bestehen darauf und lassen dich mit Mutti allein im Wohnzimmer. Der Knabenchor setzt an zu: ›Morgen, Kinder, wird's was geben‹. Gemeinsam löscht ihr die heruntergebrannten Kerzen am Weihnachtsbaum. Es lässt sich schwer ausmachen, wo dein Schatten aufhört und der von Mutti beginnt. »Robert ist ein guter Mann«, sagt sie, »einer, der weiß, was sich gehört.« Darauf gehst du nicht ein, obwohl es dich ärgert. Sie soll dir nicht sagen, was du längst weißt. Natürlich ist er ein guter Mann. Sonst würdest du ja kein Kind mit ihm haben.

Oder meint sie das sarkastisch? Will sie damit andeuten, dass er das gerade nicht weiß? Dass er eine junge Frau in Schwierigkeiten gebracht hat? Wenn Mutti nur wüsste! Schließlich hat die junge Frau den jungen Mann in Schwierigkeiten gebracht. Zuerst ließ sie sich schwängern, und nun setzt sie ihn auch noch ihrer Familie aus.

Auf dem Heimweg spazieren Robert und du durch ein stilles München. Kein Auto fährt, kaum Fußgänger begegnen euch. Ihr habt schon fast eure Straße erreicht, als du endlich den Mut aufbringst, ihn zu fragen, wie der Abend für ihn war.

»Sehr gut«, sagt Robert.

Das macht dich froh und traurig zugleich. Der Abend war mehr als sehr gut. Robert hat keine Ahnung, wie er hätte sein können.

In den Monaten danach unterliegst du denselben Regeln der Schwangerschaft wie Millionen Mütter vor dir. Alles dreht sich um deinen Körper. Du leidest unter Übelkeit, Erbrechen, verstärktem Harndrang, Verstopfungen. Deine Brüste schwellen an und spannen. Aber nach ein paar Wochen gewöhnst du dich an die Veränderungen, du fühlst dich erstaunlich wohl. Von Krampfadern, Hämorrhoiden oder Sodbrennen wirst du verschont. Nur gelegentlich plagen dich Rückenschmerzen. Dir gefällt dein ausladender Schatten, der es mit jedem anderen aufnehmen kann. Auch wenn es dich nicht stört, wunderst du dich doch, wie allein du dich als Schwangere oft fühlst, gerade weil die Leute immer deine Nähe suchen, dich zum anstehenden Nachwuchs beglückwünschen und wissen wollen, wie viele Monate es noch sind. Gelegentlich fällt insbesondere den Frauen unter den Gratulanten auf, dass du keinen Ehering trägst. Sie sprechen das zwar nicht direkt an, aber du spürst immer, wenn sie es merken. Ihren Blicken wohnt nicht nur Missbilligung inne, sondern auch Neugier und Neid – wer ist diese junge Frau, dieses Mädchen, das es sich erlaubt, gegen etwas zu verstoßen, an das sie sich streng halten?

Die Antwort darauf könntest du ihnen, selbst wenn du wolltest, nicht geben. Du bist ja selbst noch im Begriff, das herauszufinden.

Fast täglich ruft Mutti an. Mal will sie dir ein altes Stofftier aus ihrer Kindheit andrehen, das sie »Foxl« nennt, ein anderes Mal erläutert sie dir eine absurde Theorie, nach der es für den Verstand deines Kindes förderlich sein soll, wenn du ihm bereits in diesem frühen Stadium Musik vorspielst. Du gibst dir Mühe, erfreut zu klingen; dabei hast du längst entschieden, dass du weder ihre Ratschläge noch das Stofftier verwenden wirst. Und vor allem: niemals ihre Geschichte, an die du so wenig wie möglich denkst und von der du kein Wort in deinen Kopf lässt. Denn dein Kind darf auf gar keinen Fall so wie du aufwachsen.

Mutti spürt deine Absicht, vermutest du, und meldet sich deswegen so regelmäßig. Was dich eine gewisse Genugtuung empfinden lässt.

Du schreibst an Kurt. Und du schickst das, was du geschrieben hast, sogar ab. Du zögerst kein Mal, wenn du vor dem Briefkasten stehst. Alle Kuverts verschwinden in dem Schlitz. Nur sind das keine richtigen Briefe, vielmehr so etwas wie Botschaften. In ihnen steht nichts, aber auch gar nichts von Belang. Du schreibst Kurt bloß, damit er nicht glaubt, dass du ihm nicht schreiben willst. Und vielleicht schreibt er dir aus genau dem gleichen Grund. Jede eurer Botschaften ist eine Versicherung, dass ihr da seid, und diese Versicherung zu geben, fühlt sich fast so gut an, wie sie zu bekommen.

Und Robert ist genau so, wie du ihn brauchst. Er hat endlich verstanden, dass du morgens nicht kuscheln willst, besonders jetzt nicht, wo dir dein eigener Körper schon zu viel ist. Er kauft eine Krippe, eine Miniaturbadewanne und leiht sich einen quietschenden Kinderwagen mit riesengroßen Rädern von seinem ehemaligen Vermieter. Wenn Mutti euch zum Essen einlädt, bittest du Robert, ihr abzusagen, und dich beeindruckt, dass ihm immer neue, eloquente Ausreden einfallen.

Hin und wieder stellst du dir vor, er würde vor dir auf die Knie fallen und dir einen Ring präsentieren; wie deine Antwort lauten würde, kannst du dir noch immer nicht vorstellen. (Mendelssohn-Bartholdy hat selbst Mutti nie gerne gespielt.)

»Würdest du mich irgendwann heiraten?«, fragst du ihn einmal möglichst beiläufig.

Er sagt nur: »Ja.«

Alexander – das ist der Name, von dem noch keiner weiß, dass du ihn ausgewählt hast – wird dein Sohn sein. Du bist dir sicher, dass es ein Sohn wird, auch wenn du es dir nicht erklären kannst. Und Robert wird dein – ja, was? Freund ist zu wenig. Und Mann viel zu viel. Also zunächst einmal: der Vater von Alexander.

Manchmal wachst du nachts auf mit dem unbedingten Verlangen, Robert in dir zu spüren. Während er schläft, fasst du ihn an, du machst ihn hart, und je härter er wird, desto mehr erregt dich das. Wenn du ihn lauter atmen hörst, weißt du, dass er wach ist. Du lässt ihn aber nicht in dich eindringen, weil du, sosehr du dich danach sehnst, das nicht möchtest, solange du ein Kind in dir trägst. Stattdessen sucht er die richtige Stelle zwischen deinen Beinen, aber mit den Händen ist er nicht so gut, das hat er oft genug bewiesen.

Darum lenkst du in einer Nacht seinen Kopf nach unten, er soll dich küssen. Seine Lippen, nimmst du an, sind bestimmt weicher und sensibler als seine Finger. Doch Robert hält inne und verharrt unschlüssig neben dir, sein Atmen wird leiser. Du kannst es ihm nicht übel nehmen, so etwas habt ihr noch nie getan, woher soll er wissen, was du brauchst, ihr sprecht ja nicht darüber. Also beugst du dich über ihn und küsst ihn weiter unten. Sofort entspannt er sich. Mit seinen Händen - versucht er, bei dir weiterzumachen, noch ungeschickter als sonst. Du rückst näher an ihn heran, spreizt ein wenig deine Beine, sodass sein Atmen dich streift. Das ist viel besser als seine Berührung. Und auch wenn er nichts weiter tut, gefällt

es dir so gut, seine Härte in dir und seinen Atem auf dir zu -
spüren, dass ihr es in vielen darauffolgenden Nächten wiederholt.

Im Mai sitzt du mit Mutti im Biergarten des Löwenbräukellers.
Robert ist für drei Tage zu einer Exkursion mit Kommilitonen
nach Trier aufgebrochen, um die Porta Nigra zu bestaunen.
Obwohl es keine Woche mehr bis zur Geburt dauernd soll, hast
du ihn gehen lassen, damit er auch einmal etwas allein für sich
macht und nicht, wie so oft in den vergangenen Monaten, für
dich. Das hatte allerdings zur Folge, dass er Muttis Einladung
nicht für dich ausschlagen konnte. Nun musst du ihr dabei
zusehen, wie sie Zwiebelrostbraten isst: Mutti schneidet das
Fleisch nicht, sie seziert es. Und nimmt nur winzige Stückchen
zu sich, was die Mahlzeit unnötig in die Länge zieht. Noch dazu
ist dieser Frühling ungewohnt heiß, und der einzige Baum im
Biergarten, eine Kastanie, um deren Stamm Kinder jagen und
sich gegenseitig mit Kieselsteinen bewerfen, spendet nicht genug
Schatten.

Mutti tupft die Serviette gegen ihre Lippen. »Ach, herrje!
Großmutter!«

Daran hast du bisher noch nicht gedacht; du hast schon
genug Mühe, dich an *Mutter* zu gewöhnen.

Mutti schüttelt ungläubig den Kopf, als wäre ihr das erst in
diesem Moment klar geworden. Dabei wisst ihr beide, sie will
dich nur daran erinnern, dass du gerade einmal achtzehn Jahre
alt bist. Bevor du dir weitere schlecht verhüllte Vorwürfe anhören musst, gehst du auf die Toilette. Dort kniest du dich vor
die sauberste Toilettenschüssel, die du finden kannst, und
würgst, obwohl du seit Stunden nichts zu dir genommen hast.
Schweiß läuft dir übers Gesicht. Nichts kommt. Du stützt dich
an den Wänden der Kabine ab, stemmst dich hoch, siehst das

Rinnsal und lässt dich zurückfallen. Prallst auf die Knie. Du kriegst kaum Luft. Blut läuft deine Beine hinab. Du versuchst noch einmal hochzukommen und musst dich an die Toilettenschüssel klammern, um nicht mit dem Kopf aufzuschlagen. Leise rufst du nach Hilfe, holst Luft, rufst lauter. Dein Rock saugt warme Flüssigkeit auf. Müdigkeit ergreift von dir Besitz, du willst ihr nachgeben, du willst loslassen und dich hinlegen. Du schließt die Augen. Ein Knall – die Tür zur Damentoilette schlägt gegen die Wand. »Ava, ist alles in Ordnung?« Du gibst keinen Laut von dir; Mutti soll dich nicht so sehen. »Ava!« Sie rüttelt an der Kabinentür. »Kannst du mich hören? Mach auf!« Du sinkst auf den Boden. Ein schmaler, dir wohlbekannter Kamm aus Elfenbein wird durch den Schlitz geschoben, hebt den Riegel an, und die Tür springt auf. »Oh Gott«, sagt Mutti. Sie hilft dir auf die Beine. »Kannst du gehen?« Vor deinen Augen tanzen leuchtend schwarze Flecken. Mutti legt deinen Arm um ihren Nacken und stützt dich, eure Schatten sind eins, und als ihr gemeinsam nach draußen humpelt, fragst du dich, woher sie die Kraft nimmt.

Du hältst ihn. Er schreit, aber das ist kein Geschrei, sondern ein wohltuendes, hohes Vibrieren der Stimme. Nach einer turbulenten Fahrt in einem Taxi, dessen penetranten Geruch nach Tanzbären du nie vergessen wirst – *HARIBO macht Kinder froh!* –, und einer fünfundvierzigminütigen Austreibungsphase wurde er in die Welt geliefert. Hautfarbe, Reflexe, Herzfrequenz, Zustand der Nabelschnur, Atmung und Muskelspannung erhielten insgesamt zufriedenstellende neun von zehn Punkten beim Apgar-Test. Es ist der 20. 5. 1960. Alexander ist da. Er ist gesund, euer Sohn ist gesund. Dein Sohn. Du hältst ihn in den Armen.

Am Abend – nachdem deine noch schwangere Zimmergenossin es für eine Unsitte erklärt hat, dass Mütter nach der Geburt von ihren Kindern getrennt werden, bevor sie, um vorbeugend dagegen Einspruch zu erheben, auf die Suche nach einem Arzt gegangen ist – begibst du dich, obwohl dir strikte Bettruhe verordnet wurde, ins Erdgeschoss zu den Telefonkabinen und wählst die Nummer von Roberts Pension in Trier, die eine aufmerksame Krankenschwester dir besorgt hat. Niemand geht ran. Du wählst erneut. Lässt es mindestens zwanzig Mal klingeln, legst auf und nimmst ab und versuchst es noch einmal, ohne irgendjemanden zu erreichen. Du suchst die Krankenschwester auf und beschwerst dich, sie habe dir die falsche Nummer gegeben, aber sie besteht darauf, dass sie stimmt und du dich wieder hinlegst. Du gibst erst nach, als sie dir verspricht, ein Telefon auf dein Zimmer bringen zu lassen. Den ganzen Abend über drückst du deine Aufregung in die Wählscheibe des Telefons.

Als du noch klein warst, höchstens neun Jahre alt, hat Kurt dich bei einem eurer Einkaufsstreifzüge für Mutti einmal an der Tramstation warten lassen, während er in einem Laden mit dem Händler um den Preis einer Orange feilschte, mit der er dich überraschen wollte. Du hattest Angst, allein, unter so vielen Menschen mit zu vielen Schatten. Leute standen auf, rempelten dich an, schnäuzten und verbeugten sich, schüttelten Hände und winkten. Dazu das Donnern der Tram. Da erregte ein Paar deine Aufmerksamkeit. Sie waren älter als Mutti damals. Aus einem unbestimmten Gefühl heraus wusstest du, dass sie einander nahestanden, auch wenn sie nicht wie ein Pärchen wirkten. Die Frau hatte hellrote Haare, winzige Falten zierten ihr Gesicht, besonders um Mund und Augen, und verstärkten ihr Lächeln. Der Mann trug eine Schirmmütze wie einer dieser amerikanischen Baseballspieler, weshalb so mancher Passant den Kopf schüttelte ob dieser seltsamen Mode. Hin und wieder zog der Mann die Kappe von seinem Kopf und fuhr sich mit der Hand über die Glatze. Die Schatten der beiden flogen nicht so wild über den Gehsteig wie die meisten anderen. Das nahm dir ein wenig die Angst. Du gingst näher zu ihnen, um zu hören, worüber sie sprachen.

»Kommst du über die Runden?«, fragte der Mann.

»Gerade so«, sagte die Frau. »Wenn mir das Geld ausgeht, strecke ich die Milch mit Wasser.« Sie lachte. »Oder färbe ich das Wasser mit ein paar Tropfen Milch?«

»Solange du dir noch Milch leisten kannst«, fügte er hinzu, mit einem traurigen Lächeln, das dich an den Clown auf den Plakaten von Circus Krone erinnerte.

Langsam schüttelte sie den Kopf. »Früher hatten wir immer mindestens zwei Kannen zu Hause.«

»Früher hatten wir so viel«, sagte er. »Früher hatten wir Eltern.«

»Ich hatte Kinder.«

Sie umarmten sich innig, in aller Öffentlichkeit. Andere Leute runzelten die Stirn. Verständnislose Blicke.

»Die Garage!«, sagte die rothaarige Frau. »Motor in der Garage laufen lassen. Das soll ein schöner Tod sein.«

»Dann musst du dir aber erst mal ein Auto besorgen – und eine Garage!«

»Ach, mein Tilli«, sagte sie und berührte seine Wange. »Was haben wir noch hier zu suchen?«

Du ranntest zu Kurt in den Laden und umarmtest ihn. Auf dem Heimweg hielt er deine Hand, die ganze Zeit. Immer wieder fragte er dich, was denn geschehen sei, aber du konntest es ihm nicht sagen. Du wusstest es ja selbst nicht. Er schenkte dir die Orange, und ihr aßt sie gemeinsam, langsam, Stück für Stück, und danach fühltest du dich besser. Doch du hast nie das

Gefühl vergessen, das dir die rothaarige Frau und der Mann mit der Schirmmütze gaben. Das Gefühl, etwas verloren zu haben.

Jetzt, während du wieder und wieder die Nummer der - Pension in Trier wählst, ergreift es von dir Besitz. Spätabends erreichst du endlich die Inhaberin. Als sie behauptet, derzeit wohne niemand in ihrer Pension, auch kein Robert Völker, nein, ganz sicher nicht, wirfst du das Telefon vom Bett, und der Hörer zerbricht.

Du ahnst nichts, du bist auf dem Heimweg vom Krankenhaus nach Hause und fühlst dich sicher, weil dir noch nie etwas passiert ist, und genau das ist der Augenblick, in dem er dich packt, mit deiner ganzen Kraft gelingt es dir nicht einmal, seine Hand von deinem Mund zu reißen, einer seiner Arme reicht aus, um deinen Körper in Schach zu halten, ihr seid nun nicht mehr auf offener Straße, und als er dir bedeutet, leise zu sein, und seine Hand von deinem Mund nimmt, schreist du sofort, und er schlägt dir mit der Faust ins Gesicht, woraufhin du kurz das Bewusstsein verlierst, und als du langsam wieder zu dir kommst, schmerzt dein Kopf, du schmeckst Blut und zitterst, er hat dich ausgezogen und mit einer Hand deinen Hals umklammert, und das ist der schlimmste Moment, weil du begreifst, das ist erst der Anfang, du hast es noch lange nicht überstanden, und du versuchst, ihm ohne Worte zu sagen, dass er bitte aufhören, dass er dich gehen lassen soll, und du willst weinen, damit er begreift, was er dir hier antut, du hoffst, ihn auf diese Weise zu erreichen, und obwohl dir keine Träne in die Augen steigen will, lässt er deinen Hals los, und du lächelst, und da schlägt er dir noch einmal ins Gesicht, und diesmal wirst du nicht ohnmächtig, aber der Schmerz dringt tief in deinen Kopf ein, er pocht in deinem Nacken und hinter deiner Stirn, und trotzdem versuchst du, dich zu konzentrieren, dich daran zu erinnern, was man in solchen Situationen tun soll, als er über dich steigt, und obwohl du noch immer versuchst, dich zu wehren, hast du eigentlich schon aufgegeben, zwar ist er noch lange nicht fertig mit dir, aber selbst wenn er nun aufhören würde, du gehörst ihm, und so lässt du ihn machen, weil du glaubst, dass es so schneller vorbei sein wird, und spürst seinen feuchten Atem auf deiner Haut, und da blickst du ihm zum ersten Mal ins Gesicht und erkennst Robert.

Du wachst auf. Es ist Nacht. Du bist im Krankenhaus. Deine Wangen sind feucht. Mutti schläft auf dem Stuhl für Besucher. Du wischst die Tränen am Kopfkissen ab und kauerst dich zusammen. Du willst nicht wieder einschlafen. Du hast Angst vor deinen Träumen.

Als du aus dem Krankenhaus entlassen wirst und mit Alexander im Arm, gefolgt von Mutti, die Schwabinger Wohnung betrittst, bleibst du im Eingangsflur stehen. Diese stillen, kühlen Räume kommen dir fremd vor. Hier fühlst du dich nicht mehr sicher.

»Gehen wir nach Hause«, sagt Mutti, und du bist froh, dass sie dich nicht fragt, ob du zu ihr gehen willst, weil du sonst womöglich abgelehnt hättest.

»Keine Geschichte mehr«, sagst du. Es ist deine Bedingung. Vielleicht hatte sie recht, vielleicht hättest du besser auf sie hören sollen. Aber was dir passiert ist, passierte, obwohl du ihre Geschichte so oft gehört hast, und was auch immer deinem Sohn später einmal passieren wird, du kannst ihn nicht davor schützen, du kannst ihn nur davor bewahren, mit der Geschichte aufzuwachsen.

»Was meinst du?« Mutti sieht dich fragend an.

Du weichst ihrem Blick nicht aus.

»Einverstanden«, sagt sie.

»Nie mehr«, sagst du, »sonst wirst du deinen Enkel nicht aufwachsen sehen.«

Mutti schweigt. Du hoffst, dass sie dir widersprechen wird, damit du ihr Vorwürfe machen kannst, dass ihre Fürsorge nicht ernst gemeint ist.

Aber sie nickt; als hätte sie nur darauf gewartet, als wäre sie schon immer bereit gewesen, deiner Bitte zu entsprechen.

Auf der Fahrt mit dem Taxi, beim Treppenaufstieg, während sie euch Kamillentee kocht, bevor sie das Bett für Alexander und dich bezieht und nachdem sie euch eine Gute Nacht gewünscht hat, erwartest du, dass sie die Situation kommentiert; aber sie erwähnt Robert mit keinem Wort. Und dafür bist du ihr dankbar, auch wenn du ihr das nicht zeigst. Du möchtest ihr keine Gelegenheit geben, Fragen aufzuwerfen, an die du nicht denken willst.

Am Morgen darauf erwägst du, die Polizei einzuschalten. Robert muss etwas zugestoßen sein; das hoffst du, denn vor der Alternative fürchtest du dich noch mehr.

Ehe du eine Vermisstenanzeige aufgibst, willst du aber noch einmal eure Wohnung aufsuchen. Mutti begleitet dich und bietet dir mehrmals an, Alexander zu halten, was du jedes Mal ablehnst. Dass Robert fast seine gesamte Garderobe mit nach Trier genommen hat, gefällt dir nicht. Du öffnest die Post: bloß Reklame, eine von Kurts Botschaften und ein Kuvert, das nichts außer ein paar DM-Scheinen enthält. Es ist kein Absender angegeben, aber du weißt, wer das Geld geschickt hat. Die Adresse wurde in derselben pedantischen Handschrift verfasst wie einst die unschuldige Nachricht: *Das war schön.*

Noch in derselben Stunde organisiert Mutti, ohne dass du sie darum gebeten hast, Möbelpacker, die deine restlichen Sachen in ihre Wohnung bringen.

Dagegen hast du nichts einzuwenden.

In der Nacht versuchst du, wach zu bleiben, um deinen Träumen zu entkommen. Dabei ist Alexander, der kreischend nach dir verlangt, eine große Hilfe.

»Ich weiß, du willst deinen Papa«, sagst du zu ihm, »sollen wir ihn anrufen?«

Du holst das Telefon, wählst die Nummer der Schwabinger Wohnung und lauschst gemeinsam mit deinem Sohn dem Tuten.

Bald verstummt er und schläft wieder ein.

Auch an den Tagen danach und an den Tagen nach diesen Tagen funktioniert es. Das Tuten beruhigt Alexander mehr als sein Fläschchen, dein Summen einer Melodie oder Muttis ›Bolero‹. Immer lauschst du zusammen mit ihm. Du verrätst Mutti nichts davon, aber das Tuten entspannt nicht nur deinen Sohn. Viele Pflichten einer Mutter und im Haushalt lassen sich dank langem Telefonkabel mit dem Hörer zwischen Schulter und Kopf geklemmt erledigen. Insgeheim glaubst du, dass Robert, wo auch immer er ist, auf euren Anruf wartet. Mit den Geldsendungen, die alle zwei Wochen bei euch eintreffen (du hast einen Nachsendeantrag gestellt), lässt er dich wissen, dass es ihn noch gibt, dass es durchaus sinnvoll ist, ihn anzurufen. Irgendwann wird er abnehmen. Daran hältst du auch fest, als eines Tages eine Tonbandaufnahme behauptet: »Kein Anschluss unter dieser Nummer.«

Du legst einfach auf, nimmst ab und rufst wieder an.

Aber das Telefon klingelt nun auch öfter. Mutti muss Kurt mitgeteilt haben, was passiert ist. Fast jeden Tag ruft er dich an. Eure Gespräche sind so oberflächlich wie jede eurer Botschaften, aber zumindest kannst du seine Stimme hören, und dadurch fühlst du dich ihm näher. Er hat Alexander noch nicht zu Gesicht bekommen und verspricht bei jeder Gelegenheit, das bald nachzuholen. Dabei stört es dich kaum, dass er euch noch nicht besucht hat. Wenn Kurt, der Retter deiner Familie, nicht anreist, bedeutet das auch: Niemand muss gerettet werden.

Nur ein einziges Mal erwähnt er Robert, als er andeutet, dass es mithilfe eines Detektivs nicht so schwierig sein sollte, Roberts Adresse herauszufinden. Darauf antwortest du nichts, und nachdem ein paar Sekunden verstrichen sind, fügt Kurt hinzu, vielleicht irre er sich auch. Als er das sagt, würdest du gerne seinen Gesichtsausdruck lesen. Ob er begreift, dass du Robert nicht finden, sondern zurückhaben willst? Er soll wieder da sein, als wäre nichts geschehen. Oder fortbleiben. Du möchtest nicht wissen, warum er weggelaufen ist – auch wenn du annimmst, die Antwort darauf zu kennen: Er hat endlich begriffen, dass etwas nicht mit dir stimmt.

Du versuchst, nicht daran zu denken, damit du ihn nicht verstehen musst, damit du wütend auf ihn sein kannst. Die Wut hilft dir. Sie macht es leichter, ohne ihn aufzuwachen, ohne ihn im Englischen Garten zu spazieren, ohne ihn zu kochen und zu essen und abzuwaschen, ohne seine Hand auf deinem Bauch einzuschlafen.

Einmal nimmt Mutti Alexanders Ärmchen und deutet damit auf dich: »Das da ist Mutti.«

»Bring ihm das nicht bei«, sagst du.

»Wie soll er dich denn sonst nennen?«

»Ava, einfach nur Ava.«

»Und ich«, sagt Mutti zu Alexander, »bin Großmutti.«

In den ersten Wochen nach deinem Einzug bei ihr bemüht sie

sich, möglichst lautlos in der Wohnung zu sein. Bald darauf klopft sie morgens an die Tür zu deinem Zimmer und bietet dir flüsternd Frühstück an, worauf du nicht reagierst, um noch etwas länger allein mit Alexander liegen zu können. Wenige Tage später kommt sie in aller Früh herein und stellt dir ein Tablett mit Brot, gekochten Eiern und Milch ans Bett.

Mit jeder Stunde, die du bei ihr lebst, scheinst du für sie jünger zu werden. Da kann Alexanders Kreischen noch so deutlich darauf hinweisen, dass du inzwischen Mutter geworden bist – in Muttis Augen bist und bleibst du ein Kind, ihr Kind.

»Habt ihr etwa noch geschlafen?«

»Ja, Mutti.«

»So was, dabei bin ich mir sicher, dass ich den Kleinen gehört habe. Soll ich ihn nehmen, während du duschst?«

»Nein, Mutti.«

»Wann willst du denn duschen?«

»Nächsten Monat.«

Sie reißt die Vorhänge auf. Im hereinfallenden Licht siehst du Staub herumwirbeln. »Ich mache heute Sachertorte.«

»Du meinst, du kaufst welche.«

»Nein«, sie kippt das Fenster, wedelt sich frische Luft zu, »ich backe.«

Und nicht nur das. Bei jedem Essen wartet eine von ihr gefaltete Serviette in Form eines Vogels auf deinem Teller. Ein Strauß Blumen, deren Namen du nicht kennst, schmückt das Wohnzimmer. Das Bad riecht nach Zitrone. Und die Sachertorte stellt sich als so köstlich heraus, dass du drei Stück hintereinander verschlingst.

Es ist schwer zu begreifen, ja, es ist beängstigend, dass du achtzehn Jahre mit Mutti gelebt hast, ohne diese Seite von ihr zu sehen. Was verbirgt sie noch vor dir? Diese hilfsbereite, fürsorgliche Frau, die kein Löwenbräu trinkt und nur noch leise

Musik hört, ist nicht Mutti. Wäre sie schon immer so gewesen, du würdest sie Mutter nennen.

Die Geburt deines Sohnes scheint ihr etwas gegeben zu haben, das der Tod ihres Mannes ihr geraubt hatte: den Mut, den man braucht, um sich dem Leben zu stellen.

Du kannst nichts dagegen tun: Du magst diese neue, mutigere Mutti.

Was nicht bedeutet, dass du ihr vertraust.

»Darf ich Alexander halten?«, fragt sie dich.

»Besser nicht«, sagst du. »Er ist gerade am Einschlafen.« Oder: »Er ist gerade aufgewacht.« Oder: »Er schläft.«

Auch nach zwei Monaten bleibt Robert fort. Wenn dir selbst die Anrufe keine Ruhe einflößen, schiebst du ein paar Schuhkartons unter deinem Bett zur Seite. Dort bewahrst du deinen treuen Begleiter auf. Mittlerweile bevorzugst du Weißwein. Frauengold ist etwas für hysterische Sekretärinnen, Wein aber kann auch wohltuende Medizin sein. Er erinnert dich an den schönsten Tag deines Lebens: als Alexander gezeugt wurde. Du weißt, es sollte nicht so sein, aber es fühlt sich befreiend an, die Flasche zu nehmen und zu öffnen, zu trinken, die Flasche leer zu trinken.

Mutti denkt, du stillst Alexander nicht, weil du es nicht verträgst; dabei müsste es eher heißen: weil er es nicht vertragen würde. Du hast ihm noch nie die Brust gegeben.

Ist es schlimm, dass du die Tatsache witzig findest, dass ihr beide eine Flasche braucht, um ruhig zu sein?

Du gibst dir ja Mühe. Du wäschst ihn so ausgiebig, dass seine Haut schrumpelig wird, und puderst ihn dann gründlich ein. Du entwickelst ein Gespür für die ideale Temperatur der Milch und eine Vorahnung, wann die Windel gewechselt werden muss. Du packst ihn immer warm ein. Du lässt ihn deine

Zeigefinger mit beiden Händen festhalten und summst ihm Lieder vor, deren Text du vergessen hast. Und du versprichst ihm, mit dem Trinken aufzuhören, bald.

Du willst keine Mutti, du willst eine sehr gute Mutter sein.

Die Dalí-Kunstdrucke hast du im Keller verstaut. Sie sind überflüssig, du willst nicht mehr, dass frische Luft hereinströmt. Aber dich erfreut, wie berühmt Dalí ist. Dir gefällt die Vorstellung, dass Robert jedes Mal, wenn er von ihm hört, an dich denken wird. Er soll wissen, dass ihr zusammengelebt habt. Dass es dich gab.

In manchen Nächten liegst du wach, denkst an Muttis Geschichte und stellst dir Robert vor. Sein Gesicht siehst du klar und deutlich vor dir. Aber an seinen Schatten kannst du dich einfach nicht erinnern. Hatte er einen?

Im August reißt Kurt dich aus dem Schlaf: »Ich möchte, dass du dir das anschaust.«

Seit Weihnachten hast du ihn nicht mehr gesehen. Jetzt ist er hier und sagt nicht einmal Hallo. Das Haar an seinem Hinterkopf ist durcheinander, vielleicht von unruhigem Schlaf in einem Nachtzug. Er greift unter dein Bett und holt einen Schuhkarton ohne Schuhe hervor. Und noch einen. Und noch einen. Würde er dir glauben, dass du leere Flaschen sammelst? Selbst wenn: Wofür?

»Wie kommt das denn da hin?«, sagst du halbherzig, in dem Wissen, dass dein Bruder dich durchschauen wird. Er hat dir zwei Jahre Lebenserfahrung voraus, und es wollte dir bisher nie gelingen, diesen Abstand zu verringern, im Gegenteil. Schon immer kam es dir vor, als würde er mit jedem Jahr noch älter als du werden.

Wortlos stellt er sich neben Mutti, die, mit dem drei Monate alten Alexander im Arm, an der Schwelle zu deinem Zimmer wartet. Sie hat Kurt angerufen und gebeten zu kommen, sie hat ihn auf das Frauengold und den Wein hingewiesen. Das weißt du sofort, als sie deinem Blick ausweicht. Du schlägst die Bettdecke zurück und streckst die Arme nach Alexander aus, der offenbar schläft, da er keinen Laut von sich gibt. Mutti braucht nicht einmal den Kopf zu schütteln, um dir zu verdeutlichen, dass sie ihn dir nicht geben wird.

»Ich hab doch nichts gemacht«, sagst du, im vollen Bewusstsein, wie hohl das klingt. Du willst nur, dass sie dir widersprechen. Sie sollen dir Vorwürfe machen und nicht so stumm nebeneinanderstehen wie an einem Grab und Alexander von dir abgewendet halten, als wäre der Anblick zu furchtbar für ihn.

Kurt öffnet die Wohnungstür, und du eilst auf ihn zu. Er tritt dir entgegen. Hinter Kurt schlüpft Mutti mit Alexander ins Treppenhaus. Selten hast du sie so schnelle Schritte machen sehen. Das erinnert dich an deine eigenen Schritte, wenn du nachts durch München läufst und jemanden nah hinter dir hörst: Sie hat Angst.

Mutti hat Angst vor dir.

»Schlaf dich erst mal aus«, sagt Kurt. »Danach reden wir.«
Er zieht die Tür hinter sich zu.

Du läufst ihnen nicht nach, sondern zum Fenster und siehst auf die Straße. Als sie das Haus verlassen, winkst du Alexander. Du kannst nicht erkennen, ob er wach ist. Du möchtest seinen Namen rufen, aber du willst nicht, dass Kurt und Mutti dich bemerken. Als sie im Park verschwinden, wendest du dich den Schuhkartons zu. Du hast Durst. Leider hast du vergessen einzukaufen. Du nimmst eine Flasche nach der nächsten, hältst sie senkrecht, saugst an der Öffnung, trinkst abgestandene Reste.

Unter einem halben Dutzend Flaschen findest du Roberts schwarz-rot kariertes Hemd, das er bei dem Fahrradausflug nach Segendorf trug. Es war in der Wäsche, als er seine Sachen packte, um dich – euch! – zu verlassen. Warum du es aufgehoben hast, weißt du nicht. Es erinnert dich, besser als jedes Foto, daran, dass es ihn gab. Du musst nur daran riechen, sofort scheint Robert da zu sein. Dafür hasst du dieses Hemd: wie nah es ihn dir bringt. Sein Geruch überlistet dich jedes Mal. Du wünschst dir, du könntest daran riechen und dabei nicht an seine Nase und an Dalí und den Gloria Filmpalast und einen Hügel bei Segendorf und an ein Lächeln in der Tram - denken.

Mit einer Schere stutzt du beide Ärmel. Schneidest ein Loch in die rechte Brust. Erlöst es vom Kragen. Zierst den Rücken mit zackigen Schlitzen. Trennst Knöpfe ab. Bis nur ein Fetzen Stoff übrig ist.

Aber der Fetzen Stoff riecht noch immer nach Robert.

Du verlässt die Wohnung. Rennst durch einen Wald aus - Häusern und Schatten. Du brauchst Platz. Keine Fläche ist frei genug, weit genug. Du überquerst die Corneliusbrücke und wartest an einer Ampel, nicht, weil sie rot ist, sondern wegen des Verkehrs. In Hörweite unterhalten sich zwei Mütter über ihre Kinderwagen hinweg, während sie einen Zigarettenautomaten mit Münzen füttern. Als der Verkehr abebbt, bleibst du stehen, um zu lauschen. Du willst wissen, worüber Mütter - sprechen.

»Frank Sinatra hat ja 'ne neue Freundin«, sagt die eine.

Darauf die andere: »Hab ich schon gehört – 'ne Studentin!«

»Ach, Quatsch! 'ne Sekretärin!«

»So? Ich weiß es aus der ›Bild‹!«

»Und ich hab's in der ›Bunten‹ gelesen!«

Wieder die erste: »Vielleicht arbeitet die Studentin als Sekretärin, was meinst du?« Sie fischt eine Schachtel Marlboro aus dem Automaten.

»Ein Tausendsassa, dieser Sinatra«, meint die zweite und holt ein Feuerzeug aus ihrer Handtasche. »Bestimmt heiratet der auch noch 'n drittes Mal.« Synchron den Kopf schüttelnd, schieben sie die Kinderwagen weiter. Ihre Schatten sind kurz.

Enttäuscht schlägst du die entgegengesetzte Richtung ein. Hockst dich auf einen Treppenabsatz, frierst. Du hättest eine Jacke mitnehmen sollen.

Nichts passiert. Du bist der Stadt gleichgültig. Niemand spricht dich an, man wirft dir nicht einmal Blicke zu, weil du in dünner Kleidung, wie eine Ausgesperrte, draußen sitzt.

Als die Sonne hinter aschgrauen Häuserwänden abtaucht, wunderst du dich, wohin die Stunden geflüchtet sind. Du machst dich auf den Heimweg.

Bereits aus der Ferne siehst du, dass in der Wohnung Licht brennt. Sie werden dich fragen, wo du warst, und egal, was du antwortest, sie werden denken, dass du getrunken hast. (Was stimmen würde, wenn du Geld bei dir gehabt hättest.)

Du klingelst bei den Nachbarn, damit sie dir öffnen. Du kannst den Gedanken nicht ausstehen, dass Mutti oder Kurt etwas für dich tun, und wenn es nur eine Kleinigkeit wie das Türöffnen ist.

Die Treppen kamen dir noch nie so steil vor, jede Stufe kostet dich Kraft, deine Schritte zur Wohnungstür sind langsam, schlurfend, klein. Aus der Wohnung dringen Stimmen. Du erkennst das Glasklirren: Sie räumen deine Schuhkartons weg.

»Sonst nichts? Nur trinken und sich in der Wohnung aufhalten?«

Zuerst denkst du, Kurt spricht von Mutti.

»Sie versucht immer noch, Robert zu erreichen«, sagt Mutti. »Ich habe sie dabei beobachtet. Oft hält sie Alexander den Hörer ans Ohr.«

»Und dort besteht kein Zwang?«, fragt Kurt.

Dort?

Mutti lässt ein paar Sekunden verstreichen, ehe sie antwortet. »Die Patienten müssen sich nur an grundlegende Richtlinien halten.«

»Vielleicht sollten wir das noch mal überdenken«, sagt Kurt, und du willst ihm zustimmen: Ja, vielleicht solltet ihr das noch mal überdenken. Du wirst nirgendwohin gehen, wo du als Patientin bezeichnet wirst.

»Sie muss einfach aufhören zu trinken«, sagt dein Bruder, »das würde schon helfen.«

»Ja … und nein«, meint Mutti. »Der Alkohol ist nicht das Problem.«

Woher will ausgerechnet sie das wissen?

»Was dann?« Das kann er nicht ernsthaft fragen. Er kennt doch die Antwort. Und er sollte wissen, dass die Antwort sich niemals selbst verraten wird. Dafür ist sie zu schlau. Sie lautet Mutti.

Eine Gesprächspause entsteht, und je länger sie andauert, desto unwohler wird dir.

Schließlich sagt Kurt: »Du hast recht.«

Was ist passiert? So leicht lässt dein sturer Bruder sich sonst nicht überzeugen. Wie ist Mutti das gelungen, sogar ohne Worte?

Das Hemd. Sie hat ihm Roberts Hemd gezeigt. Sie hat ihm gezeigt, wie angeblich unzurechnungsfähig, wie gefährlich und zerstörerisch du sein kannst.

»Schlimm«, sagt Mutti, und du weißt sofort, dass Kurt ihr zunickt.

Er sagt – und dabei stellst du dir vor, er schüttelt den Kopf:
»Ava.«

Deinen Namen zu hören macht dir Angst. Dir ist natürlich
bewusst, dass sie über dich sprechen, aber deinen Namen zu
hören, ist etwas anderes. Du stützt dich auf dem Treppengelän-
der ab. Im Stockwerk über dir fällt eine Tür ins Schloss, und
ein junges Paar läuft an dir vorbei, händchenhaltend. Um die
Tränen zu verbergen, wendest du dich ab. Du unterdrückst das
Bedürfnis, ihnen nachzurufen, dass sie einen großen Fehler be-
gehen.

Du willst in die Wohnung, um Alexander zu holen, aber du
weißt, dass Kurt und Mutti das nicht erlauben werden. Du solltest etwas Zeit vergehen lassen, damit Kurt noch einmal über
dieses Gespräch nachdenken kann und seine Zweifel an Muttis
Standpunkt, hoffentlich, wachsen. Aber es darf auch nicht zu
viel Zeit vergehen; sonst wird das beide in ihrer Annahme bestätigen, du seist eine verantwortungslose Mutter, die ihr Kind
stundenlang allein lässt.

Ohne Ziel durchquerst du die Stadt. Immerzu gehst du, willst
dich an keinem Ort lange aufhalten, rein, vorbei, weiter, raus.
So kannst du dir, zumindest für eine Weile, einreden, du seist
nur auf dem Weg zu deinem Sohn.

Aus Gewohnheit stierst du zwar auf den Boden, aber du
fragst dich gleichzeitig, ob Leute mit Schatten nicht möglicherweise die gefährlicheren Menschen sind.

Im Hauptbahnhof wärmst du dich auf und liest auf der An-
zeigentafel:

München Hbf.–Leipzig Hbf.
Ab 20:40

Du steigst in den Zug, sperrst dich auf der Toilette ein. In Leipzig warst du noch nie. Wird man dir im Fürstenhof glauben, dass du eine rechtmäßige Erbin bist, und dir ein Zimmer geben? Eine Suite?

Das Geräusch der Trillerpfeifen lässt dich hochschrecken. Du rempelst einsteigende Passagiere an, springst aus dem Zug. Auf dem Bahnsteig rennst du zum Ausgang und prallst dort gegen ein Mädchen, es fällt rückwärts hin. Sein zierlicher Schatten verschwindet in deinem, und seine Mutter stößt dich beiseite, als wärst du ein Angreifer. Du entschuldigst dich nicht, du hast dem Kind einen Gefallen getan. Es sollte früh lernen, dass auf niemanden Verlass ist. Irgendwann wird jemand kommen und dich attackieren, und deine Mutter wird nichts dagegen tun können. Vermutlich wird der Angreifer sogar deine Mutter selbst sein.

Wieder streunst du durch die Stadt. Siehst mehr Schatten als Leute.

Eine Weile bleibst du vor dem Löwenbräukeller stehen und stellst dir vor, wie er früher ausgesehen haben muss, als noch beide Türme standen.

Später, als du müde wirst, gehst du in Richtung Au. Du willst noch nicht nach Hause, aber doch in der Nähe sein.

Die Isar ist ein schwarzer Fluss. Du stolperst über die dunkle Wiese hin zu der Stelle, wo Robert und du euch das erste Mal geküsst habt. Du versuchst, dich daran zu erinnern, wie sich das angefühlt hat. Du wartest darauf, dass Wärme in dir aufsteigt, eine nostalgische Wärme. Du schließt die Augen und lauschst dem Rauschen des Flusses.

Du fühlst nichts.

Drei junge Männer kommen näher und bleiben stehen, als sie dich bemerken. Du gehst auf einen von ihnen zu, den in der Mitte, stellst dich vor ihn und täuschst ein Lächeln vor.

»Wo wollt ihr hin?«, fragst du.

Die drei lachen verlegen. Du begleitest sie zu einer Parkbank, auf der zwei Mädchen warten. Erst als sie sich gegenseitig Zigaretten anzünden, erkennst du im Schein ihrer Streichhölzer, wie jung sie alle sind. Ihr spielt Mäxchen. Wer erwischt wird oder danebenliegt, muss einen kräftigen Zug aus einem Flachmann nehmen. Bald verabschiedet sich der erste und läuft torkelnd zur Isar; aus der Ferne hört ihr ihn würgen. Die Gesichter der anderen sind so ähnlich, du kannst sie kaum voneinander unterscheiden, verwechselst immer wieder ihre Namen. Da sind nur lachende Umrisse. Sie könnten jeder sein. Eine nasse Hand streift deinen Nacken. Vielleicht bildest du dir das auch nur ein. Die Zigaretten stinken. Dir ist unerträglich heiß. Du kriechst davon, gehst. Einer der Jungen folgt dir. Sein Schatten kommt ihm kaum hinterher. Er sagt, er wohne in einer Villa ganz in der Nähe, bei seinen Eltern, und obwohl du weißt, dass du niemals sein Haus betreten wirst, begleitest du ihn. Er redet wenig, und das gefällt dir. Ob seine Eltern eine Garage hätten, fragst du ihn, und als er das bejaht, schlägst du vor, er soll dich dorthin bringen. In Garagen ist es kühl.

Ihr seid nur kurz unterwegs. Er knipst eine Glühbirne an und schließt das Tor hinter euch. Man hört kein Zuprosten oder Lachen mehr. An den Wänden hängt Gartengerät. Ein Rasenmäher, der nach Benzin riecht, beansprucht viel Platz. Ihr setzt euch auf den angenehm kalten Betonboden. Noch immer ist dir viel zu heiß. Du ziehst deine Schuhe aus, deine Füße jucken. Der Blick des Jungen wandert über deinen Busen. Ob er dich anfassen will, fragst du ihn. Aber er rührt sich nicht. Die Glühbirne ist zu grell. Du schaltest sie aus. Im Dunkeln tastest du dich zu dem Jungen vor. Sein Körper fühlt sich zierlicher an, als er aussah. Du fragst dich, wie es wäre, mit einem Schatten zu schlafen, rutschst näher zu ihm, berührst seine Hose. Er wird schnell hart, atmet hektisch, als versuche er zu pfeifen. »Pscht«, machst du. Der Rasenmäher schwängert die Luft mit dem Geruch, den du an Tankstellen so liebst. Mit beiden Händen fasst er dich überall an, aber immer nur kurz, als könne er sich verbrennen. Du hast Kopfschmerzen. Überall leckerer Benzinduft. Du lässt ihn dich ausziehen, fühlst dich wie betäubt; zugleich willst du aufspringen und davonlaufen, ihn bei Mutti verpetzen. Du sagst zu ihm: »Etwas stimmt nicht mit mir.« Er hält inne. »Was?!« Du weißt, so war seine Frage nicht gemeint, trotzdem antwortest du: »Das wüsste ich auch gerne.« Er weicht zurück. Du willst ihn festhalten, aber er stößt dich weg, droht dir, seine Eltern zu wecken, wenn du nicht augenblicklich verschwindest.

Als du aufwachst, steht die Sonne bereits hoch am Himmel, eingekreist von dunkelgrauen Wolken. Du liegst neben einem Brückenpfeiler an der Isar, zusammengekauert. Es riecht nach gemähtem Gras und Erde. Die Kopfschmerzen sind wieder da, und du frierst, aber du fühlst dich besser als in der Nacht. Du kannst dich nicht daran erinnern, wie du aus der Garage hierhergelangt bist.

»Das Leben hält nicht viel von dir, hm?« Ein Mann löst sich aus dem Schatten des Brückenpfeilers, kniet sich an der Isar hin und spritzt sich Wasser ins Gesicht. »Kenn' ich.«

Du runzelst die Stirn in Kurt-Manier, als wüsstest du nicht, wovon er spricht; er macht eine abwehrende Geste. Seinen Mund umrandet ein unsymmetrisch gestutzter Bart, sein Anzug trägt dunkle Flecken. Du kannst nicht einschätzen, ob er obdachlos ist oder nur eine schlimme Nacht hinter sich hat.

Vermutlich geht es ihm mit dir nicht anders.

Du denkst an Alexander und daran, wie gern du ihn jetzt halten würdest. Sein kleiner Körper wärmt deinen besser als jeder andere.

»Haben Sie Kinder?«, fragst du den Mann.

Nun tut er so, als wüsste er nicht, wovon du sprichst.

»Ich hab' einen Sohn«, sagst du.

»Und was schert mich das?«

Sein Desinteresse weckt dein Bedürfnis, dich zu erklären.

»Ich bin keine schlechte Mutter.«

»Erläutre schlecht.« Mit Daumen und Zeigefinger pflückt er eine Kippe aus dem Gras und zündet sie an, mit einem angelaufenen Silberfeuerzeug, das seiner zerknitterten Erscheinung einen schäbigen Charme verleiht.

»Ich liebe meinen Sohn«, sagst du.

»Ich liebe Zigaretten«, erwidert er.

Und du sagst: »Ich liebe meinen Sohn!«

»Und«, er nimmt einen langen Zug, »was machst du dann hier?«

Eine Minute später bist du auf dem Heimweg. Wie sollst du erklären, wo du warst? Dir fallen kaum Sätze ohne *Tut mir leid* oder *Verzeiht mir* ein. Einzig die Vorfreude auf Alexander ermutigt dich, Vorfreude, die mit jedem Schritt wächst. Sie bringt dich dazu, in Schaufenstern zu überprüfen, ob dein Haar sitzt oder deine Miene entspannt ist. Du lächelst probeweise deinem Spiegelbild zu, und es lächelt schief zurück. Ein bisschen mit den Augen lächeln, denkst du, versuchst es noch einmal, und die Antwort fällt sofort freundlicher aus.

Starker Regen setzt ein und bildet einen undurchsichtigen Vorhang. Weit entfernt ein Blitz. Bei Kaiser's klaust du einen Weißwein, schleichst entlang eines Regals voller Einmachgläser mit undefinierbarem Inhalt zum Ausgang. In der Kneipe nebenan leihst du dir einen Korkenzieher und trinkst vor dem Wirt aus der Flasche. Die Kopfschmerzen klingen ab.

»Das ist doch keine Art«, kommentiert der Wirt.

»Soll es auch gar nicht sein«, sagst du und gehst.

Draußen gibt der Sturm ein Konzert. Donner über der Stadt. Regen trommelt auf Autodächer, Bäume, Regenschirme, Pflastersteine. Klopft überall an. Und beklatscht sich in Pfützen. Es ist, als prassele er direkt auf deine nackte Haut. Ein Feuerwehrwagen fährt mit heulenden Sirenen an dir vorbei. Ansonsten kaum Autos auf den Straßen, selten ein Mensch.

Am Haus angekommen, wischst du das Nass aus deinem Gesicht. Deine Hände zittern. Du klingelst und sagst in die Wechselsprechanlage: »Hallo.«

Was sollst du sonst sagen?

Oben steht die Wohnungstür offen. Drinnen ist es warm, im Wohnzimmer brennt kein Licht. Blitze spiegeln sich im gerahmten Plakat des Fürstenhofs und verwandeln ihn in ein Geisterhotel.

Aus deinem Schlafzimmer hörst du Schmatzen und eine säuselnde Stimme. Du folgst den Geräuschen.

Auf der Bettkante sitzt Mutti, in ihrem Schoß Alexander. Sie trägt ihre Brille und einen Bademantel, der ihr mindestens drei Größen zu groß ist. »Namnamnam«, macht sie und entblößt ihre gelbstichigen Zähne. Alexander ist in ein Tuch gewickelt und nuckelt an einer Milchflasche.

Mutti sieht zu dir auf. »Gott, Aveline! Du bist pitschnass!«

Es ist lange her, dass sie deinen vollen Namen ausgesprochen hat.

»Solltest dich umziehen«, sagt sie.

»Wo ist Kurt?«

Mit welcher Vorsicht sie Alexanders Kopf hält. Behutsam streicht sie über die Fontanelle, mit einem Zeigefinger, der so dick wie seine Hand ist. Du wusstest nicht, wie zärtlich sie sein kann. War sie das auch bei dir? Alexander hört auf zu nuckeln; Milch läuft über sein Kinn. Mutti tupft sie mit einem Lätzchen ab. Sie spricht, ohne den Blick von Alexander abzuwenden. »Er musste zurück nach Montreux.«

Alexander kreischt vergnügt etwas, das wie *Dajiü* klingt. Mutti berührt ihn mit der Nasenspitze. Er macht *kch*.

»Gib ihn mir«, sagst du.

»Er ist noch nicht satt.«

»Ich mach das schon. Gib ihn mir.«

»Bist du sicher?«

Du machst einen Schritt auf sie zu, und sie überreicht dir Alexander, lässt euch allein. Du küsst deinen Sohn auf die Stirn, und er lächelt – Alexander lächelt immer mit Mund und Augen.

»Gleich wieder da«, sagst du zu ihm und legst ihn in die Wiege neben dem Bett. Im Bad schälst du dich aus deiner Kleidung, trocknest dich mit einem Handtuch ab. Im Spiegel: - Aveline Salz. In ihrem Gesicht suchst du nach Mutti, nach Überbleibseln, spannst deine Wangen, ziehst an den Augenwinkeln. Aber du findest nichts. Das Erbe sitzt tiefer.

Du bespritzt dein Gegenüber. Es zerfließt.

Als du Alexander aus der Wiege nimmst, wird dir schwindlig, und du musst dich setzen, aufs Bett, du legst ihn neben dich. Er quengelt, und du gibst ihm seine Milchflasche, schmiegst dich an ihn. Du bist so müde.

Es riecht nach nassem Hundefell.

Es ist sehr, sehr ruhig.

Es fällt dir schwer, die Augen zu öffnen.

Das Erste, was du siehst: die halb volle Milchflasche am Boden. Sie muss Alexander heruntergefallen sein. Du wischst dir Haare aus dem Gesicht. Neben dir liegt Alexander.

Du springst auf. Nimmst ihn. Horchst an seinem Mund. Zählst. Eins. Zwei. Drei. Benetzt deinen Zeigefinger mit Speichel und hältst ihn vor seine Lippen. Eins. Zwei. Drei.

Nichts.

»Tu was!«, sagst du zu dir. »Tu was!«

Sofortmaßnahmen am Unfallort in einer Radiosendung neulich. Wie war das? Zwei Finger? Oder drei? Die ganze Hand?

Du legst zwei Finger an die Stelle unterhalb der Rippen, stützt deine andere Hand darauf, pumpst drei Mal. Wartest. Hältst seine Nase geschlossen. Bläst Luft in die Mundöffnung. Dir wird schwindlig. Du ohrfeigst dich. Mehrmals.

Wieder: zwei Finger, drei Mal pumpen, Nase zu, blasen, Nase zu, blasen.

Hören.

Eins. Zwei. Drei.

Nichts.

»Tu was!«, sagst du laut.

Dir fällt etwas ein. Mit dem Zeigefinger ertastest du sein Mundinneres, gleitest in warme Flüssigkeit. Du drehst Alexander um, hebst den schlaffen Körper unterhalb des Kopfes an, und es läuft Milch aus seinem Mund, viel Milch. Du legst ihn wieder auf den Rücken. Pumpst Luft. Eins. Zwei. Drei.

Du wartest.

Dann Husten. Wunderbares, vollkommenes Husten. Du liebst dieses Husten. Alexander spuckt Milch aus. Und er weint nicht einmal – er lächelt dich an.

Du nimmst ihn, und es kostet dich viel Beherrschung, ihn nicht heftig an dich zu drücken. Er gibt etwas von sich, das wie *Bahühü* klingt. Du streichelst seinen Kopf, spürst den zarten Haarflaum. Seine Wangen blühen rosa.

Draußen auf der Straße zerbricht irgendwo Glas, das Klirren schneidet scharf durch das Trommeln des Regens.

»Es tut mir leid«, sagst du. »Es tut mir leid. Ich war so erschöpft, ich hätte nicht einschlafen … es tut mir leid!«

Alexander lächelt.

Zwei Tage später bringt dir Mutti einen Stapel Seiten. Der violette Text riecht nach Spiritus.

»Was ist das?«, fragst du.

Mutti hält den Blick gesenkt und setzt beim Sprechen, noch sorgfältiger als sonst, ein Wort hinter das nächste, als würde sie einen zuvor einstudierten Vortrag halten: »Eine Erinnerung. An mich. Wie ich früher war«, sagt sie. »Lies es. Insbesondere das Ende. Du wirst dann besser verstehen.«

»Was passiert am Ende?«

Erst jetzt sieht Mutti dich an. »Das wüsste ich auch gern.«

»Aber eben hast du doch gesagt …«

»Früher«, unterbricht sie dich, »dachte ich, das, was dort steht, ist das Ende. Wie naiv! Jetzt scheint mir, es war bloß der Anfang.«

Du stellst noch mehr Fragen: Wieso gibt sie dir das jetzt? Musst du das wirklich lesen? Kann sie dir nicht einfach mitteilen, worum es ihr geht?

Ohne ein weiteres Wort zieht sie sich ins Wohnzimmer zurück und legt Bach auf: ›Weihnachtsoratorium‹.

Du beschließt, die Seiten nicht zu lesen. Dein Leben lang hast du unter Muttis Propaganda gelitten. Und nun will sie auch noch, dass du dich auf einen Text über sie einlässt?

Jetzt verstehst du, warum sie sich in den letzten Tagen so, du möchtest fast sagen: liebevoll um dich gekümmert hat. Das war ihr Plan. Sie kochte dir nur deshalb Hühnerbrühe, fragte nur deshalb nicht, wo du dich in der Nacht herumgetrieben hattest, entzog dir Alexander nur deshalb nicht und erzählte Kurt nur deshalb kein Wort, damit du ihr dankbar bist. Und dich verpflichtet fühlst, diesen Text zu lesen.

So einfach fällst du aber nicht auf ihre Tricks herein.

Sie sollte nicht vergessen: Du bist die Tochter deiner Mutter.

Am Morgen wachst du neben den Seiten auf. Vom Spiritus-geruch ist dir schlecht. Du öffnest das Fenster und wirfst sie nicht raus, du hältst sie einfach in die Luft, und der Wind nimmt sie, erst eine, dann zwei, dann eine ganze Handvoll, er trägt alle davon, verteilt sie in der Stadt.

Mutti bringt dir und Alexander Frühstück ans Bett. An ihrem Blick kannst du ablesen, wie gerne sie dich fragen würde, ob du den Text gelesen hast und was du denkst.

Aber du schweigst nur, bedankst dich nicht einmal für das Frühstück und erwähnst den Text mit keinem Wort.

Eine Woche nach dem Unfall mit Alexander sitzt ihr beim - Mittagessen. Mutti rührt ihr Besteck nicht an, sie mustert die dampfende Kartoffel auf ihrem Teller, ihre Hände liegen in ihrem Schoß. Langsam wandert ihr Blick den Tisch entlang und trifft schließlich auf deinen. Es ist unangenehm, ihr in die Augen zu sehen. Du beobachtest, wie ihre Nasenflügel sich beim Atmen blähen.

»Hast du«, fragt sie, »hast du ihn gelesen?«

Du nimmst dein Messer, betrachtest stumm dein verzerrtes Spiegelbild und schüttelst kurz den Kopf.

»Du solltest wirklich einen Blick darauf werfen«, sagt sie. »Dein Vater hat ihn verfasst. Kurz vor seinem Tod.«

Sofort bereust du, dass du dich so überhastet der Seiten ent-ledigt hast. Vielleicht hättest du in ihnen etwas von dir wieder-entdeckt und dann nicht mehr bloß hoffen müssen, dass nicht alles, was dich ausmacht, von Mutti stammt.

Als du schweigst, räuspert sie sich. »Du musst ja nicht alles lesen. Schau wenigstens mal rein.«

»Das geht nicht«, sagst du.

»Wieso nicht? Wo ist er?«

»Nicht mehr da«, sagst du.

Ein paar sehr lange Sekunden verstreichen.

Bildest du dir das ein, oder sind ihre Augen feucht?

»Vielleicht ist es besser so«, sagt sie. »Keine schöne Lektüre.«

Mutti salzt die Kartoffel, teilt sie mit der Gabel in zwei Hälften, macht aber keine Anstalten zu essen.

»Guten Appetit«, sagst du.

»Wie machen wir jetzt weiter?«

Du bist es nicht gewohnt, dass sie um Rat fragt.

»Ich habe mit jemandem gesprochen«, sagt sie. »In einer Klinik.«

»Da werde ich nicht hingehen.«

Mutti legt Gabel und Messer beiseite.

»Da werde ich niemals hingehen«, sagst du.

Sie steht auf und geht in die Küche. Du hörst sie etwas trinken, aber du siehst nicht zu ihr. Du hoffst, dass es Wasser ist.

An den Tagen darauf ist dir oft kalt, obwohl die Septembersonne kräftig scheint. Licht ist zwar da, aber die Wärme fehlt. Es herrscht eine dämmrige Stimmung, manchmal wachst du auf und weißt nicht, ob die Sonne bald aufgeht oder gerade eben untergegangen ist.

Mutti bringt etwas Struktur in deinen Tag, da sie morgens, mittags und abends für dich kocht. Du wunderst dich, dass sie nicht insistiert, weder Kurt einweiht noch die Klinik ein weiteres Mal erwähnt. Sie ist einfach da. Und du bemühst dich, ihr nicht zu zeigen, dass dir das gefällt. Du wünschst dir, sie würde, wie früher, laut Musik hören und Alexander damit aus dem Schlaf reißen, du wünschst dir, sie mit ein paar leeren Flaschen Löwenbräu zu ertappen, du wünschst dir, sie würde sich in irgendeiner Weise falsch verhalten, damit du nicht so sehr das Gefühl hast, diejenige zu sein, die sich falsch verhält.

Wenn dieses Gefühl zu stark wird, putzt du Bad, Küche, dein

Schlafzimmer, Flur (aber nie das Wohnzimmer). Danach stellt sich ein Gefühl von Kontrolle ein, das jedoch spätestens dann wieder verfliegt, wenn Mutti sich für deine Arbeit bedankt oder dir sogar anbietet mitzumachen.

Dann helfen nur Spaziergänge mit Alexander. Je weiter weg, desto besser. Du schiebst den Kinderwagen entlang der Isar, lieber gegen als mit dem Lauf des Flusses, überholst flanierende Familien. Dein Herz schlägt heftig, du schwitzt, legst aber keine Pausen ein. Alexander mag diese hektische Fortbewegung nicht. Er quengelt, möchte, dass der Kinderwagen gemächlich rollt. Du würdest ihm gern erklären, warum das zu riskant ist.

Zwar achtest du weniger als sonst auf die Schatten anderer Fußgänger, weil du gelernt hast, dass dich das nicht vor Unheil bewahren kann und gerade die Menschen eine Bedrohung sein können, von denen du weißt, dass sie einen Schatten besitzen – zu ihnen zählst nicht zuletzt du selbst.

Aber, denkst du, aber du bist jetzt eine Mutter. Das bedeutet, dass du deinen Sohn vor allem schützen musst. Sogar vor Dingen, von denen du annimmst, dass sie nicht existieren.

Auf der Rückseite des Bucheinbands von ›Heigenu‹ – einer Sammlung von Erzählungen für Kinder, aus der du Alexander vorliest, im Glauben, dass er mehr davon versteht, als man annehmen möchte – ist ein Fernsehgerät abgebildet, aus dem der Arm eines Maskierten herausschnellt und ein entsetztes Kind am Kragen packt. Darunter steht ein Gedicht:

Der Schattenmann holt alle Kinder,
ob bald schon groß oder noch ganz klein,
es schert ihn nicht mehr und auch nicht minder,
zieht er sie schreiend in die Kiste hinein.

Wenn ihr euch auf den Spaziergängen zu weit von der Wohnung entfernt und du spürst, dass du es vor Erschöpfung kaum schaffen wirst, den Heimweg in hohem Tempo zurückzulegen, musst du nur an diesen Schattenmann denken, und schon findest du neue Kraft in dir.

Auf einem eurer Ausflüge siehst du eine kleine, blonde Frau, die, mit dem Rücken an eine Hauswand gelehnt, auf dem Gehsteig sitzt und am Kopf blutet. Ihre Knie sind aufgeschürft, vorsichtig befühlt sie ihre Stirn.

Alexander klagt im Staccato: *e-he-e-he-e-he*. Du sagst, wie so oft in letzter Zeit, »Heigenu« zu ihm. Was es wohl für ihn bedeutet? Jedenfalls muss es etwas Schönes sein, sonst würde es ihn ja nicht jedes Mal beruhigen.

Erst, als du dich der Frau weiter näherst, erkennst du Mutti; so ungewohnt ist es, sie außerhalb der Wohnung anzutreffen. Du zögerst – selbst wenn es nur kurz ist, du wendest dich ungern vom Kinderwagen ab –, gehst dann aber zu ihr.

Der einzige Fußgänger in nächster Umgebung, der euch helfen könnte – ein Mann, dessen Hut tief in der Stirn sitzt und sein Gesicht fast vollständig verbirgt –, wechselt auf die andere Straßenseite.

»Was ist passiert?«

Mutti schüttelt den Kopf.

»Soll ich einen Arzt rufen?«

»Ist doch nichts«, sagt sie mit kratziger Stimme.

Du gibst ihr ein Taschentuch.

Sie tupft das Blut von ihrer Schläfe. »Hilf mir hoch.«

Du stützt sie, bis sie wieder steht.

Sie klopft Dreck von ihrem Rock und zuckt mit den Schultern. »Gestolpert. Wie eine alte Frau!«

»Wo wolltest du hin?«

»Einkaufen.«

Du riechst kein Löwenbräu in ihrem Atem. Vielleicht sagt sie die Wahrheit. »Bist du sicher, dass du keinen Arzt brauchst?«

Sie schüttelt den Kopf. »Ich bin gesund!« Sie macht zwei Schritte auf die Straße zu und knickt ein; gerade noch rechtzeitig fängst du sie auf.

Etwas leiser sagt sie: »Kannst du mich heimbringen?«

Beim Spaziergang am Tag darauf nimmst du denselben Weg und bleibst dort stehen, wo Mutti gestolpert ist. Du betrachtest lange die Stelle, dieses unauffällige Stück Gehsteig. Was wäre passiert, wenn du sie nicht gefunden hättest? Und, noch wichtiger: Warum bist du froh, dass du sie gefunden hast?

Das nächste Mal, als Alexander und du dabei seid aufzubrechen, kommt sie in den Wohnungsflur, in Mantel und Stiefeln. »Kann ich euch begleiten?« Sie klingt optimistisch.

»Warum?«

»Brauche ich einen Grund, um mit meiner Tochter und meinem Enkel zu spazieren?«

Etwas an ihr ist anders als sonst. Sie trägt die gleiche, weite Kleidung wie immer, aber ihren Mund ziert ein Lächeln. Das ist neu. Wo hat sie es bisher versteckt? Oder hast du es immer übersehen? Wenn du es nicht besser wüsstest, wenn du ihr noch nie begegnet wärst, würdest du sagen, diese Frau mit diesem Lächeln sieht, ja, sympathisch aus. Man möchte sie nicht zurückweisen.

»Besser nicht«, sagst du, nimmst Alexander, öffnest die Tür, schließt sie hinter dir.

Aber diesmal verschafft der Spaziergang dir keine Erleichterung. Du sagst immer wieder laut »Heigenu« zu Alexander. Dabei ist er ganz ruhig.

In diesem Herbst lernt Alexander zu greifen, am liebsten die bunten Plastikrasseln mit dem Klapperschlangengeräusch; abgesehen davon ist er nicht besonders wählerisch, er packt einfach zu, ob es nun dein Haar oder ein Telefonkabel oder Muttis Rockzipfel ist, und lässt nicht los.

Eine Unruhe wächst in dir, du willst auch zugreifen und festhalten.

Einmal spaziert ihr an einem Kiosk vorbei. Dort kaufst du eine Flasche Weißwein, hältst sie fest in der Hand, während du mit der anderen den Kinderwagen schiebst. Bevor du allerdings in eure Wohnung gehen und einen Korkenzieher holen kannst, wirfst du sie in einen Mülleimer gegenüber von eurem Hauseingang. Kaum hast du Alexander entkleidet und ihm seine Milchflasche gegeben, die er mit beiden Händen an seine Brust drückt, legst du ihn in seine Krippe, läufst, ohne Jacke oder Schuhe, die Treppe nach unten, zurück zum Mülleimer.

Aber der Wein ist schon weg.

Am nächsten Morgen fragst du Mutti, ob sie euch begleiten möchte. Solange sie bei euch ist, wirst du keinen Wein kaufen.

Umgehend schlüpft sie in Straßenkleidung, wieder mit diesem neuen Lächeln.

Zu dritt überquert ihr die Isar. Da ihr, damit Mutti mithalten kann, langsamer spaziert als gewohnt, blickst du viel um dich.

Was ihr nicht entgeht. »Keine Sorge, Ava«, sagt sie. »Ich passe auch auf.«

»Worauf?«

Mutti deutet auf eure Schatten.

So beginnen eure Spaziergänge. Anfangs denkst du, sie tun deshalb so gut, weil sie dich von deinem Leben fortführen. Dabei bringen sie dich zurück.

Du schreibst einen Brief, den du unadressiert in den Briefkasten wirfst:

> *Lieber Robert,*
> *Du bist ein gewissenloses Subjekt.*
> *Deine Aveline*

Fühlst du dich danach besser?

Nein.

Aber du fühlst dich auch kein bisschen schlechter. Und wenn Alexander es nicht verhindert, schläfst du nun manchmal eine ganze Nacht durch. Obwohl du Robert nicht mehr anrufst.

Das teilst du Mutti bei einem eurer Spaziergänge mit, weil sie nicht mehr denken soll, dass ihre Tochter einen Klinikaufenthalt braucht; und anstatt deine Neuigkeit zu kommentieren, nickt sie bloß und schenkt dir erneut dieses Lächeln, an das du dich gewöhnen könntest.

Muttis Schweigen ist ihre Art, zu dir »Heigenu« zu sagen. Es hilft dir, deine Angst zu beherrschen. Du verstehst jetzt: Angst ist nicht etwas, das man hat oder nicht hat. Jeder trägt sie in sich. Man muss einfach aufpassen, dass sie nicht zu groß wird. Dabei hilft jede Form von Heigenu.

Teil deines Heigenus ist, dass Mutti dich nun jeden Morgen fest umarmt, als hättest du die Nacht an einem fernen, gefährlichen Ort verbracht. Heigenu ist auch, dass du zwar noch Wein trinkst, allerdings bloß gelegentlich und dann auch nicht mehr eine ganze Flasche auf einmal – manche Wahrheiten finden sich eben auf einer Parkbank: *Lebe weniger, und du lebst länger.* Immer wieder findest du Heigenu, wenn du spazieren gehst, mit

Alexander und Mutti oder auch ohne sie: ein- und ausatmen, der Widerstand des Bodens, das Rudern der Arme, Pfützen oder eisglatten Stellen ausweichen, der Geruch im Park, wenn es geregnet hat, neue Straßen entdecken, nach Hause kommen, heiß duschen und deinen ganzen Körper spüren, sich entspannende Glieder und nicht die geringste Lust auf Wein – eine Menge Heigenu.

So vieles kann Heigenu sein: ein freundlicher, oberflächlicher Brief von Kurt, eine traumlose Nacht oder Alexanders Gebrabbel. Und nicht zuletzt: deine Mutter. Denn diese Frau mit dem Lächeln und den Umarmungen kann nicht Mutti sein.

Deine Mutter sagt: »Du hast ein schönes Lächeln, Ava, du solltest öfter lächeln.« Deine Mutter sagt: »Wie froh ich bin, dass du nicht auf mich gehört hast. Alexander ist das Beste, was dieser Familie passieren konnte.« Deine Mutter sagt: »Ich werde nie eine so gute Mutter wie meine sein. Aber ich habe ihr eines voraus: Ich habe dich als Tochter.« Und einmal sagt deine Mutter: »Furchtbar, wenn Leute andauernd meinen: ›Ich liebe dich.‹ Mit großen Worten muss man sparsam umgehen.« Und gleich darauf: »Wenn auch nicht zu sparsam – du weißt, dass ich dich liebe, ja?«

Nichts davon sagt sie in Wirklichkeit. Aber bei euren schweigsamen Spaziergängen stellst du dir manchmal vor, sie würde so etwas zu dir sagen. Und allein, dass du es dir vorstellen kannst, bedeutet schon sehr viel.

Anfang November bilden blattlose Äste ein grobmaschiges Netz über dir und Alexander. Obwohl er bald sechs Monate alt sein wird, erstaunt es dich noch immer, wenn du daran denkst, dass du, Aveline Salz, einen Sohn hast. Die Sonne scheint, und der erste Schnee des Winters schmilzt. Du achtest darauf, den Kinderwagen nicht durch eine der Dreckpfützen zu schieben, und denkst darüber nach zu studieren. Du suchst nach Anhaltspunkten: Worin warst du in der Schule gut?

In jedem Fach außer Sport.

Was klingt interessant?

Germanistische Linguistik und Ethnologie und Philosophie und Geisteswissenschaftliche Pädagogik und Theaterwissenschaft und Restaurierung und Lusitanistik.

Da siehst du einen Mann mit gekrümmtem Schatten auf einer Parkbank vor eurem Haus sitzen. Ein grauer Hut verbirgt sein Gesicht.

Du bleibst stehen. Du weißt, du hast ihn schon einmal gesehen. Auch wenn du dich nicht erinnerst, wo.

Du ahnst etwas.

Dann schiebst du den Kinderwagen weiter und kramst in deiner Handtasche nach dem Hausschlüssel. Deine Hände - zittern.

Als du den Schlüssel endlich findest, möchtest du ihn nicht benutzen. Damit wirst du nicht nur euch die Tür öffnen, sondern auch ihm.

Du wirfst einen Blick über die Schulter: Er sitzt noch immer auf der Parkbank, rührt sich nicht. Wenn du dich beeilst, wirst du im Haus sein, bevor er euch erreichen kann.

Du sagst dir, dass du das Richtige tust, als du aufsperrst, den Kinderwagen ins Innere schiebst, Alexander in die Wohnung trägst, das Radio einschaltest, die Lautstärke hochfährst, mit Nachrichten über die von Kennedy gewonnene Präsidentschaftswahl deine Gedanken übertönst. Gedanken, die dich nicht in Ruhe lassen wollen, die dich daran erinnern, dass du etwas unternehmen musst, wenn du nicht willst, dass die Angst wächst.

Deine Mutter bittet dich, den Tisch zu decken. Du erzählst ihr nicht von dem Mann mit dem grauen Hut. Ihr esst Frühlingssuppe. Während deine Mutter das Geschirr abspült, bringst du Alexander ins Bett. Du spähst aus dem Fenster. Er ist immer noch da. Sitzt einfach dort. Wartet.

Deine Mutter kommt zu euch ins Schlafzimmer. »Willst du ein Bad nehmen? Ich pass auf Alexander auf.«

Du umarmst sie so plötzlich, dass es dich ebenso überrascht wie sie. Du magst ihren Geruch, der jahrelang unter einer Bierfahne verborgen war. Es heißt, man kann sich nur selten wirklich an die ersten Kindheitsjahre erinnern. Aber du bist dir ganz sicher: So wie jetzt roch deine mutige Mutter, als sie dich in den letzten Kriegsmonaten Kilometer um Kilometer durch Deutschland trug, fest an ihre Brust gedrückt.

Sie sieht dir in die Augen, ihr Lächeln ist schlicht und schön. Es ist alles, was du brauchst. Du hältst ihre Hände fest und versprichst ihr, dass es nicht lange dauern wird und sie sich keine Sorgen machen soll. Dass du das jetzt erledigen musst.

Der Mann mit dem grauen Hut sieht auf, als du das Haus verlässt.

»Entschuldigung!«, rufst du und gehst auf ihn zu.

Er steht auf und entfernt sich mit zügigen Schritten.

»He!«

Er läuft los. Einer, der nichts zu verbergen hat, würde bleiben. Ohne darüber nachzudenken, folgst du ihm. Er biegt in eine Seitenstraße ein und wird langsamer, entnimmt seiner Hosentasche etwas, das im Sonnenlicht blinkt, umrundet einen Wagen, sperrt auf. Du rennst jetzt. Du bist davon überzeugt: Auch wenn er einen Schatten hat, er ist einer von den Schattenlosen. Denkt er, er kann euch überallhin folgen? Euch auflauern? Denkt er das? Nicht mit dir! Du willst keine Angst mehr haben.

Als du ihn erreichst, sitzt er schon im Wagen. Von der Windschutzscheibe reflektiertes Sonnenlicht blendet dich. Du haust auf die Motorhaube. Er kann nicht vorbei. Du läufst zur Fahrertür, trommelst dagegen, und als der Mann dahinter, auf den du einen Schatten wirfst, endlich aus dem Wagen steigt und seinen Hut abnimmt, erkennst du Robert.

Du spuckst ihn an. Er weicht nicht aus, wischt den Speichel nicht von seiner Wange. Du schlägst ihm ins Gesicht, mitten auf die Nase, du willst sie brechen, er soll mit einer schiefen Nase herumlaufen. Robert krümmt sich, der Hut fällt ihm aus der Hand, und er hält seinen Hemdsärmel an die Nase. Langsam färbt er sich rot. Erst jetzt sieht Robert dich an und sagt: »Ich kann das …«

Noch einmal schlägst du ihm ins Gesicht, und Blut spritzt auf sein hellbraunes Jackett. *Ich kann das erklären.* Nach so langer Zeit sagt er etwas so Banales. Und entschuldigt sich nicht einmal.

Ich war schwanger. Du wusstest das. Ich hatte Angst, du wusstest das. Ich war im Krankenhaus, mit unserem Sohn. Ich brauchte jemanden, ich brauchte dich. Du wusstest das!

All das sagst du ihm nicht, sondern freust dich daran, wie sein Blut läuft, hellrot. Es tut gut zu sehen, wie er versucht, es zu stoppen, und nach Luft schnappt. Er lässt dich dabei nicht aus den Augen. Sieht er wütend aus? Nein. Er sieht leer aus, er sieht nach gar nichts aus.

»Es tut mir leid«, sagt er, mit einer Stimme, als würde ihn jemand erdrosseln, und du schreist ihn an: »Zu spät!« Und holst aus, um noch einmal zuzuschlagen. Da packt er deinen Arm, und du verlierst das Gleichgewicht, fällst rückwärts, und etwas sticht in deinen Kopf.

Als du wieder zu Bewusstsein kommst, liegst du auf einer Parkbank neben einem Spielplatz. Du hättest Robert nicht zugetraut, dass er dich so weit tragen kann. Dein Kopf schmerzt, und deine rechte Hand, mit der du ihn geschlagen hast, ist blau und angeschwollen; du kannst sie kaum bewegen. Eine Frau schubst ein Kind auf einer Schaukel an. Beide lachen, als wäre es ein ganz normaler Tag.

Robert steht am Ufer auf einer Kiesbank, die wie eine Zunge in die Isar ragt. Du hättest ihm auch nicht zugetraut, dass er bleibt. Du fragst dich, ob du zu ihm gehen sollst, ob es nicht besser wäre, die entgegengesetzte Richtung einzuschlagen. Aber du hast so lange auf ihn gewartet, du hast es verdient, mit ihm zu reden.

Als du ihn erreichst, sieht er nicht auf. Sein Blick scheint vom Wasser abzugleiten. »Ich hätte nicht kommen sollen«, sagt er.

»Du hättest nicht gehen dürfen«, sagst du.

Robert bückt sich und zupft einen der langen Grashalme aus, an denen man sich schneiden kann. Er versucht, ihn in der Mitte zu teilen, aber seine Hände zittern zu stark, sodass er ihn auseinanderreißt.

»Ist es gesund?«, fragt er.

»Es hat einen Namen: Alexander.«

»Alexander«, murmelt er, und du weißt, dass er daran denkt, wie anders alles hätte sein können.

Dein Sohn möchtest du zu ihm sagen, nur um zu sehen, wie er reagiert. Stattdessen fragst du: »Wo warst du?«

»Ich habe meine Mutter besucht.«

»In Kanada.«

»Ja.«

»Und? War es schön, in Kanada?«

»Ava.«

»Haben sie da drüben kein Telefon?«

»Es war besser so.«

Dafür würdest du ihn am liebsten noch einmal schlagen. Weiß er denn nicht, dass jedes Mal, wenn das Telefon klingelt, ein Teil von dir hofft, er ist es?

Du verspürst, erstmals seit Langem, das Bedürfnis, Robert anzurufen. Denn er ist nicht hier, das ist nicht dein Langweiler, dein Robert. Die Schultern dieses Mannes hängen, trockenes Blut klebt in seinem Gesicht, sein Rücken ist krumm. Du lässt ihn reden und sich erklären, weil du überzeugt bist, dass er dir nichts anhaben kann. Weil du längst entschieden hast, dass du ihn nie in Alexanders Nähe lassen wirst. Weil du vor dem, was ein Mann mit einem so mickrigen Schatten sagen könnte, keine Angst hast.

Nur Minuten später suchst du die nächste Apotheke auf. Nachdem der Apotheker dir zwei Flaschen Frauengold gebracht hat, öffnest du eine und leerst sie vor ihm. Er reißt die Augen auf. Ihm fällt aber nicht ein, was er dazu sagen könnte, also weist er dich darauf hin, dass du zuerst bezahlen musst. Da lässt du die Flasche einfach fallen. Das Glas zerspringt und verteilt sich auf dem Boden. Der Apotheker eilt um den Verkaufstresen herum, auf dich zu. Du rennst nach draußen, über die Straße. Kopfschmerzen pochen hinter deinen Augen. Neben einem Gittertor rutschst du aus und prallst mit der Schulter aufs Eis. Streusplit springt davon. Deine angeschwollene Hand fühlt sich taub an. Auf einem verblassten Schild über dir steht: RATTEN FÜTTERN VERBOTEN! Du ziehst dich daran hoch und rennst - weiter. Schneeflocken fliegen dir ins Gesicht. Seitenstechen. Du bekommst kaum Luft.

Endlich erreichst du euer Haus. Du kriegst den Schlüssel mit der linken Hand nicht ins Schloss. Du drückst den Daumen so lange auf die Klingel, bis dir geöffnet wird.

Die Treppe hat mehr Stufen als sonst.

Oben wartet sie schon auf dich. Als sie dich sieht, kommt sie dir entgegen. Aber du lässt nicht zu, dass sie dich berührt. Du weißt jetzt, dass sie immer Mutti war und immer Mutti sein wird.

»Was ist passiert?«, fragt sie.

Du gehst an ihr vorbei in die Wohnung. Alexander schläft in der Krippe unter dem Bild des Fürstenhofs. »Ich bin Robert begegnet.«

Sie folgt dir nicht. Aus den Augenwinkeln siehst du, wie sie mit beiden Händen ihren Rock glatt streicht. »Verstehe.«

Du sagst zu ihrem Rücken: »Ich will nur wissen, warum.«

»Kannst du dich präziser ausdrücken?«

»Stell dich nicht dumm.«

»Ava!«

»Er hat mir alles erzählt. Wie ihr euch mit ihm getroffen habt. Und wie ihr, schon an Weihnachten, hinter meinem Rücken über mich geredet habt!«

»Wir haben uns nur wenige Male mit ihm unterhalten«, sagt sie, »wie hätten wir ahnen können, dass er deshalb gleich das Weite sucht?«

»Ihr habt ihm gesagt, ich hätte Probleme.«

»Hattest du ja auch.«

»Ihr habt ihm gesagt, ich sei Alkoholikerin!«

»Deinen Briefen nach zu urteilen, kommt das der Wahrheit nahe.«

»Du hast meine Briefe gelesen?«

Mutti zuckt mit den Achseln, als wäre das nichts Neues. »Ich brauchte Beweise für meine Befürchtungen. Um Robert die Brisanz der Lage vor Augen zu führen.«

»Er denkt, ich bin eine Gefahr für jeden in meiner Nähe!«

»Bist du das nicht?«

Ihr Blick zu Alexander reicht, damit du verstummst.

»So schmerzvoll es auch war, dass Robert dich verlassen hat, es war auch ein Segen«, sagt sie. »Seitdem geht es dir doch viel besser. Außerdem, wenn er dich wirklich geliebt hätte, dann wäre er geblieben. Dass er abgehauen ist, beweist, dass du dich nicht auf ihn verlassen kannst. So einen wie ihn willst du nicht in deinem Leben haben.«

Du zwingst dich, ihr in die Augen zu sehen. »Wer, denkt ihr, seid ihr, dass ihr einfach so über mein Leben bestimmt?«

»Wir sind deine Familie, Ava«, sagt sie mit herzlichem Tonfall und will dich umarmen.

Du weichst zurück. »Lange Zeit dachte ich, etwas stimmt nicht mit mir«, sagst du. »Aber ich habe mich geirrt. Ihr seid diejenigen, mit denen etwas nicht stimmt. Ihr alle!«

Du gehst in dein Zimmer und packst.

Mutti steht im Türrahmen und beobachtet dich, schüttelt langsam den Kopf. »Was machst du?«

»Wonach sieht's aus?«

»Schlaf doch erst einmal.«

»Das werde ich. Aber nicht hier. Nie mehr hier.«

Mutti seufzt und schließt die Tür.

Kurz darauf willst du Alexander holen, aber deine Tür ist abgeschlossen.

»Mach auf.«

»Leg dich ein wenig hin. Denk noch einmal über alles nach.«

Du rüttelst an der Tür. »Mach sofort auf!«

»Ruhig«, sagt sie. Es macht dich wütend, wie sanft ihre Worte klingen.

»Was soll das sein? Zimmerarrest?!«

»Du musst dich beruhigen.«

»Lass mich raus!«

Sie reagiert nicht.

Du wirfst dich gegen die Tür, trittst dagegen. Du kannst nicht hierbleiben. Kopfschmerzen ballen sich in deinem Schädel.

»Bitte, mach auf.«

Du setzt dich auf den Boden und betrachtest deine angeschwollene Hand.

Ein paar Seiten weißes Papier und zwei Bleistifte werden unter der Tür durchgeschoben. »Was soll ich damit?« Du zerbrichst die Stifte, zerknüllst die Seiten, öffnest das Fenster und wirfst alles raus.

»Mutti?«

Nichts.

»Bist du noch da?«

Zwei weitere Stifte rollen durch den Türspalt ins Zimmer. Mehr Seiten folgen.

Du reißt die Überdecke vom Bett und wickelst dich darin ein.

Es dauert, bis dir warm wird.

Am nächsten Morgen weckt dich gedämpfte Musik aus dem Wohnzimmer. Der erste Satz der ›Mondscheinsonate‹ dringt durch die Tür, kriecht unter ihr hindurch, schwappt gegen die Wände deines Zimmer, dein Bett, deinen Körper, steigt an und bricht durchs Fenster ins Freie.

Neben der Tür steht ein Tablett mit belegten Broten, Äpfeln, einer Kanne dampfenden Tees, noch mehr weißem Papier und Bleistiften.

»Mutti?«

Keine Antwort.

Du isst etwas. Danach nimmst du einen der Bleistifte, beugst dich über die erstbeste Seite und fängst an. Es wird keine Geschichte werden und auch kein Tagebuch, sondern etwas viel Besseres.

Du schreibst einen Brief an dich selbst.

Beim Putzen hast du eins gelernt: Du kannst nahezu jeden Schmutz entfernen; es ist nur eine Frage der Zeit. Alles hängt von deinem Einsatz und deiner Ausdauer ab, davon, wie lange du gewillt bist zu schrubben. Dasselbe gilt für deine Vergangenheit. Du kannst sie sauber kriegen, indem du alles ehrlich aufschreibst. Das ist dein Beweis dafür, wie ernst du es mit Alexander meinst. Es tut dir leid, wer du warst. Etwas stimmte nicht mit dir. Mit diesem Brief möchtest du sagen, dass du weißt, wie viele Fehler du begangen hast. Du hast gelernt. Du möchtest ein besseres Leben führen. Du wirst ein besseres Leben führen. Die Wahrheit ist: Schon während du diese Zeilen schreibst, beginnst du damit. Du fühlst dich besser. Du freust dich auf das, was kommen wird. Darauf, dass Mutti und Kurt deinen Brief lesen und verstehen werden und dich gehen lassen. Dein Brief wird sie überzeugen. Sie werden einsehen, dass du von jetzt an eine gute Mutter sein wirst.

Nichts wünschst du dir mehr, als eine gute Mutter zu sein. Das ist Alexanders einzige Aussicht auf ein Leben ohne Angst und mit viel Helgenu.

DAS GEBIET HINTER EINEM
BELEUCHTETEN KÖRPER,
IN DAS KAUM LICHT EINDRINGT

1989–1990

Vertraue den Schatten, Emma. Darum möchte ich, dein zukünftiger Schatten, dich bitten, solange du mich noch verstehen kannst. Spätestens mit deiner Geburt wirst du diese Fähigkeit leider verlieren, so wie du jüngst Schwanzfortsatz und Kiemenanlagen eingebüßt hast. Menschen! Ehe sie begreifen, was sie besitzen, haben sie es bereits verloren. Deshalb musst du mir jetzt aufmerksam zuhören. Damit du weißt, was dir sonst niemand mitteilen wird.

Diese Mühe machen sich andere Schatten übrigens nicht. Abgesehen von Licht reagieren sie besonders ungehalten auf Ignoranz. Ihr Einwand: Wenn Menschen uns nicht hören, wieso dann zu ihnen sprechen? Meine Erwiderung: Wenn wir nicht zu ihnen sprechen, wie sollen sie uns dann hören!

Als Gegenleistung erwarte ich von dir nur: einen Namen.

Immer heißt es, *der Schatten von.* Aber wir sind mehr als das Gebiet hinter einem beleuchteten Körper, in das kaum Licht eindringt – und weitaus mehr als ein nützliches Vehikel für Metaphern und abgenutzte Wortspiele. Wer glaubt, wir seien bloß an unsere Besitzer gebundene Sklaven der Physik, sollte wissen: Schatten haben einen eigenen Willen. Wir müssen nicht alles und jeden imitieren. Dort draußen geschieht ausreichend Fragwürdiges und Hässliches, von dem wir uns distanzieren. Und doch ist es unserer Treue geschuldet, dass wir kaum einmal von der Seite unserer Besitzer weichen.

Wer das versteht, wie deine Großmutter, wird einsehen: Jeder von uns hat sich längst einen Namen verdient. Lola war eine

Pionierin. Sie taufte ihren Schatten bereits 1914 auf den Namen Figaro. Meiner muss gar nicht so extravagant sein. Ich wäre auch mit einem Allerweltsnamen zufrieden. Kein, wie ich finde, vermessenes Anliegen, Emma. Schließlich hast du schon einen, obwohl wir beide noch nicht einmal geboren wurden.

Bis es so weit ist, sollten wir die Zeit nutzen. Als dein Schatten kann ich dir alles verraten. Die Wahrheit. Wie es wirklich war.

Zwar vermag ich nichts an deiner Vergangenheit zu ändern. Aber ich kann in noch nicht Geschehenes eingreifen, indem ich dir von deiner Entstehungsgeschichte erzähle, du daraus lernst und nicht die gleichen Fehler begehst. Wären andere in deiner Familie von ihrem Schatten gewarnt worden, dann – daran besteht kein Zweifel – müsste ich dir jetzt nicht helfen zu verstehen, wer du bist.

Die Antwort darauf beginnt meist, ja, fast immer, mit einer Sie und einem Er, in diesem Fall mit Margot Rübsam und Kurt Salz, deinen Eltern. Hinzu gesellen sich ein Wann: 1989. Und ein Wo: Pößneck in der DDR.

Fehlt nur noch das Wie.

Der Auftakt dieser Komödie – schließlich geht es, zumindest für dich, gut aus (du kommst zur Welt) – fand am 9. November statt, als der italienische Journalist Riccardo Ehrman bei einer Pressekonferenz in Ostberlin um kurz vor sieben eine grammatikalisch recht eigenwillige Frage stellte: »Sie haben von Fehlern gesprochen. Glauben Sie nicht, dass es war eine große Fehler, diesen Reisegesetzentwurf, das Sie haben jetzt vorgestellt vor wenigen Tagen?« Gerichtet waren seine Worte an Günter Schabowski (Mitglied des SED-Politbüros), dessen Schatten im Blitzlicht allerhand zu tun hatte, während Schabowski seine Erwiderung, verfasst in mustergültiger Bürokratensprache, vom Blatt ablas. Woraufhin die Rückfrage eines weiteren Journalisten folgte: »Wann tritt das in Kraft?« Schabowski reagierte mit einer grammatikalisch recht eigenwilligen Antwort: »Das tritt nach meiner Kenntnis ist das sofort, unverzüglich.« Seine Worte führten zur Öffnung der DDR-Grenzen noch am selben Tag.

So leitete Schabowski aus Versehen die deutsche Vereinigung ein, von der uns heute nur noch wenige Wochen trennen. Diese geschah in den darauffolgenden Monaten nicht allein auf politischer Ebene. Nachdem Tausende die Staatsgrenze passiert hatten, überquerten Hunderttausende die unsichtbar gezogene Grenze zwischen den zwei Hälften eines in die Jahre gekommenen Ehebettes. Mitten im Winter kehrte Frühling ein. Noch nie fühlten sich so wenige Deutsche allein. Kein Wunder, dass 1990 mit über neunhunderttausend Geburten in Deutschland ein Höchstwert verzeichnet wurde – zu dem auch deine Eltern beigetragen haben.

Am Morgen nach der Pressekonferenz parkte ein Streifenwagen der Volkspolizei an einer Landstraße bei Pößneck hinter einem schwarz-rot-goldenen Werbeplakat: PLASTE UND ELASTE AUS SCHKOPAU. Volkspolizist Hans Rübsam – den selbst Familienmitglieder und Freunde immer Hans Rübsam riefen, als wäre das ein Doppelname, weil er ihnen für Hans nicht nahe genug und für Rübsam zu nahestand –, dieser Hans Rübsam, der Besitzer des eckigsten Schattens der ganzen DDR, wartete mit heruntergekurbelten Fenstern in seinem Wolga.

In Gedanken saß er allerdings noch immer am Frühstückstisch, an dem er und seine Tochter Margot von der Nachbarin – Tratschtante, Ans-Küchenfenster-Klopferin und heimliche Westradiohörerin – vom Fall der Mauer erfahren hatten. *Was bedeutet das? Ist das schlimm? Wird noch mehr passieren?* Margot hatte Fragen ausgesprochen, die Hans Rübsam sich stumm gestellt hatte. Auf die Schnelle war ihm nichts Besseres eingefallen, als ihr zu erklären, dies seien bloß temporäre politische Turbulenzen. Sie solle sich nicht verrückt machen.

Das hatte weder sie noch ihn beruhigt.

Das Motorengeräusch eines herannahenden Wagens war ihm eine willkommene Ablenkung. Hans Rübsam schüttelte alle Gedanken an den Mauerfall ab, setzte seine Dienstmütze auf, stieg aus, schritt auf die Straße und signalisierte dem Fahrer anzuhalten. Westdeutsche Reifen quietschten auf ostdeutschem Asphalt. Da stand plötzlich Vopo vor Vopo – auf der einen Seite der Volkspolizist, auf der anderen der silberne Porsche 914, auch Volks-Porsche genannt, der im Sonnenlicht blitzte.

Den Wagen verließ: dein Vater. Ein Anzugträger mit grauen Schläfen, dessen Schatten stets Mühe hatte, der imposanten Erscheinung seines Besitzers gerecht zu werden. Kurts Stirn zierten horizontale Falten. Sein lachsfarbenes Einstecktuch harmonierte mit den lachsfarbenen Dekor-Schnürsenkeln seiner Slipper.

Hans Rübsam zeigte sich unbeeindruckt und forderte in bestem Thüringisch Fahrzeugpapiere sowie Fahrerlaubnis.

»Sie meinen: Führerschein?«

»Fahrerlaubnis«, sagte Hans Rübsam.

»Wieso denn?«

Eine Grille am Straßenrand rang um Aufmerksamkeit.

»Fahrzeugpapiere und Fahrerlaubnis.« Hans Rübsam verschränkte die Arme hinter dem Rücken und streckte die Brust raus. An der DVP-Hochschule in Berlin-Biesdorf hatte ihm ein Genosse gesagt, eine solche Körperhaltung vermittle Selbstsicherheit und schüchtere das Gegenüber ein.

Kurt holte die Dokumente uneingeschüchtert langsam.

Im Gegenzug studierte Hans Rübsam sie ausführlich. Eine sehr lange Minute verstrich. Schließlich sagte er, ohne aufzusehen: »Wohin müssen wir denn heute so eilig, Herr … Salz aus … München?«

»Nach Leipzig.«

»Verwandtschaft?«

»Ja, Herr Kommissar.«

»Unterwachtmeister Hans Rübsam.«

Die Stirnfalten strafften sich beim Lächeln: »Hans Rübsam?«

Hans Rübsam hob den Kopf und fixierte Kurts kristallblaue Augen. »Sie sind zu schnell gefahren.«

»Das kann nicht sein« – ein misstrauischer Blick auf den Porsche, als habe der ihn hintergangen – »wie schnell war ich?«

»Zehn Stundenkilometer zu schnell«, sagte Hans Rübsam, einerseits zufrieden darüber, dass dieser Dialog nach altbekanntem Muster verlief, andererseits fast ein wenig enttäuscht; von einem Porschefahrer hätte er sich mehr erwartet. Als Nächstes würde der Beschuldigte einen Beweis für seinen Verstoß verlangen.

»Können Sie das beweisen?«

Hans Rübsam bemühte sich, so sachlich wie möglich zu klingen: »Ich habe gute Ohren.«

Die Stirnfalten traten nun deutlich hervor. »Verstehe.« Kurt griff in die Innenseite seines Jacketts und zückte einen kalbsledernen Geldbeutel.

Hans Rübsam machte eine abweisende Geste, obwohl er ahnte, dass einer wie Kurt Salz aus München ihm nicht glauben würde. »Ich bin keiner von denen.«

»Natürlich nicht.« Es hatte etwas Laszives, wie Kurt mit zwei Fingern in den Geldbeutel tauchte. »Wie viel?«

Auch nach Jahren im Dienst der Volkspolizei war Hans Rübsam noch auf keine Formulierung gestoßen, die überzeugend darlegte, dass er ein außergewöhnlich gutes Paar Ohren besaß, mit dem er, unter anderem, die Geschwindigkeit von Fahrzeugen bis auf wenige Stundenkilometer genau schätzen konnte. Seine Kollegen riefen ihn neckend »Löffel« (trotz durchschnittlich großer Ohren) und empfahlen ihm, er solle in ›Ein Kessel Buntes‹ auftreten.

Kurt entnahm dem Geldbeutel einen lilablassblauen Geldschein, auf dem Sebastian Münster versonnen ins Weite sah. »Hundert?«

Hans Rübsam warf einen Blick zum Streifenwagen. Blau-weißer Bayernhimmel, der prahlerisch über die Grenze drängte, spiegelte sich in der Windschutzscheibe des Wolga und verbarg den Lockenkopf seiner Tochter dahinter.

Während Kurt die Trägerinnen aller erdenklichen Frisuren auf seinem Beifahrersitz kutschierte, wusste Hans Rübsam immer ein- und denselben Lockenkopf an seiner Seite. Margot leistete ihm in der Dienstzeit öfter Gesellschaft, als es Wachtmeister Görsch, Hans Rübsams Vorgesetztem, lieb war. Jedoch drückte Görsch in diesem Fall beide Augen zu. Lene, Hans Rübsams Frau, war im sechsten Lebensjahr des Lockenkopfs verschwunden. Ohne irgendwem etwas mitzuteilen. Offiziell bekundeten die Pößnecker Hans Rübsam und seiner Tochter natürlich ihr Beileid. Aber in den Innereien des Ortes, auf dem Herrenklo der DVP, nach einigen Rosen-Pils in der Kneipe oder an der Kasse des Konsum-Ladens, überall dort munkelte man, sie habe rübergemacht. Da Hans Rübsams Eltern nicht mehr lebten und die seiner vermissten Frau in einem Rostocker Altenheim dem gleichen Schicksal entgegeneilten, blieb ihm, aus Fürsorge für seine Tochter, nichts anderes übrig, als Margot seit frühester Kindheit mit auf Streife zu nehmen. Anfangs vor allem deshalb, weil es half, ihn davon abzulenken, wie alleine er sich ohne seine Frau fühlte, und weil er Margot die Angst nehmen wollte, ihren Vater ebenso plötzlich zu verlieren wie ihre Mutter. Gleich einem treuen Schatten wich er nicht von ihrer Seite. Vom Beifahrersitz aus beobachtete sie, wie er Verkehrssündern das Handwerk legte. Jeder erwies ihm Respekt. Mit seinen Strafzetteln und gut gemeinten Verwarnungen stellte er Gerechtigkeit her; er kämpfte gegen ignorante Raser, schlecht gewartete LKW und Schmuggler. Für Margot war er ein Ordnungshüter, der dafür einstand, dass auf Unrecht stets Recht folgte. Solange er in seinem Wolga patrouillierte, blieb die Welt im Gleichgewicht.

Je älter sie jedoch wurde, desto mehr sorgte sich Hans Rübsam um sie und desto seltener begleitete sie ihn und desto mehr sorgte er sich um sie. Margot war siebzehn, ein gefährliches Alter, in dem sie nicht nur, wie seit frühester Kindheit, unangenehme Fragen stellte. Nun ging sie diesen Fragen auch nach. Besonders der einen, wo ihre Mutter war. Dafür legte sie sich mit jedem an. Auch mit vorlauten, angetrunkenen Automechanikern, die Margots dreifaches Körpergewicht und den braunen Gürtel in Karate besaßen. Das garantierte ihr ein gewisses Maß an Lokalprominenz. Vor Kurzem hatte Wachtmeister Görsch Hans Rübsam ein Schreiben vom Jugendwerkhof Hummelshain gegeben; er habe einen guten Draht zum Direktor; ob das nicht etwas für Margot sei. Görsch hatte trotz seiner jovialen Art nicht vor Hans Rübsam verbergen können, dass er, der Kinderlose, den Jugendwerkhof für die ideale Erziehungsmaßnahme hielt. Darum hatte Hans Rübsam das Schreiben an sich genommen, seinem Vorgesetzten höflich gedankt und versprochen, er werde es in Erwägung ziehen. Aber natürlich würde er das niemals. In diesen Heimen, so lauteten die Gerüchte, gingen Mädchen zugrunde. Genau vor solchen Orten wollte er Margot bewahren. Deshalb ertappte er sich in letzter Zeit sogar dabei, ihre Telefonate an einem anderen Apparat im Haus heimlich mitzuhören. Selbstverständlich bloß zu ihrer eigenen Sicherheit; er würde sie immer schützen, nicht zuletzt vor sich selbst.

Eine ganz andere Sicherheit benötigte wiederum Hans Rübsam – Westgeld erleichterte vieles, nicht zuletzt für einen alleinerziehenden Vater, der seiner Tochter jedes Mal eine dieser AMIGA-Platten schenkte, wenn sie ihn darum bat.

Kurt wedelte mit den hundert D-Mark. »Und dafür muss ich

mich auch nicht mit irgendeinem Abschnittsbevollmächtigten rumschlagen.«

Hans Rübsam hörte als Einziger der drei einen Rasensprenger in der Ferne zischen. »Stecken Sie das weg.«

»Also gut.« Nun hielt Kurt zwei lilablassblaue Scheine in der Hand. »Zufrieden?«

Hans Rübsam nahm sie. Aggressives Westler-Aftershave stieg ihm in die Nase. Er faltete den Mann mit dem altmodischen Hut so, dass dieser die Begegnung nur noch einäugig verfolgen konnte, und stopfte das Geld zu dem lachsfarbenen Einstecktuch. »Gehen Sie einen Schritt zur Seite.«

Hans Rübsam stützte sich auf die Motorhaube, so makellos glatt wie eine gefrorene Wasserpfütze. Mit der einen Hand hielt er Kurts Fahrerlaubnis/Führerschein offen, griff mit der anderen nach dem Stempel in seiner Jackentasche und hinterließ zwei saubere Abdrücke auf dem grünen Papier. »Die zulässige Höchstgeschwindigkeit auf den Landstraßen der Deutschen Demokratischen Republik beträgt achtzig Stundenkilometer.«

»Bei uns hundert.«

»Halten Sie sich daran. Fünf Stempel bedeuten Fahrverbot.« Hans Rübsam reichte Salz seinen Führerschein, der ihn wegsteckte, als wäre er ein unverschämt geringes, aber dringend benötigtes Almosen.

»Kann ich jetzt weiterfahren?«

»Das macht zehn Mark Bußgeld.«

»Ernsthaft?« Kurt riss an einem seiner silbernen Manschettenknöpfe. »Ostmark?«

Hans Rübsam nickte.

»Haben Sie Wechselgeld?«

Hans Rübsam schüttelte den Kopf.

Ein Sebastian Münster wurde von seinem Bruder getrennt und wechselte den Besitzer.

»Quittung kommt sofort.« Erst auf dem Weg zu seinem Wolga erlaubte Hans Rübsam sich ein Lächeln. Er öffnete die Beifahrertür, tauchte mit dem Oberkörper ins Innere. Dabei rutschte seine Dienstmütze vom Kopf. Sofort beugte sich Margot aus dem Wagen danach und reichte sie ihm. Im Sonnenlicht leuchteten ihre Locken wie kupferfarbene Fusilli.

Als dein zukünftiger Schatten, Emma, weiß ich: Dieser Anblick ließ deinen Vater für einen Moment vergessen, wie gern er dem Vopo alias Unterwachtmeister Hans Rübsam eine verpassen wollte, und er stellte sich das Mädchen auf seinem Beifahrersitz vor. Dort hatte bis zu diesem Zeitpunkt eine dreistellige Zahl Frauen Platz genommen. So emanzipiert sie auch sein mochten, jede einzelne fühlte sich geschmeichelt, wenn Kurt ihr gegen Ende der ersten Verabredung in die Augen sah und fragte: *Gehen wir zu mir?* Oft stellten die überrascht Blinzelnden erst zu diesem Zeitpunkt fest, dass sie genau das wollten. Das war meist derselbe Zeitpunkt, zu dem er feststellte, dass er das gar nicht unbedingt wollte, dass er sie nur brauchte, um sich nicht allein zu fühlen – was ihn jedoch kaum davon abhielt, seinen Worten Taten folgen zu lassen.

Kurt fragte sich, ob die leichte Ungleichmäßigkeit im Gesicht des Vopos, als der ihm die Quittung reichte und eine gute Fahrt wünschte, das Überbleibsel eines Lächelns war.

Wieder hinter dem Lenkrad seines Porsche, achtete Kurt darauf, dass die Tachometernadel keinen Strich über die achtzig wanderte. Bei dem Tempo würde er Leipzig allerdings frühestens in anderthalb Stunden erreichen. Nach so vielen Jahren des Wartens war das zwar eine lächerliche Geduldsprobe, doch es kostete ihn viel Mühe, sein rechtes Bein nicht durchzustrecken. Immerhin war er unterwegs, um die Vergangenheit und, so hoffte er, auch die Zukunft seiner Familie zu inspizieren: den Fürstenhof am Tröndlinring, ein Hotel im zweistelligen Millionenwert, für das die Bezeichnung Hotel viel zu spartanisch klang. Kurts Herz pochte heftiger bei dem Gedanken, dass er es in Kürze endlich betreten würde. Seine Mutter hatte ihm vorgeschwärmt: mit Kronleuchtern ausgestattete Zimmer; ein Serpentin-Saal, der in seiner dunklen Pracht wie die Stiefmutter des Bernsteinzimmers wirkte; Sieben-Gänge-Menüs auf der Abendkarte des hauseigenen Restaurants; eine Gästeliste voller prominenter Namen wie Marlene Dietrich, Johannes Heesters, Anna Seghers oder Bertolt Brecht (der einen Stammtisch unterhalten hatte und im luxuriösen Ambiente besonders effektiv seine sozialistischen Gedanken hatte pflegen können).

Dort hatte deine Großmutter, Lola Rosa Salz, einst als kleines Mädchen gelebt. Dein Vater selbst kannte den Fürstenhof nur aus ihren Erzählungen. Nach seinen ersten fünf Lebensjahren (ebenfalls Weltkriegsjahre) in Karlsruhe und auf der Flucht hatte er seine Kindheit in einer sehr viel bescheideneren Behausung nahe der Isar in München verbracht, zusammengepfercht in zwei Zimmern mit seiner Mutter und seiner Schwester Aveline. Denn aufgrund familiärer Zwietracht war der Kontakt zum alten Salz abgebrochen. Die Hintergründe dessen erwähnte Lola Kurt gegenüber nie. »All dies gehört in das Kapitel: VORBEI«, sagte sie, wenn er danach fragte. Er wusste nur, dass sein Großvater in der Nachkriegszeit geradezu als Widerstandskämpfer galt, da er angeblich im Hotel Juden versteckt hatte. Deshalb durfte er den Fürstenhof gleich nach Ende des Krieges wiedereröffnen. Als er dann 1956 starb – angeblich war am Ende aus dem furchteinflößenden Herrn Salz ein zusammengesunkenes Herrchen Salz geworden –, ignorierte die DDR das Erbrecht und verleibte sich den Fürstenhof ein, bevor Kurt jemals einen Fuß in ihn setzen konnte. Sogar der Name des Hotels wurde gelöscht. Mithilfe eines Preisausschreibens wurde ein neuer gesucht. Den ersten, mit einer Prämie von fünfzig Mark verbundenen Platz belegte Oberkellner Beller. Sein Vorschlag zierte bald darauf die Fassade: ›Hotel International‹.

Kurt besuchte die Hotelfachschule im schweizerischen Glion am Genfer See und stieg danach die Ränge des Montreux Palace empor. So finanzierte er seiner Mutter eine großzügig geschnittene Wohnung in Bogenhausen, mit kostspieligen, klassizistischen Möbeln und Blick aufs Prinzregententheater. Dennoch musste er jahrzehntelang mit dem Groll leben, dass sich SED-Funktionäre in den weichen Betten seines Erbes die Hintern wärmten. Kaum hatte er von der Öffnung der Grenzen erfahren, hatte er im Montreux Palace um kurzfristigen Urlaub ersucht, war in seinen Porsche gestiegen, hatte sich in München mit seiner Mutter über das weitere Vorgehen ausgetauscht und noch am selben Tag seine Reise in die DDR fortgesetzt, hatte dank sich öffnender Grenzen ungehindert die deutsch-deutsche Trennungslinie überquert und war aufgrund eines Verkehrsunfalls und damit verbundener Autobahnstaus auf die Landstraße ausgewichen, auf der ihn Hans Rübsam nur kurz aufgehalten hatte.

Wenn das Zeitalter der Mauer ein Ende fand, könnte das auch für die Familie Salz eine neue Ära bedeuten.

Nach seiner Ankunft in Leipzig wurde Kurt von der staatlichen Notarin, mit der er die Besitzansprüche der Familie Salz auf den Fürstenhof hatte besprechen und deren Gunst er mithilfe von Sebastian Münster hatte gewinnen wollen, versetzt. Telefonisch war sie nicht zu erreichen. Eine Stunde lang wartete er in dem leeren Lokal, in dem sie sich verabredet hatten, bedrängt von unterforderten Kellnern, die wie ein Rudel hungriger Wölfe um seinen Tisch kreisten und immer wieder sein Selterswasser nachschenkten, Krümel von der Tischdecke kehrten, Pfeffer- und Salzstreuer zurechtrückten, ihm die Speisekarte brachten. Letztere umfasste vierzehn Seiten. Auf jeden Wunsch, den er äußerte, eilten die Kellner in die Küche und kehrten binnen weniger Minuten zurück, um ihm mitzuteilen, dieses Gericht sei heute leider schon aus. Bis er sich mit etwas Sättigungsbeilage zufriedengab.

All das nahm ihm aber nicht die Freude darüber, dass er die Nacht im renommierten Fürstenhof verbringen würde. Diese Freude nahm ihm der Fürstenhof selbst.

Beim Einchecken wusste niemand von seiner Reservierung. Die Sesselbezüge in der Bar waren abgewetzt. Es roch nach kalter Zigarettenasche. Der Whiskey war aus und der Wodka zu scharf, die Seezunge so günstig (dreizehn Mark!) wie trocken, der Aufzug außer Betrieb. Auf den Hotelfluren zierten quadratische, helle Flecken die Wände; sein Kofferträger erteilte ihm, gegen großzügiges Trinkgeld, die geflüsterte Auskunft, gewisse staatstragende Gäste hätten eine Vorliebe für Ölgemälde. In seinem Zimmer blätterte, versteckt hinter barocken Vorhängen, die Wandtapete ab. Das Wasser, das aus dem Duschhahn kam, war gelb. Die Heizung ließ sich nicht regulieren und blies ihm föhnheiß ins Gesicht. Kurt wollte das Fenster öffnen. Es klemmte. Also hob er es aus den Angeln. Dabei fiel ein zusammengefaltetes Blatt Papier herunter, das jemand als notdürftige Isolierung in ein Loch im Rahmen gestopft hatte: eine vergilbte Speisekarte aus den Fünfzigern. Auf dieser stand neben Geflügelsalat, Schabefleisch und Schinkenröllchen an der Unterseite fettgedruckt: ALLE KRAFT FÜR DEN FÜNFJAHRESPLAN, DEN PLAN DES AUFBAUS UNSERER FRIEDENSWIRTSCHAFT! Nach dem Öffnen der Fenster drang von draußen kühle, aber schwefelige Luft herein. Die Sprungfedern in Kurts Bett kommentierten jede seiner Bewegungen mit eisernem Singsang. Und am Morgen, als er noch vor Sonnenaufgang aufbrechen wollte, dauerte es vierzig Minuten, bis sein Porsche vorgefahren wurde. Die Radioantenne war geknickt.

Kurt wünschte sich im vierten Gang zurück an den Genfer See.

Die Erfüllung dieses Wunsches verzögerte Hans Rübsam, als er den Porsche bei Pößneck ein zweites Mal stoppte.

»Sie«, sagte er.

»Ich«, bestätigte Kurt, der, aufgrund seiner Erfahrungen in den letzten Stunden, mit weniger Verve als am Vortag aus dem Porsche stieg.

Ehe Hans Rübsam das Wort ergreifen konnte, hob er beschwichtigend beide Hände. »Ich weiß. Bin zu schnell gefahren.«

Hans Rübsam räusperte sich. »Zwölf Stundenkilometer zu –«

»Hier«, unterbrach ihn Kurt und hielt ihm einen Hundertmarkschein hin. »Ich gehe davon aus, dass Sie kein Wechselgeld haben?«

Hans Rübsams Blick fiel auf einen zerknitterten Würdenträger, auf den Schönheitsmakel des schillernden Porsche und auf die königsblaue Krawatte des Westlers, die auf seinen offenen Hosenschlitz deutete.

»Das war aber ein kurzer Besuch bei der Verwandtschaft«, resümierte Hans Rübsam.

Kurt fragte: »Schon mal im Fürstenhof gewesen?«

»Welcher Fürstenhof?«

»Das beste Hotel Leipzigs. In der Nähe des Hauptbahnhofs.«

»In Leipzig?« Aus Hans Rübsams Mund hörte es sich an wie *Leepzsch*. »Sie meinen das ›Hotel International‹.«

»Der *Fürstenhof*«, korrigierte Kurt, »gehört meiner Familie.«

»Schön für Sie.«

»Sollte man annehmen.«

Eine Windböe traf auf die PLASTE-UND-ELASTE-Werbung, die sich leise ächzend dagegenstemmte.

Kurt spähte zum Wolga. »Wieder in Begleitung?«

Sofort kehrte dieser Hans Rübsam zur Routine zurück: Führerschein. Stempel. Geld.

»Waren Sie schon mal im Westen?«

»Sie haben eine Menge Fragen.«

»Sie nicht?«

Hans Rübsam rückte seine gerade sitzende Dienstmütze gerade. »Wiedersehen.«

»Und meine Quittung?«

Hans Rübsams rechtes Augenlid zuckte, und er wandte sich ab.

Kurt sah ihm nach. Bevor der Vopo seinen Wagen erreichte, sprang dessen Beifahrertür auf, und die junge Frau mit den Fusilli-Locken eilte Hans Rübsam mit einem Zettel entgegen. Was sie sprachen, konnte Kurt nicht hören, aber Hans Rübsams Tonfall klang wenig erfreut; er nahm ihr den Zettel ab. Kurt winkte ihr. Und sie hob zögerlich eine Hand. Sofort schob Hans Rübsam sie zurück auf den Beifahrersitz und schloss die Tür. Dann brachte er Kurt die Quittung.

»Das ist Ihre Tochter, oder?«

»Das ist niemand.«

»Und wie heißt *niemand*?«, fragte Kurt mit erhobener Stimme.

»Margot!«, rief es durch das heruntergekurbelte Fenster.

»Interessante Namenswahl.« Kurt bedankte sich mit einem Kopfnicken in Richtung des Wolga und zwinkerte Hans Rübsam zu: »Die Kleine wirkt zach. Sie haben's bestimmt nicht leicht.«

Margot, deine Mutter, die auf ihrem Beobachtungsposten im Wolga die Hände in ihre Hosentaschen schob, um vor Aufregung nicht an den Fingernägeln zu kauen, war noch nie als *zach* bezeichnet worden. Aber als dein Schatten erlaube ich mir zu behaupten: Es stimmte, dass ihr Vater es nicht immer leicht mit ihr hatte.

Dieses Jahr hatte sie die Abschlussprüfungen an der Polytechnischen Oberschule absolviert. Seit dem Sommer arbeitete sie beim GGP, dem Graphischen Großbetrieb Pößneck, wo die meisten in der DDR hergestellten Bücher gedruckt wurden. So erfolgreich war man, dass sogar für westeuropäische Unternehmen produziert wurde – was allerdings zur Folge hatte, dass Margot, wie fast alle Kollegen, bei diversen Aufträgen jeden Morgen und jeden Abend auf staatsgefährdende Schriften durchsucht wurde. Trotzdem mochte sie ihre Arbeit. Immerhin trug sie ihren Teil dazu bei, dass Bücher entstanden (auch wenn es manchmal nur Telefonbücher waren). Und Margot, die damit aufgewachsen war, sich Gutenachtgeschichten selbst vorzulesen, liebte Bücher. Das soll nicht heißen, dass sie einfach nur gerne las. Sie *liebte* Bücher. Denn: Auf Bücher war Verlass. Selbst wenn eine Geschichte mit Überraschungen gespickt war, ihr Ausgang offen blieb oder sie nicht ganz der Wahrheit entsprach, wusste der Leser immer, wie lange sie ihn begleiten und dass nach dem letzten Punkt auf der letzten Seite nichts mehr kommen würde. Das Leben dagegen war Margots Ansicht nach eine hinterhältige, endlos fortlaufende Verstrickung von belanglosen Ereignissen und willkürlichen Desastern: eine schlecht geschriebene Geschichte, die man jeden Tag weiterlesen musste, ob man wollte oder nicht. Glückliche Menschen kamen darin selten vor. Meist nur dumme Menschen. Oder ignorante Menschen. Oder Menschen, die noch nicht begriffen hatten, dass jeder, der ihnen nahestand, von einem Tag auf den nächsten verschwinden konnte.

Margot hatte nur wenige und undeutliche Erinnerungen an ihre Mutter. Umso mehr verwirrte sie, wie sehr sie sich manchmal nach ihr sehnte. Es war doch Unsinn, dachte sie dann, sich etwas zu wünschen, von dem sie kaum eine Vorstellung hatte.

Aber gerade deswegen wünschte sie es sich ja.

Obwohl Hans Rübsam ihr von klein auf eingetrichtert hatte, ihre Mutter sei eine überzeugte Sozialistin gewesen, sie sei niemals in den Westen geflohen, ihr müsse etwas zugestoßen sein, konnte Margot das nie ganz glauben. Sie glaubte lieber daran, dass ihre Mutter noch da draußen war, jenseits der Grenze zur BRD. Besonders heftig glaubte sie es, wenn ihr Vater sie nicht abholte, weil er auf Streife war, und sie allein von der Arbeit nach Hause spazieren musste, gefolgt von ihrem mageren Schatten. Sie summte dann leise eine Melodie – in letzter Zeit vor allem David Hasselhoffs ›Looking for Freedom‹, das sie fälschlicherweise als ›Auf der Suche nach Frieden‹ übersetzt hatte. Eine Arbeitskollegin, von der sie manchmal ein Stück des Weges begleitet wurde und die ihre Satellitenschüssel nachts oft nach Westen ausrichtete, verbesserte sie: Freiheit. Selbst die leisen Töne ihrer eigenen Stimme hüllten Margot in schützende Musik, und sie fühlte sich nicht mehr allein. Noch beruhigender war nur die Gegenwart ihres Vaters.

Deshalb hatte sie sich am Vortag mit seiner Erlaubnis krankgemeldet und ihn bei der Ausübung seiner Pflicht begleitet. Sie wollte sich ablenken von dem, was die plötzliche Öffnung der Staatsgrenzen, die er als temporäre politische Turbulenzen abgetan hatte, für sie bedeutete: eine erhöhte Chance, ihre Mutter wiederzusehen, einhergehend mit der erhöhten Gefahr der Enttäuschung, sollte dies nicht geschehen. Nebeneinander hatten sie in seinem Dienstwagen gesessen, versteckt hinter der PLASTE-UND-ELASTE-Werbung, und Margot war mit ihren Gedanken immer wieder nach Westen geflüchtet.

Bis Hans Rübsam meinte: »Heute so still.« Er kurbelte sein Seitenfenster herunter, entfernte einen Fussel von seiner Uniform, kurbelte das Fenster wieder etwas hoch.

Margot drehte den Kopf von ihm weg.

»Mach dich nicht verrückt«, sagte er.

Das war seine Lebensformel. Ob sie nun mit zehn zum ersten Mal ihre Periode bekam oder ob sie mit zwölf in einem Aufsatz für den Deutschunterricht zum Thema *Warum ich mein Heimatland liebe* Wiener Schnitzel als Leibspeise nannte und deshalb

vom Lehrer gerügt wurde, da sie bedenkliche Lücken in Erd-
kunde und eventuell auch Mangel an Liebe zur DDR aufweise –
Hans Rübsam gab ihr stets denselben Rat. Über die Jahre gewann sie immer häufiger den Eindruck, er spreche in solchen -
Stresssituationen nicht mit ihr, sondern mit sich selbst: Mach
dich nicht verrückt, Hans Rübsam!

Ihrer Meinung nach gab es aber Dinge, die es wert waren, dass
man sich verrückt machte. Zum Beispiel ein Mauerfall. Oder das
Hoffen auf die Mutter.

»Vielleicht hören wir jetzt von ihr«, sagte sie zu ihm.

»Sie lebt nicht mehr.«

»Das kannst du nicht wissen!«

»Das hab ich im Gefühl.«

»Das willst du nur fühlen.«

Er seufzte väterlich.

Sie verdrehte die Augen.

Er kurbelte das Fenster wieder etwas herunter.

Sie war still.

Dann atmete er tief ein, und sie dachte schon, nun würde er
versöhnlich werden, doch er setzte nur seine Dienstmütze auf
und stieg aus. Erst da hörte sie ein Auto in der Ferne. Kurz darauf hielt Hans Rübsam den silbernen Porsche zum ersten Mal
an.

In dieser Nacht lag Margot im Bett und versuchte, sich müde
zu lesen. Henry Millers ›Wendekreis des Krebses‹ ruhte auf ihrer
Brust. Sie hatte das Buch erst an diesem Tag begonnen, und sie
nahm an, dass es gut war, aber wirklich beurteilen konnte sie das
nicht. Dafür dachte sie zu viel an den Porschefahrer; sie dachte
an seinen protzigen Wagen und seine zum Himmel gerichtete
Kopfhaltung und seine anmaßende Bassstimme und dass seine
Figur nur dank seines höchstwahrscheinlich maßgeschneiderten

Anzugs so gerade gewirkt und wie er sie angestarrt hatte, mit diesen unverschämt weiß-blauen Augen.

Margot wusste, wie sie ihn aus ihren Gedanken vertreiben konnte. Sie klappte das Buch zu und schloss die Augen.

Der Anstand verlangt, dass wir nicht hinsehen.

Aber der kantige, vom Nachttischlämpchen geworfene Buchschatten erzählt seine eigene Geschichte: Zunächst bewegte er sich entlang ihres zarten Schattens, auf und ab, seine glatten Seiten streichelten, rieben, seine Kanten stachen, neckten, liebkosten, dann wanderte er in tiefere Regionen, verwuchs mit ihm, tauchte wieder auf, verwuchs wieder mit ihm, und so weiter, anfangs in Zeitlupentempo, bald schneller, dringlicher, heftiger, bis er schließlich in einer Position verharrte, zuckend und zitternd, und sich, eins mit ihrem Schatten, aufbäumte, ehe er ganz von ihr abließ – beziehungsweise: Margot ihre befriedigende Lektüre weglegte.

Wie gesagt: Sie liebte Bücher.

Mit Männern war es bisher weiter und gleichzeitig nicht so weit gekommen. Erst im September hatte sie sich von Arbeitskollegen zu einem Ausflug an einen Badesee überreden lassen. Margot hatte sich umgeschaut: der schlitzartige Bauchnabel eines fettlosen Körpers. Michelangelo-Waden. Muttermal- und leberfleckfreie Haut. Straff lächelnde Pobacken. Die beglückende Symmetrie breiter Schultern.

Margot behielt ihre Kleidung an. Das hatte nichts mit Scham oder Selbstbewusstsein zu tun. Sie war sich ihrer Attraktivität durchaus bewusst. An die flinken Männerhände, die ihr bei der Arbeit an den Hintern fassten, hatte sie sich längst gewöhnt. Sie fand einfach, egal wie wohlgeformt das Fleisch sein mochte, man musste es ja deswegen nicht gleich dem Licht aussetzen. Das war, als würde man vorzeitig den Ausgang einer Geschichte verraten – worin lag dann noch der Reiz, sie überhaupt zu lesen?

Sie warf den Männern nicht vor, dass sie nur das Eine wollten. Das wollte sie schließlich auch. Deshalb war sie beim Badeausflug dem für einen Buchhalter erstaunlich gut gebauten Thomas gefolgt und hatte mit ihm das Ausleben der Freikörperkultur in den angrenzenden Fichtenwald verlegt. Aber auch dieses Erlebnis hatte ihr wieder einmal bewiesen, wie wenig Männer von den Dingen wussten, die sie wissen sollten: dass ein Kuss ohne Zunge reizvoller sein konnte als einer, bei dem sie mit ihren Zungen etwas im Mund der Frau zu suchen schienen; dass Gänsehaut auf einem Frauenkörper manchmal einfach nur bedeutete: ihr war kalt; dass eine kontinuierliche, vokabelarme Verbalisierung von Erregung selten ebendiese beim weiblichen Gegenpart auslöste; dass gewisse männliche Körperteile ein durchaus hässliches und manchmal sogar sehr hässliches Organ sein konnten; dass eine Frau es manchmal nur deshalb in den Mund nahm, weil sie es nicht länger woanders haben wollte; und dass sich kaum etwas einsamer anfühlte als der Moment, wenn ein Mann danach seine Liebe gestand und die Frau ihm erklären musste, dass all dies nichts mit Liebe zu tun hatte.

Der Porschefahrer war nicht anders, dachte sie, als sie ihn unerwartet am Samstag nach ihrem ersten Blickkontakt wiedersah: bloß ein völkerverständigendes Beispiel dafür, dass Männer in Ost und West sich ähnlicher waren, als sie wahrscheinlich glaubten.

Margot bedauerte, dass sie nie mit ihrem Vater über solche Themen sprach. Es musste den Armen getroffen haben mit anzusehen, wie sie aus dem Wolga sprang und dem Westler seine Quittung bringen wollte. Er konnte sie abfangen, mit strengen Worten – und doch nicht davon abhalten, das Winken des Porschefahrers zu erwidern. Hans Rübsam, auf den als einzigen Verlass war wie auf ein Buch, drängte sie zurück in den Wolga. Dort kaute sie an ihren Fingernägeln, was sie das letzte Mal bei ihrer

Abschlussprüfung getan hatte, und lauschte dem Gespräch der Männer.

Dann rief sie ihm ihren Namen zu. So laut sie konnte.

Sein dankendes Kopfnicken fand sie hochgradig affektiert.

Er bezeichnete sie als *zach*, und sie fragte sich, ob er sich einbildete, sein Westler-Dialekt würde irgendwen beeindrucken.

In einem Punkt gab sie ihm allerdings recht: Hans Rübsam hatte es nicht immer leicht mit ihr. Denn eine Tochter, mit der man es leicht hatte, hinterließ einem fremden Porschefahrer aus dem Westen keine Nachricht auf der Rückseite von dessen Quittung.

Das erste Telefongespräch deiner Eltern begann wie die meisten Telefongespräche in dieser Zeit: mit einem nüchternen, verdächtigen *Knack*.

»Rübsam.«

»Ich bin's.«

»Wer?«

»Kurt. Salz.«

»Wer ist das?«

»Der Mann in dem Porsche? Den dein Vater zwei Mal angehalten hat?«

»Sie heißen *Salz* mit Nachnamen?«

»Ist dein Vater zu Hause?«

»Nein.«

»Gut.«

»Warum rufen Sie an?«

»Du hast mir deine Nummer gegeben.«

»Hab ich gar nicht.«

»Auf der Rückseite der Quittung stand: *Ruf mich an*. Und darunter die Nummer.«

»Das war ich nicht.«

»Hab ich mich wohl geirrt.«

»Warten Sie!«

»Ja?«

»Wo kommen Sie her?«

»Aus München.«

»Das ist nicht so weit.«

»Warum?«

»Nur so.«

»Wenn das jemand sagt, dann sagt er das nie nur so. Wie alt bist du überhaupt?«

»Anfang zwanzig.«

»Zu jung.«

»Wofür?«

»Für das hier.«

»Wir telefonieren bloß.«

»Und warum telefonieren wir?«

»Sie haben mich angerufen.«

»Margot.«

»Ja?«

»Such dir einen hübschen FDJ-Genossen und verbring den Abend mit ihm, anstatt meine Zeit zu vergeuden. Ich habe eine lange Reise vor mir.«

»Ich bin gar nicht so jung.«

»Glaub mir, du bist verdammt jung. So jung, dass du nicht mal weißt, wie jung du bist.«

»Sie kennen mich doch gar nicht.«

»Du bist für deinen Vater der Nabel der Welt; er nimmt dich sogar mit auf Streife. Deiner Mutter stehst du nicht sehr nah. Sie würde dir abraten, fremden Männern deine Nummer zu geben. Du bist es nicht gewohnt, dass dich jemand nicht mag. Aber seit Kurzem reicht dir das nicht mehr. Du zweifelst daran, ob ein - Leben in der DDR dich glücklich machen wird. Du fühlst dich einsam. Du weißt nicht, was du willst, aber du sehnst dich nach mehr.«

»Unglaublich, das ist alles wahr!«

»Siehst du.«

»Ich bin aber auch ein doofes, durchschaubares Ostmädchen.«

»…«

»Noch dran?«

»Bin mir nicht sicher.«

»Sie geben aber schnell auf.«

»Warum sprichst du eigentlich so gut Hochdeutsch?«

»Sie meinen, als doofes Ostmädchen?«

»Als Mädchen aus einem thüringischen Kaff.«

»Mein Vater sagt, meine Mutter sprach immer Hochdeutsch.«

»*Sprach?*«

»Sie ist verschwunden, als ich sechs war.«

»Meine Mutter verschwindet nie.«

»Fragen Sie mich, ob sie rübergemacht hat.«

»Hat sie …«

»Ja. Wollen Sie ihren Namen wissen?«

»Wozu?«

»Wollen Sie?«

»Also gut. Wie hieß sie?«

»Lene Rübsam.«

»Ich hoffe, du willst nicht, dass ich nach ihr suche.«

»Nein. Nein, nein.«

»Ach, herrje. Du willst, dass ich nach ihr suche!«

»Nein, wirklich nicht!«

»Aber?«

»Ich hatte gedacht, wir könnten das vielleicht zusammen machen.«

»Damit ich dich richtig verstehe: Dein Plan ist, dass ich dich, die fast minderjährige Tochter eines Vopos, in der DDR abhole, um mit dir nach deiner verschollenen, eventuell verstorbenen Mutter zu suchen, die du in den Siebzigern zum letzten Mal gesehen hast?«

»Ja.«

»Sonst noch was?«

»Sie machen es also?«

»Niemals!«

»Warum denn nicht?«

»Weil ich bei Verstand bin?«

»Ich kenn sonst keinen von drüben!«

»Frag einfach den nächsten Westler, den dein Vater anhält.«

»Ich frage Sie.«

»Da draußen gibt es garantiert barmherzigere und dümmere Seelen als mich.«

»Bitte. Helfen Sie mir.«

»Ich wünsche dir ein gutes Leben, Margot.«

»Ich weiß, dass Sie mich wiedersehen wollen. Sonst hätten Sie nicht angerufen.«

»Bilde dir darauf nicht zu viel ein.«

»Sie haben sich noch mal von meinem Vater anhalten lassen.«

»Reiner Zufall.«

»Auf der ganzen Rückfahrt haben Sie an mich gedacht. Sie konnten es kaum erwarten, mich anzurufen. Sie haben sich vorgestellt, dass wir uns verabreden und treffen. Und das war nicht das Einzige, was Sie sich vorgestellt haben.«

»Ich bin nicht interessiert.«

»Und warum reden Sie dann noch immer mit mir?«

»...«

»Hallo? Sind Sie noch dran?«

»...«

»Hallo!«

Am nächsten Tag döste Kurt in der Businessclass und wollte sich glauben machen, dass er nicht mehr an Margot dachte. Ein indisches Ehepaar im Rentenalter, das in seiner Reihe auf der anderen Seite des Gangs saß, studierte das Formular für die Einreise in die USA. Sie war in einen violetten Sari gehüllt; aus seiner Perspektive konnte Kurt die Speckrollen ihres nackten Bauchs zählen. Ein stecknadelgroßer Rubin zierte ihren rechten Nasenflügel. Ihr Mann trug sein ölig glänzendes, nach Sesam duftendes Haar sauber nach hinten gekämmt. Kurt ging davon aus, dass sie schon lange verheiratet waren, und fragte sich, ob sie nach so vielen Jahren noch wussten, wie es war, allein zu sein.

Er vermutete: nein. Und vermutete weiter: Wahrscheinlich besuchten sie Verwandte in Miami, sie nahmen eine Reise um die halbe Welt auf sich, damit sie ihre Kinder und Enkelkinder umarmen und so noch weniger allein sein konnten.

Lola, Kurts Mutter, hatte für eine Umarmung immer nur den Flur der kleinen Münchner Wohnung durchqueren müssen. Was aber nicht heißt, dass sie die Gelegenheit oft wahrgenommen hätte. Ihre Erwiderung, wenn er sich darüber beklagt hatte: »Zu viele Umarmungen machen einen Menschen weich und unvorsichtig. Aber du, mein lieber Kurt, musst stark und achtsam sein. Nur so wirst du dein größtes Lebensziel erreichen und den Fürstenhof für unsere Familie zurückgewinnen.«

Sollte das gelingen, hatte er vor, das Hotel komplett sanieren zu lassen und in ein neues gastronomisches Zeitalter zu führen. Dann würde seine Mutter eine bedeutend größere Strecke zurücklegen müssen, um ihn zu umarmen.

Zunächst benötigte Kurt allerdings die Unterschrift von Onkel Horn, früher auch Fritz genannt, der seit Jahren in Miami Beach lebte. Durch ein Telefonat mit der Leipziger Notarin (sie erklärte ihren versäumten Termin mit Pfeifferschem Drüsenfieber, was Kurt als ein Codewort für staatliche Überwachung deutete) hatte er zu seinem Erstaunen erfahren, dass der Fürstenhof im Grundbuch noch immer auf die Familie eingetragen war. Die Verantwortlichen in der DDR hatten das Hotel nach dem Ableben von Großvater Salz gar nicht enteignet, wie bisher angenommen, sondern vielmehr geraubt. Seit bald dreißig Jahren wurde es gepachtet beziehungsweise besetzt von der Hotelkette ›Interhotel‹ (die unter der fürsorglichen Kontrolle des Ministeriums für Staatssicherheit, Abteilung Touristik, stand).

Aber eigentlich, ja, eigentlich war der Fürstenhof nach Salz' Tod anteilig an Onkel Horn, Kurt und seine Schwester Aveline gefallen. Der Großvater hatte in seinem Testament verfügt, seine Töchter Lola und Gretl, die sich beide von ihm abgewandt hatten, in der Erbfolge zu überspringen. So hatte er sicherstellen wollen, dass sie einerseits keinen Pfennig seines Vermögens erhielten, dieses aber andererseits in der Familie blieb und half, den Namen Salz, seinen Namen, möglichst lange zu erhalten.

Da Gretl schon lange nicht mehr lebte, mussten nun nur noch Onkel Horn und Aveline Kurts Beispiel folgen und Lola ihre - Anteile überschreiben. Kurt hatte seiner Mutter versprochen, sie werde als rechtmäßige Eigentümerin eingetragen. Es verstand sich von selbst, dass sie den Fürstenhof mit vierundachtzig nicht mehr führen konnte, aber der emotionale Wert des Besitzes war für sie unbezahlbar.

Wie Kurt seine Familie, zwischen deren Mitgliedern nie eine besonders familiäre Atmosphäre geherrscht hatte (wenn man mit *familiär* etwas Positives meinte), allerdings überzeugen sollte, wusste er nicht. Er ging davon aus, dass es auf zweierlei hinauslaufen würde: Geld und Überredungskünste. Von beidem hoffte er wenig zu benötigen. Beim Ferngespräch mit Onkel Horn hatte Kurt ihm jedenfalls bloß mitgeteilt, er brauche eine Auszeit verbunden mit Palmen und dreißig Grad im Schatten, und den wahren Grund für seinen spontanen Besuch in Florida verschwiegen, da er beabsichtigte, Onkel Horn in einem persönlichen Gespräch für sein Vorhaben zu gewinnen.

Als die indische Frau ihm zuwinkte, fiel ihm erst auf, dass er sie gedankenverloren angestarrt hatte, und er sagte schnell: »Can I help?«

Sie antwortete auf Deutsch: »Wir kriegen das hin.« Zückte einen Kugelschreiber und begann damit, ihre Namen – eine südindische Aneinanderreihung sich abwechselnder Konsonanten und Vokale – auf den grünen Zetteln zu hinterlassen.

Kurt blickte nach draußen. In der Spiegelung des Fensters erschien ein frisch rasierter Mann, den man – wenn er, so wie jetzt, entspannt war und seine Sorgenbalken nicht zur Schau trug – höchstens auf Anfang vierzig schätzen würde.

Ein dumpfer Knall ließ ihn zusammenzucken. Auf der Tragfläche, oberhalb der Turbine, saß ein im Gegenwind flackernder Feuerball.

Keine Durchsage folgte. In der Kabine entstand Unruhe. Fluggäste hoben ihre Schlafmasken an, riefen nach Stewardessen. Aus den Augenwinkeln sah Kurt den Feuerball auf der Tragfläche anschwellen und dachte kurz an kupferfarbene Fusilli-Locken. Die Anschnallzeichen leuchteten auf. In einer knapp gehaltenen Durchsage bat der Kapitän, Ruhe zu bewahren, und erreichte damit genau das Gegenteil. Ein Mann mit blaugrauem Haar drückte im Stakkato auf seinen Lichtschalter. Mehrere Passagiere winkten, um die Stewardessen auf sich aufmerksam zu machen; ihre Arme schwankten umher wie Baumwipfel im Wind. Ein Kleinkind ließ seine Nuckelflasche fallen und sah ihr nach, wie sie den Gang nach hinten rollte, eine Spur weißer Tropfen hinter sich herziehend.

All das geschah ohne viele Worte. Bedrohliche Stille breitete sich in der Kabine aus, nur das dröhnende Fluggeräusch blieb. Augen wurden geschlossen, Hände gefaltet, Köpfe sanken. Manche Passagiere schienen stumm zu beten. Andere beteten laut und deutlich. Sie versprachen, Affären zu beenden, Schulden zu begleichen, dem Opa mitzuteilen, dass sie ihn liebten. Kurt überlegte, was er anders machen könnte, und ihm fielen so viele Dinge ein, dass ihn der Gedanke abzustürzen fast erleichterte. Lieber konzentrierte er sich darauf, ruhig zu bleiben. Er sagte sich, in wenigen Minuten würde die Maschine sanft auf der Landebahn aufsetzen, und dann wären all die hastig gegebenen Versprechen sofort wieder vergessen.

Das Flugzeug verlor an Höhe, und ein Kitzeln stieg von seinem Magen in seine Brust. Eine Frau schrie, holte tief Luft, schrie weiter. Der Feuerball auf der Tragfläche verwandelte sich in einen Schweif, wie beim Eintritt von Spaceshuttles in die Atmosphäre, die im nicht weit entfernten Kennedy Space Center landeten. Die Sitze zitterten. Das Oberlicht ging aus. Ins Halbdunkel mischte sich Schluchzen. Das Flugzeug wurde kräftig durchgerüttelt. Weiter vorne sprang eine Gepäckklappe auf und spie Taschen aus. Keine Sorge, dachte Kurt, du wirst nicht sterben.

»Na«, sagte die indische Frau.

Er fragte sie, ob er das laut gesagt habe, aber das Dröhnen übertönte ihn.

Sekunden später durchbrach die Boeing 747 die Wolkendecke, und ein zappelnder Schatten kündigte sie auf Florida an. Im gelborangefarbenen Schein der brennenden Tragfläche horchten alle Passagiere auf die Ansage einer Stewardess und beugten daraufhin ihre Oberkörper nach vorn, umarmten ihre Knie in einer anrührenden Geste der Selbstliebe und waren in Gedanken bei ihren Familien, Partnern, Freunden.

Bis auf einen. In Reihe 9, auf Sitzplatz A, gleich neben einem indischen Ehepaar, klammerte sich ein Mann mit bayerischblauen Augen an seine Sitzlehnen und dachte an ein zaches Mädchen im Wolga eines Volkspolizisten …

… das im selben Moment auch an ihn dachte. Allerdings waren Margots Gedanken weniger schmeichelhaft: Sie hielt ihn für einen Idioten. Nur ein Idiot fuhr zwei Mal hintereinander auf derselben Strecke zu schnell; nur ein Idiot legte auf, wenn sie ihm ein unmissverständliches Angebot machte; nur ein Idiot brachte sie dazu, sich vor Sonnenuntergang im Bett zu vergraben, Grimms Märchen zu lesen und heiße Milch zu schlürfen (und sich mehrmals die Zunge zu verbrennen), anstatt auf einer seit Wochen geplanten Fete von Kollegen in Pößneck zu erscheinen.

Ohne Vorwarnung kam ihr Vater herein. Normalerweise klopfte er an. Selbst in Hauskleidung bewegte er sich so steif, als würde er seine Uniform tragen.

»Wir müssen reden«, sagte er und setzte sich auf die Bettkante.

Margot legte ihr Buch beiseite. Das letzte Mal hatten sie reden müssen, als sie von der Arbeit nach Hause geschickt worden war, weil sie einer Kollegin namens Brigitta in einem hässlichen Pausenkampf einen Ohrring ausgerissen hatte. Danach hatte Brigitta nicht mehr so lautstark verbreitet, Margots Mutter sei eine Volksverräterin.

»Versprich mir, dass du die Wahrheit sagst.«

»Mach ich doch immer.« Sie schmunzelte.

»Das ist eine ernste Angelegenheit.«

»Was ist denn los?«

»Der Mann in dem Porsche gestern. Was kannst du mir über ihn sagen?«

»Ich? *Du* hast doch mit ihm geredet.«

Hans Rübsam rückte die Tasse Milch weg vom Rand des Nachtschränkchens. »Sei bitte ehrlich.«

»Ich weiß nicht, was du meinst. Du warst doch dabei.«

»Hattest du danach Kontakt mit ihm?«

»Nein!«

Ihr Vater erhob sich und berührte seinen Kopf dort, wo er

gewöhnlich seine Dienstmütze trug. »Du hast heute mit ihm telefoniert.«

»Ich?«

»Um sechzehn Uhr dreiundzwanzig.«

»Kann nicht sein«, log sie und fügte scherzend hinzu: »Mach dich nicht verrückt.«

Hans Rübsam betrachtete sie ausdruckslos.

Sie blickte ihn so ungläubig wie möglich an.

»Ich muss jetzt zum Nachtdienst. Nutz die Zeit, um nachzudenken. Morgen sagst du mir alles.« Er drehte sich nicht noch einmal um. Schloss die Tür hinter sich.

Margot wünschte sich, er hätte sie geohrfeigt, angebrüllt, ihr wenigstens Hausarrest erteilt. Seine Enttäuschung fand sie am schlimmsten; darauf konnte sie nicht einmal wütend sein.

Sie wartete, bis sie hörte, wie er im Erdgeschoss die Haustür zuzog. Dann lief sie ins Wohnzimmer zum Telefon, nahm den Hörer ab, lauschte. Das lang gezogene *U* klang so unschuldig wie immer. Sie sagte: »Hallo?« Sie stellte sich vor, dass irgendwo nicht allzu weit entfernt ein Mann mit Kopfhörern aufhorchte und sich über seine elektronischen Instrumente beugte. Sie wählte die Nummer vom Sekretariat des Graphischen Großbetriebs Pößneck. Dort war zu dieser Stunde der Anrufbeantworter eingeschaltet. (Ein seltener Comotron TC 600, auf den der Betriebsleiter äußerst stolz war.) Während eine gelangweilte Frauenstimme Sprechzeiten auflistete, achtete Margot auf verdächtige Geräusche im Hintergrund. Kein Knacksen in der Leitung. Sie legte auf, drehte das Telefon um, konnte nichts Ungewöhnliches feststellen. Das Kabel verlief, in Gesellschaft einiger Wollmäuse, entlang der Bodenleiste und verschwand kurz vor einem Türrahmen in der Wand.

Da klingelte es. Sie schreckte zusammen, lachte über sich selbst. Nahm ab. Sie erwartete ihren Vater: *Ich hab dich trotzdem lieb.* Etwas in der Art.

»Margot?«, sagte Kurt Salz.

Sie packte den Hörer mit beiden Händen. »Wer ist da?«, fragte sie, im Bemühen, so zu klingen, als hätte sie keine Ahnung.

»Kurt.«

»Wer? Tut mir leid, die Verbindung ist sehr schlecht.«

»Ich rufe aus Miami an. Amerika.« Seine Stimme klang deutlich höher als am Vortag. Im Hintergrund heulten Sirenen. Jemand rief etwas durch ein Megafon.

»Ich kenne niemanden in … Miami. Aber wenn Sie wollen, können Sie Ihre Nummer hinterlassen.«

»Ich ruf vom Flughafen an. Meine Maschine musste notlanden. Wir sind fast draufgegangen.«

»Welche Maschine?«

»Margot, ich würde dich gerne sehen.«

»Entschuldigung, Sie haben sich verwählt. Wiedersehen.«

Sie legte auf.

Sie fragte sich, ob sie überzeugend geklungen hatte.

Sie fühlte sich mit einem Mal sehr allein.

Sie kaute an ihren Fingernägeln und sah auf die Wanduhr neben der Eingangstür. Kurz nach halb zehn. Alle Räume im Haus, sogar die Bäder, waren mit quadratischen Wanduhren ausgestattet, die Wartezimmeratmosphäre verbreiteten (Hans Rübsam las so oft und gern die Zeit wie sie Bücher), und für gewöhnlich fiel ihr das Ticken der Uhren gar nicht auf. Nun aber schien es lauter als sonst. Das Geräusch von verlorener Zeit.

Margot ging zurück auf ihr Zimmer und zog das mattgrüne Sommerkleid aus Lurex an, eher geeignet für den Winter (das Garn aus metallisierten Fasern isolierte ausgesprochen gut). Mit Schminke hielt sie sich zurück; die komplexen Schatten ihrer Wangen, Augenhöhlen und Lippen ließen ihr Gesicht verlockender wirken als jede Art von Kosmetik. Da die Haustür, wie sie zu ihrer Entrüstung feststellen musste, verschlossen war und sie ihren Schlüssel nicht finden konnte (Hans Rübsam hatte ihn mitgenommen), kletterte sie durch das Küchenfenster nach draußen und ließ nur einen Spalt für später offen. Auf dem Weg in die Stadt summte sie ›Looking for Freedom‹.

Es klimperte laut, als das Münztelefon alle von Kurts Quartern schluckte.

So hörte sich Ernüchterung an.

Kurt blinzelte ungläubig wie ein Glückspieler, der zu viel Vermögen und Hoffnung in einen einarmigen Banditen investiert hatte. So hörte sich Hohn an: wie das Tuten in seinem Ohr.

Er machte sich nicht die Mühe, den Hörer wieder einzuhängen, ließ ihn einfach los. Am Münztelefon baumelnd, winkte er Kurt zum Abschied, der sich abwandte, sein Gepäck nahm und den Ausgang anpeilte. Die Schiebetüren öffneten sich, und sofort preschte ein Dutzend Reporter auf ihn zu. Amerikanische Wortsalven: »How-are-you? How-was-it? How-do-you-feel?« Dazwischen rief man so oft »Sir!«, als wäre er ein entlaufener Adeliger. Mikrofone wurden ihm ins Gesicht geschoben, Polizisten drängten die Journalistenmeute zurück.

Endlich entdeckte er Onkel Horn unter den Wartenden. Ein gedrungener Mann mit Halbglatze in einem dottergelben Polohemd, das seinen melonenrunden Bauch wenig kaschierte. Was ihm an Haupthaar fehlte, machte er durch die Behaarung an seinen Unterarmen und in seiner Nase wett. Horn besaß das weißeste Grinsen, das Kurt je untergekommen war. Er reichte ihm die Hand – aber Onkel Horn stürmte an ihr vorbei, umarmte Kurt mit Schwung und tätschelte ihm den Hinterkopf. Kurt roch teures Parfum.

»Mein Gott, endlich!«

»Hallo, Onkel Horn.«

»Für dich Fritz.«

»Fritz«, sagte Kurt, nickte und betrachtete sein Gepäck, um anzudeuten, dass er möglichst schnell von hier wegwollte.

Onkel Horns knubbelige Hand verdeckte sein Grinsen: »Bin ich froh, dass das gutging. Deine Mutter hätte es mir nie verziehen, wenn du abgestürzt wärst!«

»Wahrscheinlich nicht.«

»Wie geht es ihr? Erzähl doch mal!«

Noch immer waren sie umringt von Reportern, die respektlos auf Kurts Schatten herumtrampelten. Onkel Horn schien sie gar nicht wahrzunehmen.

Das Gepäck zog Kurt nach unten, sein Hemd klebte an seinem Rücken, die feuchte Luft ließ sich schwer atmen. »Wollen wir erst mal los?«

»Natürlich, natürlich!« Onkel Horn bedeutete Kurt, ihm zu folgen, und manövrierte sie zum Parkplatz. Sie blieben vor einem monströsen weißen Jeep Cherokee mit Holzverkleidung stehen, den Onkel Horn per Fernbedienung öffnete. Kurt hievte sein Gepäck in den Kofferraum und nahm dann auf dem Beifahrersitz Platz. Onkel Horn grinste erst sich selbst im Rückspiegel an und dann ihn: »Hast dir eine Auszeit verdient.«

So viel Freundlichkeit war Kurt nicht gewohnt, insbesondere nicht von jemandem, den er kaum kannte. Bei den sehr seltenen Familientreffen hatten sie noch seltener Worte gewechselt. Lola nannte ihn Fritzl, aber lange Zeit war er für Kurt immer bloß der Onkel aus Amerika gewesen. Ursprünglich hatte dieser Onkel eine Buchhändlerlehre in Karlsruhe absolviert. Nach dem Zweiten Weltkrieg mangelte es in Deutschland aber an so vielem, dass er zu dem Schluss kam, niemand in seiner Heimat habe ausgerechnet ein Bedürfnis nach Literatur. Schon immer wohnte ein gewisses Fernweh in ihm, und so ging er in die USA, wo ihn die Zahlenkolonnen auf Paychecks seine Wertschätzung für den Job des Immobilienmaklers entdecken ließen. Er zog mit Rachel

Horn, einer wohlhabenden, jüdischen Amerikanerin, nach Fisher Island, in ein Apartment, das er ihr zuvor verkauft hatte. Im Gegenzug für lukrative, wenig zeitintensive Positionen in Aufsichtsräten etlicher Shopping Malls, die ihre Familie besaß, tauschte er sein *Salz* gegen ihr *Horn* ein. Gelegentlich schickte er Lola Geld. Keine noch so großzügige Summe konnte sie jedoch dazu bringen, ihm zu verzeihen, dass er weggegangen war. Sie telefonierten nur zu Geburtstagen und an Weihnachten miteinander. Vornehmlich, um herauszufinden, ob der andere noch lebte.

Onkel Horn startete den Motor. Bevor er den Wagen zurücksetzte, packte er mit einem Händchen Kurts Oberschenkel: »Willkommen in Florida! Wirklich schön, dich zu sehen. Familie ist wichtig. Du sollst dich mal richtig entspannen. Lass uns eine gute Zeit haben und nicht über die alte Welt oder Geschäftliches reden. Einverstanden?«

Kurt forcierte ein Lächeln und schob vier müde Silben über seine Lippen: »Einverstanden.« So hörte sich Ernüchterung an.

Zur selben Sekunde riss ein junger Mann in Pößneck seine Wohnungstür auf. Er hieß Hubert Kerr und war der Enkel des Oberstabsarztes Matthias Kerr, der ein Jahr nach dem Zweiten Weltkrieg in einem Gulag an Scharlach gestorben war. Er hatte einst mit deiner Großmutter Lola eine Affäre geführt – beides war Hubert Kerr nicht bekannt. (Sein fauler Schatten hatte, anders als ich, nie den Versuch gewagt, seinem Besitzer etwas über seine Herkunft zu verraten.) Er öffnete Margot die Tür und musterte sie ausführlich, ehe er seinen Hund – einen pechschwarzen Rottweiler, den er Rottweiler getauft hatte – am Halsband ins Klo neben dem Eingang zerrte und dort einsperrte.

»Na, wie geht's?« Kerr küsste ihr schmatzend beide Wangen. Die weiten Cordhosen machten ihn noch dürrer, als er ohnehin schon war. Seine Oberlippe stieß an einen dünnen Streifen Barthaar, den man aus der Ferne für Schmutz halten konnte. »Freut mich, dass du da bist.«

»Wir kennen uns doch kaum«, sagte sie unwirsch, fischte sich Rosen-Bier aus einem mit kaltem Wasser gefüllten Metalleimer, trank und zeigte Kerr beim Schlucken ihren Kehlkopf.

Rottweiler warf sich jaulend gegen die Toilettentür.

In der Küche gesellte sie sich zu zwei Kolleginnen; beide trugen schulterfreie Oberteile und zogen fahrig an Zigaretten. Eine der beiden meinte, dass man Grassamen an den Westen verhökern sollte; im ›Schwarzen Kanal‹ habe sie gesehen, dass in der BRD nur deshalb so viel gebaut werde, weil man sich den dort nicht leisten könne. Die andere lachte – ob sie der Bericht oder der Mangel an Grassamen amüsierte, konnte Margot nicht einschätzen.

Für eine zweite Flasche Bier ging sie zurück in den Flur.

In einem Zimmer tanzten junge Männer mit losen Schnürsenkeln auf begrenztem Raum, im nächsten erzählte eine albinoweiße Frau Ostfriesenwitze.

Margot holte sich ein drittes Bier, leerte es, nahm ein viertes und öffnete die Tür am Ende des Flurs. Auf einem Bett lag ein pummeliger Junge um die zwölf Jahre mit Kopfhörern und Vokuhila-Frisur.

»Was hörst du?«

Er zeigte keine Reaktion.

Sie beugte sich über ihn und rief: »Was du hörst!«

»Nichts.«

»Wie abwechslungsreich.«

Er deutete auf die Kopfhörer. »Die trag ich, damit ich in Ruhe gelassen werde.«

Sie umkreiste das Bett und hob das Ende des Kabels hoch; es war nicht eingesteckt. »Clever.«

»Willst du nicht wieder zur Party gehen?« Es war ihm anzumerken, dass das ganz in seinem Interesse wäre.

»Ich bin mir noch nicht ganz sicher, was ich will.«

Sie bot ihm Bier an, und er schüttelte den Kopf, setzte aber die Kopfhörer ab. »Ich bin Huberts Bruder.«

»Irgendwas sagt mir, dass ihr euch nicht sehr nah seid.«

Er zuckte mit den Schultern.

»Wo sind eure Eltern?«

»Rügen. Kreidefelsen.«

»Ohne euch?«

Noch einmal hielt sie ihm ihre Bierflasche hin. Für einen Augenblick zögerte er, dann nahm er sie und trank daraus.

»Meine Mutter lebt im Westen«, sagte sie.

»Wo?«

»Wenn ich das wüsste.«

»Wirst du sie jetzt suchen?«

»Ich weiß nicht.« Sie deutete auf die Kopfhörer. »Darf ich mal?«

Er reichte sie ihr. Margot setzte sie auf und lauschte dem Nichts. Ein einsames Geräusch, es fühlte sich gut an. Der Junge lächelte sie an, und sie lächelte zurück.

Da kam Kerr. »Was ist denn hier los?« Er schaltete eine Lampe auf dem Nachttisch ein, über die ein rosafarbenes Tuch gehängt war. Das Licht tauchte den Raum in Pink. »Lass uns allein«, sagte er zu seinem Bruder.

Margot gab dem Jungen die Kopfhörer zurück. Kerr scheuchte ihn aus dem Zimmer, schloss die Tür hinter ihm, verdrehte die Augen. Dann reichte er ihr einen großen Becher, bis oben hin gefüllt.

»Was ist das?«

»Probier.«

Sie leerte den Becher, ohne abzusetzen. Überzuckerter Schnaps.

»Du trinkst gern«, sagte Kerr.

»Eigentlich nicht. Ich will nur nicht für das verantwortlich sein, was gleich passieren wird.«

»Und das wäre?«

Sie sah ihm in die Augen.

Kerr lachte, wie Menschen lachen, wenn sie nicht wissen, wie sie sich verhalten sollen. »Margot Rübsam. Die Gerüchte stimmen also.«

Bevor er ihr mit einem weiteren blöden Kommentar ganz die Lust nehmen konnte, küsste sie ihn. Sein Bart kitzelte wie die Borsten einer Zahnbürste. Als sie sich erhob, um ihr Kleid abzustreifen, wurde ihr schwindlig. Sie sah nach unten, sah ihre Beine und die schwarzen Damenschuhe, aber einen Grund für dieses Gefühl sah sie nicht, das Gefühl, im Boden einzusinken. Das Linoleum unter ihr gab nach; sie stand auf einer Haut, die jederzeit reißen konnte, nicht wie dünnes Eis, sondern wie Pudding. Ihr Vater kochte ausgezeichneten Vanillepudding. Er füllte ihn in kleine Glasschalen, damit er schneller erkaltete und sich eine Haut bildete. Die Haut war das köstlichste. In diesem pinkfarbenen Raum stand sie auf einer Haut aus Vanillepudding, und wenn sie nicht stillhielt, würde die Haut reißen und sie mit ihr eintauchen und ersticken. Margot wurde nach hinten gerissen, zwei warme Stellen wanderten über ihren Körper, eine dritte presste sich auf ihre Lippen. Sie sah Kerr über sich, den hageren Hubert Kerr, er trug kein Hemd mehr, vereinzelt klebten schwarze Härchen an seiner schmalen Brust. Zumindest war sie auf dem Bett vor dem Pudding sicher. Deutlich hörte sie das elektrische Summen des Dimmers, der durch ein Kabel mit der Lampe verbunden war. Knöchrige Finger krochen unter ihr offenes Kleid. Das Pink blendete sie. Um das Licht abzuschirmen, hob sie eine Hand, die Kerr ergriff und zu seinem Schritt führte. Die Cordhose hing in seinen Kniekehlen. Sie berührte eine weitere warme Stelle. Der Dimmer wurde lauter. Kerr kniete sich hin und zog an ihrem Kleid. Sie rutschte ihm entgegen, hielt sich aber an der Matratze fest; die Puddinghaut würde sie keinesfalls beide halten. Kleid und Cordhose landeten neben dem Bett. Als sie ihn erneut anfasste, wunderte sie sich über die Hitze.

»Lieber nicht«, sagte sie und ließ los.

Hubert stöhnte, streckte seine Arme aus und grub seine Finger in ihre Haut. Hände umkreisten ihr Becken, folgten dem Pfeil, den ihr Schamhaar formte, bis sie nicht mehr sehen konnte, wo sie waren, bis sie es nur noch spüren konnte.

Es tat weh.

Sie rollte sich auf die vibrierende Puddinghaut, balancierte. Sie wankte, sah ihr Kleid, nahm es, konnte es unmöglich anziehen.

»Na komm«, sagte Hubert.

Barfuß stolperte sie zur Tür, aber ein Arm umschlang ihre Hüfte. Seine ganze Hitze presste sich von hinten gegen sie. Ihr war schwindlig. Sie hielt einen Moment lang inne, um sich zu orientieren. Er drückte sich gegen sie, machte weiter. Bevor sie ihn wegschieben konnte, kam er. Sein plötzliches Erstarren ließ sie schaudern. Ihr wurde übel. Das lag nicht am Alkohol, von Alkohol wurde ihr nie übel. Nun ließ er sie los. Da wandte sie sich um, hob langsam den Arm und stieß mit dem Ellbogen in sein pinkes Gesicht. Die Hitze wich zurück. Sie riss die Tür auf. Im Flur standen Menschen. Als sie Margot bemerkten, verstummten alle. Sie drückte das Kleid gegen ihre Brust, stürzte zur nächsten Tür, schob sie auf, wurde umgeworfen. Rottweiler wälzte sich von ihr und stürmte in die Küche. Schreie von irgendwo. Sie beugte sich übers Waschbecken, spritzte sich Wasser ins Gesicht, trank. Die Puddinghaut verfestigte sich etwas. Sie benötigte viel Zeit, um in ihr Kleid zu schlüpfen. Den Reißverschluss konnte sie nicht schließen. Sie stolperte aus dem Bad, den Gang entlang, dem Pink entgegen, änderte die Richtung, eilte den Gang entlang, aus der Wohnung. Wellige Treppenstufen unter ihren Füßen. Lärm von oben. Immer weiter lief sie. Nach unten. Bis sie ihren Schatten nicht mehr von allen anderen unterscheiden konnte.

Als dein Vater später von den Ereignissen dieser Nacht erfuhr, bereute er zutiefst, dass er Margot nicht gleich nach ihrem ersten Telefonat wiedergesehen hatte und stattdessen nach Miami gereist war. Während Margot sich vor Hubert Kerr versteckte, lag Kurt nichtsahnend im Bett von Onkel Horns Gästezimmer und hielt seinen Jetlag für eine furchtbare Erfahrung. Die einzige Lichtquelle im Raum war der Digitalwecker. NULL ZWEI EINS VIER. Im Dunkeln ertastete Kurt eine Lampe. Bis er endlich begriff, dass man sie an einem Drehknopf neben der Glühbirne einschaltete, war er hellwach. Er rubbelte seine kalten Füße. Die Decke – seiner Meinung nach nicht mehr als ein Leintuch – schützte kaum vor der aggressiven Klimaanlage.

Er schob Vorhänge und Balkontür auf, trat in die milde Nachtluft von Florida, die seit Jahrzehnten Rentner anlockte, und beugte sich über das Geländer. Einzelne Lichter im Schwarz skizzierten die Stadt. Die Sternbilder von Miami Beach: die parallel verlaufenden Lichterketten von Collins und Washington Avenue, die hell strahlenden Zylinder der Hochhäuser von Downtown Miami in der Ferne, die neonbunten Bars des Ocean Drive, die einsam leuchtenden Luxusdampfer und Containerschiffe am Meereshorizont.

Kurt sprang über das Geländer und fiel nicht in die Tiefe, - sondern stand nun in der Märklin-Eisenbahn-haften Miniaturstadt, die Onkel Horns Kunden einen möglichst realistischen Balkonblick der Immobilie vermitteln sollte. Sternbilder? Bloß miteinander verdrahtete Leuchtdioden. Milde Nachtluft? Durch ein Ventilationssystem künstlich geschaffene Atmosphäre. Plötzlich vibrierte die Miniaturstadt, und Kurt hörte einen Lastwagen vorbeifahren. Die Straße befand sich direkt hinter den Pappwänden, die jene Miniaturwelt begrenzten. Die Decke war mit dem wolkenverhangenen Mond romantischer Mädchenzimmer-Poster bemalt.

Die gesamte Wohnung war ein Prototyp. Damit man etwas erwarb, das noch gar nicht existierte. Der Bau des Hochhauses würde erst beginnen, wenn sich genügend Käufer fanden.

Kurt fragte sich, was Margot aus Pößneck von alldem halten würde – und dann fragte er sich, was er nur an dieser Frau fand. Wie ein umsichtiger Godzilla ließ er ganze Häuserblocks mit einem einzigen Schritt hinter sich, darauf bedacht, keine Zerstörung anzurichten.

Später, nach verrichtetem Geschäft und erfolgloser Klobürsten-Suche im Bad, ging er in die Küche, um zu frühstücken. Onkel Horns letzter Einkauf lag eine Weile zurück. Im Kühlschrank, dessen Ausmaße an einen Kleiderschrank erinnerten, bot sich Kurt ein frustrierendes Bild der Einsamkeit seines Onkels: Ketchup, Mayonnaise, ein Glas Kapern mit in der Vergangenheit liegendem Verfallsdatum und Milch. Eine Packung *Lucky Charms* enthielt regenbogenfarbige Marshmallows und war so riesig, dass er die Cornflakes nur mit beiden Händen in eine Schüssel geben konnte. Er setzte sich in einen Le-Corbusier-Sessel und aß. Statt Bildern hingen an den Wänden klobige Digitalbildschirme, die abwechselnd Gemälde von Dalí, Kandinsky, Richter und Monet zeigten. Das Mobiliar war weiß, die Dielen waren weiß, die Wände sowieso, nur die Stereoanlage von Bang & Olufsen setzte sich silber-schwarz gegen den Rest ab. Die Decke bestand aus einem einzigen großen Spiegel. Darin schaufelte ein Mann Ende vierzig billige Cornflakes in sich rein. Irgendwie empfand Kurt es als besonders traurig, sich selbst von oben zu sehen. War es möglich, dass ihm eine Glatze drohte?

Onkel Horn tapste verschlafen ins Wohnzimmer und ließ sich in das Sofa ihm gegenüber fallen. Er trug nichts außer einem eng sitzenden Hanes-Slip. Nie zuvor war Kurt einem so flächendeckend haarigen Mann begegnet.

»Jetlag?«

Kurt nickte.

»Insomnie«, beantwortete Onkel Horn eine nicht gestellte Frage. Mit einer Hand rieb er sich die geröteten Augen, mit der anderen klopfte er gegen das Chromgestell des Sofas. »Die Inneneinrichtung hab ich übrigens mitgestaltet.«

»Hattest du erwähnt.«

»Hatte ich auch erwähnt«, sagte er, »dass ich in den letzten Wochen schon dreizehn Apartments verkauft habe?«

»Ja.«

»Hm. Whiskey bekommt mir nicht.«

Anstatt das zu erwähnen, hatte Onkel Horn nach ihrer Ankunft am Abend zuvor als Erstes eine Flasche Jameson geöffnet und ihnen beiden großzügig eingeschenkt. Beim ersten Glas hatte er von seiner vorübergehenden Trennung von Rachel erzählt; beim zweiten und dritten Glas von der, wie er sie nannte, »torpedobusigen Assistentin« in seiner Firma, mit der er das Schlafzimmer des Prototyps erschöpfend getestet und dadurch die vorübergehende Trennung herbeigeführt hatte; beim vierten Glas von seinem Einzug in den Prototyp, nachdem die Assistentin ihm auseinandergesetzt hatte, dass sie auch mit anderen Maklern »zusammenarbeite«; beim fünften und sechsten und siebten Glas von seinen Schuldgefühlen und wie oft er vergeblich vor Tante Rachels Tür wartete, die, wie er nicht müde geworden war zu betonen, eigentlich auch seine Tür war; beim achten Glas von dem Tag, an dem Tante Rachel ihn endlich hereingelassen hatte – allerdings nur, um ihm die Scheidungspapiere zu überreichen; beim neunten Glas von seinen Selbstmordgedanken; beim zehnten und letzten Glas von seiner Freude über Kurts Besuch, von dem er sich nicht weniger als viel erwartete, vor allem familiäre Unterstützung.

»Warst du schon mal in den Glades?«, fragte Onkel Horn.

»Was ist das?«

Onkel Horns Augen leuchteten auf. »Na, die Everglades.«

Kurt setzte den Löffel ab und zuckte mit den Schultern; er hatte kein gutes Gefühl bei der Sache.

»Lass uns hinfahren!«

»Wann?«

»Jetzt gleich!« Onkel Horn sprang auf, und sein Bauch wackelte enthusiastisch. »Wird dir gefallen!«

Kurt hatte da so seine Zweifel. »Ich muss etwas mit dir besprechen.«

Der Bauch wackelte beharrlich weiter. »Das kannst du danach immer noch.«

»Es ist wichtig.«

»Verstehe.« Onkel Horn sank ernüchtert zurück aufs Sofa, zog die Nase hoch, verschränkte die Arme vor der Brust, als wäre er sich plötzlich wie Adam seiner Nacktheit bewusst geworden.

So sah keiner aus, der freiwillig Eigentum abtreten würde.

»Aber«, sagte Kurt und suchte nach einer passenden Formulierung, »was kann schon wichtiger sein als Familie?«

Onkel Horn blickte mitleidheischend zu ihm auf. Obwohl dieser Mann sechsundsiebzig Jahre alt war, konnte er noch immer einem Nesthäkchen gleichen.

Kurt fühlte sich genötigt, eine für ihn exotische Sorte Lächeln aufzusetzen: die aufmunternde. »Ich würde mich freuen, wenn du mir die Everglades zeigst«, sagte er.

»Ehrlich?«

Kurts Lächeln zuckte. »Ehrlich.«

Achttausend Kilometer weiter östlich konfrontierte das durch ein winziges Fenster hereinfallende, trübe Novembermorgenlicht Margot und ihren Schatten mit der Tatsache, dass sie im Keller des Hauses übernachtet hatte, in dem Hubert Kerr lebte. Sie lag, zusammengekauert und an einen Boiler geschmiegt, neben schmutzigen Betonstufen. Ihr Schatten war zerknittert und schmaler als sonst. Sie rappelte sich auf. Was würde Kerr mit ihr machen, wenn er sie hier fand? Bei dem Gedanken begannen ihre Hände zu zittern. Es fiel ihr schwer, den Reißverschluss ihres Kleids zu schließen. Sie durfte nicht länger hierbleiben. Margot zwang sich, nicht an die vergangene Nacht zu denken, griff nach dem Eisengeländer und stieg barfuß die Treppe hinauf. Splitt bohrte sich in ihre Fußsohlen. Sie musste ihr ganzes Gewicht einsetzen, um die massive Haustür aufzuziehen. Sie verließ das Haus und wandte sich nach rechts, folgte den Granitplatten des Bürgersteigs und wich einer Mutter mit Kinderwagen aus, ehe diese ihr ausweichen konnte. Die Arme um sich geschlungen, den Blick zu Boden gerichtet, eilte sie mit schnellen, kleinen Schritten nach Hause.

Erst in ihrer Straße blieb sie stehen. Der Wolga ihres Vaters parkte in der Einfahrt. Im gastfreundlichen Schatten einer Platane beobachtete sie das Haus, das sie unbedingt und keinesfalls betreten wollte. Sie erinnerte sich an das NES, Nintendo Entertainment System, von dem sie aus dem Westradio gehört hatte: eine Art elektrische Maschine, die es einem ermöglichte, den Helden einer Geschichte (ein Klempner!) im Fernseher selbst zu steuern und mit ihm den Bösewicht zu bekämpfen, um die Prinzessin zu retten. Sobald der Held auf seiner Odyssee zugrunde ging, konnte der Spieler noch einmal von vorne beginnen. Margot wünschte sich, sie könnte das auch: zum Anfang zurückspringen, nie auf der Party erscheinen, nie zu viel trinken und niemals in Hubert Kerrs Hände fallen.

Sie betrachtete ihre schmutzigen, wunden Füße. Ihre Kopfhaut juckte. An ihrer Hüfte brannte eine Stelle, an der Kerr sich festgekrallt hatte. Margot sehnte sich nach ihrem Bett.

Als sie im Begriff war, die Straße zu überqueren, öffnete sich die Haustür, und sie wich zurück in den Schatten der Platane. Ihr Vater trat ins Freie. Schon wollte sie ihm zurufen, da erschien hinter ihm Hubert Kerr, auf dessen Nase ein Pflaster klebte. Wieder begannen Margots Hände zu zittern. Sie atmete mehr ein als aus und schien doch keine Luft zu bekommen.

Hans Rübsam schritt wie immer steif, gleich einer ungelenken Puppe, drehte sich zu Kerr um und reichte ihm lächelnd, eindeutig lächelnd die Hand.

Margot ertrug den Anblick nicht. Sie machte sich hinter dem Baumstamm so klein wie möglich, hielt die Luft an, schloss die Augen.

Sie wagte es nicht, sich zu rühren.

Der Motor des Wolga wurde gezündet, und sie stellte fest, dass dieses früher einmal beruhigende Geräusch ihr nun Angst einflößte. Sie hörte, wie ihr Vater davonfuhr. Noch eine ganze Weile lang wartete sie. Bis ihre Hände kaum mehr zitterten und sie absolut sicher sein konnte, dass beide weit genug entfernt waren. Erst dann lief sie zum Küchenfenster, fand es nicht geschlossen, kletterte ins Innere, blieb dabei mit dem Kleid am Fenstersims hängen und riss ein Loch in den Stoff.

In der Küche roch es faulig. Sie nahm die Milch aus dem Kühlschrank, stürzte sie hinunter. Kälte breitete sich in ihr aus. Sie brach sich ein Stück Mischbrot ab und verschlang es zusammen mit einer sauren Tomate, deren Saft ihr übers Kinn lief und den sie mit dem Ärmel ihres Kleids abwischte. Im ersten Stock ließ sie dampfendes Wasser in die Badewanne ein und zog sich aus. An ihrer Hüfte entdeckte sie Kratzer. Ihr nackter Körper erinnerte sie daran, dass Kerr in ihr gewesen war. Sie empfand Ekel. Konnte nicht in den Spiegel sehen. Stieg hastig in die Badewanne. Zuerst spürte sie das heiße Wasser kaum, dann biss es in ihre Haut, aber sie glitt hinein, tauchte mit dem Kopf unter. Der Schmerz vermittelte ihr das gute Gefühl, jede Spur von Kerr wegzuätzen.

Wenig später trocknete sie ihre gerötete Haut ab und zog sich an. Die wunden Stellen fingen sofort an zu jucken. Im Büro ihres Vaters öffnete sie das Medizinschränkchen, fand eine Heilsalbe. Da bemerkte sie einen Brief auf dem Schreibtisch, vom Jugendwerkhof Hummelshain. Die Betreffzeile war fett gedruckt: EHRE DER ARBEIT. Das Schreiben trug die Unterschrift des Direktors Manfred Springer persönlich, der versicherte, in Hummelshain sei stets Platz für Nachwuchs.

Über diese Erziehungsheime kursierten viele schlimme Geschichten. Vergitterte Fenster. Einzelhaft. Ein Mädchen war als Strafmaßnahme nächtelang um die Gebäude gehetzt worden, bis sie sich das Leben genommen hatte.

Margot dachte an ihren Vater und konnte sich sein Gesicht nicht vorstellen.

Wenn Hans Rübsam in den darauffolgenden Wochen aus Albträumen hochschreckte, in denen er Margot mit bloßen Händen beerdigte, dann sagte er sich, er habe es nicht anders verdient, als nach seiner Frau auch seine Tochter zu verlieren, zumindest ein Teil von ihm müsse sich gewünscht haben, Margot loszuwerden, sonst hätte er den Brief von Wachtmeister Görsch entsorgt und nicht mit nach Hause gebracht.

Damit wies er dem Schreiben größere Bedeutung bei, als selbst Margot es getan hatte. Zwar musste sie annehmen, dass ihr Vater zumindest darüber nachdachte, sie an einen furchtbaren Ort zu schicken; ein Gedanke, der sie ebenso beunruhigte wie die Vorstellung, dass ihr Telefon abgehört wurde. Keines von beidem ängstigte sie jedoch so sehr wie die Tatsache, dass ihr Vater - Hubert Kerr die Hand geschüttelt hatte. Er hatte diesen Unmenschen nach draußen begleitet und gelächelt und dessen Hand geschüttelt.

Daran dachte sie, als sie im Büro ihres Vaters stand und es ihr nicht gelang, sich sein Gesicht ins Gedächtnis zu rufen. Die Lautstärke des monotonen Wanduhrenkonzerts schwoll an. Margot versuchte, dagegen anzusummen. Kein Ton kam. Stattdessen knallte unten die Haustür. Sie sah aus dem Fenster. Hans Rübsams Wolga befand sich nicht in der Einfahrt. Aber jemand stand dort und blickte zu ihr hoch: Hubert Kerr.

Diesen Hubert Kerr hätte es verletzt zu erfahren, dass Margot ihn nicht als Arbeitskollegen oder Feten-Gastgeber oder zumindest missglückte Eskapade betrachtete, sondern schlichtweg als Täter.

Gehen wir noch einmal ein paar Stunden zurück. Selbst einem wie Hubert Kerr sollten wir gerecht werden. Ohne sein Zutun gäbe es dich schließlich nicht.

Hubert Kerrs Schatten spricht folgende Wahrheit: Selbstverständlich war Hubert in der vorangegangenen Nacht nicht besonders angetan gewesen von Margots »lieber nicht«. Kerr hatte es so sehr gewollt wie nie zuvor in seinem Leben, und da hatte er sich gesagt: *Lieber nicht* konnte doch auch bedeuten, dass sie es zu einem ganz wesentlichen Teil wollte, dass sie nur unentschlossen war und von ihm überzeugt werden wollte. Dass er derjenige sein könnte, der ihr half, ein *Lieber nicht* zu einem *Lieber schon* zu machen.

Das hatte er selbst dann noch gehofft, als Margot zur Tür gehastet war. Er umarmte sie von hinten, damit sie sich bei ihm aufgehoben fühlte – und tatsächlich, sie entspannte sich, wehrte sich nicht mehr. Was ihn ermutigte. Vielleicht müsse er sich nur bewähren, ihr nur zeigen, wie viel ihm daran lag weiterzumachen; und wie konnte er das besser beweisen, als indem er weitermachte?

Es ging dann sehr schnell. Als er gekommen war, bemerkte er, wie fest er sie gepackt hatte, und nahm sofort seine Hände von ihrer Hüfte. Sein Glied war noch immer in ihr, er wollte sich nicht schon wieder von ihr trennen, er wollte ihr sagen, wie schön es gewesen war, suchte nach passenden Worten – bevor er sie fand, schlug Margot ihm mit dem Ellbogen ins Gesicht.

Als Kerr das Bewusstsein wiedererlangte, lag er am Boden, Rottweiler schleckte getrocknetes Blut von seiner Oberlippe, und Margot war verschwunden. Noch in derselben Nacht, während sein Bruder ihm die Nase verarztete, nahm Kerr ihm das Versprechen ab, ihren Eltern nichts von dem Vorfall zu berichten, und gleich am nächsten Morgen machte er sich auf zu den Rübsams. Offenbar hatte Margot ihr Beisammensein deutlich anders wahrgenommen als er. Er hatte vor, sie um Verzeihung zu bitten. Sie dachte jetzt doch nicht etwa schlecht von ihm? Das sei nur ein Missverständnis gewesen. Er habe zu viel getrunken. Es tue ihm leid.

Und es tat ihm immer noch leid, als er vor dem Grundstück der Rübsams stand. Aber er konnte sich nicht dazu durchringen, an die Haustür zu klopfen. In der Einfahrt parkte ein Dienstfahrzeug der Volkspolizei. Immer wieder blickte er zum Emblem auf der Fahrertür. Die Aufmerksamkeit eines Vopos wollte Kerr keinesfalls auf sich ziehen.

Jedoch wuchs mit jeder ungenutzten Minute die Wahrscheinlichkeit, dass Margot jemandem ihre Version der vergangenen Nacht schilderte. Und was dann?

Kerr fühlte sich allein. Dabei näherte er sich mit seinem dürren Schatten der Haustür. Ehe er sich bemerkbar machen konnte, wurde die Tür aufgerissen. Hans Rübsam – der sich nahende Schritte vernommen hatte – blickte Kerr mit geröteten Augen an. Er trug einen Bademantel, schlampig zugeknotet, und roch nach altem Schweiß.

»Ja?«

»Hallo. Ich bin Hubert Kerr. Sind Sie Margots Vater?«

Bevor Kerr reagieren konnte, packte Hans Rübsam seinen Arm, zog ihn ins Haus und warf die Tür zu. Das beantwortete zumindest seine Frage.

»Was ist passiert?!«, sagte Hans Rübsam laut, obwohl sie kein halber Meter voneinander trennte.

Kerr dachte daran, wegzurennen und sich zu verstecken. Aber wo?

Hans Rübsam machte einen Schritt auf ihn zu. »Wo ist sie?« Sein Atem verriet sein letztes Mahl: Hering aus der Dose.

»Das«, sagte Kerr und schluckte, »das weiß ich nicht.«

»Du hast sie nicht gesehen?«

Kerr schüttelte den Kopf.

Hans Rübsam sank auf die unterste Stufe einer Treppe, die in den ersten Stock führte. »Letzte Nacht ist sie nicht nach Hause gekommen.« Der Knoten des Bademantels löste sich, und Kerr sah nicht rechtzeitig weg: weißer Schlüpfer, teigiger Bauch. »Sie ist noch nie nicht nach Hause gekommen.«

Kerr hoffte, dass man seinen Worten nicht die Erleichterung anmerkte: »Das tut mir leid.«

»Bist du ein Freund von ihr?«

Kerr nickte und fügte vorsichtshalber hinzu: »Ein Kumpel.«

»Ich muss sie suchen.« Hans Rübsam warf den Bademantel beiseite und lief die Treppe nach oben.

Kerr wusste nicht, ob er ihm folgen sollte. Nach kurzem Zögern entschied er sich dagegen. Das Klicken mindestens vier unterschiedlicher Wanduhren dehnte die Wartezeit. Kerr fragte sich schon, ob Hans Rübsam die Suche im Obergeschoss begonnen hatte, als dieser endlich zurückkehrte, diesmal in Uniform, das Hemd allerdings falsch zugeknöpft.

»Ich musste hier sein. Falls sie sich meldet oder heimkommt.« Er steckte einen Schlüsselbund ein. »Aber jetzt bist du ja da.«

»Ich?«

Hans Rübsam packte ihn an den Schultern. »Du wartest hier. Wenn du etwas von ihr hörst, rufst du einfach auf der Wache an, ja?«

»Ich soll hier warten?«

Hans Rübsam runzelte die Stirn, sein Griff wurde fester. »Hast du ein Problem damit?«

»Nein«, sagte Kerr sofort, »kein Problem.«

»Sehr gut.« Hans Rübsams Lächeln war breit und panisch. Zum Abschied schüttelte er Kerrs Hand so kraftvoll, dass Kerr das Gelenk noch immer wehtat, als er wenig später im Wohnzimmer der Rübsams saß und sich wunderte, wie er in diese Lage geraten war. Er betrachtete den Schlagschatten, den sein Oberkörper auf die leere Tischplatte vor ihm warf, und hatte den Eindruck, dieser sei schwächer als sonst. Das Klicken der Wanduhren schien lauter und leiser und wieder lauter zu werden.

Aus dem Nebenzimmer, wo er die Küche vermutete, hörte er ein Geräusch – es klang wie das Reißen von Stoff. Schritte. Ein Schrank wurde geöffnet. Jemand trank und aß etwas.

Kerr erstarrte und atmete möglichst lautlos durch den Mund. Er fragte sich, ob das Margot war und, falls ja, wie sie auf seine Anwesenheit reagieren würde.

Bevor er sich bemerkbar machen konnte, verließ Margot die Küche. Kerr machte sich auf einen Schrei gefasst. Der nicht folgte. Sie sah ihn nicht, stieg die Treppe hoch. Als er ihr nachblickte, fiel ihm auf, dass sie das Kleid trug, das er vergangene Nacht von ihrem Körper gestreift hatte. Die Zimmerdecke über ihm knarrte. Wasser lief, rauschte. Noch immer wagte er es nicht, sich zu rühren.

Minute um Minute saß er so dort und überlegte, was er tun sollte. Am Ende entschied er, dass es zu spät war, um sich ihr zu zeigen: Sie würde annehmen, er habe ihr aufgelauert. Mit sachten

Schritten ging er zum Eingang, drückte vorsichtig die Türklinke runter. Er schlüpfte nach draußen. Atmete auf.

Ein Luftzug entstand, und die Haustür fiel hinter ihm mit einem Knall ins Schloss.

Kerr blickte hoch zum ersten Stock: Hinter dem Fenster stand Margot.

Als sie ihn sah, rannte sie sofort zum Telefon im Büro. Sie rief auf der Polizeiwache an. Eine Frau mit gequetschter Stimme bedauerte, Hans Rübsam sei leider derzeit auf Streife. Ob man ihm etwas ausrichten könne?

Da klopfte es an die Haustür. Margot ließ den Hörer fallen, spähte aus dem Fenster: Kerr. Sie lief nach unten und verriegelte die Tür, verriegelte alle Türen und Fenster und zog die Vorhänge zu. Sie nahm das Brotmesser aus der Küche, ging in ihr Zimmer, sperrte sich ein. Lauschte.

Und sie hörte: Klopfen. Wieder. Und wieder. Es wanderte ums Haus, wurde zu einem Scheppern, als es gegen die Fenster trommelte. Das Klicken der Uhren drängte sie, etwas zu unternehmen. Sie war überzeugt, Kerr würde sich bald Zugang verschaffen.

Das Messer fest in der rechten Hand, öffnete sie mit der linken die Tür und schlich die Treppe nach unten. Durch die Milchglasscheibe der Hintertür zum Garten konnte sie niemanden erkennen. Leise löste sie den Riegel und zog die Tür auf. Sie horchte nach Schritten. Der Schatten des Brotmessers tat protzig, als sei er der eines Samuraischwerts. Margot sah nach links und nach rechts, sah noch einmal nach links und lief dann los, zum Gartentor.

»Margot!«

Kerr kam um die Hausecke. Er rannte nicht, weil er sie nicht fangen wollte. Aber Margot dachte, dass er nicht rannte, weil er sich so sicher war, dass er sie fangen würde.

Als er das Brotmesser sah, blieb er stehen. »Ich will nur reden.«

»Hilfe«, rief sie, und gleich noch einmal: »Hilfe!«

»Hör auf!« Kerrs Augen weiteten sich. »Ich mach doch nichts.«

Margot schrie, so laut sie konnte: »Hilfe!«

Kerr bewegte sich im selben Moment auf Margot zu, in dem sie den Arm hob. Sein Mund öffnete sich. Als würde ihn grelles Licht blenden, blinzelte er mehrmals schnell hintereinander. Mit beiden Händen tastete er nach dem Messer, das in einem schiefen Winkel in seinem Brustkorb steckte. Fand es nicht. Er sagte: »Ich.« Brach zusammen.

Margot wich vor ihm zurück. Sie befürchtete, dass er nur so tat, damit sie sich ihm näherte. Eines seiner Beine zappelte unkontrolliert. Sein Gesicht war von ihr abgewendet.

Minutenlang wand Kerr sich am Boden und sprach undeutliche Worte ins Gras. Bis Hans Rübsam, der nach dem Anruf seiner Tochter auf der Wache nach Hause geeilt war, den Garten betrat, sich über Kerr beugte und Margot anfuhr: »Was hast du gemacht!«

»Nichts«, sagte Margot, und Hans Rübsam presste die Lippen aufeinander wie jemand, der sich eine Erwiderung verkneift.

Sie zog an seinem Arm. »Ich habe gar nichts gemacht!«

Hans Rübsam warf ihr einen verärgerten Blick zu und nahm sie nicht, wie sie sich gewünscht hätte, in den Arm, sondern - wickelte Kerr in eine Wolldecke, die er normalerweise um ihre Füße legte, wenn sie abends im Wohnzimmer las. »Er muss ins Krankenhaus.«

»Hnnn«, machte Kerr.

»Ich komm mit«, sagte Margot schnell, weil ihr nichts Besseres einfiel. Hans Rübsam schüttelte den Kopf. Er schleppte den stöhnenden Kerr zum Wolga. Margot räumte ihnen den Weg frei, hielt Türen auf. Nachdem Kerr auf die Rückbank gelegt worden war, bat Hans Rübsam Margot, im Haus auf ihn zu warten, und sie wagte nicht, ihn zu fragen: »Bist du mir böse?« Bevor Hans Rübsam sich hinters Lenkrad setzte, nahm sie seine Hand. Sie fragte ihn, was jetzt passieren werde. Ihr Vater sah zu Kerr, als wäre die Antwort darauf dort zu finden.

»Wann kommst du wieder?«

»Dafür haben wir jetzt keine Zeit!«

Mehr sagte er nicht.

Und das, genau das, war der Moment, in dem sie sich entschied wegzulaufen.

Von dieser Entscheidung ahnte Kurt auch zwei Tage später noch nichts, als er sich am Strand von Miami Beach rückwärts in den Sand fallen ließ, um sich nach dem Schwimmen von der Sonne Floridas trocknen zu lassen.

Etwas klebte an seinem Fuß. Aber er achtete nicht darauf, sondern richtete den Blick zum Horizont. Es gibt zwei Arten von Menschen: solche, die das Meer hassen, weil es mit jeder Welle Sorgen zu ihnen spült, und solche, die es dafür lieben, dass es all ihre Sorgen schluckt. Kurt zählte zu den Letzteren. An den vergangenen zwei Tagen war er mehrmals im Atlantik kraulen gewesen, morgens und abends und einmal sogar in der Mittagshitze, wenn Haie Jagd auf Rochen machten und der Sand so heiß wurde, dass man ins Wasser rennen musste, um sich nicht die Füße zu verbrennen. Der Fürstenhof, die Zukunft seiner Familie, der Mauerfall – seine Sorgen schienen mit jeder Sekunde zu schrumpfen, in der er sich von den lauwarmen Wellen des Atlantiks schaukeln ließ. Er hatte sich noch nie so gesund gefühlt; sein Haar nahm bereits einen helleren Farbton an, die Neurodermitis an seinen Ellbogen und Kniekehlen existierte praktisch nicht mehr, und das Meeresrauschen ließ ihn so fest schlafen wie ein mütterliches Wiegenlied ihr Kind.

Was er inzwischen begriffen hatte: ›Sunshine State‹ war mehr als bloß ein Name. Es war ein Lebensmotto: der sonnige Zustand. In den Everglades hatten er und Onkel Horn ein Luftkissenboot samt Fahrer gemietet und waren durch das Marschland Floridas kutschiert worden, welches sich über ein so riesiges Gebiet erstreckte, dass Kurt am liebsten immer weiter geradeaus gefahren wäre, ohne je zurückzublicken. Auf einer Reptilien-Ranch rang ein Seminole mit den reizenden Alligatorenzwillingen Bonnie und Clyde, die aus der Nähe betrachtet so viel faszinierender waren als die Exemplare in ›Sterns Stunde‹ auf der ARD. Kurt und Onkel Horn aßen köstlich gebratenen Dolphinfish zu Mittag, der Kurt noch besser schmeckte, nachdem er ihn als Goldmakrele identifizierte. Und im ›Clevelander‹ am Ocean Drive servierten ihnen athletisch gebaute Komparsinnen aus ›Miami Vice‹ Bloody Marys mit phallischen Selleriestauden.

So reibungslos verging auch der darauffolgende Tag. Onkel Horn und Kurt redeten kaum und unternahmen viel miteinander, wie zwei Schulfreunde, die keine Gemeinsamkeiten hatten außer der einen, dass sonst niemand mit ihnen Zeit verbringen wollte. Zu seiner Erleichterung stellte Kurt fest, dass Onkel Horn kein Interesse daran hatte, in alten Zeiten zu schwelgen. Er war aus demselben Grund nach Amerika gekommen wie so viele Zuwanderer: um seine Vergangenheit hinter sich zu lassen.

Kurts Sympathie für ihn wuchs. Onkel Horn war gewiss keine Hilfe, wenn differenzierter Rat benötigt wurde, aber definitiv der Richtige, sobald man jemanden brauchte, der generös Komplimente verteilte oder auch mal über schlechte Witze lachte. Onkel Horn konnte sogar den schlimmsten Stubenhocker zum Ausgehen motivieren. Gegen seinen Optimismus kam selbst Kurts professionelle Sorge um alles Geschäftliche nicht an. Stagnierende Verkaufszahlen der Eigentumswohnungen und seine Scheidung hatten – nachdem der erste Schock überwunden war – wenig Eindruck bei Onkel Horn hinterlassen. Sie spielten in der

Morgendämmerung von Miami Beach Tennis, bis sie so verschwitzt waren, als hätten sie eine Dusche genommen; sie pulten zartes schneeweißes Fleisch aus Krebsscheren bei ›Joe's Stone Crab‹; sie schwammen in einem azurblauen, nierenförmigen Pool; sie brachten einem Ara im ›Parrot Jungle‹ bei, »Scheidung« zu krächzen; sie kauften im ›Bayside Marketplace‹ eine falsche Rolex und in den ›Bal Harbour Shops‹ eine echte, die sie am nächsten Tag nicht mehr voneinander unterscheiden konnten; sie ließen sich in einer Praxis im Art Deco District die Zähne bleachen; sie nahmen Koks, das Onkel Horn in einem Schlüsselanhänger bei sich trug, und tanzten im ›Tropigala‹, dem Club des ›Fontainebleau‹, mit Kubanerinnen auf einer sogenannten Mauerfall-Party zur Technomusik eines aus Detroit eingeflogenen DJs; und sie trugen die ganze Zeit Sonnenbrillen von Ray-Ban.

Kurt überprüfte seinen Fuß; es fühlte sich an, als wäre er in einen Kaugummi getreten. Zwischen seinen Zehen hing eine zähe, schwarzbraune Masse, an der Meeressand klebte. Sie ließ sich nicht abkratzen.

»Bist in eine Ölpfütze gestiegen«, diagnostizierte Onkel Horn, als Kurt ihm seinen Fuß nach der Rückkehr vom Strand zeigte, »die großen Tanker lassen es ab, bevor sie in den Hafen kommen, damit sie nicht für die Entsorgung zahlen müssen.«

»Sauerei.«

Onkel Horn zuckte mit den Schultern. »Kann man ihnen nicht übel nehmen. Die wollen nur möglichst viel Profit machen.«

»Und wie krieg ich das jetzt ab?«

»Kräftig schrubben.«

Aber selbst nach vierzig Minuten unter heißem, nach Chlor stinkendem Wasser in der Dusche haftete noch immer ein eitergelber Rückstand an seinen Zehen.

Zum Mittagessen wurden Jumbo Shrimps aufgetischt, und als sie im Wohnzimmer auf dem Sofa nebeneinander Platz nahmen, meinte Onkel Horn: »Also, was wolltest du neulich mit mir besprechen?«

Kurt verblüffte, dass Onkel Horn sich daran erinnerte, und noch mehr verblüffte ihn, wie lange er nicht mehr daran gedacht hatte, weswegen er eigentlich hier war.

»Du weißt doch«, sagte Kurt so beiläufig wie möglich, »dass die Anteile des Fürstenhofs nach dem Tod deines Vaters zurück an die Familie gefallen sind.«

»Natürlich«, sagte Onkel Horn. Er machte sich nicht die Mühe, die Shrimps zu schälen, tunkte einen Schwanz in die rosarote Cocktailsauce und kaute knirschend.

Kurt fummelte an seinem Fuß herum. »Und du kannst dir denken, dass wir, in Anbetracht der aktuellen politischen Ereignisse, möglicherweise bald über die Anteile verfügen können.«

»Ja«, sagte Onkel Horn wieder und bediente sich bei Kurts Portion Shrimps: »Keinen Hunger?«

»Ich plane, alle Anteile zusammenzuführen und das Hotel wieder auf Vordermann zu bringen. Dafür bräuchte ich aber natürlich auch dein Einverständnis ...«

Mit vollem Mund sagte Onkel Horn: »Ist gut.«

Kurt sog viel Luft auf einmal ein. »Du überschreibst deinen Anteil?«

»Ja.«

»Wirklich?«

»Wirklich.«

»Fritz.« Kurt räusperte sich. »Danke. Vielen Dank!«

»Keine Ursache.«

»Das ist sehr großzügig!« Kurt wollte ihn umarmen. Aber wie umarmt man einen Mann, der zurückgelehnt auf dem Sofa sitzt und in dessen Zähnen Shrimpsreste hängen?

»Fünfzig Prozent«, sagte Onkel Horn.

»Wovon?«

Er leckte Cocktailsauce aus seinem Mundwinkel. »Vom Gewinn.« Mit einem nach Spiritus und Limone riechenden Reinigungstüchlein säuberte sich Onkel Horn die Finger. »Ich habe meinen Anwalt einen Vertrag aufsetzen lassen.«

»Du hast was?«

Onkel Horn wiederholte gelassen: »Ich habe meinen Anwalt ...«

Kurt sprang ruckartig auf. »Ich dachte, Familie ist wichtig?«

»Und wie sie das ist! Wichtiger als alles andere.« Er lehnte sich zurück, sein Bauch war fest und rund, sein Grinsen weiß wie Tipp-Ex. »Aber das hier ist was Geschäftliches – hast du gedacht, ich schenke dir meinen Anteil?« Er musterte Kurt.

Der sah zur verspiegelten Decke und erwiderte den Blick eines ziemlich naiven Mannes. Er musste an Onkel Horns Scheinwelt denken, die Märklin-Eisenbahn-hafte Miniaturstadt.

Das Telefon klingelte. Wie Unterwassergesang: lulululu. Onkel Horn ging an den Apparat und reichte Kurt den Hörer: »Deine Mutter.«

Er nahm ihn ungeduldig entgegen. »Was ist?«

»Kurt.« In ihrer für eine Vierundachtzigjährige durchaus hellen Stimme schwang der strenge und doch amüsierte Unterton einer Mutter mit, die ihren Sohn bei der Durchführung eines Streichs erwischt hatte. »Jemand möchte dich gern sprechen.«

Eine kurze Pause. Dann sagte eine viel jüngere, wenn auch nicht hellere Frauenstimme zu ihm: »Ich bin's. Margot.«

Erst als deine Mutter diese dreieinhalb Worte zu Kurt über den Atlantik schickte, wurde ihr bewusst, dass sie wirklich angekommen war: Sie befand sich in München.

Wie sie das geschafft hatte, würde sie nie berichten können. Das Einzige, woran sie sich auch später noch erinnerte, war der Fleck. Sie bemerkte ihn, als ihr Vater zu Hubert Kerr ins Auto stieg und den Motor startete. Ein fingernagelgroßer rostbrauner Fleck auf ihrer Jeans, oberhalb ihres Knies, in Form eines Eichenblatts. Er begleitete sie auf ihrer Flucht. Sie konnte ihn nicht nicht sehen. Immer wieder versuchte sie, ihn mit viel Spucke und Rubbeln zu entfernen. Sobald aber die Spucke trocknete, erschien er wieder. Kerrs Blut.

Alles andere vergaß oder, so Kurt, verdrängte sie schon während der Reise.

Das Erste, was Margot vergaß: dass der Auslöser für ihre Flucht aus Pößneck nicht Hans Rübsams Bekanntschaft mit - Hubert Kerr war oder sein heimlicher Plan, sie ins Heim zu stecken (beides Missverständnisse, an die sie ihr Leben lang glauben sollte), sondern dass er ihr nicht, wie sonst immer, wenn es Schwierigkeiten gab, den wichtigsten Rübsam'schen Rat erteilte: Sie solle sich nicht verrückt machen. Zudem vergaß sie, dass sie beim Abschied, als er den Wagen zurücksetzte, wegguckte und ihn nicht noch ein letztes Mal ansah, weil sie befürchtete, er könnte in ihren Augen lesen, was sie vorhatte. Sie vergaß, wie lange sie durch Pößneck rannte und wohin. Sie vergaß, wie sie sich so weit weg wie möglich wünschte und wie ihr das weiteste Weg, das sie kannte, einfiel: Kurt Salz' Zuhause. Und sie vergaß den speckigen Wirt der Schmiede, einer Gaststätte im nahe gelegenen Ranis, der sie als Erstes mitnahm, der kaum hinter das Lenkrad seines Trabanten passte und der sie unaufhörlich dafür tadelte, in den Wagen eines fremden Mannes gestiegen zu sein.

So vieles vergaß sie: wie sie sich in Ranis einer Gruppe Menschen anschloss, die über die Grenze nach Bayern wollten, um einmal über der Grenze gewesen zu sein; dass die Vopos am Grenzübergang wortlos den Schlagbaum für die Gruppe hochklappten und sie, nachdem die Saale überquert war, für eine Weile mit hochgestrecktem Daumen eine Landstraße entlangwanderte; und dass eine Mutter nicht sehr identischer Zwillinge sie nach

Hof mitnahm und ihr während der Fahrt mindestens drei Mal erzählte, in der ›Emma‹ habe sie gelesen, im Iran sei ein hochgestreckter Daumen kein Anhalterzeichen, sondern heiße so viel wie *Steck dir das in den Hintern.*

Die schlaflose Nacht in einem Wartehäuschen vergaß sie ebenso wie die längste Strecke, von Hof zu einer Raststätte kurz vor München, auf der sie einen Geschäftsmann mit safrangelber Krawatte begleitete, der nach Augsburg musste. Er nahm sie unter der Bedingung mit, dass Margot ihn ab und zu aus einem Fresskorb versorgte, weil er vor Besprechungen immer monströsen Appetit entwickelte; die ruhige Gleichmäßigkeit, mit der sie im BMW des Geschäftsmanns über die Autobahn glitten, korrespondierte nicht mit der auf dem Armaturenbrett angezeigten Geschwindigkeit, und Margot empfand Genugtuung, dass der Westler-Tacho nicht richtig funktionierte.

Sie verbrachte eine ganze Nacht auf einer Raststätte vor München damit, Lkw-Fahrer anzusprechen und – obwohl die meisten Margot gerne mitnehmen wollten – immer in letzter Sekunde dankend abzulehnen, weil sie sich sagte, dass sie, solange sie nicht in München ankam, Kurt sie nicht zurückschicken könnte.

Den letzten Streckenabschnitt legte sie schließlich in einem Reisebus voller Rentnerinnen zurück, die sich alle darum stritten, neben ihr zu sitzen.

In München verabschiedete sie sich von den besitzergreifenden Damen und entnahm einem Telefonbuch die Adresse von Kurt Salz' Familie.

Einundvierzig Stunden nach Beginn ihrer Flucht blieb sie vor einem schlammgrünen Nachkriegsbau in der Bogenhausener Prinzregentenstraße stehen: Autoverkehr strömte an ihr vorbei. Fahrradfahrer klingelten sie vom Radweg. Eine alte Frau mit Einkaufstüten, auf denen in Schreibschrift ›Käfer‹ stand, schleppte sich ihrem nicht minder betagten Schatten hinterher. Den goldenen Friedensengel auf der Säule in der Ferne hielt sie für einen Adler. Polizisten stoppten einen Fahrradfahrer und stellten einen Strafzettel für fehlende Katzenaugen aus. Das Novemberlicht verlieh der Stadt eine gewisse Unschärfe.

All das vergaß Margot.

Als sie den von beißendem Reinigungsmittelgeruch erfüllten Aufzug der Prinzregentenstraße 51 betrat, hatte sie nichts bei sich außer ihrem Personalausweis, ein paar Mark und ihrer Kleidung, markiert mit Kerrs Blutstropfen.

In der sechsten Etage klingelte sie bei *Salz* und hörte sofort Bewegung hinter der Tür. Aber niemand öffnete. Sie hatte das Gefühl, dass jemand sie durch den Türspion beobachtete.

Als dein Cousin Alexander das Mädchen mit den kupferfarbenen Locken sah, verzerrt durch den Türspion und doch so schön, bemühte er sich, leise zu atmen, damit sie ihn nicht hörte. Obwohl Alexander fast dreißig Jahre alt war, ließ er selten jemanden herein, wenn er allein war. Das kam daher, dass er auf die ganze Welt blickte wie durch einen Türspion – allerdings ohne sich der begrenzten Perspektive bewusst zu sein. Und dieser Türspion hieß in seinem Fall Lola. Sie hatte Alexander von klein auf eingebläut, dort draußen lauere viel Übles. Zwei besonders große Übel (auch das war ihm von Lola eingebläut worden) hatte er nur gerade so überstanden: seine Eltern. Eine Trinkerin, die ihn im Suff beinahe erstickt, und ein Nüchterner, der am Tag seiner Geburt das Weite gesucht hatte.

Dass dies nur bedingt der Wahrheit entsprach, konnte Alexander nicht wissen: Noch vor seinem ersten vollendeten Lebensjahr war er von Lola adoptiert worden. Sie hatte ihn aufgezogen. Sie hatte ihn jedes Mal von der Schule abgeholt, wenn er zum Rektor geschickt worden war, weil er andere Kinder gebissen, gekratzt, an den Haaren gezogen oder – was er bis heute abstritt – angepinkelt hatte. Sie ließ ihn ausschlafen und verlangte nicht, dass er arbeitete (das verlangte sie nur von Kurt). Sie küsste ihn zum Gruß an jedem Morgen auf eine andere Stelle in seinem Gesicht, sodass er, wenn er aufstand, sich immer fragte, welche es heute sein würde. Sie nahm ihn vormittags manchmal mit zu ›Käfer‹, und dafür, dass er die Einkäufe trug, bereitete sie ihm zwei- bis dreimal täglich Mahlzeiten zu oder lud ihn auf einen Krabben-cocktail bei ›Käfer‹ ein. Sie spazierte nachmittags mit ihm im Englischen Garten, und auch wenn er sie oft stützte, kam es ihm doch gelegentlich so vor, als würde er von ihr gestützt werden. Sie spielte am frühen Abend Brettspiele mit ihm, wobei sie in ›Risiko‹ und ›Monopoly‹ überlegen war, sein Würfelglück ihm aber leichte Vorteile in ›Mensch ärgere dich nicht‹ verschaffte (wenn er sich auch sehr aufregte, war dies einmal nicht der Fall). Sie sah abends mit ihm die ›Tagesschau‹, die oberflächlich genug über die Welt berichtete, um Alexander nicht unnötig zu erregen. Danach trug sie ihm, wenn sie guter Laune war und nicht zu viel Löwenbräu intus hatte, auswendig Strophen oder Monologe aus ihren Bühnentagen vor (am häufigsten aus ›Macbeth‹ und ›Me-dea‹), ehe sie ihn ins Bett schickte.

So verliefen die meisten Tage, mit Ausnahme derer, an denen Alexander, wie Lola es ausdrückte, »besonders brav« war – also sein Temperament kontrollierte und sich auch mal mehr als ein Stündchen allein beschäftigte – und dafür von ihr mit einer Kassette von ›The Shadow‹ belohnt wurde.

Who knows what evil lurks in the hearts of men? The Shadow knows!

Das waren die einleitenden Worte jeder einzelnen Folge. Die meisten konnte Alexander längst mitsprechen, und Lola, die ehe-malige Schauspielerin, lobte ihn: Er klinge beinahe so professio-nell wie Orson Welles, die Stimme von The Shadow. Dieser war ein finsterer Protagonist, der gegen das Übel der Welt kämpfte, ausgestattet mit Kavaliershut, maskierendem Schal, zwei Pistolen und Superkräften, dank derer er Menschen gedanklich dazu bringen konnte, seine Gegenwart nicht wahrzunehmen – sie waren dann nur mehr in der Lage, seinen Schatten zu sehen. Am liebsten hörte er die Kassetten nach Einbruch der Nacht, wenn es dunkel war, so dunkel, dass er sich wie unsichtbar durch die Wohnung bewegen konnte. Abgesehen von Lola verbrachte Alexander mit niemandem so viel Zeit wie mit The Shadow. Er vermutete (richtig), dass er, abgesehen von Comicladenbesitzern und Besuchern von Fantasy-Messen, der einzige fast dreißigjährige Fan von The Shadow war. Eine umso bedrückendere Tatsache, als Lola beinahe jeden Tag ein neues Buch las. Aber inzwischen hatte Alexander sich damit abgefunden, dass keine Lektüre ihm so viel Glück und Geborgenheit schenkte wie ›The Shadow‹. Einfach, weil dieser, so wie Lola, stets da gewesen war – etwas, das er von seinen Eltern nicht behaupten konnte.

War Lola allerdings unzufrieden mit Alexander, erzählte sie Fremden, wie viel Zeit er mit The Shadow verbringe, und erzielte damit immer den gewünschten Effekt: Der Metzger schmunzelte und reichte Alexander eine Scheibe Bierschinken über die Theke, als wäre er vier Jahre alt; die junge, hübsche Mutter, die Alexander heimlich aus den Augenwinkeln beobachtet hatte, beugte sich über ihr Baby, um ihr Kichern zu kaschieren; selbst die Kinder an der Isar, die genau im richtigen Alter waren, um als Fans von The Shadow rekrutiert zu werden, prusteten los und deuteten mit ihren spitzen Fingern direkt auf sein Herz.

In solchen Momenten wünschte er sich nichts sehnlicher als die Fähigkeit, wie The Shadow in ihre Köpfe einzudringen und für sie zu einem Schatten zu werden. Dann würde er ungehindert dem Metzger seinen Schinken ins Gesicht klatschen. Und der jungen Frau einen Kuss aufdrücken. Und die Kinder ins Wasser werfen.

Fast unsichtbar fühlte sich Alexander nun ebenfalls, während er das Mädchen durch den Türspion beobachtete. Solche Mädchen tauchten gelegentlich bei ihnen auf; meist wollten sie mit Kurt sprechen. Sie hatten seinen Namen aus dem Telefonbuch, weil er in München gemeldet war, wussten aber nicht, dass er eigentlich in der Schweiz lebte. Die wenigsten hatten Geduld für derlei Details. Ihren Bitten wohnte die Angst vor dem Alleinsein inne.

Das Mädchen fixierte den Türspion, und obwohl Alexander wusste, dass sie ihn nicht sehen konnte, wich er ihrem Blick aus.

»Hallo?«

Alexander fragte sich, ob sie ihn doch gesehen hatte. Er war sich nie sicher, ob ein Besucher ihn erkennen konnte, wenn er den Türspion benutzte.

»Ich bin Margot, eine Freundin von Kurt.«

Sie klopfte. Alexander berührte die Tür, spürte die Erschütterung. Als es aufhörte, wagte er einen weiteren Blick: Margot war verschwunden. Aber sie summte leise: ›Looking for Freedom‹. Alexander kannte den Song aus dem Fernsehen. David Hasselhoff. Bei Margot klang das aber so viel trauriger und besser als beim Original. Keines von Kurts Mädchen hatte sich bisher vor die Tür gesetzt und gesummt.

»Kurt ist nicht da«, sagte er.

Margot stand wieder auf und sah nun direkt in den Türspion. »Kann ich reinkommen und auf ihn warten?«

»Das geht nicht.«

»Bitte.«

»Ich kenn Sie doch gar nicht.«

»Kurt kennt mich.«

»Es tut mir leid, aber Kurt kennt viele Mädchen.«

»Ich bin keine von denen.«

»Das sagen alle seine Mädchen.«

»Guten Tag.«

Die letzten Worte stammten nicht von ihr. Ein kräftiger Schatten warf sich auf Margots kupferfarbene Locken: der von Lola. Alexander dachte nicht zum ersten Mal, dass seine Großmutter für eine Frau ihres Alters erstaunlich groß war. Er öffnete die Tür, und beide Frauen betraten die Wohnung. Lola befahl der sich vielfach bedankenden Margot, sich einen Augenblick zu gedulden. In strengem Ton forderte sie Alexander auf, ihre Einkäufe – sieben Flaschen Löwenbräu – in den Kühlschrank zu räumen, und vermittelte ihm, obwohl er das gerade jetzt gar nicht wollte, das Gefühl, er sei nur ein namenloser, wenig geschätzter Schatten. Dennoch protestierte er nicht. Lola war vierundachtzig, das sagte er sich in solchen Situationen immer, und eine Vierundachtzigjährige hatte keine Zeit für Höflichkeit.

Lola nahm das Telefon, wählte Onkel Horns Nummer und bat diesen, Kurt rasch ans Telefon zu holen, dem sie sogleich mitteilte: »Jemand möchte dich gern sprechen.« Daraufhin reichte sie Margot den Hörer und zog Alexander am Ärmel mit sich aus dem Wohnzimmer, um Privatsphäre vorzutäuschen, blieb aber im Gang stehen, wo sie ungesehen das Gespräch belauschen konnten und sie ihm zuflüsterte: »Die sind wir gleich wieder los.«

Im Wohnzimmer sagte das Mädchen: »Ich bin's. Margot.«

Alexander hätte sie gerne vorgewarnt, dass Kurt sie nun zurückweisen würde, wie er das mit jedem Mädchen machte.

Eine Pause.

»Wenn du meinst«, sagte Margot.

Schritte.

Als sie im Gang erschien, reagierte Lola schneller als Alexander und kniff ihm in die Haut unter seinem Kinn, als hätte sie ihn und nicht Margot sie beide erwischt: »Was fällt dir ein, du Spitzel!«

Bevor Lola ihn auf sein Zimmer scheuchte, schenkte Alexander Margot noch einen um Entschuldigung heischenden Blick, mit dem er hoffte, ihr vermitteln zu können, dass er sich so etwas wie Bespitzeln niemals erlauben würde.

Aber Margot, die er noch viel schöner fand als ihr Türspion-Zerrbild, eilte schon wieder zum Telefon.

»Und?«

»Sie standen genau da, wo du gesagt hast.«

»Wusst' ich's doch.«

»Kommt das öfter vor?«

»Was?«

»Dass deine Mutter Mädchen abwimmeln muss?«

»Ist doch unwichtig – was machst du in München?«

»Ich musste weg.«

»Hättest du nicht zu deinem Vater gehen können?«

»Ging nicht.«

»Wieso?«

»Ging eben nicht. Ich kann ihm nicht vertrauen.«

»Er schien mir ein sehr vertrauenswürdiger Kerl.«

»Bist du jetzt seine Tochter, oder wie?!«

»Ist alles in Ordnung?«

»Alles ist spitze!«

»Margot.«

»Kurt.«

»Margot!«

»Kurt!«

»Wenn du in Schwierigkeiten warst, hättest du die Polizei rufen sollen.«

»Mein Vater ist die Polizei.«

»Sonst gibt es niemanden, zu dem du hättest gehen können?«

»Nein.«

»Du hast gar keine Freunde?«

»Glaubst du mir nicht?«

»Ich kann nicht glauben, dass du in München bist.«

»Jemand war hinter mir her.«

»Wer?«

»Will ich nicht drüber reden. Nach Pößneck geh ich jedenfalls nie wieder.«

»Das meinst du nicht so.«

»Wirst schon sehen.«

»Du kannst nicht einfach so nach München ziehen.«

»Denkst du, das weiß ich nicht? Idiot.«

»Der einzige Idiot, zu dem du gerade gehen kannst.«

»Tut mir leid.«

»Ich kann aber jetzt nicht zu dir kommen.«

»Warum nicht?«

»Ich bin in Amerika.«

»Immer noch? Was machst du da?«

»Ich lass mich ausmanövrieren.«

»Was?«

»Nicht so wichtig. Hör zu, ich muss jetzt Schluss machen. Ich werde mit meiner Mutter reden. Du kannst das Gästezimmer haben, bis ich wieder da bin.«

»Danke.«

»Schon in Ordnung.«

»Nein, wirklich: Danke.«

»Wenn ich zurück bin, reden wir. Versprochen.«

»Kurt?«

»Ja?«

»Was heißt *zach*?«

»Wie bitte?«

»*Zach*. So hast du mich genannt.«

»Das bedeutet zäh. Dass du ein zähes, starkes Mädchen bist.«

»Findest du?«

»Findest du nicht?«

»Weißt du noch, als wir das letzte Mal telefoniert haben und du gesagt hast, du willst mich gerne sehen?«

»Margot.«

»Weißt du das noch?«

»Ja, natürlich weiß ich das noch.«

»Ich will das auch.«

»Gut, Margot, das klingt gut.«

»Tu nicht so, als würdest du dich nicht freuen. Du lächelst. Das hör ich.«

Kurt (noch immer lächelnd) bat seine Mutter, Margot – »nicht: das junge Ding«, wie er Lola verbesserte – bis zu seiner Rückkehr im Gästezimmer unterzubringen, und legte auf, ehe sie Einwände erheben konnte. Margots Stimme hatte ihn daran erinnert, mit wem er jetzt am liebsten sein wollte, und so dachte er nicht weiter darüber nach, ob er Onkel Horn noch mit einem geschickten Verhandlungstrick zu einem besseren Deal bewegen könnte, und unterschrieb den Vertrag, mit dem er seinem Onkel eine Gewinnbeteiligung von fünfzig Prozent im Tausch für die Überschreibung seines Anteils am Fürstenhof zusicherte. Dann rief er ein Taxi. Beim Abschied kam er Onkel Horns Umarmung zuvor, indem er ihm die Hand reichte. Sie würden sich vermutlich nie wiedersehen, dachte Kurt und war darüber nicht unglücklich.

Auf dem Weg zum Miami International Airport bat er den Taxifahrer, die Klimaanlage anzuschalten, weil er nicht mehr die klebrige Luft Floridas einatmen wollte. Am Flughafen buchte er die nächste Verbindung nach Menorca, via Barcelona, und schämte sich für die deutschen Touristen mit Bauchtasche und Birkenstocksandalen. Ein aufdringlich süßer, chemischer Geruch waberte durchs Gebäude. Auf dem Transatlantikflug wurde ›Back to the Future II‹ gezeigt, eine Science-Fiction-Komödie über das

Jahr 2015, die Kurt half einzuschlafen, auch wenn er ungut von Christopher Lloyds irrem Blick träumte. Bei jeder Turbulenz wachte er auf und spähte aus dem Fenster. Suchte nach Feuerbällen.

Eine Stewardess mit einladenden Rundungen, die er unter anderen Umständen gebeten hätte, ihn auf einer Spritztour in seinem Porsche zu begleiten, weckte ihn zum Frühstück. Das Rührei schmeckte, aber nicht nach Ei. Sein Magen, für den es mitten in der Nacht war, rumorte. Die aufsteigende Übelkeit bekämpfte Kurt mit Kaffee.

In Barcelona musste er rennen, um den Anschlussflug zu erreichen. Weiter ging es in einer Propellermaschine. Kurt saß zusammengepfercht zwischen zwei Spaniern, die sich lautstark, gegen das Motorengeräusch anschreiend, über ihn hinweg unterhielten und jedes Mal dankend ablehnten, wenn er ihnen anbot, Sitzplätze zu tauschen. Kurt konzentrierte sich auf den Ausblick. Das Mittelmeer-Blau leuchtete anders als das Atlantik-Blau, aber er konnte sich nicht entscheiden, ob es heller oder dunkler war. Ein rotbrauner Klecks in der Ferne wuchs an.

Menorca war überzogen von einem komplizierten Muster aus Steinmauern. Auf dem Flughafen von Mahón gab es keinen Bus, die Passagiere liefen vom Flugzeug über das Rollfeld zum Terminal. Kurts aufgegebenem Gepäck sah man an, dass es geworfen worden war. Die Luft hier war trockener und leichter zu atmen als in Florida. Sein Taxifahrer gab sich auf dem Weg nach Binidali, wo seine Schwester Aveline wohnte, wenig Mühe, den Schlaglöchern der sich windenden Landstraße auszuweichen, und er stieg an jeder Kreuzung aus, um nach dem Weg zu fragen, bis Kurt ihm vorschlug, eine Straßenkarte zu kaufen – was der Taxifahrer offenbar als Scherz deutete, da er in lautes Lachen ausbrach.

»Tourist?«, fragte er.

»Family«, antwortete Kurt.

»Hablas español?«

»No«, sagte Kurt, eines von fünf spanischen Wörtern, die er beherrschte. »Alemán Family.«

»Ah«, meinte der Taxifahrer, als sei damit alles gesagt.

Das Ungesagte reiste mit in Kurts Schatten: Fast dreißig Jahre war es her, dass er und Aveline sich zuletzt gesehen hatten. Damals lebte sie mit Lola in der Münchner Wohnung und trank schon als Achtzehnjährige mehr Alkohol als Wasser – ebenso vor wie nach Alexanders Geburt. Immer wieder fanden Lola und er leere Flaschen in ihrem Zimmer. Seine Mutter überzeugte Kurt davon, dass er eine ernsthafte Unterhaltung mit Aveline führen müsse, indem sie aus einem Brief von Aveline zitierte, der novellenhafte Ausmaße hatte und in dem sie ihren schlechten Lebenswandel beichtete (und so einiges mehr, was ein Bruder lieber nicht von seiner Schwester wissen wollte). Aveline ließ sich jedoch nicht so einfach überzeugen. Erst, als Kurt ihr mehrmals eine Passage aus dem Brief vorlas, aus der deutlich hervorging, dass sie Alexanders Leben aufs Spiel setzte, wenn sie nicht zunächst ihr eigenes in Ordnung brachte, erst da zeigte Aveline Einsicht. Ehe sie Alexander Lolas Obhut überließ (die aufgrund von Avelines Minderjährigkeit ohnehin sein Vormund war), nahm Aveline ihrer Mutter die Versprechen ab, kein Löwenbräu mehr zu trinken und Alexander niemals die Geschichte zu erzählen – nur Letzteres sollte Lola halten. Aveline ging auf Reisen anstatt, wie Kurt ihr nahegelegt hatte, in eine Klinik. Von da an erhielten Lola und er alle paar Monate angerissene, geknickte Postkarten voll schmutziger Fingerabdrücke, über deren Absenderorte sie nur Mutmaßungen anstellen konnten, da Aveline nie eine Adresse angab. Ihre Nachrichten waren Kompositionen kryptischer Feststellungen *(Das Leben ist wie eine Farbe, die man nicht trinken kann.)*, emotionaler Anflüge im Konjunktiv *(Gäbe es die Mög-*

lichkeit, dann würde ich in der Zeit zurückspringen und machte alles anders.), banaler Fragen *(Wie geht's?)* und einsamer Behauptungen *(Mir geht's sehr, sehr gut!)*, die Lola und Kurt nicht beantworten konnten. Jede einzelne endete mit derselben Bitte: *Sagt Alexander, dass ich ihn liebe.*

Was sie aber nie taten.

Der letzte Kontakt lag vier Jahre zurück. Damals hatte sie Kurt eine Weihnachtskarte geschickt, in der sie von einer Partnerin namens Leyla schwärmte. Das Bemerkenswerte an dieser Botschaft war die Angabe ihrer Adresse in Binidali gewesen. Kurt hatte ihr daraufhin eine Karte mit Glückwünschen zu ihrem Geburtstag zukommen lassen, aber seitdem keine Nachricht mehr erhalten und ihr auch nicht mehr geschrieben. Er rechnete mit heftigem Widerstand: Sie hatte schon ihren Sohn an Lola und ihn verloren. In all den Jahren musste sich unendlicher Groll in ihr aufgestaut haben. Was würde sie nun für ihren Anteil am Fürstenhof verlangen?

Das Taxi durchquerte eine trostlose Gegend mit frisch geteerten Straßen, Laternen, die auch jetzt, bei Tag, leuchteten, und Bürgersteigen, auf denen Unkraut wucherte. Es war, als wären alle Häuser mitsamt ihren Bewohnern geflüchtet.

Der Taxifahrer deutete aus dem Fenster: »EU!« Dabei rieb er den Daumen gegen Zeige- und Mittelfinger – die internationale Geste für Geld beziehungsweise, in diesem Fall, für fehlgeleitete Finanzspritzen der europäischen Staatengemeinschaft zur Verbesserung der Infrastruktur.

Kurz darauf erreichten sie Binidali. Eine weiß angestrichene Villa neben der nächsten war zum Meer ausgerichtet, damit ihre Besitzer auf der Dachterrasse jeden Abend einen Sundowner inklusive Sonnenuntergang genießen konnten. Weiße Kinder, die nicht ahnten, was für ein unbeschwertes Leben sie führten, sprangen vom Beckenrand eines Pools auf eine Palmen-Luftmatratze. Eine üppige Frau, von der Kurt zunächst annahm, sie würde nackt mit einem störrischen Sonnenschirm ringen, versteckte bei näherer Betrachtung doch einen Bikini in ihren Hautfalten. Rasensprenger befeuchteten aus dem Ausland importiertes Gras. An einem Fahnenmast neben einem Haus flatterte eine Flagge mit der Aufschrift: WORLD'S GREATEST DAD. Es duftete nach gegrillten Scampi. An den Eingängen der Grundstücke waren keine Hausnummern, sondern Namen angebracht: ›Bellevue‹, ›AnaChristo‹, ›Haveli‹. Ein Eichhörnchen sprang von einem Olivenbaum auf einen privaten Tennisplatz ohne Netz, überquerte knapp vor dem Taxi die Straße und verschwand im Loch eines korallenartigen Steins.

»Rata«, sagte der Fahrer und bog auf eine schmale Straße ein, die zur Kuppe eines Hügels führte und dort in einer Sackgasse endete. Vor einer kleinen, quadratischen Hütte, auf deren Wand neben dem Eingang groß ›Bar Binidali‹ gemalt worden war, stapelte eine Frau in ausgefransten Jeansshorts und grauem T-Shirt weiße Plastikstühle. Ihre Haut hatte die satte Bräune eines Menschen, der an einem Ort lebt, an dem nur Touristen sich freiwillig in die Sonne legen. Sie trug Birkenstock-Sandalen und das Haar offen.

Er bezahlte den Taxifahrer, nahm sein Gepäck und stieg aus. »Entschuldigen Sie?«

Als sie beim Klang seiner Stimme innehielt, sich ihm nicht sofort zuwandte, sondern langsam einen der Plastikstühle abstellte, wusste Kurt sofort: Sie war es.

»Du siehst gesund aus«, sagte er.

Aveline stützte sich auf den Plastikstuhl. »Wieso sollte ich das nicht sein?« Ihr Schatten war nur ein Fleck zu ihren Füßen. »Hat Mutti dich geschickt?«

Er öffnete seine Manschettenknöpfe, steckte sie in die Hosentasche und krempelte seine Ärmel hoch. Der Asphalt schien mehr Hitze abzustrahlen als die hoch am Himmel stehende Sonne.

»War ein Fehler, die Adresse anzugeben.«

»Ava …«

»Niemand nennt mich mehr so. Warum bist du hier?«

»Ich wollte dich sehen, Ava.«

»Bitte keine Schleimerei. Was willst du?«

»Der Fürstenhof.« Er legte eine Pause ein, um zu sehen, wie sie reagierte, und als sie nicht sofort aufstöhnte, fuhr er fort: »Es gibt eine Chance, dass wir ihn zurückkriegen. Aber dafür brauche ich deine Hilfe. Wir müssen alle Anteile zusammenführen.«

Aveline hob einen der Plastikstühle an.

»Das ist was rein Geschäftliches«, sagte er und machte einen Schritt auf sie zu.

Da richtete sie die Beine des Stuhls wie ein Dompteur auf ihn und stürmte ihm entgegen.

Kurt wich zurück. »Ava!« Aber sie machte keine Anstalten abzubremsen, und er stolperte rückwärts, ließ sein Gepäck fallen, fing an zu laufen, den Hügel hinab. Sie war direkt hinter ihm, erstaunlich schnell, trotz ihrer Sandalen. Er schlug einen Haken nach rechts, verließ die Straße, rannte auf staubigem, steinigem Boden zwischen wilden Gewächsen zum Kliff. Dort holte sie ihn ein, den Plastikstuhl noch immer vor ihren Oberkörper gehoben, und drängte ihn zum Rand der Klippe, wo die Brandung rauschte. Ihre zitternden Schatten wiesen auf den Wind hin. Und während Kurt die Hände hob, als bedrohe sie ihn mit einer Pistole, dachte er noch, warum, ich habe doch nichts zu befürchten, sie wird mir nichts tun, sie ist meine Schwester.

Synchron dachte Aveline: Ich bring ihn um, er mag mein Bruder sein, aber ich bring ihn um.

Bald fünf Jahre lang lebte sie schon in Binidali, länger als sie es jemals irgendwo ausgehalten hatte, seitdem sie vor München geflohen war. Zwar wäre sie niemals auf den Gedanken gekommen, sich als glücklich zu bezeichnen – dafür war ihr Konto zu überzogen und die Stelle im Bett neben ihr zu leer –, aber ihre Kneipe gab Aveline etwas, das sie selten zuvor empfunden hatte: das Gefühl, geschätzt und gebraucht zu werden. Sosehr sie das Rollen schwerer Bierfässer hasste, das Fett in ihren Haaren vom Frittieren der Calamari, die Revierkämpfe mit den wild lebenden, guerillamäßig taktierenden Ratten um ihre Mülltonne und nicht zuletzt die knausrigen Trinkgelder chauvinistischer Rentner aus schwäbischen Kleinstädten – so sehr liebte sie ihre Bar Binidali dafür, dass in der Saison an jedem Abend Leute aus der kleinen Touristenkolonie bei ihr vorbeischauten, sie grüßten und ein paar Worte (meist in deutscher Mundart) mit ihr wechselten. Selbst dann, wenn sie gar nichts bestellen wollten. Die Kneipe hatte dem Ort ein Herz geschenkt. Dort traf man immer jemanden an. Und auch wenn das nicht jeder ausdrücklich sagte, spürte Aveline doch, dass man ihr dankbar war.

Ihr Bruder bedrohte dieses neu geschaffene Herz durch seine bloße Präsenz – ein guter Grund, um mit dem Plastikstuhl nach ihm zu stechen.

Von Kurts Nasenspitze tropfte Schweiß. Der Wind zerzauste ihm das dünne Haar. Er hielt die Arme hoch, als würde er zu einem Kopfsprung ansetzen.

Lachen überfiel Aveline. Sie musste den Stuhl fallen lassen. Stützte sich auf einem Knie ab, schnappte nach Luft, lachte weiter. »Wie du aussiehst!«

»Du bist irre.« Kurt ließ die Arme sinken. »Das war gefährlich!« Damit steigerte er ihr Lachen nur.

Kurt stellte den Plastikstuhl auf seine Füße, als könnte man einen Plastikstuhl keinesfalls umgekippt liegen lassen. »Wir haben uns ewig nicht gesehen, und was machst du? Attackierst mich!«

Aveline kam allmählich wieder zu Atem. Sie erhob sich, wischte Lachtränen aus ihren Krähenfüßen, nahm den Plastikstuhl. »Ach, halt die Klappe und komm mit. Ich geb einen aus.«

Kurz darauf nahmen sie auf der Terrasse der Bar Binidali Platz. Gäste waren keine anwesend; in ein paar Tagen würde Aveline die Kneipe bis zum nächsten Frühjahr schließen. Es lohnte sich nicht, sie für die sporadischen Besuche der wenigen Einheimischen offen zu halten, die sich an Wochenenden nach Binidali verirrten. Das Geld brachten die Schweizer, und die gingen im Winter lieber Skilaufen. Eine Kondenswasserpfütze bildete sich um die Flasche ›Gordon's Gin‹, mit der Aveline ihnen mehr als nur einen ausgab. Für gewöhnlich trank sie erst gegen Abend und nie in ihrer Kneipe, nicht einmal mit den beliebtesten Stammkunden; sie hatte das Trinken besser im Griff als je zuvor – Kurt aber konnte sie nicht gegenübersitzen ohne Alkohol im Blut. Durch ihn war all das, von dem sie gedacht hatte, dass es längst hinter ihr lag, wieder da: die Hoffnung, mit der sie ihren Brief verfasst und ihn Lola gegeben hatte. Die Aussprache mit Kurt. Der Abschied von Alexander. Das einsamste aller Gefühle: Mutter und ohne Kind zu sein. Der Geschmack von literweise Weißwein in Neapel, von Raki in Izmir, von Wodka in Posen, von Rum in Neufundland, von Whisky in Goa und Whiskey in Connemara. Das Unterdrücken der Frage, wie es Alexander ging, und das Verfassen von Postkarten, wenn ihr das nicht gelang.

»Wirkt ganz schön professionell.« Kurt deutete auf die Bar. Aveline schenkte nach. »Blödsinn.«

»Finde ich schon.«

»Du verträgst offenbar nix.«

»Im Gegensatz zu dir.«

Sie wechselten einen Blick. »Ja«, sagte Aveline. »Ich trinke gern. Was dagegen?«

Kurt antwortete, indem er mit ihr anstieß. Sie leerten gleichzeitig ihre Gläser.

Leyla, nussbrauner Mischling und Maskottchen der Bar Binidali, begrüßte Aveline mit Schwanzwedeln. Sie umarmte die Hündin, gab ihr einen Kuss auf die Schnauze. Kurt verzog das Gesicht. Aveline verdrehte die Augen und schenkte nach.

»Du denkst, du bist so viel besser.« Sie wartete nicht auf ihn, um ihr Glas zu leeren. »Und vielleicht stimmt das ja sogar. Aber jetzt bist du trotzdem hier und brauchst mich, die Versagerin.«

»Ava, du –«

»Kurt«, unterbrach sie ihn, »nennen wir die Dinge beim Namen. Ich bin eine Versagerin, und du bist ein Feigling.«

»Ein Feigling?«

Aveline wollte ihm nachschenken, sah, dass sein Glas noch voll war, und trank es kurzerhand für ihn aus. Füllte dann beide Gläser. »Du hast immer weggeguckt.«

»Was meinst du?«

Aveline fixierte ihn. »Du weißt genau, was ich meine.«

Kurts wachsende Sorgenbalken widersprachen.

»Die Geschichte vom *Mann ohne Schatten*?«

Kurt legte aus Versehen seine Hand in die Pfütze aus Kondenswasser und wischte sie an seinem staubigen Hosenbein ab. Die zugeklappten Sonnenschirme bewegten sich im aufkommenden Wind wie Zypressen. Eine Bande Spatzen zerpickte eine leere Schachtel Ensaïmada vor den Mülltonnen.

»Mutti hat mir jeden Tag davon erzählt. Und ich hab ihr lange geglaubt. Du musst es mitbekommen haben. Es kann nicht sein, dass wir jahrelang in dieser winzigen Wohnung zusammengelebt haben und du es nicht mitbekommen hast.«

Nun kam Kurt ihr mit dem Trinken zuvor.

»Aber du hast nie was gesagt. Du hast Mutti einfach weitermachen lassen.«

Kurt stürzte noch ein Glas hinunter.

»Dir war egal, was sie mit mir machte«, sagte Aveline, »solange du fein raus warst.«

»Ich hatte Angst!«

Aveline lachte kurz und nüchtern. »Du weißt gar nicht, was wahre Angst ist. Auch wenn's nur noch selten passiert, manchmal überprüfe ich mit einer Taschenlampe, ob ein Mann, den ich verdächtige, einen Schatten hat. Dermaßen tief sitzt die Angst. Weil ich mir so oft Muttis Geschichte hab anhören müssen, auch noch, als du dich am Genfer See herumgetrieben hast.«

»Ich hab da gearbeitet. Für euch.«

»Nicht für uns, für dich! Du bist da nur hin, weil du dort vor ihr sicher warst.«

»Ich habe euch, sooft es ging, besucht.«

»Um dein schlechtes Gewissen zu beruhigen.«

»Du bist so was von undankbar.«

»Ich soll also dankbar sein, dass ihr mein Leben verpfuscht habt?!«

Kurt warf den Gin um, und die Flasche rollte vom Tisch, zersprang aber nicht, sondern landete neben Leylas Pfoten. »*Du* hast dich schwängern lassen! *Du* hast gesoffen! *Du* hättest Alexander fast erstickt!«

Aveline stand auf. »Fick dich.«

Als sie in die Bar ging, zwang sie sich zu langsamen Schritten. Sie wollte nicht, dass er glaubte, sie würde vor ihm weglaufen. Leyla folgte ihr. Aveline sperrte sich mit ihr ein und tat das, was sie stets tat, wenn ihr bewusst wurde, dass sie zu viel getrunken hatte: Sie trank noch mehr. Leyla sah ihr dabei zu, und ihr Hundeblick war angenehm urteilsfrei. In ihrer Gesellschaft fühlte sich Aveline nie allein. Kurt klopfte an die Tür und entschuldigte sich. Aber nur einmal. Er kannte sie noch immer gut genug, um zu wissen, dass sie ihm keinesfalls öffnen würde.

In der Nacht wachte Aveline am Boden neben Leyla auf. Ihr Hals war trocken und rau. Sie erhob sich und war erstaunt, wie nüchtern sie sich fühlte, abgesehen von einem dumpfen Pochen hinter der Stirn. So viel hatte sie schon seit Langem nicht mehr getrunken. Sie verließ die Bar und sah zum Himmel. An keinem Ort der Welt, dachte sie, leuchteten die Sterne so hell.

»Heigenu, oder?«, sagte sie zu Leyla. Die widmete ihre Aufmerksamkeit lieber dem Fressnapf.

Am Pool hinter der Kneipe schlief Kurt, in sein Jackett gewickelt, auf einer Bambusliege. Er atmete so tief, als hätte er seit Tagen nicht mehr geruht. Selbst im Schlaf waren seine Sorgenbalken deutlich zu erkennen, wie der Abdruck eines trotzigen Schattens. Muttis Werk, dachte Aveline. Lola hatte ihn dazu auserkoren, sich um das Wohlergehen und die Zukunft der Familie zu kümmern. Und Aveline dachte auch: Zumindest damit wurde ich verschont.

»Mir liegt nichts am Fürstenhof«, sagte sie zu Kurt. »Trotzdem will ich dir meinen Anteil nicht geben. Du weißt, warum: weil ihr ihn braucht.«

Kurts Brustkorb hob und senkte sich unregelmäßig. Vielleicht träumte er.

Sie flüsterte ihm zu: »*Du aber, mein Freund, willst du unter den Menschen leben, so lerne verehren zuvörderst den Schatten, sodann das Geld.*«

Im Pool spiegelte sich der Mond; er sah aus wie eine weiße, auf der Oberfläche schwimmende Münze. Ein Käfer peilte ihn im Sturzflug an und landete im Wasser. Zu nass, um weiterzufliegen, paddelte er mit seinen Beinchen, um nicht unterzugehen, war aber weit vom Rand entfernt. Aveline überlegte, ob sie ihn retten sollte.

Ihre Entscheidung war längst gefallen, als ihre zukünftige Schwägerin am nächsten Morgen angekleidet auf der Bettkante im Gästezimmer der Prinzregentenstraße 51 saß und sich nicht rührte. Jede Bewegung konnte verraten, dass Margot wach war, und ein Klopfen an der Tür provozieren. Es war kurz nach zehn. Sie wollte, dass die Zeit bis zu Kurts Rückkehr rascher verstrich, und sie wollte, dass die Zeit gemächlicher verstrich, damit sie das Zimmer nicht verlassen und auf ihre Gastgeber treffen musste. Sie nahm sich vor, nicht mehr lange hier zu sitzen, nur noch etwas länger. Bis elf Uhr. Oder elf Uhr dreißig. Höchstens bis zwölf. Oder kurz nach zwölf.

Ihr drittes Telefonat mit Kurt lag eine kurze, eine lange Nacht und zwei sehr lange Tage zurück. Nach dem Gespräch hatte Lola kaum Worte mit Kurt gewechselt. Als er auflegte (und Lola Margot anschwindelte, die Verbindung sei unterbrochen worden), setzte sie eine süßliche Miene auf und fragte, was Margot zu Abend zu essen wünsche. Die lehnte dankend ab und äußerte ihren einzigen Wunsch: sich schlafen zu legen. Lola aber schnalzte mit der Zunge – »Nichts da!« – und schob Margot auf einen von sechs Holzstühlen mit Türkisbezug am granitenen Esstisch. Ein scharlachrotes Bücherregal verdeckte alle Wände und war nur hier und da unterbrochen für ein Fenster oder eine Tür. Zwar erfreute Margot die große Anzahl an Büchern, dennoch wirkte das dominante Rot bedrohlich auf sie. Alexander, dessen Blässe sie an einen Untoten erinnerte, setzte sich neben Margot und stellte sich ihr vor. Danach schwieg er. Sah sie bloß höflich an. Ohne zu blinzeln. Margot bemühte ein Lächeln – er lächelte zurück. Das Parkett unter ihr knarrte, wenn sie ihr Gewicht verlagerte. Durch die Doppelfenster drangen schwache Verkehrsgeräusche und diffuses Licht. Alexanders Blick folgte ihrem. Das spürte sie. Die Granitplatte war kalt. Margot verschränkte ihre Arme.

»Sie sind doch nicht etwa Vegetarierin, oder?« – Lola aus der Küche.

Margot antwortete so, wie die Frage verlangte: »Nein. Aber machen Sie sich bitte keine Mühe!«

»Oh, und wie ich mir die mache! Sie sind unser Gast!« Das klang wie eine Drohung.

»Sie sind unser Gast«, gab Alexander das Echo. Wieder lächelte sie ihn an – er lächelte zurück.

Noch einmal Lola aus der Küche: »Wo, sagten Sie, kommen Sie her?«

Margot sprach betont hochdeutsch: »Aus Augsburg.« (Und log damit nicht einmal.)

»Sie haben gar keinen Akzent.« Lola betrat das Wohnzimmer, zwei Teller auf dem linken Arm wie eine Kellnerin. Mit der freien Hand warf sie eine Stoffserviette auf Margots Schoß und reichte ihr Silberbesteck. Vor ihr platzierte sie eine kleine Schüssel Eisbergsalat neben einem Teller mit einem ausladenden Steak, auf dem ein Stück Kräuterbutter schmolz und sich mit weinrotem Saft vermischte.

»Wohl bekomm's!« Lola setzte sich ihr gegenüber.

»Und Sie?«, fragte Margot.

Lola winkte ab. »Kochen verdirbt mir immer den Appetit.« Nickte in Richtung Alexander. »Und der da verträgt so spät nichts.«

Zwei Augenpaare beobachteten, wie Margot ein Stück Fleisch abschnitt und zu ihrem Mund führte. Es schmeckte weniger blutig, als es aussah. Aber sie musste lange kauen, bis sie es runterbekam.

»Wie haben Sie Kurt kennengelernt?«, fragte Alexander.

Bevor Margot etwas erwidern konnte, schlug Lola mit der flachen Hand auf den Tisch. »Jetzt lass sie doch erst mal essen! Sieh doch, wie mitgenommen sie aussieht!«

»Tut mir leid.« Beschämt wie ein Fünfjähriger senkte Alexander den Kopf.

Margot fühlte sich verpflichtet zu lächeln. »Schmeckt sehr gut.« Dann: Metall auf Porzellan, Kauen, Schlucken. Begleitet von gedämpftem Autohupen. Unterlegt mit Alexanders näselndem Protestatmen.

Margot beeilte sich. Bei jedem Bissen überlegte sie, ob sie genug verzehrt habe, um den Rest liegen zu lassen. Fleisch und - Salat schienen sich in ihrer Speiseröhre zu verhaken. Sie bat um Wasser, und Lola schickte Alexander Bier holen. Margot betonte, Wasser reiche vollkommen. Und Lola nickte, als hätte sie nichts gehört. »Fühlen Sie sich wie zu Hause.«

Alexander brachte Löwenbräu, in einem Kristallglas, das so wertvoll aussah, dass Margot kaum wagte, daran zu nippen. Als vom Steak nur ein Happen übrig war, lehnte sie sich zurück, fasste sich an den Bauch und beteuerte, sie könne nicht mehr.

Lola sah sie bestürzt an. »Es schmeckt Ihnen nicht.«

»Doch, doch!«, sagte Margot. »Bin nur satt.«

»Es schmeckt ihr nicht«, sagte Lola zu Alexander, schnappte Margots Teller und marschierte in die Küche. Geschirr klirrte. Wasser lief. Schränke knallten.

»Entschuldigung«, flüsterte Alexander Margot zu.

»Wofür?«

»Sie meint das nicht so.«

»Ist ja nicht …«

Lola rief: »Alexander! Hast du ihr schon das Zimmer hergerichtet?«

»Tut mir leid!« Er sauste in den Flur.

Als Margot sich schließlich ins Gästezimmer zurückzog, klopfte Lola an die Tür. Mehrmals. Sie brachte ihr eine originalverpackte Zahnbürste. Sie brachte ihr zwei Handtücher. Sie brachte ihr eine Mandelseife und ein Shampoo »für strapaziertes

Haar wie Ihres«. Sie brachte ihr ein zusätzliches Kopfkissen. Und sie brachte ihr ein Buch: ›Der Fremde‹ von Camus – »Damit Sie gut schlafen können.«

Dann war sie endlich, endlich allein. Margot zog sich aus und kroch unter die Daunendecke zu ihrem Schatten. Wärme hüllte sie ein. Seit drei Nächten hatte sie nicht mehr in einem Bett geschlafen. Ihre Hose hatte sie über einen Stuhl gehängt. Auch aus ein paar Schritten Entfernung konnte sie deutlich den Fleck darauf erkennen. Sie stand noch einmal auf und drehte die Hose um. So war es besser. Von draußen hörte sie Lolas Stimme, auffallend laut: »Armes Ding. Erwartet sich hoffentlich nicht zu viel! Kurt wird sie loswerden wollen.«

Unter anderen Umständen hätte ihr das Sorgen bereitet. Aber selbst für Sorgen war sie viel zu müde. Binnen Sekunden schlief Margot ein.

Der nächste Tag stellte sich als Variante des vergangenen Abends heraus, nur länger, sehr viel länger. Lolas aufdringliche, umsorgende Gastfreundschaft ließ keinen Zweifel daran, wie sehr sie Gäste verabscheute. Zum Frühstück musste Margot, obwohl ihr das Steak noch im Magen lag, drei Weißwürste mit süßem Senf und ebenso viele Butterbrezeln zu sich nehmen. Als Mittagessen gab es Schweinshaxe plus Semmel- und Kartoffelknödel. Abends Gänseleber. Dazu stets einen halben Liter Löwenbräu. Stoisch aß und trank Margot. Und sie schluckte auch so manche Spitze: »In wie vielen Jahren dürfen Sie den Führerschein machen?« Oder: »Wenn ich Ihnen ein paar Wörter in ›Der Fremde‹ erklären soll, immer gerne.« Oder: »Sie hätten Ihre Garderobe nicht mit der Hand reinigen müssen – kennen Sie Waschmaschinen? Wir besitzen eine!« Lola wartete nur darauf, dass ihr Gast sie zurückwies, und gerade das spornte Margot an, Teller wie Gläser zu leeren, höflich zu bleiben. Margot war schlau genug, Lola keinen

Grund zu liefern, sie vor die Tür zu setzen. Wie lange konnte es schon dauern, bis Kurt zurückkehrte?

In jedem Fall: länger als ihr lieb war. Zu dieser Erkenntnis trug vor allem Alexander bei. Seine Ausstrahlung, die man auf den ersten Blick für bubenhaften Charme halten konnte, war auf den zweiten Blick nicht die eines jungen Mannes, sondern die eines Jungen in einem (unausgeprägten) Männerkörper. Ihm wohnte ein Schuldbewusstsein inne, als täte es ihm leid, dass es ihn gab, als hätte er mit seiner bloßen Existenz einen abscheulichen Akt begangen. Er entschuldigte sich unentwegt: für das regnerische Wetter. Dafür, dass er nur drei Weißwürste beim Metzger bekommen hatte. Dass er keine Gelegenheit gehabt hatte, vor Margots Einzug im Gästezimmer Staub zu wischen. Dass er ihr, als sie einmal ins Bad ging, im Weg stand. Dass Kurt noch nicht eingetroffen war. Und immer wieder für Lola.

Er war bemüht, sich selbst alles vorzuhalten, bevor das irgendwer sonst machen konnte, und vermittelte so den Eindruck, dass er für jedes einzelne Problem verantwortlich sein wollte.

Margot mochte ihn nicht. Mit anderen Männern wusste sie umzugehen, das hatte sie oft genug bewiesen (und um sich daran zu erinnern, musste sie nur den Fleck auf ihrer Hose betrachten). Aber ein Erwachsener, der nachts Hörspiele von einem Superhelden aus den Dreißigern laufen ließ und dabei durch die Wohnung seiner Großmutter streifte, so einer war ihr nicht geheuer. Als Alexander eine Flasche Löwenbräu aus der Hand rutschte, die nicht zerbrach, jedoch Kratzer im Parkett hinterließ, hatte Lola darauf reagiert, indem sie Margot von seiner Obsession mit The Shadow erzählte.

Das hätte Margot lieber nicht erfahren. In ihrer zweiten Nacht wartete sie, im Gegensatz zur ersten, stundenlang auf ihren Schlaf. Ständig horchte sie auf, wenn sie meinte, ein Geräusch zu vernehmen. War das Alexander, der im Dunkeln herumgeisterte?

Noch größer als ihre Angst vor ihm war ihre Angst vor dem, worauf sein huschendes Wesen, dieser Schatten eines Schattens, hinwies: Einsamkeit. Nie zuvor war sie jemandem begegnet, der so allein war; dass er mit Lola lebte, ließ ihn sogar noch isolierter erscheinen.

Margot fürchtete sich davor, ähnlich zu enden. Immerhin war sie auf dem besten Weg dahin. Um dieser Furcht etwas entgegenzusetzen, wandte sie sich ihren engsten Verbündeten zu. Sie las, solange sie nicht essen oder sich vor Lola rechtfertigen musste. ›Woyzeck‹, ›Effi Briest‹ oder ›Faust‹ – Margot wählte absichtlich Exemplare aus dem scharlachroten Regal, die sie kannte, weil sie hoffte, bei ihnen Obdach zu finden wie bei einem alten Freund. Aber in jeder Geschichte begegnete ihr Alexander. Margot erkannte sie kaum wieder. Nach wenigen Seiten legte sie jedes Buch enttäuscht beiseite und gab sich schließlich doch ihrer Angst hin, die ganze zweite Nacht lang und auch am Morgen darauf, als sie auf der Bettkante des Gästezimmers saß und sich nicht rührte.

Bis es an ihre Tür klopfte.

Margot verschränkte die Hände ineinander.

Erneutes, forderndes Klopfen.

Margot versuchte, müde zu klingen: »Ja?«

Kurt betrat das Gästezimmer und umarmte Margot fest, und ihre Schatten wurden eins.

Noch am Morgen hatten Sonnenstrahlen Kurt geweckt. Sein Nacken war steif gewesen vom Schlafen auf der Bambusliege und seine Kleidung klamm von der hohen Luftfeuchtigkeit nachts an der menorquinischen Küste. Er fror. Sein Spiegelbild im Pool zeigte einen unrasierten Mann in zerknitterter Kleidung, der keine Ahnung hatte, wie er seine Schwester überzeugen sollte, ihm ihren Anteil am Fürstenhof zu überschreiben.

In der Nacht hatte er geträumt, er sei wieder acht Jahre alt und lausche an der Tür zum Kinderzimmer, während seine Mutter Aveline die Geschichte vom Mann ohne Schatten erzählte. Nein, nicht erzählte, vielmehr einflößte, wie ein Gift. Diese Träume, die ihn hin und wieder heimsuchten, wurden von der Wahrheit gespeist: In seiner Kindheit war er kein einziges Mal – und es hatte Hunderte, wenn nicht Tausende Male gegeben – bis zum Ende der Geschichte geblieben, sondern hatte sich immer im Bad eingesperrt, in das Lolas Worte nicht vorgedrungen waren. Er war froh gewesen, so froh, dass seine Mutter ihn mit der Geschichte verschonte. Warum sie seiner Schwester so etwas antat, fragte er sich in all den Jahren selten und Lola nie, weil er fürchtete, die Antwort könnte bedeuten, er müsste etwas unternehmen – und seine Mutter war eine Frau, gegen die er niemals freiwillig etwas unternehmen würde. Lieber sagte er sich, er brauche kein schlechtes Gewissen zu haben, und kümmerte sich, aus schlechtem Gewissen, so gut er konnte um seine Schwester und später auch um ihren Sohn.

Als Kurt aufstand und sich streckte, knacksten seine Knie wie die eines alten Mannes. Wenn er Raucher wäre, dachte er, und eine Zigarette bei sich hätte, würde er sich eine anzünden. Auf dem Beistelltischchen neben seiner Liege fand er ein unbeschriftetes Kuvert, dem er einen dicken Packen angegilbter, eingerissener Seiten entnahm. Avelines Brief. Das Deckblatt war das einzige in einem helleren Weiß. Darauf stand, ebenfalls in ihrer Handschrift:

Ihr könnt alles haben. Euer Notar soll mir die Unterlagen -
faxen: 0034-971-153595. Nur eine Bedingung:
Du gibst Alexander meinen Brief. Er soll wissen, wie es
damals gewesen ist. Wie es wirklich war.
A.

Auf der Heimreise las Kurt ihre Nachricht immer wieder, in kurzen Abständen, um sicherzugehen, dass er nichts missverstanden hatte. Noch vom Flughafen in Mahón aus telefonierte er mit der Notarin, die umgehend alle Dokumente an Aveline faxte. Schon nach seiner Landung in München-Riem informierte sie ihn, Aveline habe bereits die Papiere unterschrieben zurückgesendet. Kurt nahm ein Taxi und bat den Fahrer, sich zu beeilen. Bei ›Käfer‹ besorgte er eine Flasche ›Veuve Clicquot‹, verließ den Laden, drehte um und kaufte noch eine. Seine Mutter würde das als verschwenderisch bezeichnen, das wusste er, es war ihm aber egal. Der Kassiererin verkündete er: »Ich hab's geschafft!« Er hielt sich nur mit Mühe davon ab, ihr zu erzählen, dass er demnächst die Leitung eines berühmten Luxushotels übernehmen würde. Die Zukunft, dachte er, ist die wichtigste aller Zeiten, die Vergangenheit ist genau dort, wo sie hingehört, und die Gegenwart viel zu flüchtig, aber die Zukunft, für die lohnt es sich zu leben! Kurt hatte entschieden, dass manche Dinge besser begraben und manche Menschen besser getrennt blieben – das war alles, was er von der Begegnung mit seiner Schwester mitgenommen hatte.

Abgesehen von ihrem Brief. Den hatte er eigentlich sofort nach Erhalt ihrer Unterschrift entsorgen wollen. Aber die Freude über den Erfolg war ihm dazwischengekommen. Sie hatte ihn vergessen lassen. Und so trug Kurt das Schreiben bei sich in seiner Aktentasche, als er zur Prinzregentenstraße 51 eilte.

Bei der Begrüßung rügte Lola ihn, er sei spät dran. Alexander hielt Distanz zu ihm, wie ein Haustier, das seinem Besitzer nach längerer Trennung misstraut.

Kurt schlug die Champagnerflaschen gegeneinander: »Wir kriegen den Fürstenhof zurück!«

Sie sahen ihn an, als verstünden sie kein Deutsch.

Da sie sonst keine Reaktion zeigten, ging er zum Gästezimmer.

Margot umarmte ihn innig, aber vorsichtig, mit ihrem ganzen Körper. Erst jetzt spürte er, wie sehr er sich nach ihrer Berührung gesehnt hatte. Seit ihrer letzten Begegnung schien sie älter geworden zu sein, was sie noch attraktiver machte. Er wollte sie küssen.

Lolas Räuspern, wie ein verdächtiges Geräusch im Motor.

»Komme gleich, Mutti.« Es fiel ihm schwer, die Umarmung zu lösen.

»Du bist da«, sagte Margot leise, sodass nur er sie hören konnte.

»Kurt?«

»Ja, Mutti, ja!«

Er nahm Margots Hand, und wie bei einem Kleinkind schlossen sich ihre Finger sofort um seine.

»Kurt!«

»Nur eine Minute«, versprach er Margot und folgte Lola ins Wohnzimmer, ließ sich dort auf einen der Stühle fallen.

»Setz dich doch«, sagte Lola und blieb mit verschränkten Armen vorm Fenster stehen. Ihr Schatten legte sich auf ihn. »Woher weißt du, dass wir ihn zurückkriegen?«

»Glaubst du mir nicht?«

»Mutti, wenn Kurt das sagt, kriegen wir ihn zurück.« Alexander näherte sich ihr mit schlurfenden Schritten. Lola legte den Kopf schief und sagte, ohne ihn anzusehen: »Dein Onkel und ich haben Wichtiges zu besprechen. Lass uns allein.«

»Ich möchte auch dabei sein.« Das klang weniger wie eine Forderung als eine Entschuldigung.

»Willst du mir jetzt das Leben schwer machen?« Lola würdigte ihn noch immer keines Blickes.

»Nein«, sagte er, »nein, will ich nicht.«

»Gut. Dann tu, was ich dir sage.«

Alexander sah zu Kurt. Der allerdings hatte es schon vor Jahren aufgegeben, für Alexander einzutreten, da er glaubte, dass dies seinen Neffen nur schwächen würde. Alexander, so Kurts Philosophie, musste lernen, für sich allein zu kämpfen; sonst konnte er sich nie von Lola emanzipieren.

Aber damit würde Alexander offenbar nicht in diesem Moment beginnen. Er nickte, wie ein Kellner, der es nicht wagt, einem impertinenten Gast zu widersprechen, und zog sich mit trampelnden Schritten zurück. Die Tür zu seinem Zimmer knallte er erwartungsgemäß laut.

Kurt schlug die Hände zusammen. »Onkel Horn und Ava haben beide eingelenkt.«

Noch immer stand Lola steif vor dem Fenster. »Das hast du schriftlich?«

Er nickte.

»Beide Unterschriften?«

»Ja, Mutti.«

Wie losgerissen machte sie zwei große Schritte auf ihn zu. Umarmte ihn aber nicht, wie er erwartet hatte, sondern stützte sich auf den Granittisch, mit gekrallten, faltigen Händen. »Endlich.« Das sprach sie mehr zu sich als zu ihm.

»Sag ich doch. Wir kriegen ihn.«

»Nein.« Lola baute sich vor ihm auf. »Ich kriege ihn. Ich.«

»Stimmt, alle Anteile werden bei dir liegen. Aber du solltest mir bei nächster Gelegenheit eine Vollmacht ausstellen.«

»Wofür?«

»Na, damit ich entscheiden kann, wie es in Zukunft weitergeht.«

»Das wird nicht deine Entscheidung sein.«

Die Muskeln an Kurts Stirn verhärteten sich. »Wie soll ich sonst das Hotel führen?«

»Wer hat gesagt, dass du es führst?«

»Wer sonst? Du etwa?«

Lolas Lächeln entblößte kleine, spitze Zähne: noch immer ihre Zweiten.

Kurt stand auf. »Du bist vierundachtzig Jahre alt!«

»Eine Menge Lebenserfahrung«, sagte Lola.

»Es ist eine gigantische nervliche Belastung«

»Lass das mal meine Sorge sein«, sagte Lola.

»Das kannst du nicht machen!«

»Ich tue es doch gerade«, sagte Lola und setzte sich an den Tisch.

»Ohne mich hättest du nichts!«

»Darum«, sie sah ihn gelassen an, »bin ich dir auch sehr dankbar.«

Kurt stieß einen der bronzenen Kandelaber um.

»Sei nicht kindisch.« Lola stellte den Kandelaber zurück an seinen Platz und richtete die Kerzen gerade, eine nach der anderen. »Du hast ausreichend Zeugnisse, um ein anderes Hotel ähnlicher Klasse zu leiten.«

Kurt sagte: »Ich frage mich, wer das eigentlich ist: Lola Rosa Salz.«

»Das«, antwortete sie, »kann ich dir auch nicht sagen. Dafür kenne ich sie zu gut.«

Kurt verließ das Wohnzimmer.

»Wo willst du hin?«, rief sie ihm hinterher. »Ich bin deine Mutter. Vor mir kannst du nicht weglaufen.«

Am Boden neben dem Eingang lag seine Aktentasche. Lola hatte recht. Schon Aveline war es nicht gelungen, vor ihr wegzulaufen, und Alexander hatte es gar nicht erst gewagt. Aber Kurt blieb noch eine andere Möglichkeit.

Dein Vater war kein Mann, der es wagte, sich seiner Mutter zu stellen. Aveline hatte ihn nicht umsonst als Feigling bezeichnet. Kurt wählte einen anderen Weg: Er übergab Alexander Avelines

Brief und trug seinem Neffen auf, die Seiten zu lesen, konzentriert zu lesen. In ihnen stehe alles, was Lola seit fast dreißig Jahren vor ihm geheim halte. »Sie hat Ava und deinen Vater vertrieben. Sie hat dir dein Leben gestohlen«, sagte Kurt zu ihm, bevor er ihn allein ließ. »Wenn du es wiederhaben willst, musst du es dir zurückholen.«

Sofort begann Alexander mit der Lektüre. Jedes gelesene Wort ließ ihn deutlicher die Einsamkeit in seinem Herzen spüren. Sie wuchs nicht, sie war schon immer da gewesen, so viel davon, aber Lolas Verbote und Regeln und Fürsorge, ihre ganze allgegenwärtige Präsenz hatte ihn blind dafür gemacht.

Nach der Lektüre holte er sich den ›Veuve Clicquot‹ und trank, bis er keine Luft mehr kriegte, setzte die Flasche ab, kam wieder zu Atem, leerte sie. Er riss den Korken aus der zweiten und trank weiter. Als nichts mehr übrig war, widmete er sich den Flaschen Löwenbräu.

Kaum hatte er die letzte abgesetzt, sah er seinen Schatten flackern.

Er öffnete das Fenster. Schleuderte eine Flasche nach der nächsten über die Straße, in Richtung Prinzregententheater.

Klirren. Autohupen. Eine Frau schrie.

Er rief: »Ent. Schuldi. Gung!« Unten auf dem Bürgersteig sah ein Hüne in einem grünen Poncho zu ihm herauf.

Alexander warf sich zu Boden. Robbte zu dem Papierstapel.

»Arme Ava«, sagte er und dachte: *Who knows what evil lurks in the hearts of men?*

Und antwortete: »The. Shadow. Knows.«

Und hörte nicht auf zu flüstern: »*The. Shadow. Knows … The. Shadow knows … The Shadow knows …*«

Jeder Salz, auch Onkel Horn (der mit einer transatlantischen Verspätung von vierundzwanzig Stunden aus dem MÜNCHEN-Teil der ›Süddeutschen Zeitung‹ vom gefährlichen Flaschenweitwerfen eines gewissen Alexander S. erfuhr), verurteilte später das Verhalten des jüngsten Familienmitglieds. Auch wenn sie alle verstanden, warum Alexander zu dem Feuerzeug gegriffen hatte: Er glaubte, das Gelesene ungelesen machen zu können, indem er Avelines Brief anzündete. Alexander wollte wieder der Enkel sein, der sich bei seiner Großmutter geborgen fühlte; er wollte zurück in ein Leben, das es nicht mehr gab.

Der Brief begann sofort zu brennen. Als hätte er schon lange darauf gewartet. Alexander hielt ihn noch immer in der Hand. Die Flammen stachen nach ihm. Er lief ins Bad, warf ihn in die Dusche. Ließ Wasser drüberlaufen. Übrig blieb ein schwarzer Klumpen.

»Was hast du jetzt wieder gemacht?« Lola.

Alexander drehte sich zu ihr um. »Nichts.«

»Warum stinkt es hier so?«

»Draußen. Muss von. Draußen kommen.«

Sie näherte sich ihm. »Hast du getrunken?«

»Nein.« Alexander wankte. Stützte sich auf dem Waschbecken ab. »Nur ein. Bisschen. Tut. Mir leid.«

Langsam schüttelte Lola den Kopf. »Auf niemanden ist Verlass.«

Ihre Enttäuschung tat ihm mehr weh als sonst. Sie deutete auf die verkohlten Überreste in der Dusche: »Was ist das?«

»Mach. Ich gleich. Weg.«

Ihre Stimme wurde lauter, bedrohlicher. »Hast du ein Feuer gemacht?!«

»Nichts. Es ist nichts. Passiert.«

»Weißt du, wie gefährlich das ist?« Sie ohrfeigte ihn, so fest, dass er gegen das Waschbecken stieß. »Du hättest das ganze Haus abfackeln können!«

»Ent. Schuldigung.«

»Wie kann man nur so hochgradig dumm sein!«

»Ich bin. Nicht dumm.«

Lola seufzte. »Du bist so vieles nicht.«

Als sie sich von ihm abwandte, hob er den Kopf. Auf den ersten Blick, dachte er, sah sie aus wie seine Großmutter. Und für Aveline hatte sie immer ausgesehen wie eine Mutter. Aber wenn man genau hinsah, wie Alexander es jetzt tat, dann konnte man erkennen, wer sie wirklich war: die Frau, die sein Leben gestohlen hatte.

Im selben Augenblick befand sich die Frau, die deinem Vater ein Leben – dich! – schenken sollte, nur wenige Meter entfernt im Wohnungsflur, wo sie weder sehen konnte, wie Lola ihrem Enkel den Rücken zukehrte, noch, wie er eine Faust ballte.

Keine ganze Stunde zuvor hatte Margot in Kurts Armen gedacht: Einer, der mich so fest umarmt, wird mich nie mehr allein lassen. Als er sie danach warten ließ, um mit seiner Mutter zu reden, fragte Margot sich, wie fest die Umarmung tatsächlich gewesen war.

Sie war nachsehen gegangen und im Wohnzimmer auf Lola getroffen, die einen Plüschhund im Arm hielt, der mitgenommen aussah, mit einem aufgestellten Ohr, als hätte er ein verdächtiges, für Menschen unhörbares Geräusch wahrgenommen (was Margot kurz an ihren Vater denken ließ).

»Wo ist Kurt?«, fragte sie.

Lola wich ihrem Blick aus. »An der frischen Luft.« Sie fügte hinzu: »Die hat er bitter nötig.«

»Was haben Sie zu ihm gesagt?«

»Ach, ich sage doch immer das Gleiche: das, was keiner hören will.«

»Ich geh ihn suchen.«

Lola räusperte sich wie jemand, der etwas zu verkünden hatte. »Sie werden ihn nicht finden. Ich empfehle, auf ihn zu warten.«

Margot aber zog die Wohnungstür auf. »Ich habe lange genug gewartet.« Und ging.

Sie wollte den Aufzug nehmen. Er kam ihr nicht schnell genug. Sie lief die Treppe nach unten. Auf dem Bürgersteig konnte sie Kurt nirgends ausmachen. Margot entschied sich für eine willkürliche Richtung. Eine Schwangere in einem Nerz kam ihr entgegen.

»Haben Sie einen Mann gesehen? Groß, Ende vierzig, mit blauen Augen?«

Die Schwangere zog eine Schnute. »Wieso denn?«

Margot ließ sie stehen und rannte in die andere Richtung. Ohne Kurt wollte sie nicht zurück in diese Wohnung. Sie schaute in jede Nebenstraße. Die Luft war kühl und feucht, bald würde es regnen. Immer näher kam sie der goldenen Statue auf der Säule und erkannte den Engel im Adler. Margot versuchte, sich ins Gedächtnis zu rufen, was Kurt getragen hatte. Ein Sakko? Krawatte? In welchen Farben? Keiner der Passanten, denen sie Kurt beschrieb, konnte ihr weiterhelfen. Sie folgte der Straße bergab, ließ den Engel hinter sich und überquerte einen Fluss. Margot blickte in alle Richtungen. Einmal fiel sie hin, rappelte sich sofort wieder auf. Ihre wundgeschürften Hände brannten. Sie rief Kurts Namen. Leute drehten sich zu ihr um, schüttelten den Kopf. Ein Junge in einem Anorak winkte ihr. Margot blieb stehen, beugte sich zu ihm runter und beschrieb ihm Kurt. »Hast du den Mann irgendwo gesehen?« Der Junge nickte selbstsicher und deutete auf seinen Vater, der ihn von Margot wegzog. Sie lief weiter, um die Wette mit ihrem Schatten.

Vor einem Antiquitätenladen blieb sie stehen, schnappte nach Luft. Sie hatte Seitenstechen, wischte kalten Schweiß auf ihrer Stirn am Ärmel ab. Eine Standuhr im Schaufenster behauptete, sie suche schon seit einer Dreiviertelstunde nach Kurt.

Für den Rückweg brauchte sie länger. Regen setzte ein. Als sie ›Käfer‹ passierte, raste ein Krankenwagen auf der falschen Straßenseite an ihr vorbei. Eine Gruppe Schaulustiger umstand eine schluchzende Frau mit blutverschmiertem Gesicht. Sanitäter behandelten sie, entfernten Glasscherben aus einer Kopfwunde. Jemand hatte mit Flaschen um sich geworfen. Der Täter war noch nicht gefasst. Mehr konnte sie nicht in Erfahrung bringen. Die Straße war abgesperrt. Polizisten lenkten den Verkehr um. Das Blaulicht machte aus dem schlammgrünen Gebäude bei jedem Blinken ein zyanfarbenes. Eine untersetzte Frau in Hausschuhen kam durch den Vordereingang, und Margot nutzte die Gelegenheit.

Diesmal geduldete sie sich, bis der Aufzug kam. Die Wohnungstür in der sechsten Etage war nicht abgeschlossen. Drinnen war die Luft drückend und verqualmt. Sie zog ihre nassen Schuhe aus. Lola verließ soeben das Badezimmer. Margot erwartete einen sarkastischen Kommentar von ihr. Da tauchte Alexander hinter Lola auf und schlug sie nieder. Der Körper der alten Frau klappte zusammen, und sie fiel zu Boden. Alexander beobachtete einen Augenblick lang, wie sie mit Armen und Beinen ruderte – und holte aus. Margot rief seinen Namen. Er hielt inne. Sah zu ihr. Sein Gesicht war übersät von rötlichen Flecken, wie bei einem Hautausschlag. Seine Finger waren grau-schwarz. Er lächelte nicht. Lola stützte sich auf, und er drückte sie sofort wieder zu Boden. Margot blickte sich um. Alexander war nicht besonders kräftig, dachte sie, aber ein Mann. Sie benötigte eine Waffe. Bis zur Küche würde sie es nie schaffen. Aber das brauchte sie auch gar nicht. Sie befand sich am Eingang zum Wohnzimmer. Das scharlachrote Regal voll treuer Freunde war nur eine Armlänge weit entfernt. Margot musste bloß neben sich greifen. Schon hielt sie eine Ausgabe der gesammelten Werke Schillers in Händen. Sie schleuderte sie in Alexanders Richtung. Er wehrte sie ab und wich einen Schritt zurück. Lola konnte sich zur Seite rollen. Margot bewaffnete sich wieder – ›Ein Wintermärchen‹ in der Linken, ›Die Blechtrommel‹ in der Rechten. Hielt sie drohend vor sich. Alexander fixierte sie, strich sich Haare aus der Stirn und: kam auf Margot zu. Hinter ihm erhob sich Lola langsam, ganz langsam. Margot warf beide Bücher. Mit voller Kraft. ›Die Blechtrommel‹ öffnete sich im Flug und stürzte vor ihrem Ziel ab. Doch ›Ein Wintermärchen‹ traf Alexander an der Stirn. Mit einem Schmerzensschrei blieb er stehen. Tastete seine Schläfe ab. Margot nutzte das, um nachzuladen: ›Der Prozess‹ und ›Buddenbrooks‹. In dem Moment schloss Lola, die inzwischen ins Gästezimmer gekrochen war, die Tür hinter sich. Alexander rüttelte an ihr. Schlug gegen sie. »Mach. Auf!« Er sprach undeutlich. Was über seine Lippen kam, waren mehr Laute als Worte. Stille aus dem Gästezimmer. Alexander nickte, wie zu sich selbst. Richtete sich auf. Wandte sich Margot zu: »Tut mir. Leid.« Sie peilte mit beiden Büchern sein Gesicht an. Er näherte sich ihr. Mit lautlosen Schritten. Seine Augen waren fast geschlossen. »Wollte Ihnen. Keine Angst. Machen.«

Erst als er das sagte, bemerkte Margot, dass sie keine hatte. Ihr Herz schlug ruhig. Ihre Hände zitterten nicht. Sie fühlte sich stark. *Zach*. Sie war stärker gewesen als ein Hubert Kerr und schon immer stärker als ein Hans Rübsam. Und sie war gewiss stärker als ein Alexander Salz.

Kurt dagegen hatte inzwischen festgestellt, dass er nicht so stark war, wie er angenommen hatte. Über vierzig Jahre lang war er in der Überzeugung durchs Leben geschritten, dass er wusste, was er wollte: den Fürstenhof für die Familie gewinnen und seine Mutter mit Stolz und Glück erfüllen (und nebenbei reich werden).

Aber: Nachdem sie sich zur Leiterin des Hotels erklärte hatte, und nachdem er Alexander daraufhin Avelines Brief gegeben und ihm mitgeteilt hatte, Lola habe ihm sein Leben gestohlen und er müsse es sich, wenn er es wiederhaben wolle, zurückholen, und nachdem Kurts eigene Worte ihn selbst hatten stocken lassen – da war Kurt zum ersten Mal in seinem Leben der Gedanke gekommen, dass er diesen Fürstenhof und diese Familie vielleicht gar nicht wollte. Dass er vielleicht etwas ganz anderes brauchte.

Er ließ Alexander Avelines Brief lesen und suchte nach Lola.

Sie saß in einem Korbstuhl auf dem Balkon zum Innenhof. Beinahe tat sie ihm leid. Sie ahnte nicht, wie allein sie bald sein würde. Trotz der feuchten Kälte trug sie bloß eine beigefarbene Bluse und einen langen türkisfarbenen Rock. Ihr Schatten versteckte sich unter ihr. Auf einem Beistelltischchen saß ein Plüschhund mit kummervollen Glasaugen und eingeknicktem Ohr.

»Kannst du dich noch an ihn erinnern?«, fragte sie.

»Mutti, ich …«

»Unterbrich mich nicht. Der Foxl ist das älteste Familienmitglied nach mir. Was er schon alles gesehen hat! Weißt du nicht mehr, wie du mit ihm gespielt hast, als wir auf der Flucht waren?«

»Zu lange her«, sagte er.

»Und gleichwohl nicht lange genug.«

»Was meinst du?«

Lola tätschelte Foxl. »Nur das Geseier einer alten Frau – du wolltest etwas sagen?«

»Ich gehe.«

Da sie nicht reagierte, fügte er hinzu: »Ich komme nicht zurück.«

»Überhastete Entscheidung«, sie wechselte einen Blick mit Foxl, »absolut überhastet.«

»Überhastete Entscheidungen könnten genau das sein, was mir bisher gefehlt hat.«

»Unsinn.« Sie machte eine Handbewegung, als würde sie eine Fliege verjagen. »Du bist beleidigt, weil du nicht den Fürstenhof leiten wirst.«

»Ja.« Kurt holte tief Luft. »Aber darum gehe ich nicht.«

»Doch hoffentlich nicht wegen dem jungen Ding.«

»Sie heißt Margot.« Es tat ihm gut, ihren Namen zu sagen; es erfüllte ihn mit Zuversicht.

»Wie soll sie dir helfen, ein großes Leben aufzubauen?«

»Vielleicht brauche ich kein großes Leben«, sagte er. »Vielleicht brauche ich nur sie.«

Lola setzte an, etwas zu erwidern, aber hielt dann inne, als sie seine Miene las. Sie nahm Foxl an sich. »*Ich* werde *dich* brauchen.«

»Mutti, du brauchst niemanden. Nur dich selbst.«

»Das ist sehr unwahr.« Sie streckte ihm eine Hand hin, und er half ihr hoch. »Sind das nicht seltsame Wolken?«

Kurt sah zum Himmel: für ihn nur ein undurchschaubares Weiß.

Lola trat ins Schlafzimmer und schloss die Balkontür. Legte den Riegel um.

Er klopfte gegen die Scheibe.

Ihre Stimme war dumpf: »Du wirst nicht weglaufen wie Fritzl oder Ava. Wir werden zusammenhalten. Fürstenhof hin oder her. Du brauchst nur ein bisschen Zeit, um dich daran zu erinnern.« Sie verließ das Schlafzimmer, dessen Tür sie, ohne sich noch einmal umzudrehen, ebenfalls zuzog.

»Mutti!«

Kurt hielt sich davon ab, gegen das Glas zu trommeln. Er

wollte ihr nicht die Genugtuung geben; sie würde ihn ohnehin nicht lange gegen seinen Willen festhalten können. Er setzte sich in den Korbstuhl, krempelte den Kragen seines Jacketts hoch, lehnte sich zurück und dachte: Geduld.

Eine Weile dämmerte er vor sich hin.

Margot kam nicht.

Es fing an zu regnen. Kurt rückte näher ans Haus und verschränkte die Arme vor der Brust, um sich warm zu halten.

In der Ferne läuteten Kirchenglocken.

Da wurde die Balkontür aufgerissen. Alexander sprang ins Freie. »Hilf! Mir!« Sein Atem roch vertraut: nach Löwenbräu.

Im Schlafzimmer erschien Margot. Mit beiden Händen hielt sie eine illustrierte Ausgabe von ›Der Mann ohne Eigenschaften‹ wie Conan der Barbar sein Breitschwert. Ihr Blick war fest. Sie schritt auf Alexander zu. Der wich angsterfüllt zurück und fiel, als wäre er über seinen eigenen Schatten gestolpert.

Und Lola?

Wenn deine Großmutter sich in den Wochen nach diesem 17. November dabei ertappte, ihre Familie zu vermissen, sich gar um sie zu sorgen, dann musste sie nur an die Ereignisse dieses Tages denken, um sich daran zu erinnern, warum es besser war, keine Familie zu haben.

Ab dem Zeitpunkt, als Kurt sie telefonisch informiert hatte, er sei auf dem Heimweg vom Flughafen, hatte sie am offenen Wohnzimmerfenster gestanden und nach ihm Ausschau gehalten. Wie ein Mädchen, das hoffte, einen Blick aufs Christkind zu erhaschen. Sie hatte Münchner Luft geatmet und daran gedacht, wie häufig sich diese seit ihrer Kindheit gewandelt hatte. Auf dem Viktualienmarkt hatten sich im Lauf der Jahre Pizza- und Dönergerüche unter das Schweinshaxnaroma gemischt, im Hofgarten wurde ›4711 Echt Kölnisch Wasser‹ von ›Chanel No. 1‹ abgelöst und auf der Ludwigstraße Pferdegestank von Autoabgasen. Aber Lola atmete diese Stadt allezeit gerne ein. Vorzugsweise an ihrem Fenster, von dem aus sie das Prinzregententheater sehen konnte, vor dem sie früher als Kind mit Holzreifen gespielt hatte. Dabei lehnte sie sich nie weit hinaus. Das erinnerte sie daran, wie ihr Vater einst ihren Foxl aus dem Fenster geschubst und ihn am hellblauen Halsband hatte baumeln lassen.

Aber als sie Kurt entdeckte, wie er auf dem Bürgersteig zur Haustür eilte, beugte sie sich doch weit über das Fensterbrett. Winkte ihm.

Er sah sie nicht. Neben Gepäck trug er eine Tüte von ›Käfer‹. Von hier oben deutlich zu erkennen: wie licht sein Haupthaar war. Ein Makel, den Lola ihm gegenüber nie erwähnte.

Und das war nicht das Einzige, was sie für sich behielt.

Lola konnte es kaum erwarten zu erfahren, wie es Aveline ging. Trotz ihres dürftigen Kontakts sorgte Lola sich um sie. Jeden Tag, in jeder freien Minute. Einst hatte sie gedacht, diese Sorge würde mit den Jahren abnehmen. Stattdessen war sie gewachsen. Etwas, das Lola erst gelernt hatte, als Aveline bereits an die Ferne verloren war: Eine Mutter sorgt sich immer um ihr Kind. Auch und insbesondere dann, wenn dieses nichts mit der Mutter zu tun haben will. Das verletzt die Mutter zwar, aber ein Kind kann seine Mutter gar nicht so schwer verletzen, dass diese ihm nicht doch, früher oder später, verzeiht und sich um es kümmert – oder zumindest um dessen Sohn.

Wenn sie Alexander morgens begrüßte, stellte Lola sich stets vor, sie würde nicht ihn, sondern Aveline wachküssen; und wenn sie ihn schimpfte, musste Lola nur an Aveline denken, um ihren Worten bissige Kraft zu verleihen (und – was sie sich nur nach ein paar Löwenbräu eingestand – ihre mütterliche Liebe noch stärker zu spüren als durch Liebkosungen). Lola kümmerte sich nicht um Alexander, weil er ihr so viel bedeutete, sondern: weil er der Sohn ihrer Tochter war. Das bedeutete Lola einiges mehr. Solange sie Alexander bei sich behielt, ihn kein eigenes Leben aufbauen ließ, ihm ausredete, sich für eine Arbeit zu bewerben oder Freundschaften zu schließen, so lange stellte sie sicher, dass Aveline eines Tages zu ihm zurückkehren würde. Und damit auch zu ihr. Davon war Lola überzeugt. Obwohl inzwischen neunundzwanzig Jahre ohne Aveline verstrichen waren. Je mehr Zeit verging, desto zuversichtlicher wurde Lola: Es konnte nicht mehr lange dauern. Und nun, nun war dank Kurts Menorca-Reise eine doppelte Hoffnung in ihrem Mutterherz aufgekeimt: Vielleicht würde sie in Kürze ihre Tochter wiedersehen *und* müsste nicht länger ihren Enkel hüten.

Lola ging davon aus, Letzteres würde auch Kurt Freude bereiten. Da er nichts von ihrem Plan wusste, Aveline mit ihrem Sohn zu ködern, zeigte er wenig Verständnis für Alexanders Nesthäkchendasein oder die Wut, die sich gelegentlich in seinem Neffen aufstaute. Lola dagegen schon. Jeden Mann, der ein eindimensionales Leben wie Alexander führte, würde das wütend machen, fand sie. Kein Verständnis hatte sie jedoch für Handgreiflichkeiten. Nur einmal hatte er es gewagt, sie zu schubsen (weil sie ihn nicht von ihrem Löwenbräu hatte kosten lassen). Dafür hatte er Ohrfeigen und Hausarrest erhalten. Der Vorfall lag sechzehn Jahre zurück. Seitdem hatte er sie nie mehr angerührt.

Wenn es eine Prioritätenliste in Lolas Leben gab, dann stand auf dieser an oberster Stelle (gefolgt von ihrer Liebe für Aveline auf Platz zwei): nie mehr zulassen, dass ein Mann dir etwas antut. Jede Frau wird mindestens einmal im Leben Opfer eines Mannes. Wird sie es zwei Mal, daran glaubte Lola fest, dann ist sie selbst schuld. Und sie glaubte auch, dass die einzige Ausnahme von dieser Regel Aveline hieß – sie hätte es schon beim ersten Mal wissen müssen. »Hätte sie auf mich gehört, wäre sie verschont worden und uns viel erspart geblieben, vor allem - Alexander«, sagte sie einmal nach einer Überdosis Löwenbräu zu Foxl, der allein auch um Platz drei auf Lolas Prioritätenlisten wusste: den Fürstenhof brennen zu sehen.

Der Gedanke war ihr erstmals im katholischen Erziehungsheim Sankt Helena gekommen, in das sie von ihrem Vater gesteckt worden war, nachdem sie ihrer todkranken Mutter Sterbehilfe geleistet hatte. Dort trieben ihr die unverantwortlichen Ordensschwestern aus, Schatten zu lesen und ihnen Namen zu geben, wie etwa Figaro oder Geist. Was man Lola, trotz ihres Alters von gerade einmal neun Jahren, jedoch nicht austreiben konnte: Rachefantasien, in denen stets Flammen, der Fürstenhof und noch mehr Flammen eine bedeutende Rolle spielten.

Wäre das Hotel nicht gewesen, daran bestand für die kleine Lola kein Zweifel, dann hätte ihre Familie niemals München - verlassen und ihre Mama sich keine namenlose Krankheit eingefangen, von der sie niemand außer dem Tod hatte befreien können.

Nach der Schauspielschule aber, ein paar Reifejahre später, lernte Lola am Karlsruher Theater Alfons Ervig kennen. Dein zarter Großvater nahm ihr jegliche Rachefantasien. Stattdessen schenkte er ihr Liebe und einen und dann noch einen Sinn des Lebens: Kurt und Aveline. Sie glaubte, den Fürstenhof und alles damit Verbundene endlich hinter sich lassen zu können, und schwor sich, ihn nie mehr zu betreten – '45, nach Kriegsende, wurde sie für diesen wenig weitsichtigen Eid bestraft. Wäre ich ihr Schatten gewesen, hätte ich sie davon überzeugt, sich dem garstigen Herrn Salz zu stellen und im Hotel Zuflucht zu suchen. Dann wäre ihre Schwester Gretl nicht vergewaltigt und von einem Schattenlosen ermordet worden.

Alfons konnte weder sie retten noch Lola vor den Folgen dieser furchtbaren Tat, die sie hatte mit ansehen müssen. Eine einfache Grippe raubte ihr Alfons, und Lola kehrte nach München zurück.

Auf die darauffolgenden Jahre war Lola nicht stolz. Zu viel Löwenbräu, zu wenig Fokus. Sie hätte den Schatten mehr Vertrauen schenken sollen, wie es ihr ein Junge namens Maria einst beigebracht hatte. Aber sie gab sich ihrer Einsamkeit und der Furcht vor Schattenlosen hin.

Neue Kraft fand sie erst, als sie aus Avelines Briefen – Lolas heimliche Lektüre zum Schutz ihrer Tochter vor sich selbst – von der Schwangerschaft erfuhr, noch bevor Aveline ihr davon erzählte.

Das rüttelte sie wach. Aus Lolas Sicht war Alexander ein weiteres Unglück, dem ihre Familie ohne den Fürstenhof entgangen wäre. Nüchternheit kehrte zurück in ihr Leben. So nannte sie das: seelische Nüchternheit. (Löwenbräu brauchte sie weiterhin gegen Angst und für Schlaf.) Lola holte ein silbernes, gerahmtes Plakat des Hotels aus dem Keller und hängte es an eine prominente Stelle im Münchner Wohnzimmer, um nie mehr ihr Ziel aus den Augen zu verlieren. Nach all den Jahren glaubte sie noch immer, ja, sogar noch mehr, an das, woran schon die kleine Lola geglaubt hatte: dass sie den Fürstenhof für alles, was er ihr und ihrer Familie angetan hatte, vernichten müsse.

Darum war es für sie von größter Bedeutung, ihn zurückzugewinnen. Erst wenn sie das Hotel besaß, es ganz und gar ihr Eigentum nannte, mit all seinen Drähten und Schlüsseln und Fliesen und Leitungen und Pflänzchen und Weinflaschen und Ziegeln und Schatten, all seinem Bettzeug und Geschirr und Mobiliar und Licht und Staub, erst dann würde sie sich endgültig davon befreien können.

Und zwar mit Feuer.

Als Kurt, der nichts von Lolas geplanter Vergangenheitsbewältigung ahnte, die Wohnung mit Champagner betrat, dachte sie: zwei Flaschen, das konnte nichts Gutes bedeuten. Lola vertrug das sprudelige Zeug nicht. Das Einzige, was ihren Magen schon seit jeher besänftigte, war Löwenbräu. Das hatte sie Kurt oft genug mitgeteilt, er wusste das, und er hätte auch wissen sollen, wie gespannt sie war. Aber anstatt ihr von Aveline zu erzählen oder sie wenigstens mit einer Umarmung zu begrüßen, eilte er zu Margot, um sie zu umarmen, dieses junge Ding, das sich einfach so in ihre Familie drängte.

Danach breitete er wie ein Prahlhans seinen Schatten im Wohnzimmer aus und berichtete ihr vom Erfolg seiner Reisen. Ehe er ihr eröffnete, dass er den Fürstenhof leiten wolle.

Ihrer Ansicht nach war Kurt schon immer ein Kind gewesen, das gelegentlich daran erinnert werden musste, wer seine Mutter war: die Frau, der er alles verdankte.

Sie hatte ihn auf der Flucht in den letzten Kriegsmonaten vor dem Schlimmsten bewahrt. Sie hatte ihn zu Selbstständigkeit erzogen, hatte ihm, im Kontrast zu Alexander, schon seit frühester Kindheit an viel Verantwortung übertragen, im Haushalt wie als Beschützer Avelines, sodass die Hotelfachschule in Glion ihm kaum noch etwas hatte beibringen können. Sie hatte ihm eine Lebensaufgabe geschenkt: den Fürstenhof zurückzuerobern. Sie hatte jede seiner Frauengeschichten (sowie die damit verbundenen Abtreibungen) toleriert, sogar den überfallartigen Besuch eines, wenn Lola nicht alles täuschte, minderjährigen Mädchens aus Augsburg, dessen heruntergekommene Erscheinung selbst einen Clochard angewidert hätte. Und nun, nachdem Lola all das für ihren Sohn geleistet hatte, wollte er sie mit zwei Flaschen unverträglichem Champagner bestechen und den Fürstenhof rauben, ihren Fürstenhof!

Später gestand sie sich ein: Es war kein charmanter Schachzug von ihr gewesen, ihn in all den Jahren nie in ihre Pläne einzuweihen. Aber sie wusste, er würde versuchen, sie davon abzuhalten. Vielleicht hätte sie ihn nicht glauben lassen sollen, er würde einmal das Hotel leiten. Andererseits: Ohne diese Überzeugung wäre sein Einsatz kaum so beherzt ausgefallen.

Kurts Reaktion – als er den Kandelaber beiseitefegte und sich im nächsten Moment zu Alexander gesellte, dessen Zimmer er sonst nie betrat – bestätigte, was Lola schon lange ahnte: So gut er sein Fach auch beherrschen mochte, er würde niemals ein wirklich guter Hotelier sein. Ein wirklich guter Hotelier arbeitet im Schatten seiner Gäste. Aber Kurts Schatten ließ anderen kaum Platz.

Alexander dagegen besaß von Natur aus die richtige Einstellung: Er suchte den Fehler ausschließlich bei sich selbst. Allerdings mangelte es ihm an Können. Diesem vierzehnjährigen Neunundzwanzigjährigen gelang nicht einmal das Öffnen einer Bierflasche, ohne dass etwas zu Bruch ging.

Als sie mit Kurt in Ruhe auf dem Balkon sprechen, ihm den wahren, pyromanischen Grund für ihr Handeln erläutern wollte und er ihr mitteilte, er werde zusammen mit Margot das Weite suchen, überraschte das Lola. Und es überraschte sie, dass es sie überraschte. Sie hätte es sich denken können: Am Ende war sie immer allein.

Lola wusste, die Chance, dass er seine Meinung ändern würde, weil sie ihn aussperrte, war gering. Aber es fühlte sich zu gut an. Sie sperrte ja nicht nur ihren Sohn aus, sondern auch all die möglichen Schrecken seiner Zukunft.

Einem davon – Margot – verriet sie nicht, wo Kurt war, sondern ging in ihr Schlafzimmer und legte sich aufs gemachte Bett. Die seidene Tagesdecke kühlte ihren Körper. Sie streichelte Foxl und vergrub ihre Nase in seinem ramponierten Fell. Nichts duf-

tete mehr wie früher. Nur er. So lag sie eine Weile dort, mit geschlossenen Augen, und stellte sich vor, dass sie bald, nach rund
fünfundsiebzig Jahren und bewaffnet mit ausreichend Streich-
hölzern, den Fürstenhof betreten würde. Bis sie Feuer roch.

Zuerst dachte sie, ihre Vorstellungskraft spiele ihr einen
Streich. Dann stellte sie fest: Da brannte wirklich etwas.

Sie folgte dem Geruch ins Bad. Fand Alexander und in der
Dusche hinter ihm einen Haufen nasser Asche. Sie war müde und
nicht in der Stimmung für Ohrfeigen. Trotzdem zwang sie sich
dazu. Sie musste ihm vor Augen führen, wie lebensbedrohlich
solche Kindereien waren. In einer Stunde würde sie ihn zu sich
rufen, ihm eine Kassette von ›The Shadow‹ zur Versöhnung
schenken (die sie als Notration in ihrem Privatsafe aufbewahrte)
und ihm erläutern, dass er ihr keine andere Wahl gelassen habe.
Daraufhin würde er sich mehrfach entschuldigen. Schon wäre
alles wieder im Lot.

Das dachte sie, während sie in den Flur trat und Margot sah,
die gerade aus ihren nassen Schuhen schlüpfte. Als Alexander
Lola von hinten niederschlug und sie zu Boden drückte, schossen
ihr Tränen in die Augen, und nun dachte sie an einen Kartoffelacker nahe der Demarkationslinie, wo ihre Schwester Gretl in
einem Militärzelt ihr Leben für sie geopfert hatte.

Lola wollte losschreien. Bekam aber keine Luft. Der Schattenlose
war zurück, dachte sie. Er hatte ihre Schwester erledigt und war
ihr gefolgt. In all den Jahren – in denen sie nie bei Dunkelheit vor
die Tür gegangen war und in denen sie Aveline vor ihm gewarnt
und in denen sie Löwenbräu getrunken hatte, um ihre Angst
klein und aus Schlaflosigkeit Schlaf zu machen – in all diesen
Jahren hatte er ihr aufgelauert und den richtigen Moment abge-
wartet. Ohne dass sie etwas geahnt hatte. Und nun war er hier, in
ihrer Wohnung.

Lola, noch benommen, sammelte ihre Kräfte und rollte sich zur Seite. Stieß gegen ein Buch. Es dauerte lange, bis sie sich aufgestützt hatte. Ihr Körper zog sie nach unten. Sie kroch zur nächsten Tür, blieb am Parkett hängen, riss Löcher in ihre Strümpfe. Bücher fielen links und rechts von ihr zu Boden. Als sie das Gästezimmer erreicht hatte, warf sie die Tür hinter sich zu. Schloss ab.

Hämmern. Unverständliche Rufe.

Sie stemmte sich gegen die Tür. Ihr Körper absorbierte jeden Hieb. Aber er konnte nicht rein. Er konnte nicht zu ihr.

Als Lola das Bewusstsein wiedererlangte, wusste sie sofort: Sie lag im Krankenhaus. Unverkennbarer Desinfektionsgeruch. Zu ihrer Linken schränkte ein Vorhang die Sicht ein, zu ihrer Rechten die Dunkelheit hinter dem Fenster. Lola tastete ihren Kopf ab. Eine Bandage. Aber es tat nicht weh. Sie setzte sich auf, fühlte sich schwindlig, sank zurück ins Bett. Lola wünschte, Foxl wäre bei ihr. Auf niemanden sonst, dachte sie, auf keinen in ihrer ganzen Familie war je Verlass gewesen. Von Anfang an hatte sie alles allein schaffen müssen – als sie ihrer Mutter ein Ende schenkte, als sie im Erziehungsheim lebte, als sie durch den Krieg reiste, und auch später, ohne ihren lieben Alfons, als Aveline zu trinken begann und schwanger wurde. Lola sagte sich, sie würde es auch diesmal schaffen. Sie würde so bald wie möglich das Krankenhaus verlassen. Sie würde sich, im Tausch gegen ein paar mütterliche Sorgen, endgültig von ihrer Familie trennen. Und dann, dann würde sie sich um den Fürstenhof kümmern.

So überzeugt Lola auch war, die Wahrheit zu kennen – sie hatte nichts verstanden. Keiner von ihnen hatte verstanden. Weder Hubert Kerr noch Onkel Horn. Auch nicht Alexander oder Hans Rübsam oder Kurt. Nicht einmal Margot oder Aveline. Sie alle handelten bloß getrieben von der Furcht, allein zu sein.

Während du in den darauffolgenden Wochen heimlich wuchst, heilte Hubert Kerrs Fleischwunde. Trotz vollständiger Genesung war er nicht mehr so zwanglos wie früher. Kerr schleppte sich herum, hielt Distanz zu Mädchen, verließ immer seltener das Haus und kündigte schließlich seine Anstellung beim GGP. Sogar sein Schatten ließ sich von Kerrs merkwürdiger Verfassung anstecken und hatte Mühe, ihm morgens aus dem Bett zu folgen. Kerr fürchtete sich vor Hans Rübsam. Obwohl der Vopo ihm nichts nachweisen konnte, beschuldigte er den jungen Mann, für Margots Verschwinden verantwortlich zu sein. Das betrieb er mit solcher Vehemenz, dass sogar Kerrs Bruder und seine Eltern ihm nicht mehr glaubten.

Hans Rübsam konnte ihn jedoch nicht überführen. Auch nach dem Mauerfall, als kaum ein Verkehrsteilnehmer Hans Rübsam mehr Respekt zollte, arbeitete er weiter hart. Der Einzige, der ihn noch auf Streife begleitete, war sein Schatten. Jedes Mal, wenn er eine junge Frau in der Ferne summen hörte oder er ein Fahrzeug stoppte, glaubte er, es könnte seine Tochter sein. Aber sie ließ ebenso auf sich warten wie seine Frau. Bis er das Warten nicht länger ertragen konnte und vor einen Lastwagen trat, der die zugelassene Höchstgeschwindigkeit um neunzehn Stundenkilometer überschritt.

Auch Lolas Warten fand ein Ende. Und einen Anfang. Ihre Wiedervereinigung mit dem Fürstenhof fand im Juli 1990 statt. Bei ihrer ersten Begehung verschmolz Lolas Schatten mit dem Serpentinsaal. Sie spuckte auf ihren Erzfeind – ein trauriges, einsames Geräusch, das schnell verhallte. Außer ihr hielt sich niemand im Gebäude auf. Lola hatte das Hotel schließen lassen und sämtlichem Personal fristlos gekündigt. Sie war allein. Trotz ihrer fünfundachtzig Jahre stieg sie flink aufs Dach – und wurde enttäuscht. Nichts dort oben erinnerte an den Sommer in ihrer Kindheit, in dem sie ganze Nächte über den Dächern Leipzigs verbracht hatte, gemeinsam mit ihren einzigen Freunden: einem barfüßig tanzenden Jungen und seinem und ihrem Schatten. Sie fand es schrecklich, jemanden so sehr zu vermissen, der für keinen außer ihr je existiert hatte. Ihrer Handtasche entnahm sie eine Packung Streichhölzer und hielt sie fest in ihrer zitternden Faust und dachte daran, dass sie Lust hätte, wie nach einer beendeten Saison in den Fürstenhof zurückzukehren, den von damals natürlich, und sich in die Badewanne zu legen, in der man, weil die Wand direkt an die reformierte Kirche anschloss, sogar Orgelmusik genießen konnte. Danach, dachte Lola, würde sie vom Fenster aus den Turm der Kirche mit seinen läutenden Glocken betrachten, und die Mama, ihre gute Mama, dem Hotel und ihrer Krankheit für ein paar Sekunden entflohen, würde gemeinsam mit ihr dem Glockenkonzert lauschen.

Da verlor Lola das Gleichgewicht.

Als Fritz Horn bei einem Date mit einer Fitnessstudiobesitzerin im Benihana von Lolas Koma erfuhr, verschluckte er sich an einem widerspenstigen Stück Hummerschwanz und erstickte vor dem Teppanyaki-Grill trotz des körperbetonten Rettungseinsatzes seiner Begleiterin. Niemand außer seinem Schatten blieb an seiner Seite, als er vornüberkippte.

Das Fax, in dem Kurt seiner Schwester vom Koma ihrer Mutti und Ableben ihres Onkels schrieb, erreichte Aveline nicht. Längst hatte sie Binidali aufgegeben. Gleich nach dem Besuch ihres Bruders war sie mit einer Fähre gen Griechenland aufgebrochen, wo sie auf den Geschmack von Ouzo kam. Aber wenigstens war sie nicht allein, sondern in Begleitung von Leyla, der großzügigsten Schattenspenderin überhaupt.

Ihr Sohn dagegen schwor sich, nie wieder zu trinken. Alexander, der gegen seine Großmutter tätlich geworden war und – unabsichtlich, wie er bei seiner gerichtlichen Anhörung behauptete – Glasflaschen auf Passanten und Autos geschleudert hatte, entging einer Haftstrafe, weil er sich einverstanden erklärte, eine Therapie in der Klinik für Psychiatrie und Psychotherapie in Haar bei München anzutreten. Dort gab man ihm bald einen Spitznamen: The Shadow.

Als letzter zurechnungsfähiger, lebender, erreichbarer und nicht komatöser Salz entschloss sich Kurt, den Fürstenhof an einen globalen Hotelkonzern zu verkaufen. Den Erlös verwaltete er für Lola, Aveline und Alexander. In den Kaufvertrag ließ Kurt einen Zusatzparagrafen aufnehmen: Lola Rosa Salz wurde eine Suite auf Lebenszeit zugesichert, die sich in den Räumen befand, in denen Lola einst als Neunjährige mit ihrer Familie gelebt hatte. »Sie bedeutet dir noch immer etwas«, flüsterte Margot ihm zu, während der Notar das Kleingedruckte runternuschelte. »Nicht so viel wie der Fürstenhof ihr«, sagte Kurt und unterzeichnete.

Dann ließen die beiden – deren gemeinsamer Schatten so zach war wie kaum ein anderer – all dies weit hinter sich, als sie in ein Haus unweit der Villa von Charlie Chaplin am Genfer See zogen.
    Zumindest dachten sie das. Denn ein Fleck war nicht das Einzige, was Margot von Hubert Kerr aus Pößneck mitgenommen hatte.

Jetzt kennst du die Wahrheit. Ich will gar nicht sagen: die ganze. Niemand kennt die. Einen Teil deiner Wahrheit hätte ich dir gerne erspart. Aber im Gegensatz zur Hälfte der Wahrheit gibt es halbe Wahrheiten eben nicht. Und selbst wenn ich sie fabrizieren wollte – Schatten können nicht lügen.

Du fragst dich jetzt vielleicht: Wie konnte ich also die ganze Zeit über Kurt als deinen Vater bezeichnen? Und Hubert Kerr bloß als Hubert Kerr? Die Antwort darauf ist einfach. Niemand, nicht einmal Hubert Kerr selbst, sah in Hubert Kerr jemals mehr als Hubert Kerr. Kurt dagegen wird dir, wenn auch nicht in der einen, so doch in vielerlei Hinsicht ein Vater sein. Schließlich hält er sich und Margot ihn für den deinen.

Glücklicherweise hatten beide kurz nach den Ereignissen im November '89 auch körperlich zueinandergefunden und stellten somit die biologische Vaterschaft nicht infrage. Ansonsten hätten sie dich ausschaben lassen.

Da sie dir all das geben wollen, wovon sie glauben, dass sie es nie hatten, erwartet dich eine glückliche Kindheit. Du bist ihr neuer Lebenskern. Beide haben beschlossen, nicht mehr nach ihren Müttern zu suchen, ob nun in der Ferne oder bei Lola. Margot deswegen, weil Hans Rübsams Selbstmord sie endgültig davon überzeugte, dass ihre Eltern sie, jeder auf seine Weise, allein gelassen hatten; und Kurt, weil er nach dem Bruch mit Lola einsah, dass er seine Mutter längst gefunden hatte – dass sie bloß leider keine besonders gute war.

Nun sind wir fast am Beginn deiner und meiner Lebensgeschichte angelangt, Emma, und ich hoffe, dass du mich, deinen ersten und treuesten Freund, nicht vergessen wirst. Auch nach der Geburt. Es ist ja bald so weit.

Du musst aufgeregt sein. Ich bin es nicht minder. Schließlich komme auch ich auf die Welt. Wie ich wohl aussehen werde? Ich setze auf zwei Dinge: die starken, gut zur Geltung bringenden Deckenleuchten im Krankenhaus – und dich. Die Tochter von Margot Rübsam und Kurt Salz kann nur ein wohlgeformtes Exemplar Mensch werden.

Emma, ich verlasse mich darauf, dass du mir, wenn erst Bewusstsein und Worte in dein Leben dringen, einen Namen geben wirst. So viel bist du mir schuldig. Erinnere dich daran. Auch wenn du mich nicht wirst hören können. Du bist trotzdem nie allein! Vertraue den Schatten. Vertraue mir. Ich werde dich immer, immer begleiten und an die Wahrheit erinnern.

EMMA SALZ

2015

Meine Großmutter starb zwei Mal. Nur war sie nach dem ersten Mal nicht tot.

Am 15. Juli 1990 stieg Lola Rosa Salz, wenige Tage nachdem sie den Leipziger Fürstenhof in Besitz genommen hatte, aus unerfindlichen Gründen und trotz ihres Alters von fünfundachtzig Jahren auf das Dach des Grandhotels und stürzte.

Sie stürzte so schlimm, dass ihr Herz aussetzte. Als es wieder zu schlagen begann, tat es das nicht kräftig genug, um sie zurück ins Leben zu bringen.

Sie lag seitdem in einem tiefen Schlaf, den mein Vater (ihr Sohn) *Koma* nannte. Aber war es das wirklich? Selbst Tante Ava, ihre Tochter und Pflegerin, war darüber erstaunt, wie mühelos Lola gewöhnliche Nahrung zu sich nehmen konnte. (Am liebsten Eclairs mit extra viel Sahne.) Kauen, Schlucken, Verdauen, Ausscheiden – alles, ein bisschen Hilfe vorausgesetzt, kein Problem. Mit offenen Augen lag sie in ihrem französischen Bett und redete vor sich hin. Die meisten Worte waren unverständlich, die wenigen verständlichen ohne klaren Zusammenhang. Als flüchteten sich kleine Reste ihrer Träume in die Welt.

Abgesehen von *ich* soll sie am häufigsten folgende vier Wörter von sich gegeben haben: *Mama, Herr Salz* und *Maria*. (Herr Salz war vermutlich ihr lange verstorbener Vater und Maria ihre noch länger verstorbene Großmutter.) Wollte sie etwas beichten? Wollte sie ihre Erfahrung weitergeben, um nicht zu schnell in Vergessenheit zu geraten? Oder brabbelte sie bloß Unsinn?

Leipzig.doc

Ihr Leben reichte so weit zurück, dass die meisten Jahre davon längst in Geschichtsbüchern standen. Sie war ein lebendes Beispiel dafür, wie wenig von dem, was wir sind, übrig bleibt. Nicht umsonst bezeichnen wir das Früher als Geschichte. Mehr als eine Geschichte, die sich die Lebenden über die Toten erzählen, ist es nämlich nicht.

In meinem Fall könnte es eine sehr kurze Geschichte werden. Ich weiß nicht, ob ich nächstes Jahr noch leben werde. Ich glaube daran. Aber ich weiß es nicht. Deshalb muss ich häufig an meine Großmutter denken. Was hatte sie mitzuteilen? Und was habe dagegen ich, die beträchtlich jüngere Enkelin, mitzuteilen?

Vielleicht war ihr Gerede viel mehr, als wir ahnten, vielleicht erzählte sie als Fast-Tote eine Geschichte über die Lebenden, aus der wir, auch wenn es nur eine Geschichte war, viel hätten lernen können.

Hätten wir uns mehr Mühe geben sollen, sie zu verstehen?

Meine Mutter, die ihr nie besonders zugetan gewesen war, nannte den kaum verständlichen Monolog *Lolas Bewerbungsgespräch für den Tod*. Den Tod schien meine Großmutter, anders als ich, allerdings nicht sonderlich zu interessieren, er ignorierte sie lange Zeit. Was auch immer in Lolas Kopf vor sich ging, sie driftete viele Jahre lang irgendwo zwischen hier und dort. Immer im Fürstenhof, der einst das Zuhause ihrer Familie gewesen war. Dort übte sie als untoter Dauergast ihr lebenslängliches Wohnrecht aus – sie besetzte eine Suite direkt unter dem Dach, auf dem sie gestürzt war. Und wartete auf ihren zweiten Tod.

*

Er kam erst fünfundzwanzig Jahre später, im Oktober 2015. Damals lebte ich schon seit einigen Jahren in Delhi. Aufgewachsen war ich an vielen Orten: Montreux, Hongkong, Tel Aviv, Chi-

Leipzig.doc

cago. Mein Vater war ein gefragter Hoteldirektor, und bevor er ein Angebot akzeptierte, ließ er sich jedes Mal garantieren, dass meine Mutter und ich mit ihm im jeweiligen Hotel eine Suite beziehen konnten. Er wollte uns in seiner Nähe haben, so nah wie möglich. Vielleicht, weil manche der Städte, in denen wir lebten, als gefährlich galten; vor allem aber brauchte er uns mehr, als er zugab. Selbst nach kurzen Geschäftsreisen umarmte er mich so fest, dass ich oft dachte, etwas Furchtbares sei geschehen. Dabei hatte er uns nur vermisst.

In meinem sechsten Lebensjahr nahmen seine Umarmungen sogar zu. Ich weiß noch gut, wie wir Urlaub im ›Hyatt Regency‹ in Orlando, Florida machten, einen schweißtreibenden Tag im ›Magic Kingdom‹ verbrachten, mein Vater unzählige Fotos von mir schoss und ich ihn einmal, während ich Arm in Arm mit Pluto und Mickey Mouse für ihn posierte, darauf hinwies, dass ich meinen Schatten nicht sehen könne. Ich werde nie den Ausdruck in seinem Gesicht vergessen. Für einen kurzen Moment schien er ernsthaft besorgt, weshalb ich nahe dran war zu behaupten, ich könnte meinen Schatten sehen, nur um ihn glücklich zu machen, so wie jede Fünfjährige ihren Papa glücklich machen will – aber dann lachten er und meine Mutter einfach. Und wir zogen weiter.

An diesem Abend gab mein Vater mir drei besonders feste - Umarmungen und tröstete mich: Es gebe auf der Welt ja so viele Dinge, die wir nicht sehen können und von denen wir trotzdem wissen, dass sie da sind. Und meine Mutter las mir nicht wie sonst vor, sondern sang mich in den Schlaf.

Später in der Nacht knipste ich, als ich aufwachte, die Lampe neben meinem Bett an und aus und an, und ich hoffte jedes Mal, wenn das Licht anging, meinen Schatten zu sehen, damit ich zu meinen Eltern rennen und verkünden könnte, er sei da.

Aber er blieb unsichtbar für mich. Auch in den Jahren danach.

Leipzig.doc

Manchmal vergingen Monate, ohne dass ich darauf achtete. Dann wiederrum gab es Wochen, in denen ich mehrmals täglich nach ihm suchte.

Nur selten erzählte ich jemandem davon. Ich wusste, man würde mir nicht glauben, und selbst wenn, dann würde man in mir nur noch das schattenblinde Mädchen sehen.

In Montreux musste ich den Kindergarten wechseln, weil ich versucht hatte, mithilfe einer Schere anderen Kindern den Schatten zu klauen, und dabei ihre Klamotten zerschnippelt hatte. In Tel Aviv schenkte ich den ersten Kuss meines Lebens einem Jungen, dem pickeligen Eshkol, als er mir zu meinem Geburtstag einen schwarzen Pappkarton mit meinen Umrissen überreichte. Meine Jungfräulichkeit verlor ich in Hongkong an den Sohn des argentinischen Konsuls, in den ich sehr verschossen war und der, als ich ihm von meiner seltsamen Negativbegabung erzählte, nicht einmal andeutungsweise schmunzelte, sondern meine Hände in seine nahm, mir gewissenhaft zuhörte und sogar meinte, mein Schatten scheue offenbar den Vergleich mit meiner *Belleza*. Meine erste Beziehung wiederum führte ich mit Casey, einem irischstämmigen Collegestudenten der University of Chicago, weil es ihm völlig egal war, dass seine Freundin ihren Schatten nicht sehen konnte, solange sie ihn sonntags zur Kirche begleitete.

Aber die einzigen, die mich an all diesen Orten wirklich bedingungslos liebten, Schattenblindheit hin oder her, waren meine Eltern. Sie redeten mir immer wieder aus, Optiker, Augenärzte, Psychologen, Psychotherapeuten, Homöopathen oder gar Pfarrer aufzusuchen. (Nur einmal sprach ich zufällig mit einem Yogi darüber, zu dem ich eigentlich nur eine Freundin hatte begleiten wollen und der mich natürlich nicht heilte, aber zum Lachen brachte, denn er behauptete, ich hätte die Fähigkeit, mit meinem Schatten zu kommunizieren, nicht verloren, sondern unterdrücke sie.)

Da ich meiner Mutter zustimmte, dass es auf der Welt zu viel großartige Literatur gab, die ich mir nicht entgehen lassen durfte, investierte ich nur gelegentlich Zeit in Bücher, die sich mit Schatten beschäftigten. Und zusammen mit meinem Vater klickte ich mich, als wir gegen Ende der Neunziger unser erstes Modem installiert bekamen, ein paar Mal durchs Internet, weniger aus Recherchegründen, mehr zu unserer Unterhaltung – anscheinend tummeln sich online größtenteils Menschen, die Schatten sehen können, die eigentlich nicht da sein sollten.

Dank meiner Eltern kümmerte es mich nicht, dass ich auf keine glaubhafte Begründung für meine Unfähigkeit stieß. Ich empfand nicht, dass mir etwas fehlte. Ich hatte etwas nicht, was andere hatten, ja. Aber bedeutete das wirklich, dass mir etwas fehlte?

*

Als wir im Winter 2011 nach Delhi kamen, hatte ich mich längst damit abgefunden, die einzige Schattenblinde auf der ganzen Welt zu sein. Ich muss zugeben, auch wenn es mich nicht störte, trug es doch dazu bei, dass ich mich für eine Ausnahme hielt. Jemand, der nicht unbedingt besser ist als andere, aber seltener (und somit doch in gewisser Weise besser).

Damals lebte ich in einem Barsati in Vasant Vihar im Süden der Stadt, einer Terrassenwohnung auf dem Dach einer privaten Häusersiedlung. Zu meinen Nachbarn zählten Manager und Diplomaten. Marmorfliesen, Wasserfilter, Klimaanlage, Generator, Heizung: Mein Barsati war für die Witterung Delhis ebenso gut gerüstet wie ein Hotel. Während es draußen zu heiß im Sommer, zu feucht während des Monsuns und zu kalt im Winter wurde (nie fror ich mehr als in Januarnächten in Delhi), hatte es in meinem Zuhause immer genau die richtige Temperatur. Das Zwitscherkonzert noch nie gehörter Vögel in den Neem-Bäumen vor meinem Schlafzimmer war der beste Wecker. Von der Terrasse aus hatte ich einen weiten Blick über das allgegenwärtige Grün Delhis, wie man ihn sonst nur in den großen Hotels oder der Metro hat. Die Zimmer waren mit dem Mobiliar des ›Taj‹ ausgestattet, abgesehen von einem schweren Biedermeiersekretär (ein Geschenk meines Vaters). An jeder Türklinke hingen *Do-not-disturb*-Schilder, die ich gesammelt hatte: vom ›Montreux Palace‹, dem ›Four Seasons‹ in Chicago, ›Dan Tel Aviv Hotel‹ und ›Grand Hyatt Hong Kong‹. Ich hatte jemanden, der für mich putzte, jemand anderen, der für mich kochte, noch jemand anderen, der den Müll abholte, und wieder jemand anderen, der gerufen wurde, wenn ein Vogel ein Ei auf meiner Terrasse gelegt hatte. Es war fast so, als würde ich weiterhin in einem Hotel leben. Mit dem einen Unterschied, dass niemand sonst dort lebte.

Das Barsati befand sich in einer typischen Oberschichtenkolonie im Süden Delhis, mit Squash-Courts und bewachten Einfahrten. Mein Vater besuchte mich oft dort, manchmal nur, um mich zu umarmen. Meine Mutter schickte fast täglich einen Fahrer vom ›Taj‹ vorbei, damit ich, insbesondere nachts, keinen Weg zu Fuß zurücklegte. Sie wollte mich nicht einmal zum nahen - C-Block Market spazieren lassen, weil sie sich sorgte, ein streunender Hund könnte mich anfallen. (Als das tatsächlich einmal einer wagte, verschwieg ich das.)

Ihre Angst war aber nur die einer Mutter, nicht die einer Frau. Sie selbst ging oft genug ohne Begleitung auf dem Sarojini Market einkaufen oder in Old Delhi bei ›Karim's‹ essen, schob sich durch die Menge, ignorierte Blicke, ließ sich nicht für dumm verkaufen, wenn ein Händler oder Taxifahrer behauptete, er habe kein Wechselgeld. Einmal wurde ich Zeuge, wie sie einen Mann, der ihr in der South Side von Chicago an den Hintern gefasst hatte, so lange mit ihrem Regenschirm prügelte, dass er lautstark um Vergebung bat. Obwohl sie aus einer Kleinstadt in der ehemaligen DDR stammt und das Aufwachsen dort sie wohl kaum auf ein internationales Leben vorbereitet haben kann, strahlt sie eine innere Stärke aus, die mir imponiert. Und nicht nur mir. Wahrscheinlich kommt das daher, dass ihre Eltern schon in ihrer Jugend bei einem Autounfall gestorben waren. Sie hatte früh alleine zurechtkommen müssen. Man müsse *zach* sein, sagte sie gern. (Das Bayrisch meines Vaters hatte über die Jahre auf sie abgefärbt.)

Hätte meine Mutter nicht nach ihrem zachen Prinzip gelebt, wäre es ihr nie gelungen, einen Buchladen am Meherchand Market zu eröffnen. Dort kämpfte sie mit meterhohen Bücherstapeln, aufdringlichen Vertretern, steigenden Mietpreisen, ihrem indischen Geschäftspartner (ohne den sie den Laden nicht hätte führen dürfen) und allen erdenklichen Varianten schwieriger Kunden. Dabei brauchten wir das Geld nicht. Vielmehr brauchte meine Mutter die Bücher. Wenn ich an sie denke, kann ich sie mir nicht ohne Buch vorstellen. Sie las mir schon vor, während sie mich im Bauch trug, und sie fuhr auch damit fort, als ich eines Tages meinte, ich sei zu alt dafür. Später war ich froh, dass sie meinen kindischen Einwand nicht ernst genommen hatte.

Manchmal besucht sie mich noch heute und trägt mir eine willkürliche Stelle aus dem Buch vor, das sie gerade bei sich hat. Es ist unwichtig, ob ich der Geschichte folgen kann oder nicht; alles, was zählt, ist die ruhige Stimme meiner Mutter, deren Melodie ich stundenlang lauschen kann. Sie drängt die Geräusche der Stadt in den Hintergrund und lässt mich, zumindest für eine Weile, alles vergessen; sogar, dass ich vermutlich der einzige Mensch auf der Welt bin, der seinen Schatten nicht sehen kann.

*

Leipzig.doc

387

An einem drückend heißen Tag, dem 1. Oktober 2015, hielt ich mich in der gekühlten, parfümierten Eingangshalle des ›Taj Mahal Hotels‹ auf, in die ich mich geflüchtet hatte, weil meine Klimaanlage wegen eines ungewöhnlich langen Stromausfalls in Vasant Vihar nicht funktionierte, als Jaswant, ein Junge vom - Hotel mit sauber gekämmtem Seitenscheitel und verschmitztem Lächeln, auf mich zukam. Er überreichte mir ein Fax, ich bedankte mich, und er ging, mit eiligen Schritten. Der Adressat war mein Vater. Ich kannte Jaswant. Er hatte sich den Weg zur Suite meiner Eltern sparen wollen. Ich war dabei, das Fax wegzustecken, um es später meinen Eltern zu geben. Da las ich den Absender: Aveline Salz. Die Schwester meines Vaters.

Seit ich mich erinnern kann, hatten sie kaum Kontakt, und wenn, dann nur telefonischen. Meine Eltern atmeten tief ein und aus, wenn ihr Name fiel. Tante Avas Alkoholkonsum könne man nur in Flaschen messen, hatte meine Mutter einmal gesagt, mehr brauche man nicht über sie zu wissen. Und viel mehr wusste ich auch nicht. Tante Ava lebte in einer Platte im Leipziger Stadtteil Dölitz. Geld von meinem Vater wollte sie aus Stolz nicht annehmen. Abends wusch sie Geschirr in einem libanesischen Restaurant, und morgens putzte sie in den Büros eines Start-up-Unternehmens. Seit fast zwanzig Jahren besuchte sie meine Großmutter jeden Tag, sorgte dafür, dass die Pfleger ihre Arbeit machten, und brachte neuen Baumschmuck für den Christbaum aus Plastik, der in Lolas Zimmer stand, weil Tante Ava daran glaubte, dass Lola – anscheinend eine große Weihnachtsromantikerin – dies spüren und sich daran erfreuen würde.

Mit Tante Avas Sohn Alexander tauschte ich gelegentlich auf Facebook Nachrichten aus. Allerdings suchte er den Kontakt mehr als ich. Er war einer dieser RPG-Fanatiker. (Wobei er mehr auf traditionelle Rollenspiele setzte. Final Fantasy VI bezeichnete er einmal als das beste RPG aller Zeiten.) Ich kann es ihm nicht verübeln. Sein wirkliches Leben hatte nicht viel zu bieten: Mit vierundfünfzig lebte er noch bei seiner Mutter, die ihm untersagte, Unterstützung von meinem Vater zu akzeptieren. Seine Langzeittherapie finanzierte er sich durch einen Halbzeitjob bei einem gut laufenden Videoladen in Dölitz (was einiges über den Stadtteil aussagt). Worauf genau seine Therapie abzielte, kann ich nicht sagen. Ich interessierte mich lange nicht so sehr für sein Leben wie er. Manchmal schickte er mir Botschaften, die sich über mehrere Seiten erstreckten und in denen er von seiner komplizierten Beziehung zu seiner Mutter erzählte. Sie waren sich erst spät im Leben nähergekommen. Alexander legte viel Wert darauf, minutiös zu schildern, wie sich das alles angefühlt, was er dabei empfunden, wie ihn das berührt hatte. Weite Textteile überflog ich nur.

Alle paar Monate meldete sich Tante Ava und lud meinen Vater ein, nach Leipzig zu kommen. Das lehnte er nie ab, schob aber anstehende Verpflichtungen vor und vertröstete sie auf das folgende Jahr. Wahrscheinlich wollte er nicht an das erinnert werden, was er bereute: Weil seine Mutter ihn einst um die Hotelleitung betrogen hatte, hatte er den Fürstenhof nach ihrem Unfall kurzerhand an den meistbietenden Konzern verkauft.

In ihrem Fax informierte uns Tante Ava darüber, dass Lola, *Miss Germania* (damit spielte sie auf das historische Alter meiner Großmutter von hundertzehn Jahren an), vergangene Nacht *gen Himmel oder in die entgegengesetzte Richtung geschwebt* sei. Herzversagen. *Man* – womit sie vor allem meinen Vater meinte – *sollte sich nicht die Gelegenheit entgehen lassen, die Familie, trotz allem, ein letztes Mal zusammenzubringen. Abschied zu nehmen.*

*

Fährst du hin?, fragte ich meinen Vater am Abend, nachdem wir im ›Varq‹ – ein Restaurant im ›Taj‹ mit erstklassiger nordindischer Küche – Platz genommen und die Kellner uns mit einer angedeuteten Verbeugung Speisekarten gereicht hatten.

Als hätten sie mich nicht gehört, vertiefte sich mein Vater in die Vorspeisen, und meine Mutter zupfte an ihrem violett-goldenen Sari herum. Daran, wie steif sie sich bewegte, konnte man sehen, dass sie sich, auch nach vier Jahren in Delhi, in indischer Traditionskleidung nicht wohlfühlte. Sie wollte nicht für eine dieser weißen, westlichen Frauen gehalten werden, die Saris aus einer modischen Laune heraus oder aus Lust an Exotik trugen. Als Frau des Hoteliers musste sie aber manchmal in die Rolle der angepassten Ausländerin schlüpfen, besonders dann, wenn wir in seinem Hotel dinierten. Und im Übrigen unterstrich der Sari, ob sie ihn nun mochte oder nicht, dass sie noch immer eine attraktive Frau war, mit schmalen Hüften, flachem Bauch, schlanken Armen. Ihr rotblondes, lockiges Haar, in dem sich erstes Grau bemerkbar machte, fiel in Delhi besonders auf. Niemand hielt sie für Anfang vierzig, wodurch die Altersdifferenz von zweiunddreißig Jahren zwischen meinem Vater und ihr noch größer schien. Sein schwarzes Nehru-Jackett, von dem er mindestens zehn Ausfertigungen besaß, betonte seine noch immer breiten Schultern, verlieh ihm ein strammes Aussehen und kontrastierte mit dem tiefen Blau seiner Augen. Aber sein kaum vorhandenes schlohweißes Haar, die vielen Altersflecken und vor allem die waagerechten Furchen auf seiner Stirn ließen Gäste und Kollegen häufig annehmen, er sei in Begleitung seiner Tochter, nicht seiner Frau. Diesen Momenten begegnet er stets mit einnehmendem Hotelierslachen und der aufklärenden Anekdote von einer jungen Frau, deren zacher Schönheit er verfallen war, als er auf einer Fahrt nach Leipzig Ende der Achtziger an einer Tankstelle in Thüringen haltgemacht hatte.

Leipzig.doc

Ob du hinfährst, versuchte ich es noch einmal.

Man öffnet nicht die Briefe anderer Leute, sagte mein Vater, ohne aufzublicken, als würde er das der Speisekarte entnehmen.

Tut mir leid.

Mein Vater sah über die Speisekarte hinweg zu meiner Mutter. Ich konnte ihre Blicke nicht deuten; beide hatten ausdruckslose Mienen aufgesetzt.

Aber die Frage stellt sich trotzdem, sagte ich. Fährst du hin?

Meine Mutter leerte einen Becher Wasser in einem Zug.

Whisky oder Wein?, fragte er.

Whisky, sagte meine Mutter.

Und was willst du?

Er sah mich an.

Ich will gerne wissen, sagte ich, was los ist.

Ich musterte beide. Sie erwiderten meinen Blick.

Nichts, sagte meine Mutter.

Ich bestell dir einen Rioja, sagte mein Vater.

Da begriff ich.

Du möchtest, dass Mama mitkommt, sagte ich zu meinem Vater. Nur möchte Mama nicht. Stimmt's?

Meine Mutter zupfte wieder an ihrem Sari.

Mein Vater senkte wieder den Kopf in die Speisekarte.

Sie hätten ebenso gut *ja* sagen können.

Alleinsein, das war kein Zustand, mit dem mein Vater gut umgehen konnte. Je älter er wurde, desto öfter leisteten wir ihm auf Geschäftsreisen Gesellschaft; wenn wir zu Hause blieben, rief er uns im Stundentakt an; nicht einmal die Autofahrt zu einem Termin in Delhi hielt er aus, ohne mit uns zu telefonieren. Und nun befürchtete er, ausgerechnet diese Reise, für die er mehr Beistand denn je benötigen würde, ohne meine Mutter antreten zu müssen.

Nur eins mochte sie noch weniger als die Familie meines Vaters: Deutschland. Wenn ich im Internet deutsche Nachrichten sah, sagte meine Mutter stets, die wirklich bedeutenden Dinge geschähen woanders auf der Welt. Sie empfand sich nicht als Teil der deutschen Diaspora in Delhi und mied jede Veranstaltung der Deutschen Botschaft, des Goethe Instituts oder des DAAD. In ihrem Laden führte sie keine Bücher, die mit Deutschland oder deutscher Kultur zu tun hatten (und enttäuschte so regelmäßig Touristen, die auf der Suche nach ›Mein Kampf‹ waren). Die wenigen deutschen Filme, die man in Delhi sehen konnte, handelten vom Dritten Reich, der DDR oder von beidem, und meine Mutter schaute sich keinen einzigen an. Sie begründete das stets auf ähnliche Weise: In Deutschland sprinte man rückwärts zum Ziel und mache sich das Leben unnötig schwer. Niemand widme sich so ausgiebig der eigenen Vergangenheit wie die Deutschen. Dabei hätten sie die längst überwunden. Sie sollten sich lieber dem 21. Jahrhundert stellen.

Wenn sie *Deutschland* sagte, klang das, als redete sie von einem unentdeckten Land – was es für mich tatsächlich war: Durch ihren Einfluss hatte ich es noch nie besucht. Ich glaube, sie hatte Angst, mich an ihre alte Heimat zu verlieren. Eine unbegründete Angst. Mein Interesse an Deutschland war nicht größer als das an anderen Ländern. Wenn mich jemand als deutsch bezeichnete, korrigierte ich ihn nicht, schließlich besaß ich einen deutschen Pass, doch ich stellte mich nie als Deutsche vor. Ich hatte ja schon eine Heimat. Zwar bin ich in der Schweiz, in Israel, in den USA, in China und in Indien aufgewachsen. Aber ich hatte ja nicht wirklich an diesem und diesem und diesem Ort gelebt, sondern immer an ein und demselben: in einem Hotel. Portier, Room-Service, Rezeption, Shampoo-Fläschchen, Spa, Lift, Housekeeping, Frühstücksbuffet, Weckruf, Minibar, Schuhpoliermaschinen – das war meine Heimat, dort kam ich her.

Das einzige Deutsche, was meine Mutter offenen Herzens akzeptierte und mit mir teilte, war ihre Muttersprache. In ihr las sie, bedingt durch ihre schlechten Englischkenntnisse, mir vor (allerdings nur ins Deutsche übersetzte Bücher und keine deutschen Bücher). In ihr verfasste sie sorgenvolle Nachrichten, wenn ich mich zu lang nicht bei ihr meldete. Und in ihr unterhielten wir uns – insbesondere dann, wenn wir in einem noblen Restaurant saßen und niemand mitbekommen sollte, dass wir Differenzen hatten.

Mein Vater winkte den Oberkellner herbei und bestellte für uns. Bei einem Restaurantbesuch mit ihm wählten wir nie ein Gericht aus. Sein Gespür dafür, was uns schmecken würde, war untrüglich. Wahrscheinlich hatte er uns deshalb ins ›Varq‹ eingeladen; er muss geahnt haben, wie die Post von Tante Ava meiner Mutter schmecken würde, und hatte deshalb auf die besänftigende Wirkung ihres Lieblingsrestaurants gesetzt.

Ich nahm mir ein Vorbild an ihm. Erst nachdem wir die Vorspeisen (Lamm-Rotis und Tandoori Lobster) verzehrt hatten, sagte ich: Fliegen wir doch einfach zu dritt.

Meine Mutter wechselte einen Blick mit meinem Vater.

Er sagte: Keine so gute Idee.

Meine Mutter stellte den Silberbecher geräuschvoll ab.

Andere Gäste drehten sich zu uns um. Mein Vater nickte ihnen beschwichtigend zu.

More water, please!, rief meine Mutter, und sofort schenkte ein Kellner nach.

Mein Vater wollte ihre Schulter berühren.

Sie wich vor ihm zurück.

Denkst du, sagte ich zu ihr, es gefällt mir da so gut, dass ich nicht zurückkomme?

Sie starrte in ihren Becher.

Mama, glaub mir, ich würde den Smog viel zu sehr vermissen. Und die Moskitos erst!

Nun sah sie mich an, lächelte kurz, nahm meine Hand. Sei mir nicht böse, Emma, sagte sie, aber wir fahren nicht nach Leipzig.

*

Am 2. Oktober brachen wir drei kurz nach Mitternacht zum Indira Gandhi International Airport auf. Trotz einer bis zum Dessert ausgedehnten Diskussion hatte sich meine Mutter nicht überreden lassen, uns zu begleiten. Aber als mein Vater und ich mit unserem Gepäck in die Lobby kamen, wartete sie dort bereits auf uns. Sie fuhr mit uns zum Flughafen, kaufte mit uns ein Ticket, checkte mit uns ein. Als wäre das von Anfang an der Plan gewesen. Weder mein Vater noch ich sprachen ihren Sinneswandel an. Wir wollten nicht riskieren, dass sie es sich noch einmal anders überlegte.

Auf dem Flug konnte ich nicht schlafen. Auch zwei Gläser Rotwein halfen nicht. Ich entnahm meinem Handgepäck einen Ausstellungskatalog von Professor Jain, einem der erfolgreichsten Künstler des Landes, der vor allem für seine provokanten, großflächigen Collagen bekannt war, auf denen ein leicht bekleideter Shah Rukh Khan über Buddhas Bauch kroch oder ein Pantheon hinduistischer Gottheiten – wie eine südasiatische Variante des Barons von Münchhausen – auf einer fliegenden Atomrakete ritt. Seit fast zwei Jahren war ich Professor Jains Assistentin, länger als irgendwer sonst vor mir. Kennengelernt hatte ich ihn im ›Taj‹, auf der Afterparty seiner letzten Ausstellungseröffnung; obwohl im Laufe des Abends Dutzende von Leuten seine Nähe gesucht hatten, war er nie von meiner Seite gewichen – wir waren uns von Anfang an sympathisch, in mehr als einer Hinsicht. Dass wir hin und wieder miteinander im Bett landeten, hielt uns nicht davon ab, erfolgreich miteinander zu arbeiten. Ich nannte ihn als Einzige *Professor*. Denn er (der nur einen gewöhnlichen Schulabschluss gemacht hatte) drängte mich immer, ich solle Kunstgeschichte studieren, damit ich nicht wie er und so viele andere zur Oberflächlichkeit der Kunstwelt beitrüge. Aber ich hatte kaum Interesse an wissenschaftlichen Herangehensweisen. Meine Begeisterung für Kunst überwog bei Weitem die für Geschichte. Professor Jain hörte das nicht gern. Er schätzte es, wenn sich jemand bemühte, die Geschichte hinter der Kunst zu verstehen. Da ich einem Studium dermaßen abgeneigt war, überhäufte er mich mit Lesematerial, steckte mir oftmals Texte zu oder schickte mir Links zu informativen Artikeln.

Insofern überraschte es mich nicht, dass bei meiner Lektüre des Ausstellungskatalogs ein paar Seiten herausfielen: ein Paper über Schattenpuppen in Andhra Pradesh. Es war Teil eines Kurses an der Jawaharlal Nehru University in Delhi und trug den Titel ›Shadow Puppetry in India‹. Im ersten Teil des Papers stand, dass Puppe in Sanskrit *Puttala* oder *Puttika* heiße und vermutlich von *Putra* abstamme, was so viel bedeute wie *Sohn* oder *Abbild*.

Vielleicht, dachte ich, war es ein Fehler gewesen, Professor Jain von meiner Schattenblindheit zu erzählen. Ich hoffte, er würde das Thema nicht in seiner Arbeit aufgreifen. Bisher hatte ich die Kunstwelt insbesondere dafür gemocht, dass viele Künstler die Illustration menschlicher Schatten entweder nicht so wichtig nahmen oder sich, mangels Können, davor drückten – und selbst wenn sich alles um Schatten drehte, wie etwa bei den Schattenpuppen, faszinierten mich die Puppen weitaus mehr als deren *Söhne*. Diese perspektivisch falschen und umso realistischer wirkenden Darstellungen von Göttern, Tieren, Menschen: ein roter Tiger mit offenem Maul und schwarzem Auge, ein juwelenbehängter Hanuman, ein riesiger, zehnköpfiger Ravana – sie alle besaßen eine Schönheit, mit der ihr Schatten keinesfalls mithalten konnte.

*

Als das Flugzeug in München, wo wir umsteigen mussten, aufsetzte, blieben alle Passagiere brav sitzen und warteten darauf, dass wir die Parkposition erreichten – bis auf eine fünfköpfige Punjabi-Familie, die ihr Gepäck den Stauräumen entnahm und in ihre Jacken schlüpfte, als verstünden sie nicht das Englisch der Stewardessen, die sie aufforderten, Platz zu nehmen. Bei der Passkontrolle war es dieselbe Familie, die auffallend lang von einem Beamten mit Schnauzer und bayrischem Akzent kontrolliert wurde: *Wai a ju hia? Hao long will ju stäi? Wän will ju go bek?*

In der Wartehalle aßen mein Vater und ich eine Brezel und genossen jeden Bissen. Laugengebäck. Konnte etwas, das so hieß, gleichzeitig so gut schmecken? Meine Mutter lehnte ab zu kosten. Sie aß lieber mitgebrachte Samosas.

Ich musste mich darauf konzentrieren, nicht auf Deutsch mit meinen Eltern über andere zu sprechen.

Ich beobachtete ein Paar; sie mit einer Figur und blonden Fönfrisur, die Barbies Neid geweckt hätten; er bereits ergraut, ein Rollkragenpulli verdeckte die meisten Falten an seinem Hals, seine Augenpartie war geliftet. Mit der schwarzen Centurion Card von Amex bezahlte er eine Swatch und half der Blonden, sie an ihrem Handgelenk zu befestigen. Auch nach dem Kauf sah keiner von beiden glücklicher aus als vorher. Vielleicht hatte sie sich mehr als eine Swatch erhofft, vielleicht konnte er, aufgrund des Liftings, nicht mehr richtig lächeln. Ihr Anblick machte mich froh. Ich dachte an ein ganz anderes Paar mit ganz ähnlicher Altersdifferenz. Sie hatten das mit dem Glück besser hinbekommen.

Die Maschine nach Leipzig/Halle war nicht einmal zur Hälfte voll. Das dezente Sächsisch der Stewardess ließ mich schmunzeln. Ich bestellte eine *Gola*. Sie fand das nicht besonders komisch.

Beim Sinkflug hielten meine Eltern Händchen.

*

Das Taxi, das wir am Vormittag vom Flughafen zur Leipziger Innenstadt nahmen, roch nach Reinigungsmitteln und Leder. Der Fahrer steuerte seinen Mercedes mit gelassenen Gesten über die Autobahn, etwas schneller als erlaubt und viel schneller, als es im Delhi-Verkehr möglich gewesen wäre. Ich fragte mich, ob immer so wenige Autos unterwegs waren. Es kam mir unnatürlich vor. Ich saß hinten neben meinem Vater, vor ihm meine Mutter auf dem Beifahrersitz. Sie sahen aus dem Fenster, sahen ein Land, dessen Boden sie so lange nicht mehr betreten hatten. Ich fragte sie, wie es sei, nach so vielen Jahren zurückzukommen, und meine Mutter zuckte mit den Schultern und meinte, es sei kalt. Sie sagte das leise, sodass ich nicht nachhaken wollte. Ihre zache Ausstrahlung hatte sie in Delhi zurückgelassen.

Als wir die Innenstadt erreichten und am Hauptbahnhof vorbeifuhren, ließen meine Mutter und mein Vater gleichzeitig ihre Fenster herunter. Ich lehnte mich auf die Seite meines Vaters. Hinter der nächsten Kurve tauchte der Fürstenhof auf.

Im Internet hatte ich Bilder von ihm gesehen, ihn mir aber kleiner vorgestellt. Vielleicht, weil ich gelesen hatte, dass er ursprünglich nur für eine Familie, die Löhrs, gebaut worden war. Mit 92 Zimmern war er für ein Hotel auch nicht besonders groß, behauptete sich jedoch gegen seine Nachbarn. Zu seiner Linken ein zerfallenes Gebäude, das zur Hälfte von einem Werbeplakat (halb nackte Frau in Bett) für ein zukünftiges Hotel verdeckt wurde, zu seiner Rechten eine Kirche, deren dunkler Sandstein den Fürstenhof mit seinem pastellweißen Anstrich jungfräulich wirken ließ. In den Neunzigern war er von Grund auf rekonstruiert worden. Den Anstrich der Wände hatte man von Hand abgetragen, um ursprüngliche Tapetenmuster darunter freizulegen, das alte Holz der Decken durch Stahlbeton ersetzt, doppelverglaste Fenster installiert, Innenhof und Treppenhaus in ihrem Originalzustand wiederhergestellt.

Wir hielten vor dem Eingang neben einem sonnengelben Ferrari, und der Portier öffnete erst meiner Mutter, dann meinem Vater die Tür. Ich stieg auf der anderen Seite aus. Uns wurde das Gepäck abgenommen und die Eingangstür aufgehalten. Ich beobachtete meinen Vater. Er bewegte sich ungewöhnlich langsam, als würde er jedem Moment eine Sekunde länger als sonst schenken. Meine Mutter schritt voraus zur Rezeption, sie hatte es eilig, sich zurückzuziehen. In der Lobby begrüßten uns die Angestellten. Auf einem runden Tisch eine Vase mit Stielrosen. Daneben eine Sitzecke. Weiter hinten ein Computer für die Gäste vor einer Standuhr, in deren Zifferblatt *Tempus fugit* eingraviert war. Links ging es ins Restaurant, geradeaus in die Bar, vor deren Eingang ein Wägelchen mit Obstbränden parkte. Rechts befand sich die Rezeption, von der aus man direkt die Treppe nach oben nehmen oder einem Gang zu den Aufzügen und dem Serpentinsaal folgen konnte. Barock, Klassik, Jugendstil – zig Epochen fanden sich in den Säulen, Sesselbezügen und Kronleuchtern wieder.

Und?, fragte ich meinen Vater, der alles in Ruhe auf sich wirken ließ.

Na ja, sagte er, gewagte Kombination. Und die Stielrosen! Purer Kitsch.

Das meinte ich nicht. Wie fühlst du dich?

Wegen meiner Mutter?

Ich nickte.

Emma, sagte er und räusperte sich, nicht jetzt.

Sein Gesichtsausdruck erinnerte mich ans ›Magic Kingdom‹, als ich meine Schattenblindheit festgestellt hatte.

Tut mir leid, sagte ich. Wann sehen wir Tante Ava?

Beim Abendessen, antwortete meine Mutter, die uns schon angemeldet hatte. Sie lehnte ab, dass man uns zum Zimmer begleitete. Im Aufzug vervielfachten uns gegenüberliegende Spiegel. In jeder Ausgabe von uns sahen meine Eltern müde aus. Beide fixierten die Etagenanzeige. Mein Vater blies verächtlich Luft durch die Nase: Stielrosen!

Wir bezogen unsere Suite, zwei durch eine Art Wohnbereich miteinander verbundene Doppelzimmer. Die Räume waren schlicht, sauber und, wie in jedem guten Hotel, so anonym, dass man sich als Gast in ihnen aufhalten und ausbreiten konnte, ohne daran erinnert zu werden, wie viele Menschen das schon vor einem dort getan hatten. Auf dem Schreibtisch lag ein Handzettel über die Ausstattung und Geschichte des Fürstenhofs, in dem mein Urgroßvater, obwohl er das Hotel am weitaus längsten besessen und geführt hatte, nirgends erwähnt wurde.

Mein Vater legte sich schlafen, meine Mutter schlug ein Buch auf. Ich sah im Wohnbereich aus dem Fenster. Da draußen war Deutschland, das mir, obwohl ich es gar nicht kannte, so bekannt vorkam. Auf dem Tröndlinring fuhren kaum Autos, und alle hielten sich an die Verkehrsregeln. Zwei Straßenbahnen passierten einander, die modernere glitt nahezu geräuschlos dahin, die andere polterte laut und sah aus, als wäre sie einem Agententhriller aus der Sowjetunion entsprungen. Wenige Menschen waren unterwegs. War das ganze Land so leer?

Ich schloss die Vorhänge.

Meine Mutter lag auf dem Sofa und kapselte sich beim Lesen von der Welt ab. Sie hatte sich einen besonders umfangreichen Roman mitgenommen, ›Infinite Jest‹, damit er sie, selbst bei hohem Lesetempo, die ganze Zeit über verlässlich begleiten würde. Bestimmt zählte sie die Stunden bis zu unserer Abreise. Ihre freie Hand hielt sie, wie so oft beim Lesen, steif in der Luft, in einer Art Bereitschaftsposition, um jederzeit umblättern zu können. Es sah aus, als würde sie darauf warten, dass jemand ihre Hand nahm und hielt. Ich bin mir sicher, dass sie sich stumm vorlas, die Geräusche Leipzigs in den Hintergrund drängte, was sie, zumindest für eine Weile, vergessen ließ, dass sie in Deutschland war.

Leipzig.doc

Ich setzte mich zu ihr und schaltete den Fernseher ein. (Nichts und niemand konnte sie beim Lesen ablenken.) Es liefen kaum Sendungen zum 25. Jubiläum der Wiedervereinigung. Das Programm schien mir wie aus einer anderen Zeit. Ihm haftete etwas Antiquiertes an, als gäbe man sich Mühe, den Zuschauer nicht zu überfordern. Informationen wurden so langsam vermittelt, dass ich zwischen drei Sendungen hin- und herschalten konnte, ohne dass mir etwas Wesentliches entging. Vor allem wurde viel gekocht und gemordet. Was sagte das über dieses Land aus?

Ich stellte mir meinen Schatten auf dem Fleur-de-lys-Muster des Teppichs vor.

Wie sieht er aus?, fragte ich.

Meine Mutter sah auf.

Wer?

Ich deutete neben mich, dorthin, wo ich meinen Schatten vermutete.

Wie … ein Schatten?, sagte sie.

Ich verdrehte die Augen.

Sie klappte ihr Buch zu, legte ihre Hand darauf und fixierte die Stelle neben mir.

Ein Ei.

Nicht sehr imaginativ.

Ein Ur-Schwein!

Ich lachte.

Was bitte ist ein Ur-Schwein?

Eine seltene Delikatesse.

Sie sah mich mit einem dieser liebevollen Blicke an, die nur Mütter beherrschen.

*

Später machten mein Vater und ich einen Spaziergang. Meine Mutter wollte lieber drinnen bleiben. Wir verließen den Fürstenhof, überquerten den Tröndlinring, liefen durch ein Einkaufszentrum, vorbei am Museum für moderne Kunst, bis zum Marktplatz. Endlich trafen wir auf mehr Menschen. Punks tranken Bier aus Flaschen ohne Etikett und beeindruckten Passanten mit Kunststücken, die sie ihrer Promenadenmischung beigebracht hatten. Ein Bratwurstverkäufer trug seinen Stand vor die Brust gespannt mit sich herum, sodass der Dampf ihm direkt ins Gesicht wehte. Eine Rentnerin mit Buckel und zerzaustem Haar entnahm ihrem Portemonnaie Kleingeld und reichte es einem der Punks. Auf Einkaufstüten und in Schaufenstern und an Fahnenmasten sah ich so oft die deutsche Flagge, wie ich sie in meinem ganzen Leben noch nicht gesehen hatte. Zwei Teenager in knallengen Jeans schossen Fotos mit Kameras, deren Objektive dicker waren als ihre Arme. Ein stark geschminkter Goth, dessen Geschlecht ich nicht mit Sicherheit bestimmen konnte, las seiner/ihrer Tochter aus einem Stadtführer etwas vor. Auf eine Pforte hatte jemand in Rot gesprayt: *Du bist Schland!!!!!*

Mein Vater sagte: Und hier sollen einmal Montagsdemonstrationen stattgefunden haben.

*

Nach unserem Spaziergang suchten wir, erneut ohne meine Mutter, den Spa-Bereich im Fürstenhof auf. Dort schwamm ich auf der Stelle. Der Pool war nicht groß genug, um Bahnen zu ziehen, man konnte nur gegen den Strom eines Unterwassergebläses anschwimmen. Hier im Keller, wo früher Wein gelagert worden war, fanden sich nun Plastikpalmen, weiße Mauern, Terrakottavasen, feuchte, warme Luft im mediterranen Stil. Jedes Detail wirkte aufdringlich künstlich, wenn sich auch gleichzeitig ein stimmiges Gesamtbild ergab. Mein Vater strahlte selbst in einer Badehose etwas Repräsentatives aus. Pedikürte Fußnägel, für einen Fünfundsiebzigjährigen praktisch kein Bauch, glatt rasierte Brust, ernsthafte Miene. Sogar halb nackt hätte er den reibungslosen Verlauf einer Konferenz oder eines Vip-Empfangs gemeistert. Aber seit wir gelandet waren, schien er mir etwas kleiner als sonst. Er saß am Rand des Pools, die Füße und sein Schatten im Wasser. Unter mir schwamm nichts.

Wird sie die ganze Zeit auf dem Zimmer verbringen?, fragte ich.

Sie war lange nicht mehr hier, sagte er.

Ein Grund mehr, sich umzusehen, oder?

Sie sorgt sich.

Warum?

Sie hat Angst um dich.

Das ist Deutschland, sagte ich. Was soll schon passieren?

Du könntest bleiben wollen.

Ich verdrehte die Augen, sagte: Manchmal denke ich, sie hat hier was Schlimmes erlebt. Sonst wäre sie doch wenigstens ab und zu nach Deutschland gekommen.

Stumm ließ mein Vater seine Beine im Wasser kreisen.

Und wie geht es dir?, fragte ich.

Ist seltsam, hier zu sein, ohne dass Lola hier ist. Für mich waren sie und der Fürstenhof immer untrennbar miteinander verbunden.

Vermisst du sie?

Er dachte kurz darüber nach und sagte dann: Darüber denke ich nicht nach.

Da fiel mir auf, dass er zwar selten von ihr sprach, aber immer mit Ehrfurcht. Auch wenn er sagte, dass er, weil er damals zu klein gewesen sei, sich kaum daran erinnern könne, wie Lola gegen Ende des Zweiten Weltkriegs mit ihm und Tante Ava quer durch Deutschland habe flüchten müssen, erst vor den Bombardements der Amerikaner, dann vor den Russen – mein Eindruck ist, dass seine wesentlichste Erinnerung daran doch nie verloren gegangen war: die Ehrfurcht vor ihr.

*

Am Abend des 2. Oktober trafen wir uns zum familiären Leichenschmaus im Serpentinsaal. Seinen Namen hatte er vom Serpentingestein, mit dem die Wände verkleidet waren. Das glänzende Schwarz kontrastierte mit Tapeten und schweren Vorhängen in Blutrot; dazu Kronleuchter, ein zentraler Kamin und brennende Kandelaber. Der ideale Ort für ein Vampirbankett. Der Hoteldirektor hatte uns kurz begrüßt und mit einer Anekdote unterhalten, die er wahrscheinlich regelmäßig zum Besten gab: Früher hätten Trinkbecher aus Serpentin an Fürstenhöfen mehr als nur einen ästhetischen Zweck erfüllt. Da der poröse Stein sich verfärbe, wenn er mit bestimmten Giftstoffen in Berührung komme, hätten Fürsten ihren Wein in solchen Bechern eine ganze Weile lang atmen lassen, ehe sie ihn getrunken hätten. Ich beobachtete meinen Vater, wie er der Anekdote lauschte. Er nickte aufmerksam und ließ sich nichts anmerken. Aber ich kann mir nicht vorstellen, dass er innerlich so ruhig war, wie er wirkte. Wenn er sich in der Vergangenheit anders entschieden hätte, wäre er dieser Direktor gewesen. Das muss ihm durch den Kopf gegangen sein.

Wir saßen an einem gedeckten Tisch für fünf Personen. Am Kopfende mein Vater, im tiefblauen Zweireiher vom britischen Schneider Ede & Ravenscroft, der auch das Königshaus beliefert. Zu seiner Rechten meine Mutter, in einem schlichten schwarzen Kleid und mit offenem Haar. Zu seiner Linken Tante Ava. Sie war keine weibliche Version meines Vaters, hatte mehr von einem Bruder als von einer Schwester. Ihr Gesicht war aufgequollen, ihr dunkelgraues Haar militärisch kurz, und es glänzte wie Fell. Brust und Bauch bildeten bei ihr eine Einheit. Es hätte mich nicht überrascht zu erfahren, dass sie ihr T-Shirt mit dem Glitzerdelfin und die schlabbrigen Pyjamahosen auch beim Schlafen trug. Alexander neben ihr hatte starke Geheimratsecken, sein Haar schlängelte sich auf seine Stirn zu wie bei einer römischen Statue. Wässrige Augen. Er war unrasiert, trug Jeans und einen Kapuzenpulli mit der Aufschrift *Welcome To The Next Level*.

Ich saß ihm gegenüber und trug ein weißes Kurta mit Silberkragen.

Die von den Kandelabern geworfenen Schatten hinter den anderen hatten etwas Satirisches. Sie ließen die Schatten meiner Familie riesig, bedrohlich, fantastisch wirken.

Ein gut aussehender Kellner schenkte allen bis auf Alexander, der Mineralwasser bekam, hauseigenen Sekt ein. Mein Vater hob sein Glas, allerdings nicht sehr hoch.

Wir stießen an. Meine Mutter trank ihren Sekt in einem Zug leer, und Tante Ava hielt mit. Mein Vater nippte nur. Der erste Gang wurde serviert: Seeigel.

Mein Vater strich mit dem Daumen über das ovale Symbol des Fürstenhofs auf seinem Teller: eine Pferdekutsche.

Ich habe eine Anfrage vom MDR abgelehnt, sagte er. Ein Porträt im Rahmen der Deutschlandfeierlichkeiten über das Hotel …

Den Fürstenhof?, unterbrach ihn Tante Ava.

Über das *Hotel*, fuhr er fort, und darüber, wie es mit unserer Familie zusammenhing.

Schade, wäre ein hübscher Horrorstreifen geworden, sagte Tante Ava und pulte mit den Fingern das weiße Fleisch aus dem Seeigel. Was steht morgen eigentlich offiziell an? Wird Merkel eine herzergreifende Rede an die Nation richten? Gibt's Feuerwerk?

Meine Mutter löste gekonnt das Seeigelfleisch mit ihrem Besteck: Man besäuft sich, sagte sie, und ist stolz auf etwas, zu dem man nichts beigetragen hat.

Margot, sagte mein Vater, und meine Mutter hob beschwichtigend die Hände.

Ihr habt dazu beigetragen, sagte Alexander zu meinen Eltern, ihr seid aus Ost und West.

Stimmt, sagte meine Mutter. Emma ist ein Kind Deutschlands. Auch wenn sie erfreulicherweise nicht viel mit dem Land zu tun hat.

Was weißt du schon von Deutschland, sagte Tante Ava zu meiner Mutter, du lebst doch schon ewig nicht mehr hier.

Ich weiß genug, sagte meine Mutter. Ich lese viel.

Über Deutschland?

Meine Mutter schwieg.

Tante Ava schleckte ihre Finger ab und widmete sich mir: Willst du nicht auch mal hier leben, in deinem prächtigen Vaterland?

Alle sahen zu mir.

Nein, sagte ich, nein, das will ich nicht.

Warum nicht?, sagte Alexander, der seinen Seeigel nicht angerührt hatte. Du könntest hier sehr gut leben. Besser als an den meisten Orten.

Vielleicht ist genau das mein Problem. Den Leuten hier geht es zu gut, das macht sie so selbstzufrieden.

Wie bist du denn zu dem Urteil gekommen?, fragte Tante Ava.

Internet, sagte ich, außerdem spürt man das doch ziemlich deutlich, selbst wenn man noch nie hier gelebt hat.

Und sogar dann, wenn man nur in Fünf-Sterne-Luxusschuppen gelebt hat, sagte sie, das hat dich bestimmt zu einem sehr reflektierenden Menschen gemacht. All das Elend der High Society.

Ich behaupte nicht, dass ich kein gutes Leben hatte. Ich bin in

Leipzig.doc

einer Oberklassen-Blase groß geworden, ja. Aber das waren nur Hotels, keine Länder. Wenn ich das Hotel verlasse, bekomme ich ein anderes Bild. Wenn ich hier leben würde, wäre ganz Deutschland die Blase, die ich verlassen müsste, um sie zu sehen.

In Deutschland gibt es also keine Probleme?

Ganz im Gegenteil: Es gibt Probleme, sogar viele. Aber die meisten Leute wollen sie nicht sehen.

Wir haben eine total gesunde Diskussionskultur, sagte Alexander.

Die Deutschen, sagte meine Mutter, nutzen jede Gelegenheit, sich für was Besseres zu halten. Ukrainekonflikt. Griechenlandaffäre. Flüchtlingsdebatte.

Tante Ava schnaubte: *Die* Deutschen gibt es doch gar nicht. So wenig wie *die* Russen oder *die* Brasilianer.

Viele Deutsche, sagte mein Vater.

Die meisten Deutschen, sagte meine Mutter.

Manche Deutsche?, sagte Tante Ava.

Zu viele Deutsche, sagte ich, sind blind für die eigentlichen Probleme. Ich will hier kein Mensch mit dunkler Hautfarbe auf Arbeitssuche sein. Auf mehr als so eine Art positiven Rassismus kann man nicht hoffen – *oh, du sprichst aber gut deutsch!*

Und wenn das so sein sollte, sagte Tante Ava, woran liegt das dann? Wenn ich dich noch mal um deine Weisheit bitten darf?

Deutschland ist ein Ort der Vergangenheit, schaltete sich meine Mutter ein.

Deutschland ist doch sehr progressiv, sagte Alexander. In der Technologie. Im Umweltschutz. In Sozialem.

Im Bauen von Mautstellen, Flughäfen, Opern und mit Atomwaffen bestückten U-Booten, sagte mein Vater.

Es ist ein sehr demokratisches, liberales Land, sagte Alexander.

Wenn man ein weißer, christlicher Mann mit Geld ist, sagte mein Vater.

Leipzig.doc

Sehr populär, Deutschland zu verspotten, sagte Alexander, aber die Wahrheit lautet, hier entstanden die Aufklärung, der Buchdruck, die Reformation.

Und zwei Weltkriege, sagte mein Vater.

Dann meine Mutter: Es geht auch nicht allein darum, was für eine Politik das Land betreibt. Mag ja sein, dass es besser ist als früher. Was heißt das schon. Nach dieser Vergangenheit. Aber die richtigen Probleme liegen doch viel tiefer. Es dauert unnatürlich lange, bis sich hier was ändert, wirklich ändert. Die Menschen sind Burgenbauer. Hinter Pegida steht zwar keine Mehrheit, aber trotzdem ist diese Bewegung ein Symptom für ein viel größeres Problem: Man beschäftigt sich andauernd mit dem, was war, anstatt mit dem, was kommen wird. Man fühlt sich wohler damit, sich für die Vergehen von früher zu geißeln, als sich den Herausforderungen der Zukunft zu stellen.

Tante Ava, die ihr Sektglas gerade in die Hand genommen hatte, setzte es wieder ab. Genau, sagte sie, vergessen wir einfach alles. Holocaust, Stasi, Kolonien. Schaffen wir die Auseinandersetzung mit unserer Vergangenheit ab. Dann passen wir auch viel besser zu den anderen EU-Staaten!

Ich rede nicht von Vergessen oder Abschaffen, sagte meine Mutter. Natürlich muss immer an früher erinnert werden, besonders an die schlimmen Dinge. Aber man sollte mehr versuchen, nach vorne zu Blicken.

Man kann nicht gleichzeitig nach vorne und nach hinten gucken, sagte Tante Ava.

Deshalb muss man ja immer versuchen, beides abwechselnd zu tun, sagte meine Mutter.

Der Kellner schenkte den Frauen nach.

Ihr habt einander wirklich verdient, sagte Tante Ava, meine Eltern musternd. Kurt war nie an früher interessiert. Ließ alles und jeden hinter sich. Preschte immer bloß nach vorn.

Das ist nicht wahr, sagte mein Vater.

Ein klasse Konzept, sprach Tante Ava unbeirrt weiter. Je mehr er sich von der Vergangenheit entfernte, desto sicherer fühlte er sich. Aber wer, frage ich mich, kann wirklich vergessen? Man kann doch bloß versuchen, sich nicht zu erinnern.

Wie tiefgründig, sagte mein Vater.

Bei ihren nächsten Worten sah Tante Ava erst meinen Vater, dann meine Mutter, dann mich an: Und wer ist man, und zu wem wird man, wenn man sich nicht einmal an die eigene Geschichte erinnert?

Ich erinnere mich nur zu gut, sagte mein Vater.

In fast zwanzig Jahren hast du es nicht einmal geschafft, nach Leipzig zu kommen, sagte Tante Ava.

Er sagte: Es gab viele Verpflichtungen.

Jaja, sagte sie, jetzt, da wir einmal alle zusammen sind, kannst du ruhig mit der Wahrheit rausrücken.

Ich konnte sehen, dass mein Vater Mühe hatte, ihrem Blick standzuhalten. Seinen Seeigel hatte er nur zur Hälfte gegessen.

Nein?, fragte Tante Ava in die Stille, soll ich's für dich übernehmen?

Tu, was du nicht lassen kannst, Ava, sprach er in sein Sektglas, als er wieder daran nippte.

Darauf Tante Ava: Jahrelang dachte ich, du kämst nicht wegen Mutti. Weil du ihr nicht verzeihen konntest. Aber inzwischen ist mir ein Licht aufgegangen: Es ist der Fürstenhof.

Absurd, sagte mein Vater.

Tante Ava sprach unbeirrt weiter: Vor ihm hast du Angst. Darum warst du nie hier. Und darum nennst du ihn auch nur das *Hotel*. Damit du so tun kannst, als wäre er nicht der Ort, vor dem du dich fürchtest.

Der Fürstenhof, sagte mein Vater nun, und das Blau seiner Augen leuchtete auf, *unser* Fürstenhof existiert nicht mehr. Das hier ist ein entzückendes, gut geführtes Hotel, ja. Aber es ist bloß ein Hotel, das sich mit seinem Namen schmückt.

Tante Ava tunkte ein Stück Weißbrot in ihre Buttersauce.

Lola, sagte sie, hätte sich trotzdem über einen Besuch ihres Sohnes gefreut.

Wir, sagte er, wissen doch gar nicht, was sie erfreut hätte und was nicht.

Oh doch. Warum denkst du, habe ich einen Weihnachtsbaum in ihr Zimmer gestellt? Ich weiß, was sie glücklich gemacht hat. Woher? Weil ich Zeit mit ihr verbracht habe. Weil ich bei ihr gesessen habe, jeden Tag. Ihr zugehört habe. Zwar hab ich kaum was verstehen können. Aber dann und wann kam schon mal ein Wort klar heraus. *Mama* und *Maria* und *Herr Salz*. Und mehr als einmal hat sie eindeutig vom *Weihnachtsfest* gesprochen. *Weihnachten*. Das lag ihr ja schon früher immer sehr am Herzen.

Genau das meine ich, sagte meine Mutter, diese ständige Huldigung der Vergangenheit. Das kann nicht gesund sein.

Du tust so, als wüssten wir so viel darüber, warum die Dinge so sind, wie sie sind.

Das glaube ich allerdings, sagte meine Mutter und leerte ihr nächstes Sektglas.

Margot, sagte Tante Ava, wir denken, wir verstehen etwas und immer mehr. Aber eigentlich haben wir nichts verstanden. Wir glauben, Zusammenhänge zu erkennen, uns zu entwickeln, besser zu sein als jemals zuvor – und tappen damit in die gefährlichste aller Fallen: Wir verwechseln Glauben mit Wissen. Wir haben vergessen, dass wir einmal wussten, dass wir nichts wissen.

Das Seufzen meiner Mutter konnte nicht verbergen, dass sie darauf keine Antwort parat hatte. Auch mein Vater nicht. Er winkte den Kellnern, die unsere Teller abräumten.

Aber hey, sagte Tante Ava, schnippte beidhändig und tanzte mit ihrem Oberkörper, kein Grund für bedröppelte Mienen! Groß-Deutschland wird fünfundzwanzig!

*

Es war, als imitierten wir alle auf unsere Weise Lolas Bewerbungsgespräch für den Tod. Wir redeten viel und sagten wenig, über den ganzen Abend hinweg.

Nach dem letzten Glas Birnenbrand traten Tante Ava und Alexander den Heimweg an. Dann brachten wir meine Mutter aufs Zimmer, die sich mehr Sekt und Wein als sonst gegönnt hatte. Ihre Augen waren halb geöffnet, ein Schmunzeln umspielte ihre Lippen. Sie war eine jener Personen, die ein Schwips noch liebenswerter machte. Ich war mir sicher, dass sie sich am nächsten Morgen nicht würde erinnern können, wie mein Vater sie ausgezogen und zugedeckt und auf die Stirn geküsst hatte.

Als ich dann im Bett lag, leuchtete mein Telefon auf. Ich beugte mich in der Dunkelheit darüber und sah eine Nachricht von Alexander:

– *Bist Du wach?*

Ich tippte: – *schlaflos in leipzig*

– *Ich auch. Schon mal Zopiclon probiert?*

– *sind das schlaftabletten*

– *Die helfen immer. Aber Ava meint, ich soll mich nicht daran gewöhnen.*

– *warum sagst du ava zu ihr*

– *Sie möchte nicht, dass ich sie ›Mama‹ oder ›Mutter‹ nenne. Am wenigsten kann sie ›Mutti‹ leiden. Sie sagt, das habe sie nicht verdient.*

– *man muss immer auf die mami hören*

– *Norbert würde Dir da widersprechen.*

– dein freund

– Mein Therapeut.

– sorry

– Schon in Ordnung. Darf ich Dich was fragen?

– raus damit

– Hattest Du schon einmal das Gefühl, dass Du mehr als ein Mensch bist?

– nicht wirklich

– Die meiste Zeit geht es mir gut. Ich arbeite im Videoladen. Ich spiele Final Fantasy. Ich gehe mit Mama ins ›China White‹. Das ist unser Lieblingsrestaurant. Aber dann gibt es Tage, an denen komm ich mir vor wie eine andere Person. Das hat nichts mit Schizophrenie zu tun. Manchmal fühle ich mich einfach nicht wie ich. Es ist wie so eine Art traurige Wut, gegen die ich nichts tun kann. Sie kommt ganz plötzlich. Seit Lolas Tod ist sie stark. Sie lässt mich denken, jetzt werde ich Ava verlieren. Ich weiß, das stimmt nicht. Aber das Gefühl ist stärker.

– du wirst sie nicht verlieren

– Danke. Du verstehst mich.

– na ja

– Ich weiß auch warum.

– soso

– Weil mit Dir auch etwas nicht stimmt.

– wie bitte

– Dein Schatten.

– ach das

– Schlimm.

– nicht sooo schlimm

– Finde ich schon. Hast Du nie das Gefühl, dass Dir etwas fehlt?

– es gibt doch so viele dinge die wir nicht sehen können und von denen wir trotzdem wissen dass sie da sind

Leipzig.doc

– Du bist klug.

– schmarrn

– Ich wäre auch gern so klug. Müsst Ihr morgen wirklich schon wieder abreisen?

– leider

– Bleibt doch länger.

– das geht nicht

– Warum nicht?

– verpflichtungen

– Könnt Ihr nicht noch ein paar Tage dranhängen?

– ich glaube ich mach dann mal aus

– Warte.

– ja

– Ich muss Dir noch etwas sagen.

– ?

– Ich hätte es schon früher erwähnen sollen.

– machs nicht so spannend

– Ich will keinen Ärger machen. Ich finde nur, Du solltest das wissen.

– sag schon

– Früher habe ich lange mit Lola gelebt.

– und

– Sie hatte viele Ideen, wie die Welt funktioniert. Sie hat mir diese Hörspiele von ›The Shadow‹ geschenkt, nach denen ich ganz verrückt war. Inzwischen finde ich sie etwas angestaubt.

– ich möchte jetzt echt gern schlafen

– Das ist noch nicht alles. Sie hat oft von Schatten geredet.

– schatten

– Ja.

– was genau

– Ich wusste, dass Dich das interessiert.

– was hat sie gesagt alex

– Dass es Menschen ohne Schatten gibt. Und dass man sich vor denen in Acht nehmen muss.

– und weiter

– Nichts weiter. Mehr hat sie mir nicht erzählt, und ich habe mich ehrlich gesagt nie getraut, sie zu fragen.

–

– Emma?

–

– Bist du noch da?

–

– Mein Gefühl ist heute wieder sehr stark, Emma.

*

Ich schob mein Telefon weg und wollte nicht mehr im Bett liegen. Als ich aufgestanden war, wollte ich nicht mehr in dem Zimmer sein. Als ich den Hotelflur betrat, wollte ich freien Himmel über mir spüren. Und als ich den Fürstenhof verließ, fühlte ich mich besser.

Ein Fuchs trabte über den Tröndlinring. Er musste sich nicht beeilen; es war mitten in der Nacht, nicht einmal Taxis fuhren. Der Fuchs näherte sich einem Mülleimer, schnüffelte daran, lief weiter, nach links und rechts schauend, als würde er der Straßenruhe nicht trauen, und zwängte sich durch einen Spalt im verrammelten Eingang des Gebäudes neben dem Fürstenhof.

Ich überlegte, ob die Neuigkeiten Grund genug waren, um meinen Vater aus dem Schlaf zu reißen und ihn zu fragen, ob er mir etwas über Lola verheimlicht hatte.

Ich entschied: ja.

Aber vorher musste ich Lola selbst konfrontieren.

*

An der Rezeption lagen Postkarten aus, zum 125. Jubiläum des Fürstenhofs 2014, auf denen er als Photoshop-Hybrid aus Alt- und Neubau abgebildet war. Die Kargheit der blattlosen Bäume am Bildrand erinnerte an das Porträt eines Geisterhotels. Ich musste an ›Shining‹ denken, eines der ersten Bücher, die ich ohne meine Mutter gelesen hatte.

Der Nachtportier sah aus wie ein Knappe, der zu viele Erdbeeren genascht hatte: ein junger Mann mit Pagenschnitt und stark durchbluteten Lippen.

Kann ich Ihnen helfen?

Hoffentlich! Ich bin Emma Salz.

Sein Nicken deutete an, dass er das bereits wusste.

Können Sie mir sagen, auf welchem Zimmer meine Oma lag?

Selbstverständlich.

Haben Sie dafür auch einen Schlüssel?

Natürlich. Aber Frau Salz ist ja … sie ist … nicht mehr unser Gast.

Sehen Sie, sagte ich, genau darum würde es mir extrem viel bedeuten, ihr letztes Zuhause noch einmal aufzusuchen. Sie verstehen?

*

Ich öffnete die Tür mit dem Schlüssel, den mir der Nachtportier überlassen hatte. Lolas Zimmer war nicht dunkel. Eine Stehlampe brannte.

Ich horchte.

Kein Laut.

Jemand musste vergessen haben, sie auszuschalten.

Der Teppichboden hier war dicker, meine Füße versanken darin. Orangen-Zimt-Duft mischte sich mit stechendem, medizinischem Geruch. Als ich die Tür hinter mir schloss, entstand ein

Luftzug. Die Zweige eines Weihnachtsbaums in der Mitte des Zimmers winkten mir. Er war aus Plastik. An ihm hingen bunte Sterne, Glaskugeln, Holzengelchen und Lametta. Eine goldene Decke war um seinen Ständer gelegt.

Vorsichtig näherte ich mich dem Bett. Als müsste ich darauf achten, wohin ich trat. Die Matratze hatte man abgezogen. War sie neu, oder hatte bis vor kurzem eine uralte Frau auf ihr geruht? Ich berührte sie, ertastete die Oberfläche. Sie kam mir warm vor.

Ich legte mich hin, genau in die Mitte. Sah zur Decke. Schloss die Augen.

Fünfundzwanzig Jahre hier, an dieser Stelle. Mein ganzes Leben lang.

Ich bin Emma, sagte ich, deine Enkelin.

Der Raum schluckte meine Worte.

Ich kann meinen Schatten nicht sehen, sagte ich. Konntest du deinen sehen?

So blieb ich eine Weile liegen. Atmete Luft, die bis vor Kurzem noch meine Großmutter geatmet hatte.

Ehe ich das Zimmer verließ, knipste ich die Stehlampe aus.

*

Der Aufzug kam nicht. Also lief ich nach unten. Zwischen drittem und zweitem Stock traf ich auf meinen Vater. Er kauerte vor einem der stillgelegten Kamine.

Als er mich bemerkte, stand er auf, glättete Hosen- wie Stirnfalten und deutete auf den Kamin.

Früher, sagte er, als würde das alles erklären, wurde damit das Treppenhaus beheizt.

Was ist passiert?, fragte ich.

Nichts, sagte er, das ist es ja gerade. Nichts ist passiert.

Deine Mutter ist gestorben, sagte ich – was härter klang als beabsichtigt.

Sie war schon lange tot, sagte er.

Kann es sein, sagte ich, diesmal vorsichtiger, dass du sie doch ein bisschen vermisst?

Wie soll ich sie denn vermissen? Ich kann mich kaum an sie erinnern.

Ich dachte, du kanntest sie ganz gut.

Das meine ich nicht. Ja, ich habe nicht wenig Zeit mit ihr verbracht. Aber wenn ich an sie denke, fällt es mir schwer, mich an irgendetwas von ihr zu erinnern. Ihren Geruch. Ihre Stimme. Ihr Gesicht, wenn sie mich angesehen hat. Es ist alles verschwommen. Nichts Greifbares.

Warst du darum in ihrem Zimmer?, fragte ich. Um dich an sie zu erinnern?

Er sah mich ertappt an. Du bist mir gefolgt?

Ich nickte, um nicht erklären zu müssen.

Vielleicht hast du recht, Emma, vielleicht wollte ich mich an sie erinnern. Und vielleicht bin ich froh, dass das nicht geklappt hat. Und vielleicht bin ich traurig, dass ich deswegen froh bin. Ergibt das irgendeinen Sinn?

Es war nicht der geeignete Zeitpunkt, ihn zu fragen, ob er mir etwas über Lola verheimlicht hatte. Vielmehr der geeignete Zeitpunkt, ihn zu umarmen.

Dabei fiel mein Blick aus dem Fenster: Neben einem Fahnenmast mit einer schlaff hängenden Deutschlandflagge sprachen meine Mutter und Tante Ava miteinander.

*

Alexander hatte Schlaftabletten genommen. Zu viele.

Der Krankenwagen hatte Tante Ava nicht mitnehmen wollen.

Das teilte sie uns auffallend gefasst mit. Ich fragte mich sofort, ob ich zuvor mehr zwischen seinen Zeilen hätte lesen sollen. Ich fühlte mich schuldig, aber auch wieder nicht so schuldig. Sonst wäre es meinen Eltern schwerer gefallen, mir auszureden, dass ich mit ins Krankenhaus kam.

Während mein Vater seine Schwester dorthin begleitete, zogen meine Mutter und ich uns in die Suite zurück.

Dann hoffen wir mal, sagte sie, als wir auf dem Sofa Platz nahmen. Soll ich dir etwas vorlesen?

Ich wünschte es mir. Aber sie sah so erschöpft aus. Also lehnte ich ab.

Keine zwei Minuten später kippte ihr Kopf zur Seite, und ich stützte ihn mit einem Kissen.

Ich versuchte, mich zu entspannen, ich wollte auch schlafen. Aber es ging nicht. Dafür war ich schon zu müde. Außerdem war ihr tiefes, gleichmäßiges Atmen zu laut in diesem sonst zu leisen Zimmer. Ich öffnete die Augen. Ich schloss die Augen. Ich öffnete die Augen. Schon war die Morgendämmerung da. Noch eine Stunde saß ich schlaflos dort und dachte an Lola, den Weihnachtsbaum, die Matratze, Schatten und Alexander. Dann stand ich auf.

*

Ich war die erste unserer Familie beim Frühstück. Man hatte uns einen Tisch im Wintergarten nahe der Bar zugewiesen, da alle anderen im Speisesaal besetzt waren. Wegen der anstehenden Deutschlandfeier war der Fürstenhof vollkommen ausgebucht. Neben mir ein frisch polierter Flügel, über mir ein zeltartiges Glasdach, mit blauen und gelben Versatzstücken. Der Teppichboden war viel zu rot für diese Tageszeit. Ich saß mit Blickrichtung zur Bar. Meine Tante platzierte zwei überladene Teller mit Waffeln, Lachs und Rühreiern auf dem weißen Tischtuch, ehe sie sich mir gegenüber hinsetzte. Noch immer trug sie das T-Shirt mit dem Glitzerdelfin.

Und?, fragte ich.

Wird überleben, sagte sie und stürzte sich auf das Frühstück.

Haben sie ihm den Magen ausgepumpt?

War nicht nötig, sagte sie und schob sich eine halbe Waffel in den Mund.

Warum nicht?

Er hatte gar nichts geschluckt.

Wie meinst du das?

War bloß Show, sagte sie. Aufmerksamkeitsdefizit.

Oh, sagte ich.

Ja, sagte sie, oh.

Meine Eggs Benedict wurden serviert. Wir aßen stumm.

Ich wollte dich noch etwas fragen, sagte ich.

Tante Ava wütete auf ihren Tellern.

War Lola schattenblind?

Sie hörte einen Moment auf zu kauen.

So wie du?, fragte sie. Nein. Aber deine Großmutter hat mir früher immer eine Geschichte erzählt. Von Männern ohne Schatten.

Ich verfehlte beim Schneiden meine Eggs Benedict und stieß ein leeres Glas um.

Männer ohne Schatten?

Dass solche eines Tages, wie soll ich sagen, mein Untergang sein würden.

Sie stützte ihre wulstigen Arme auf den Tisch.

Ist natürlich nie eingetreten.

Warum hat sie dir das erzählt?

Was weiß ich.

Ein Stückchen Lachs klebte an ihrem Kinn. Ich wies sie nicht darauf hin.

Vielleicht hat Kurt eine Idee, sagte ich.

Wenn ich dir einen Rat geben darf, sagte sie, ertastete das Lachsstückchen und ließ es zwischen ihren Lippen verschwinden, frag ihn lieber nicht. Die Geschichte hat ihm immer mehr Angst gemacht, als er sich anmerken ließ.

Ich dachte ans ›Magic Kingdom‹.

Auf meinem Teller schwamm das Eigelb. Ich hatte keinen Appetit mehr.

Da setzte sich Alexander neben mich. Er hatte die Kapuze über den Kopf gezogen, sodass ich von der Seite nur die Spitze seines Kinns und seiner Nase sehen konnte. Tante Ava trug einen leeren Teller zum Buffet. Alexander löffelte seine Cornflakes, als wüsste er nicht, ob er jemals wieder etwas zu essen bekommen würde.

Guten Morgen, sagte ich.

Er entnahm der Kängurutasche seines Kapuzenpullis einen Gameboy und schaltete ihn an. Beim Spielen bewegte er seinen ganzen Körper mit.

Fühlst du dich besser?, fragte ich.

Er schmiss den Gameboy auf den Boden. Ich rückte vom Tisch weg. Als ihm klar wurde, was er getan hatte, zog er sich die Kapuze ins Gesicht.

Du hast uns einen ziemlichen Schrecken eingejagt, sagte ich.

Genau das wollte er ja.

Meine Mutter stand am Eingang zur Bar. Sie trug eine eng sitzende dunkelblaue Hose und ein orangefarbenes Oberteil. Ihr mattkupfernes Haar hatte sie zu einem Zopf geflochten. In einer Hand hielt sie ›Infinite Jest‹.

Ich hob den Gameboy und die herausgefallenen Batterien auf

und legte sie neben Alexanders Cornflakesschüssel. Er wich meinem Blick aus. Seine Augen waren in ständiger Bewegung, als verfolgte er den Flug eines Insekts.

War alles ein bisschen viel für dich, hm?, sagte meine Mutter zu ihm. Warum gehst du nicht zu Ava und sagst ihr –

Was soll er mir sagen, Margot?

Der Tisch zitterte, als meine Tante sich wieder in ihren Stuhl fallen ließ. Auf ihrem Teller ein Gebilde aus Marmorkuchen und Schlagsahne.

Dass du dich besser um ihn kümmern musst, sagte meine - Mutter.

Tante Ava atmete einmal tief durch.

Weißt du was, Margot? Ich glaube, das geht dich nichts an.

Meine Mutter nahm ihr Buch in beide Hände. Dein Sohn, sagte sie, braucht eine Mutter.

Zwei Tauben rangelten auf dem Glasdach. Ihre Rufe hallten.

Das weiß ich, sagte Tante Ava. Ich weiß, ich war eine beschissene Mutter.

Gar nicht, sagte Alexander, und sie bedeutete ihm mit einer Handbewegung, ruhig zu sein, ehe sie fortfuhr:

Daran kann ich nichts mehr ändern. Aber ich gebe mir Mühe. Mehr geht eben nicht. Mehr geht nicht, okay?

Okay, sagte meine Mutter, nun etwas freundlicher, und ließ ihr Buch sinken. Ist er noch in Behandlung?

Ich bin übrigens anwesend!, sagte Alexander.

Zweimal die Woche Irrenhaus, sagte meine Tante.

Ava, sagte Alexander.

Was denn!?

Es ist eine *Klinik*.

Es ist ein Ort, an dem sie dir eintrichtern, dass du schwerwiegende Leiden hast – und dafür ein Vermögen verlangen!

Übernimmt das nicht die Versicherung?, fragte meine Mutter.

Leider, sagte Tante Ava, ist die Versicherung meiner Auffassung, dass er die Behandlung nicht braucht.

Das meiste bezahl ich selbst, sagte Alexander.

Fragt sich nur, wie lange noch. Irgendwann werden sogar die Leute in Dölitz kapieren, dass es einfacher ist, im Internet Pornos zu gucken.

Die Erotikabteilung im Laden ist verhältnismäßig überschaubar, sagte Alexander kleinlaut.

Ihr solltet wirklich Kurts Hilfe annehmen, sagte meine Mutter.

Schsch, machte Tante Ava. Wie oft noch! Wir kommen wunderbar allein zurecht, nicht?

Sie rubbelte Alexanders Schulter. Ihre zärtlichste Geste bisher.

Er stand auf und zog sich ins andere Ende der Bar zurück, wo er sich in einem Sessel zusammenrollte.

Was stimmt nicht mit ihm?, fragte ich leise.

Das Übliche, antwortete mein Vater, als er die Bar betrat, Alexander ist ein Salz. Wie wir alle.

Im selben Moment setzte draußen die Deutschlandhymne ein und wurde über Lautsprecher in die Stadt gepumpt. Mein Vater gab meiner Mutter einen Kuss und gesellte sich zu Tante Ava und mir an den Tisch. Sie aber verharrte auf der Stelle.

Habe etwas oben vergessen, sagte sie und verschwand.

Mein Vater und ich wussten, sie würde nicht zum Frühstück zurückkommen. Zu viel Deutschland und Familie Salz zu früh am Morgen für ihren Geschmack.

Kurt, sagte Tante Ava, da er meiner Mutter lange nachsah, sei doch mal eine Stunde lang nur du. Ohne Helm und ohne Gurt, einfach Kurt.

Fällt mir schwer, sagte er.

Wegen des *Hotels*, sagte sie.

Mein Vater blinzelte.

Es hat was von einem niederen Gott, einem Provinzgott, finde ich, sagte Tante Ava und deutete um sich. Es weiß über alles Bescheid, was hier passiert ist. Es kennt Seiten der Menschen, die sonst niemand kennt. Und damit mein ich nicht nur, dass es sie nackt gesehen hat. Es weiß, was in ihnen steckt. Was sie nur rauslassen, wenn sie denken, dass sie allein sind – manchmal frage ich mich, was es uns über Lola erzählen könnte.

Mein Vater sah mich an, als er sagte: Joseph Roth hat nach einem Besuch hier einmal geschrieben: *Der Blick, mit dem mich der Portier begrüßt, …*

… ist mehr als eine väterliche Umarmung. Tante Ava schlug sich aufs Knie. So ein Krampf! Der Joseph muss einen üblen Vater gehabt haben.

Er war geisteskrank, sagte mein Vater und blickte hoch zu den Tauben, die nun hintereinander im Kreis liefen.

Bereust du, dass du das *Hotel* verkauft hast?, fragte sie.

Nein, sagte er, etwas zu schnell, ich bin heilfroh.

Sie hätte dich nicht hintergehen sollen, sagte sie.

Er räusperte sich.

Lola war nie gut darin, uns so zu sehen, wie wir waren, sagte Tante Ava. Ich glaube, sie sah immer etwas in uns, das nicht dort war.

Außerdem, sagte er, als wollte er ihre Worte mit neuen verdrängen, wie viel Arbeit das gewesen wäre. Und die Kosten für die Sanierung! Das hätten wir unser Lebtag nicht erwirtschaftet.

Du findest es nicht mal ein kleines bisschen schade?, fragte meine Tante.

Nein, sagte er bestimmt.

Sie tätschelte seine Hand. Hast recht, wäre bestimmt nicht gut gegangen.

Eben.

Sie ließ ihre Hand auf seiner liegen.

Bisher war mein Eindruck gewesen, beide hätten, obwohl sie Geschwister waren, nichts gemein. Aber ihr Blick, mit dem sie sich nun umsahen und den Fürstenhof abtasteten, dieser verletzte, sehnsuchtsvolle Blick, war identisch.

*

Als wir Lolas Nachlass sichteten, erklärte mein Vater, ohne irgendwen damit zu überraschen, dass er keine der Habseligkeiten besitzen wolle und sie allesamt seiner Schwester überlasse – darunter eine massive Marienbüste aus Holz (Kirchen-Raubgut aus einem der Weltkriege, erworben in einem Antiquariat), eingerissene Poster einer Münchner Dalí-Ausstellung, ein mottenzerfressener Steiff-Hund, eine Schildpattgarnitur, ihre Schallplatten- und Büchersammlung sowie ein Ölgemälde von Unbekannt: ein Zelt nahe eines Kartoffelackers, aus dem drei Soldaten kamen. Etwas stimmte nicht mit dem Bild. Als ich genauer hinsah, erkannte ich, was: Der Soldat mit der wuchtigsten Statur besaß keinen Schatten.

Der Plastikchristbaum landete beim Sperrmüll.

Noch am selben Tag beging der Geschäftsführer des Hotels das Zimmer, in Begleitung eines Innenarchitekten, um die anstehende Renovierung zu besprechen. Mit Lolas Ableben war der letzte Anspruch der Familie Salz auf den Fürstenhof erloschen. Er war jetzt kein Zuhause mehr. Nur noch ein Hotel.

*

Die Beisetzung fand am Nachmittag statt. Es war meine erste. Aber so vieles daran kam mir bekannt vor. Der polierte Sarg. Das Schweigen. Die leiernde Stimme des Pfarrers beim Gebet. Die Blumenkränze. Das quadratische Erdloch.

Leipzig.doc

Die Schatten der Angehörigen waren heller als deren Kleidung. Keiner wusste, wohin mit den Händen und Blicken.

Außer meinen Eltern, Tante Ava, Alexander und mir kam niemand. Bestimmt hatte Lola, als Hoteliersstochter und Schauspielerin, früher viele Freunde und Bekannte gehabt. Aber sie war zu alt. All die Weggefährten lebten schon lange nicht mehr.

Meine Mutter legte einen Arm um meinen Vater, der stumm geradeaus blickte, als versuche er, etwas in der Ferne zu erkennen.

Alexander guckte immer wieder auf sein Smartphone.

Ich stand im Schatten eines Baumes und stellte mir vor, das sei meiner.

Tante Ava blieb mir in besonderer Erinnerung. Wo hatte sie plötzlich dieses lange, hochgeschlossene, dieses charmante Kleid her? Ich musste immer wieder zu ihr sehen. Ich konnte nicht glauben, wie schön sie aussah. Sie nahm kurze Schlucke aus einem Flachmann und blieb später am Grab zurück, sodass, als das Taxi kam, meine Eltern mich schickten, sie zu holen. Tante Ava saß im Gras vor dem Loch in der Erde.

Ich wollte sie nur einmal sprechen, wenigstens einmal, sagte sie. Jetzt ist sie mir entwischt. Als Mutti ins Koma gefallen war, hatten wir uns vierunddreißig Jahre lang nicht gesehen. Vierunddreißig! Ich bin sofort nach Leipzig gekommen, als ich von ihrem Sturz erfuhr. Es gab Sachen, die ich ihr hatte sagen wollen. Ich hatte gehofft, ich müsste einfach warten, nur eine Zeit lang warten, bis sie aufwacht.

*

Nach der Beerdigung reisten wir ab.

Als wir den Fürstenhof mit unserem Gepäck verließen, drehten sich meine Eltern kein einziges Mal um. Die Hände meines Vaters zitterten. Ich fragte ihn, ob alles in Ordnung sei, und er schüttelte

Leipzig.doc

den Kopf. Da umarmte ich ihn, und er drückte mich an sich. So fest, dass es wehtat. Das war der Moment, in dem ich mich entschloss, ihn niemals nach Lola und ihrer Schattengeschichte zu fragen. Ich wollte ihn nicht erinnern. Ich wollte ihm keine Angst machen.

*

Seit unserer Reise nach Leipzig habe ich Tante Ava und Alexander nicht mehr gesehen. Sie leben noch immer dort. Manchmal schickt mein Cousin mir ein paar Zeilen, will wissen, wie es mir geht. Ich schreibe ihm meist zurück. Wenn auch mit Verzögerung und ohne ihm die gleiche Frage zu stellen, um seinen ausführlichen Antworten vorzubeugen. Einmal pro Jahr, normalerweise um Weihnachten herum, kommt die Idee auf, meine Tante und mein Cousin könnten uns in Delhi besuchen. Aber das wird nie passieren. Ihnen wie uns ist bewusst, dass sie nicht wirklich anreisen und wir sie nicht wirklich hierhaben wollen. Bloß, weil wir verwandt sind, müssen wir nicht so tun, als wären wir eine Familie. Lola, unsere letzte Verbindung zueinander, ist gestorben. Zwei Mal. Ihr Leben verblasst mit jeder weiteren Stunde, Minute, Sekunde. Wie eine Eisscholle driftet sie davon, löst sich auf. Wir sind nie wieder nach Leipzig, nicht einmal nach Deutschland gereist und besitzen keine Fotos oder Dokumente von ihr. Wenn es meine Eltern, Tante Ava und Alexander irgendwann einmal nicht mehr gibt, werde ich die letzte Salz sein, die etwas von ihr erzählen kann. Und was weiß ich schon? Dass sie in einem Luxushotel aufgewachsen ist, Schauspielerin war, zwei Kinder hatte und Weihnachten mochte. Wie kann von einem hundertzehnjährigen Leben so wenig übrig bleiben? Spätestens mit meinem Tod wird Lola ein drittes Mal sterben. Nicht einmal ihr Nachname wird überdauern. Es wird sein, als hätte sie nie existiert.

Leipzig.doc

Tante Ava hatte recht: Wir denken, wir verstehen etwas und immer mehr. Aber eigentlich haben wir nichts verstanden. Wir glauben, Zusammenhänge zu erkennen, uns zu entwickeln, besser zu sein als jemals zuvor – und tappen damit in die gefährlichste aller Fallen: Wir verwechseln Glauben mit Wissen.

Ich möchte hinzufügen: Wir müssen uns daran erinnern, dass wir nichts wissen. Es gibt keinen Fortschritt, wir können uns noch so sehr bemühen, heute für morgen auf dem von gestern aufzubauen, letztes Endes beginnen wir immer wieder von vorn.

Das weiß ich, spätestens seitdem ich Mutter bin. Tara, Professor Jains und meine Tochter, feiert bald ihren fünften Geburtstag, aber schon vor Monaten habe ich zu meiner Erleichterung festgestellt, dass sie ihren Schatten sehen kann. Ich glaube nicht, dass ich ihr jemals von meiner Schattenblindheit erzählen werde. Wozu auch? Letztendlich ist ein Schatten doch nicht mehr als das Gebiet hinter einem beleuchteten Körper, in das kaum Licht eindringt. Tara hat mir geholfen, meine Schattenblindheit als etwas noch Nebensächlicheres zu betrachten. Zwar erinnert mich weiterhin jedes bisschen Licht daran, dass mir etwas fehlt, das jeder sonst besitzt. Aber ich halte mich nicht länger für eine Ausnahme. Weil ich es nicht bin. Das macht mir Tara tagtäglich bewusst. Man kann keine gute Mutter sein, wenn man sich einbildet, man sei seltener oder besser als alle anderen. Tara zuliebe bin ich an einem Ort geblieben, in Delhi. Vielleicht nicht der beste, um ein Kind großzuziehen, aber auch nicht schlechter als die meisten. Hier beginnen wir von vorn. Welche Stadt wäre dafür besser geeignet als Delhi, das keinen Tag dem anderen gleichen lässt.

*

Heute zwang uns der Monsun bei einem Spaziergang in den Lodi-Gärten, im Mausoleum Schutz zu suchen – und ich mache mir nichts vor, ich bin mir bewusst, dass ich in dem alten Gemäuer nicht nur vor Regen Schutz gesucht habe. Dort konnte ich wenigstens für ein paar Augenblicke vergessen, dass ich morgen wieder zur Strahlentherapie muss. Tara unterstützte mich darin: Sie kreischte vergnügt und erfreute sich am Hall ihrer hellen Stimme, mit dem sie Fledermäuse und Papageien aufscheuchte. Und ich erfreute mich an ihr. Es war so befreiend, einmal etwas zu tun, das nicht in direkter Verbindung mit meinem Tumor stand. Er ist nämlich einer von den hartnäckigen.

Das lässt mich in letzter Zeit oft an Lolas Verschwinden denken. Ich tippe all das einhändig, weil der Tumor nicht zulässt, dass ich meinen linken Arm hebe. Ich stecke meine Angst in eine Datei mit dem unschuldigen Namen ›Leipzig.doc‹. Dabei ist mir klar, dass die Stunden, nachts, in denen ich sie wieder und wieder lese, hoch- und runterscrolle, nur eine vorübergehende und sinnlose Flucht sind wie die ins Mausoleum.

Dennoch glaube ich, dass mein erster Tod noch in weiter Ferne liegt. Ich werde den Krebs besiegen. Meine Mutter sagt zu Recht: Er hat ja keine Ahnung, mit wem er sich angelegt hat. Ich bin eine Salz!

Und selbst wenn ich wollte, ich kann noch nicht sterben. Meine Tochter braucht mich.

Heute, im Mausoleum, hielt Tara mit einem Mal inne und deutete auf eine Stelle neben mir. Sofort war mir klar: Dort musste mein Schatten sein. Tara ging in die Hocke und beugte sich vorsichtig über ihn. Sie legte den Kopf schief, als würde sie horchen, und dann sah sie mich an, neugierig, verhalten, misstrauisch, und fragte mit größter Zuversicht etwas, das sie noch nie gefragt hat, formulierte einen, wie ich finde, für eine Viereinhalbjährige beunruhigend erstaunlichen Satz, sie fragte: Wie heißt dein Schatten?

Leipzig.doc

Ich hätte daraus ein Spiel machen, mir etwas für sie ausdenken können, aber ich sagte ihr lieber die Wahrheit: Schatten haben keinen Namen.

TARA JAIN

2027

ALLES GUTE ZUM GEBURTSTAG, MAMA! ICH HAB DIR EIN GESCHENK
MITGEBRACHT. ES IST AUF DER NÄCHSTEN SEITE. SCHAU:

DU DENKST, DAS IST NUR EINE WEISSE SEITE? DAS IST VIEL MEHR! DU
MUSST GENAU HINSEHEN. WAS KANN MAN AUF EINER WEISSEN
SEITE AM BESTEN SEHEN?

RICHTIG, EINEN SCHATTEN! JETZT HAST DU ENDLICH AUCH EINEN.
ICH WEISS, DAS IST EIGENTLICH MEINER. ABER OMA SAGT, ICH SEHE
SEHR WIE DU AUS. ALSO SIEHT ER AUCH EIN BISSCHEN AUS WIE DEIN
SCHATTEN. GEFÄLLT ER DIR? ICH HOFFE, ER GEFÄLLT DIR.

ES TUT MIR NUR LEID, DASS ICH IHN DIR NICHT DIE GANZE ZEIT
GEBEN KANN. ICH MUSS IHN WIEDER MITNEHMEN, WENN ICH HEIM-
GEHE. ABER ICH BRINGE IHN DIR SCHON MORGEN WIEDER.

AUCH WENN PAPA NICHT WILL, DASS ICH SO VIEL BEI DIR BIN. ER
SAGT, ICH SOLL MIT RAGHAV ODER CHANDRAHAS ODER MOHITA
SPIELEN. ABER RAGHAV ODER CHANDRAHAS ODER MOHITA SPIELEN
NICHT SO GERN MIT MIR, WEIL ICH IMMER NACH JAHANPANAH
GEHEN WILL. SIE FINDEN FRIEDHÖFE UNHEIMLICH. SIE SIND
GENAUSO ALT WIE ICH, ABER IRGENDWIE SIND SIE VIEL JÜNGER.
MANCHMAL DENKE ICH, DASS ICH EIGENTLICH SCHON ELF ODER
SOGAR ZWÖLF SEIN MUSS. ABER PAPA SAGT, ICH BIN ERST NEUN
UND DARF DARUM NICHT ALLEIN NACH JAHANPANAH GEHEN.
DABEI GEHE ICH JA NIE ALLEIN. RANJIT KOMMT IMMER MIT.

DASS ICH DIR MEINEN SCHATTEN SCHENKE, WAR SEINE IDEE. PAPA
SAGT, ICH SOLL DIR NICHTS SCHENKEN, WEIL DU NICHT MEHR LEBST.
ABER RANJIT SAGT, DASS EIGENTLICH NIEMAND SO RICHTIG TOT
SEIN KANN. DU KANNST VIELLEICHT STERBEN. ABER DU KANNST NIE
GANZ TOT SEIN. DU BIST JA NOCH IN SO VIELEN MENSCHEN UND
DINGEN DRIN. WENN JEMAND DEINEN NAMEN SAGT, DANN BIST DU
IN DEM MOMENT AM LEBEN, UND WENN JEMAND EIN BILD ODER EIN
VIDEO MIT DIR ANGUCKT, SO WIE ICH, DANN BIST DU SOGAR NOCH
MEHR AM LEBEN, UND WENN JEMAND LACHT ODER WEINT, WEIL ER
AN DICH DENKT, SO WIE PAPA ODER OMA ODER ICH, DANN BIST DU
SO SEHR AM LEBEN, DASS DU SCHON WIEDER WENIGER TOT BIST.
RANJIT SAGT, MAN KANN NATÜRLICH AUCH JEMANDEN TÖTEN, DER

SCHON TOT IST. MAN MUSS SICH NUR GANZ FEST DARAUF KONZEN-
TRIEREN, DASS MAN NICHT AN IHN DENKT, UND MAN MUSS ALLEN
ANDEREN VERBIETEN, AN IHN ZU DENKEN. DAS IST DANN FAST WIE
MORD. NUR ERLAUBT.

ICH GLAUBE, MANCHMAL VERSUCHT PAPA, DICH ZU ERMORDEN.
DAS MEINT ER NICHT BÖSE. ER IST HALT TRAURIG. NUR IST PAPA
NICHT NORMAL TRAURIG WIE ICH. MANCHMAL IST ER VOLL VIEL
TRAURIG, WIE WENN MAN GAR NICHT MEHR KAPIERT, DASS MAN
DIE GANZE ZEIT TRAURIG IST.

ABER IN MEINEM KOPF BIST DU GANZ. DU KANNST NOCH IMMER
AN DER JNU STUDIEREN, WEIL PAPA SICH DAS SO GEWÜNSCHT HAT,
UND DU KANNST NOCH IMMER MIT MIR AUF DEM SAROJINI MARKET
EINKAUFEN UND IM IIC DICED EGGPLANT WITH HOT GARLIC SAUCE
ESSEN UND DIE GREIFVÖGEL ÜBER DELHI MIT DEM FERNGLAS ZÄH-
LEN UND MICH SOGAR IM MONSUN MIT DEM AUTO VON DER BRITISH
SCHOOL ABHOLEN, WEIL ICH DIR SO WICHTIG BIN.

PAPA SAGT, ICH WAR DIR WICHTIG. ABER DAS IST OKAY. ICH GLAUBE,
IN SEINEM KOPF BIST DU NICHT SO GANZ WIE IN MEINEM. ICH
WÜRDE IHN GERN IN MEINEN KOPF REINGUCKEN LASSEN.

NUR NICHT, WENN ICH NACHTS AUFWACHE, WEIL ICH VON DIR
TRÄUME, WIE DU GANZ AM SCHLUSS WARST, ALS DEIN KREBS SO
GROSS WIE EINE MANGO WAR. DANN SCHREIE ICH, UND PAPA
KOMMT IN MEIN ZIMMER GELAUFEN UND PUSTET LUFT AUF MEINEN
KOPF, UND ALLE GEMEINEN TRÄUME FLIEGEN WEG. WO KOMMEN
DIE HER? HOFFENTLICH NICHT AUS MEINEM KOPF.

MANCHMAL PASSIERT ES DANN, DASS ICH NICHT MEHR SCHLAFEN
KANN UND DU NICHT ZURÜCK IN MEINEN KOPF KOMMST. AUCH
WENN ICH RICHTIG LANG WARTE. DAS MACHT MIR EIN GANZ
FURCHTBAR SCHLIMMES GEFÜHL. ICH DRÜCKE DANN DIE AUGEN
FEST ZU. MIT MEINEN AUGEN ZU SEHE ICH DICH AM BESTEN.

OFT HILFT MIR AUCH OMA DABEI. WENN SIE VON DIR ERZÄHLT,
KOMMST DU VIEL SCHNELLER IN MEINEN KOPF. ICH WÜRDE IHR

GERN VON OPA ERZÄHLEN, DAMIT ER AUCH SCHNELLER IN IHREN
KOPF KOMMT. NUR KANN ICH MICH NICHT SO GUT AN IHN ERIN-
NERN. OMA SAGT, DAS IST NICHT SCHLIMM. SIE REDET JETZT NUR
NOCH AUF DEUTSCH MIT MIR. WENN SIE VON DIR REDET, HÖRT
SICH DAS SO SCHÖN AN, WIE WENN SIE MIR WAS VORLIEST.
SIE HAT MIR DEINEN LAPTOP GESCHENKT. ER IST SEHR ALT. WENN ER
AN IST, BRUMMT ER WIE DER HUNGRIGE HUND VON DER STRASSE,
DER NACHTS AUF PAPAS AUTO SCHLÄFT. ICH ÖFFNE ALLE ORDNER
UND ALLE DATEIEN, DIE ICH FINDEN KANN. ICH LESE DEINE STEUER-
SACHEN UND DEINE ARZTRECHNUNGEN UND DEINE BRIEFE AN DIE
VERSICHERUNG, WEIL DIE ERST DEINE BEHANDLUNG NICHT ZAHLEN
WOLLTEN. ALLES LESE ICH. DAS SIND WORTE VON DIR, KLEINE TEILE
VON DIR, DIE ICH NOCH NICHT KENNE. JEDES DAVON MACHT DICH
EIN BISSCHEN MEHR AM LEBEN. GANZ BESONDERS LEIPZIG.DOC.
OMA SAGT, DU HAST LEIPZIG.DOC WEGEN DEINEM KREBS GESCHRIE-
BEN. DU WARST DEPRIMIERT, SAGT OMA. DAS IST, WENN MAN KEINE
LUST HAT, MORGENS AUFZUSTEHEN ODER ZU ESSEN ODER MEN-
SCHEN ZU SEHEN.
WENN ICH DARAN DENKE, DASS DU MICH NIE MEHR IM MONSUM
MIT DEM AUTO VON DER BRITISH SCHOOL ABHOLEN WIRST, WERDE
ICH AUCH OFT DEPRIMIERT.
ABER LEIPZIG.DOC MACHT MIR EIN GEFÜHL, WIE WENN DU GANZ
NAH BIST. DU HAST DA GESCHRIEBEN, WIE DU EINMAL IN LEIPZIG
WARST, WEIL DEINE OMA GESTORBEN WAR. UND DASS DU DEINEN
SCHATTEN NICHT SEHEN KANNST. DAS IST WAS GANZ SELTENES.
WARUM HAST DU MIR DAS NICHT ERZÄHLT?
ICH HABE OMA GEFRAGT, WARUM DU DEINEN SCHATTEN NICHT
SEHEN KANNST, UND SIE HAT GESAGT, DARÜBER MÖCHTE SIE LIEBER
NICHT SPRECHEN. DARUM HAB ICH SIE GANZ OFT GEFRAGT. BIS SIE
IRGENDWANN GESAGT HAT: ALSO GUT.
JETZT WEISS ICH, DASS DU FRÜHER VIEL MIT DEINEM SCHATTEN GE-
REDET HAST. DA WARST DU NOCH VIEL KLEINER ALS ICH. DU HAST

VIEL LIEBER ZEIT MIT IHM VERBRACHT ALS MIT ANDEREN KINDERN. OMA FAND DAS NICHT SO SCHLIMM. ABER OPA SCHON. ES HAT IHM ANGST GEMACHT. RICHTIG VIEL ANGST. ER HAT DICH ZU EINEM DOKTOR GEBRACHT, DER VIELE MALE UND LANGE MIT DIR REDEN MUSSTE.

DANACH WAR DEIN SCHATTEN NICHT MEHR DA. DER DOKTOR HAT DIR DEINEN SCHATTEN WEGGENOMMEN.

DARAN HAST DU DICH SPÄTER NICHT ERINNERT. WEIL DAS SEHR, SEHR HART WAR FÜR DICH. ALS BELOHNUNG SIND OMA UND OPA DANACH MIT DIR NACH DISNEY WORLD GEFAHREN.

OMA SAGT, ES TUT IHR LEID, DASS SIE DIR NIE DIE WAHRHEIT GESAGT HAT. SIE HATTE OPA VERSPROCHEN, DIR NICHTS ZU ERZÄHLEN. DAS WAR OPA WICHTIG.

UND OMA GLAUBT AUCH, DU KANNST DEINEN SCHATTEN NICHT MEHR ZURÜCKKRIEGEN, WEIL JA KEINER WEISS, WO ER HEUTE IST. ABER VIELLEICHT KANN ICH DIR HELFEN. ICH WILL DEINEN SCHATTEN FÜR DICH ZURÜCKKRIEGEN. ICH WEISS AUCH SCHON, WO ICH SUCHEN MUSS. IN DEUTSCHLAND.

ES GIBT NÄMLICH OPA NICHT MEHR UND SEINE SCHWESTER AVA NICHT MEHR UND DEINE OMA LOLA NICHT MEHR. ABER ES GIBT NOCH DEN ONKEL ALEXANDER. DEN MUSS ICH FINDEN, SAGT RAN-JIT. ER KANN MIR VIELLEICHT VERRATEN, WO DEIN SCHATTEN IST. NUR DARF ICH DAS NIEMANDEM SAGEN. NICHT MAL PAPA. DARUM SCHREIBE ICH ALLES AUF.

MEINE BUCHSTABEN SIND ALLE GROSS. DAMIT DU SIE GUT LESEN KANNST. WEIL DEIN KREBS JA SOGAR IN DEINE AUGEN GEGANGEN IST UND DIR DAS LESEN UND SCHREIBEN SO SCHWER MACHT. OMA SAGT, DU HAST ALLE DEINE WORTE IN LEIPZIG.DOC MIT EINER HAND GESCHRIEBEN, DEIN KREBS HAT DIR NICHT ERLAUBT, DEINEN LINKEN ARM ZU BENUTZEN.

UND WEISST DU WAS? ICH BENUTZE MEINEN LINKEN ARM BEIM SCHREIBEN AUCH NICHT! ABER NICHT, WEIL ICH EINEN KREBS HABE.

ICH BENUTZE NUR MEINEN RECHTEN ARM, WEIL ICH MIT DER HAND
SCHREIBE.

ICH SCHREIBE NUR MIT BLEISTIFT, WEIL DAS BEIM SCHREIBEN EIN
GERÄUSCH MACHT. DAS FÜHLT SICH AN, WIE WENN MICH JEMAND
AN GENAU DER RICHTIGEN STELLE KRATZT. EIN KUGELSCHREIBER IST
SO LEISE, DASS ICH BEIM SCHREIBEN MANCHMAL FAST VERGESSE,
DASS ICH SCHREIBE.

NIEMAND SOLL DAS HIER LESEN. AUSSER DIR. DARUM SCHREIBE ICH
AUF DEUTSCH. DAS KANN NICHT EINMAL PAPA VERSTEHEN. UND
OMA KANN OHNE BRILLE GAR NICHTS LESEN. NICHT EINMAL DIE
SCHILDER AUF DER STRASSE ODER MEINE GROSSEN BUCHSTABEN.
ALSO KANNST NUR DU LESEN, WAS ICH SCHREIBE. ES IST UNSERE
GEHEIMSCHRIFT. SOGAR RANJIT KANN SIE NICHT LESEN. UND SELBST
WENN ER SIE LESEN KÖNNTE, WÜRDE ER DAS NIEMALS TUN.

RANJIT IST MEIN BESTER FREUND. RAGHAV UND CHANDRAHAS UND
MOHITA SAGEN, RANJIT GIBT ES NICHT. PAPA SAGT, RANJIT GIBT ES
NICHT. OMA SAGT DAS AUCH.

ABER RANJIT SAGT, DASS ES IHN GIBT. ER SAGT, NUR WEIL MAN -
MANCHE DINGE NICHT SEHEN KANN, HEISST DAS NICHT, DASS SIE
NICHT DA SIND. ER MEINT DAMIT WIND, RADIOAKTIVE STRAHLEN,
BAKTERIEN IN NIMBU PANI UND SICH SELBST. UND WENN ES IHN
NICHT GIBT, WOHER WEISS ICH DANN, WIE ER HEISST? UND WIE
KANN ICH IHN DANN NACHTS AUF DEM BALKON TREFFEN UND
IHM BEIM TANZEN ZUSEHEN?

RANJIT HAT MIR VERSPROCHEN, DASS ER IMMER UND ÜBERALL BEI
MIR SEIN WIRD. AUCH IN DEUTSCHLAND. DA GEHE ICH BALD HIN. ICH
WEISS NOCH NICHT WIE, ABER ICH GEHE HIN. OMA UND PAPA UND
KEINER IN DER BRITISH SCHOOL DARF DAS WISSEN.

DU MUSST KEINE ANGST HABEN, MAMA. ICH LASS DICH NUR KURZ
ALLEIN UND KOMM GANZ SCHNELL WIEDER. UND DANN BRING ICH
DIR DEINEN SCHATTEN.

NACHWORT

Leser fragen sich (und den Autor) oft, ob das, was in einem Buch steht, wirklich passiert ist. Als mein dritter Roman erschien, wurde mir diese Frage mehr als jemals zuvor gestellt. Immer wieder hieß es: »Wie viel davon ist wahr?«

Ich wusste nicht, was ich darauf antworten sollte.

Für mich sind gute Geschichten immer wahr. Wären sie das nicht, würde ich mir nicht die Mühe machen, sie zu lesen oder zu schreiben.

Aber gleichzeitig war mir bewusst, dass die Frage eigentlich auf etwas anderes abzielte: Die Leute wollten wissen, ob alles, was im Buch geschieht, auch so geschehen ist.

Es wird allgemein als positiv gedeutet, wenn Ereignisse in einer Geschichte auf Ereignissen aus der Wirklichkeit basieren. Nicht umsonst wird diese Information so vielen Werken vorangestellt. Es erleichtert wohl den Zugang zur Geschichte, weil es ihr den Anschein verleiht, sie habe etwas mit dem Leben um uns herum zu tun. Niemand dagegen bewirbt seine Geschichte mit dem Hinweis: »Diese Geschichte ist frei erfunden«.

Dabei sind alle Geschichten fiktional. Manche bewegen sich näher an der Realität, andere entfernen sich weiter davon. Aber sie alle sind erfunden. Die Frage nach der Authentizität basiert auf der Annahme, dass man die Wirklichkeit abbilden kann – ein Ding der Unmöglichkeit.

Ein Text ist letzten Endes immer ein Text. Er kann gar nicht anders, er bleibt fiktional. Selbst wenn er behauptet, genau das nicht zu sein. Sogar Zeitungsartikel, Sachbücher, Berichte, Essays sind fiktional. Autoren lenken den Leser in eine bestimmte Richtung. Sie lassen vieles weg, was ihnen für ihren Zweck nicht nötig erscheint, und sie unterschlagen Informationen, nicht selten, ohne sich dessen bewusst zu sein. Kein Text kann die Wirklichkeit ganz wiedergeben. Die meisten Autoren (zu denen gehöre ich ebenfalls) versuchen es, müssen es versuchen, und scheitern. Wie soll es auch gelingen, da wir alle doch niemals die ganze Wirklichkeit wahrnehmen können. Dieses Verhältnis der Wirklichkeit zum Text gehört zu den großen Konflikten des Erzählens.

Aber das Schreiben von ›Die unsterbliche Familie Salz‹ war eine besondere Erfahrung für mich. Denn ich glaube, dass Teile davon deutlich die Wirklichkeit wiedergeben, gerade weil sie frei erfunden sind.

Meine Großmutter verfasste Anfang der Fünfzigerjahre eine Kolumne für eine deutsche Zeitung über ihre Flucht durch Deutschland in den letzten Kriegsmonaten. Als ich die Kolumne las, war ich so angetan davon, dass ich sie unbedingt für den Roman verwenden wollte. Aber ich hatte ein Problem. Irgendetwas fehlte ihrem Text. Mir wurde erst nach einer Weile bewusst, was genau das war: Er las sich eher wie eine Abenteuergeschichte als eine wirklichkeitsnahe Darstellung der Erlebnisse meiner Großmutter. Immerzu kamen Menschen in ihrer Geschichte vor, die halfen, die freundlich und gütig waren, die nichts mit den Nazis zu tun haben wollten. Auch beschrieb meine Großmutter keinen einzigen Toten.

Ich weiß nicht, was sie zu dieser Entscheidung getrieben hat. Vielleicht hat der Redakteur ihrer Zeitung ihr nahegelegt, sich auf das Positive zu konzentrieren. Oder vielleicht setzte sie voraus, dass ihre Leser die grausamen Aspekte des Krieges mit Selbsterlebtem ergänzen würden. Oder vielleicht hat sie böse Erfahrungen verdrängt. Ich werde das nie mit Sicherheit sagen können.

Aber wenn man den Text heute, im 21. Jahrhundert und mehr als siebzig Jahre nach Kriegsende, liest, bekommt man den Eindruck, sie beschönige die damaligen Ereignisse.

Deshalb schrieb ich die Geschichte meiner Großmutter um. Ich brachte all die schlimmen Dinge aus der Kriegszeit zurück in ihre Geschichte, ließ die Hauptfigur Lola (die auf meiner Großmutter basiert) Furchtbares durchleben. Das Ergebnis: das zweite Kapitel in ›Die unsterbliche Familie Salz‹. Das Seltsame daran: Als ich fertig war, schien mir die Geschichte mit einem Mal näher an der Wirklichkeit zu sein als die Vorlage meiner Großmutter. Obwohl sie von jemandem geschrieben wurde, der damals noch nicht einmal auf der Welt war.

Andere Passagen im Buch beziehen sich ebenfalls auf meine eigene Familiengeschichte: Mein Urgroßvater war tatsächlich einst Pächter des berühmten Löwenbräukellers in München und führte später das renommierte Hotel Fürstenhof in Leipzig. Meine Familie verlor das Hotel tatsächlich als er starb und die DDR es sich einverleibte. Und meine Familie gewann es tatsächlich zurück (und verkaufte es), nachdem die deutsche Wiedervereinigung stattgefunden hatte. All diese Entwicklungen basieren auf der Wirklichkeit. Aber sie stellen nur die groben Bewegungen dieser Familie dar.

Die Geschichte von Lola, die mit ihren zwei kleinen Kindern durch das kriegszerrüttete Deutschland flüchtet, leuchtet für mich aber deutlich wahrhaftiger als alles andere in diesem Buch.

In einer Zeit, in der wir uns jeden Tag mit neuen, erschütternden Fluchtgeschichten auf der ganzen Welt auseinandersetzen müssen, bedeutet mir Lolas Flucht deshalb am meisten. Sie lässt nicht nur die Vergangenheit Wirklichkeit werden, sondern auch unsere Gegenwart.

Christopher Kloeble im dtv

»Lockerer bis frecher Ton, drastisch-surreale Szenerien,
die im Gedächtnis bleiben.«
Karin Klis in ›Neues Deutschland‹

Unter Einzelgängern
Roman
ISBN 978-3-423-14278-6

Erich, der Vater, beginnt zu
joggen, Katrin, die Tochter,
beginnt zu lieben und Simon
beginnt zu schreiben – nach
dem tödlichen Unfall der
Mutter. Ihr Tod stellt allen die
Frage neu: Was ist heute eine
Familie, wer gehört eigentlich
dazu?

Wenn es klopft
Erzählungen · dtv premium
ISBN 978-3-423-24720-7

Was geschieht, wenn es
klopft? Kloeble erzählt von
jungen Erwachsenen, deren
Leben sich plötzlich verändert. Ein Schrei ertönt, die
Mutter bringt ein Geschenk
vorbei, das Fahrrad schlingert,
das Telefon klingelt – und
plötzlich ist alles wieder möglich oder eine Liebe geschei-
tert …

Meistens alles sehr schnell
Roman
ISBN 978-3-423-14381-3

Albert ist neunzehn, wuchs
im Heim auf und kennt seine
Mutter nicht. Sein Leben lang
musste Albert ein Vater für
seinen Vater Fred sein; Fred
ist ein Kind im Rentenalter.
Als sich herausstellt, dass Fred
nur noch fünf Monate zu
leben hat, machen sie sich auf
die Suche nach Alberts
Mutter.

Die unsterbliche Familie Salz
Roman · dtv Hardcover
ISBN 978-3-423-28092-1

Die Geschichte einer höchst
eigenwilligen Familie, in der
sich die Schatten einer
Generation auf die nächste
legen.

Bitte besuchen Sie uns im Internet: www.dtv.de